目　录

第 1 章　将军比首都还要老

那年冬天，老将军搬家了，原先的房子是他从已经获得自由的黑白混血儿沃姆利那里租来的，在I街，如今他搬到了第6街和D街的拐角处，是克吕谢的房子。他的新住处位于一楼，有一间宽敞的卧室，隔壁就是私人饭厅，对于一个行动迟缓、病痛缠身的老人来说特别方便；再者说，包办伙食的法国人克吕谢是华盛顿全城最棒的厨子之一。

尽管快75岁了，而且身体状况越来越糟，但将军依然痴迷于餐桌上的享乐。6点钟的主餐开始之前，他的黑人男仆便会拿出葡萄酒和烈性酒，把酒瓶放在炉火前烘暖。老人在巴黎最好的餐馆里培养出了食不厌精的口味，山鹬、英国鹬、肉鸡、阉鸡和小牛头肉都是他心爱的盘中美味。他也很喜欢帆背潜鸭，以及老家弗吉尼亚的火腿。然而，最对他口味的，莫过于他所说的“淡水龟”。他会侃侃而谈烹制淡水龟的方法：“不要用面粉，先生，一点也不要。”他的军事秘书很熟悉那一幕：他的左肘斜倚在餐桌上，用一把叉子把肉质肥美的乌龟举到高出盘子6英寸的上方，庄严宣布“这是上帝赐予人类的最好美味”，然后赶忙用叉子塞进自己的嘴里。

从事业辉煌的盛年时期起，将军就不仅保持着敏锐的味觉，而且也保持着一些缺点，十分符合他那骄傲而野心勃勃的天性。他一直都很自负、挑剔、多疑、脾气火爆。如今，他的身体再也承受不了伤痛的折磨，他的火爆脾气逐渐减弱为烦躁不安，专横跋扈也衰减为任性固执。然而，他对奉承话的喜爱却与日俱增，他经常宣称，到了他这个年纪，恭维已经成了一种必需品。洗脚的时候，他会要求他的军事秘书点评一下他白皙的四肢。跟大伙儿在一起的时候，他总是讲到历史上一些伟大的指挥官，把自己在齐佩瓦和伦迪巷、在塞罗戈多和查培尔佩戈立下的赫赫战功跟这些人的丰功伟绩相提并论。他的书桌旁边，立着他的大理石胸像，双肩裸露；神态古典而安详，是理想化的。墙上挂着他在不同年龄的肖像，从年纪轻轻的温菲尔德·斯科特将军（那时，他在 1814 年的战斗中打败了英国人），到垂垂老矣的总司令（那时，他在 1848 年打败了墨西哥人）。墙上的这些将军，个个都是引人注目的人物，英俊潇洒，身材修长，英气逼人，一双傲慢的眼睛，一张小小的、盛气凌人的嘴巴。黄金熠熠闪光，在马刺里，在纽扣和刺绣里，在巨大的肩章里，在剑的手柄里——那把剑是弗吉尼亚州送给他的礼物。其中一幅肖像里那顶花里胡哨的三角帽很夺目，插着大量的羽毛，这顶帽子为斯科特赢得了“夸耀者”的绰号。他身高 6 英尺 4. 25 英寸，他总是强调这个小数。但身材臃肿后，他不再说起自己的尺码。他总是指指自己的腰围，然后指指那些肖像，显示自己当年的风采。

这就是 1860 年 12 月的美国陆军总司令，但他的同胞们并不这么看他。他的眼睛里已经不再有火，他再也不能骑马驰骋了，但是，佩戴着巨大的肩章，系着黄色的绶带，他依然是国家英雄。欧洲人可以颂扬拿破仑的天才，而新世界有它的温菲尔德·斯科特。将近半个世纪以来，合众国以他作为军人及和平缔造者的成就而自豪；如果说，他如今生活在光荣的过去，那么，他的同胞们也是如此。他已经成了

斯科特将军

一个象征，成全了这个安于和平、又喜欢吹嘘自己过去多么好战的民族的满足感。将军像一座纪念碑一样庄严堂皇，没有一个人对他的身体状况感到忧虑。

这个年轻国家对欧洲的纷争有一种沾沾自喜的漠然。它鄙视旧世界庞大的常规军，它时刻提防着一个庞大的军事阶层对政治构成的威胁，把高级军官视为对民主自由的威胁，把西点军校看作是贵族阶级赖以产生的温床。除了乔治·华盛顿之外，只有温菲尔德·斯科特拥有陆军中将军衔，而且，国会授予他的这个军衔也只是名誉上的。为了守卫漫长的边境线和打印第安战争，美国维持了一支由 16 000 名士兵组成的正规军，大部分分散在太平洋沿岸、犹他州和西南地区。

小规模的建制给军阶晋升提供的机会十分有限，20 年的戎马生涯中，斯科特对提拔南方军官表现出了明显的偏好。他对来自蓄奴州的绅士们青睐有加，他们的尚武精神，以及他们“服从命令的习惯”，对这个老弗吉尼亚人来说，就像每天仔细阅读里士满的《调查者报》(*Enquirer*) 一样自然。六个军区当中，只有东部军区由北方人约翰·E. 伍尔将军指挥。西部五个军区（陆军的大部分兵力驻扎在西部）全都由南方出生的指挥官领导。斯科特发现，这些“南方无赖”不仅值得嘉奖，而且跟自己志趣相投。他的幕僚当中，唯一的北方副官是他的军事秘书 E. D. 凯斯中校，这个职务最早是由弗吉尼亚人罗伯特·E. 李上校担任。由于国家的政治命运长期以来被各蓄奴州的政治家所控制，因此没有人干涉将军的个人偏好。12 年来，战争部的任命权一直在南方人手里。一个南方小集团统治着陆军，很多雄心勃勃的北方人原本在西点军校的时候就显示出了前途无量——哈勒克、麦克莱伦、胡克、伯恩赛德、谢尔曼、罗斯克兰——他们如今彻底灰心丧气，只好脱去军服，解甲归田。

尽管斯科特将军对南方人有着深厚的感情，但他并不是各州主权的信徒；他对联邦有一种强烈的归属感。在 1852 年的总统选举中，他是奄奄一息的辉格党最后的旗手，被民主党候选人富兰克林·皮尔斯彻底打败了，皮尔斯是一个同情南方的新英格兰人。斯科特有很多时间是在北方度过的，当皮尔斯就职的时候，他把自己的司令部从华盛顿搬到了纽约。此后数年，斯科特一直留在那里，年龄越来越老、身体越来越糟，而北方和南方则愈益激烈地争论奴隶制扩大到各准州的问题，在一场互相指责和彼此仇恨的大合唱中，废奴主义者与那帮玩火者针锋相对。1856 年，由英勇的探险家弗里蒙特率领，反奴隶制的共和党进入了竞选名单。再一次，民主党人詹姆斯·布坎南当选总统；但是，共和党人的踊跃投票，反映了北方人对奴隶制越来越强烈的反感。1860 年的民调显示了灾难性的地区分裂。民主党分裂为两个小集团，各自提名了自己的候选人，到 11 月，共和党人似乎已经胜券在握。10 月份的选举之后，南方各州开始鼓动分裂。南卡罗来纳州威胁，如果共和党候选人亚伯拉罕·林肯当选，它就立即退出联邦。10 月底，斯科特将军写信给总统，陈述了自己的看法。他向布坎南建议，应该增强南方要塞的驻防以防突然袭击，而这正是当年南卡罗来纳州拒绝执行联邦法令期间他给杰克逊总统的建议，当时，斯科特亲自去了查尔斯顿，执行维稳和交涉使命。

然而，如今的斯科特已不再是 1832 年的那个斯科特了。他在信中唠唠叨叨地谈到了和平分离的理由，并提出这样一个建议：国家应该通过分家来解决自己的问题，不是分裂成两半，而是分裂为四个邦联。他发出这封信的一个星期之后，亚伯拉罕·林肯当选美国总统。四天之后，南卡罗来纳为脱离联邦而专门召开了一次代表大会。南方各州出现了疯狂的政治示威，而且，当南方与北方的贸易额下滑时，银行的归还贷款要求使得自由州忘记了它们最近对限制奴隶制的热心，开始灰心丧气。北方的贸易商和制造商面对破产的前景不寒而栗，热衷于作出妥协。有人认为，唯一的办法是允许地区分离，但大多数人依然拒绝严肃对待分裂的威胁。过去 20 年里，每一次选举中南方人都曾夸下海口，说要脱离联邦。很少有北方人理解这场危机，几乎没有一个人愿意面对这样一种可能性：它有可能以内战而告终。

12 月，斯科特将军被抬进一趟列车，开始他的华盛顿之行。对他来说，这是一趟艰苦的旅行，他一直卧病在床，但总统召唤他，他就像一个优秀士兵一样，随时准备履行自己的职责。肮脏不堪、嘎吱作响的列车缓慢地蜿蜒穿过马里兰州，在军事秘书的搀扶下，将军进入了正处在骚乱和沮丧中的美国首都。

北方可能为急转直下的市场而发愁；而在华盛顿有一场革命，人们为民主政府而担心。那年冬天，亚当斯家族的一个年轻人正在尝试他所说的叛国教育，他注意到了“格外壮观的场景：一个政府正试图摧毁自己”。分裂的阴谋并不局限于各州，而且在国家最高立法机关中蔓延。在众多革命当中，这次革命仅就其没有受到惩罚而言堪称是独一无二的。南方参议员和众议员毫不掩饰他们对联邦的背叛。总统内阁中有些成员卷入甚深：财政部长、佐治亚州人豪厄尔·科布，战争部长、弗吉尼亚州人约翰·B. 弗洛伊德，以及内政部长、密西西比州人雅各布·汤普森。政府部门的职员把脱离联邦的徽章别在自己的外套上，在威拉德酒店的酒吧间里喝着威士忌酒，大声嚷嚷地发誓：决不让林肯就职。

宾夕法尼亚州人詹姆斯·布坎南在总统的宝座上如坐针毡，就像一个神经紧张的绅士骑在一匹失控的马上，眼巴巴地盼着这场骑行赶快结束。这个平庸的政治家，差不多70岁了，谨小慎微，推托逃避，优柔寡断。他是个忠诚于联邦的民主党人，南方人是他的朋友，也是他最密切的政治伙伴。他很晚才意识到，他的盟友可能要裹挟着他去主持国家的分裂。斯科特将军反复建议巩固南方的要塞，但无济于事，支持脱离联邦的战争部长弗洛伊德也同时在总统耳边吹风。布坎南先生也不是没有察觉到要塞的问题。在跟意见不一的内阁开会时，他几乎只考虑在查尔斯顿港应该执行什么政策的问题。罗伯特·安德森少校率领一支小规模部队驻守在莫特里尔要塞，正恳请政府明确立场；如果政府打算守住要塞的话，安德森请求增援。总统担心发生冲突，觉得自己有责任采取不明朗的政策，以至于给人的印象是根本没有政策。不管北方人多么听觉迟钝，布坎南总归还是听到了洪水的咆哮声，对于他的继任者林肯先生的就职，他可谓翘首期盼。

华盛顿正处在混乱中。它作为联邦城市的生存似乎都受到了威胁。从地理上讲，哥伦比亚特区的位置非常微妙。如果弗吉尼亚和马里兰这两个蓄奴州都脱离联邦，它们就会带走华盛顿。华盛顿有大批居民倾向脱离联邦，有人担心，他们会参与颠覆性活动。官场中人发现，他们的邮件里充斥着恐吓和警告，气氛沉重，斯科特将军的耳畔很快就响彻着各种版本的阴谋故事。

将军为了跟总统商议而去了华盛顿。很明显，他将不得不留下来。斯科特不是共和党人，但布坎南先生让他为难，弗洛伊德对他冷眼相待，因此他真心希望林肯先生就职。他很快就在第17街的冬日大楼为陆军司令部找到了地方，正对着战争部那幢很小的砖楼，陆军总司令在联邦政府那四分五裂、岌岌可危的驻地开始履行自己的职责。

首都只是作为一个符号而被人们所看重，它没有别的重要性。它是在 19 世纪初根据需要建成的，60 年后，它给人的印象是仿佛它才刚刚开始修建。亨利 · 亚当斯写道："在 1800 年和 1850 年是什么样，1860 年还是什么样，简陋的移民点仍然在同一片森林里安营扎寨，未完工的希腊式殿堂仍然被用作工作间，沼泽被用作道路。"欧洲人在美国旅行的时候，总是带着傲慢的态度看待华盛顿。他们所习惯的首都是国家的文化和商业的中心。华盛顿只不过是一个安顿政府的地方。它是一个概念，从一片荒野开始。

对于这个年轻的合众国来说，这座城市十分典型，自命不凡，正待腾飞。它在一片土地上雄心勃勃地布展开来：从波托马克河与阿纳卡斯蒂亚河一路延伸，西至岩溪，北至鲍温德里街——后来被称作佛罗里达大道。巨额的资金（按照当时的标准）花在了公共建筑上，但这些建筑相隔甚远，互不相连，而且大部分尚未完工。60 年的时间可以建起一座紧凑的城市，但建不成罗马。首都的构思十分宏大，被视为笑柄，那句经常被引用的颂词"一座宏大辽阔之城"，成了挂在人们嘴边的讥讽。

华盛顿引以为豪的建筑包括国会大厦、邮政部大楼、专利局大楼、财政部大楼、总统官邸和史密森学会。尽管距离不近，但一个下午便可以周游一遍。就重要性而言，第一是古典式的国会大厦，有历史题材的绘画和雕塑，还有国会图书馆；最重要的是它庞大的延伸建筑群，全用大理石建造，在施工将近 10 年之后终于接近完工。新建的两翼最近才被议员们占用，在这里，游客可以看到宏伟气派的参议院大厅，以及装饰华丽的金红色众议院大厅。毫无疑问，内部装饰非常漂亮，尽管美国人认为它们花里胡哨，洋里洋气。但从外部看，需要相当的想象力才能发挥出令人印象深刻的建筑效果。最初的穹顶被拆除了，只有新铸铁穹顶的底座（上面架设了脚手架和高耸的吊车）环绕着正中间老的砂岩建筑。在两端，闪闪发光的大理石两翼裸露着伸出，尚未完工，甚至还没有台阶。柱廊的完成需要上百根科林斯式立柱，只有三根已经装上了柱头，安装到位。立柱和柱头、大理石块、拱顶石、雕刻、木料和钢板，散乱地堆放在场地上，工人的窝棚及堆放煤和木材的仓库，使场地变得更加混乱不堪。游客在东柱廊闲逛，对巨大的雕像啧啧称叹，尤其是佩西科雕塑的拿着球的哥伦布；还有格里诺雕塑的华盛顿像，它在东边的公园里，庄严地耸立在垃圾堆中，人们经过都会驻足观看。这尊雕像仿照罗马的朱庇特雕像构思，四肢被裹在有褶裥的布料中；就连菲利普旅游指南也不得不承认，华盛顿“穿着这身行头，他的同胞几乎认不出来”。

在第 7 街和 F 街，邮政部和专利局的大理石宫殿斜向相对。后者尚未完工，里面陈列着模型和古玩，并为内务部提供了办公的空间。

扩建中的国会大厦（1859 年）

在第 15 街，财政部占据着一幢巨大的建筑物，它的延伸部分还在建设中。隔壁，在未来财政部北楼的场地上，是国务院的小砖楼。它并不比战争部和海军部更引人注目，后二者安顿在总统官邸西侧类似的老式房子里，总统官邸那树木茂盛的草坪朝向这四幢部门大楼延伸，中间没有隔着街道。

在海外游客看来，总统官邸本身不值一提，只不过是一幢普通的乡下房子，既没有品味，也缺少光彩，但美国人对它颇感兴趣。他们漫步穿过宽敞的大厅，总是情不自禁地赞叹巨大的镜子、装饰着花卉图案的地毯和闪闪发光的枝形吊灯。官邸两端有一些低矮的棚屋，这些棚屋是为了满足日常生活之需，一间暖房高居于西侧延伸部分之上，与第一层相通。连同它的外屋、温室、果树、鲜花和厨房花园，这个地方呈现出欣欣向荣又杂乱无章的样子，就像南方种植园的房子。总统官邸的前面，有一道铁栅栏，带有巨大的大门，南面有另一道栅栏环绕着这块场地；但草坪被部门大楼之间的内部小路所横贯，越过了房子的北侧，公众可以自由使用。在北门廊前面的圆形场地上，耸立着托马斯·杰斐逊的青铜雕像，有人认为这种材料使得这位政治家的面容看上去有点像黑人。在宾夕法尼亚大道的另一侧，安德鲁·杰克逊的青铜骑像装饰着拉法耶特广场。这尊雕像是克拉克·米尔斯的作品，米尔斯是一个年轻的天才泥水匠，来自南卡罗来纳州。对于那匹昂首阔步、高抬前脚的马，人们多有批评。来自马萨诸塞州的参议员、颇有文化修养的查尔斯·萨姆纳发现，杰克逊的雕像很不协调，每当带着英国游客从它旁边经过时，他总是羞愧难当。

总统官邸最大的劣势是它紧挨着波托马克河畔的低洼地，这个位置不利于健康，是华盛顿夏秋两季疟疾流行的主要原因。在总统公园（当时是总统官邸南边一块杂乱无章的地）的脚下，有一片气味难闻的沼泽，从前是污水的出口。这片沼泽紧挨着全城最大的公害——老的城市运河，它从前是波托马克河与阿纳卡斯蒂亚河之间的一条内陆水道，但如今已废弃，完全成了污水和垃圾的贮藏地。去国家广场和华盛顿西南区必须跨过这条毫无景致可言的臭水沟，每隔一段距离便有一座高高的铁桥横架其上。

国家广场还只开发了一半，其间耸立着史密森学会那几幢样子怪异的红色塔楼，周围是赏心悦目、植被茂盛的草地，与国会大厦和白宫的草坪一样，也是著名园艺家安德鲁 · J. 唐宁设计的。有人认为巨大的国会图书馆和自然史博物馆很值得参观。第 15 街的西边和紧挨着总统官邸的南边（尽管被宽阔的运河河口给隔开了），矗立着一根切去了顶端的旗杆，旨在纪念美国的国父。在这里，多愁善感的爱国者可以徘徊于那些胡乱堆放的石雕中间，思考由于捐赠终止而遭遇的忘恩负义。另一座华盛顿纪念碑是克拉克 · 米尔斯雕塑的一尊僵化刻板的骑像，孤零零地坐落于华盛顿环形广场内，在宾夕法尼亚大道与第 23 街的交汇处。

这些便是联邦首都的风景名胜了——六幢分散的建筑，几尊品质可疑的雕像，以及三分之一块方尖塔——而且，除了参观总统官邸的暖房，或驱车去海军造船厂、兵工厂或天文台之外，城里实在没有更多的东西可看。

从国会山往西北方向走，便穿过了城市的主要街道：宾夕法尼亚大道。按照最初的构想，它应该是一条宽阔的、令人印象深刻的林荫大道，在大道的两端，国会大厦与总统官邸遥遥相对，但财政部大楼的大块头使得这条大道不得不拐弯，如今，从国会大厦远眺，视野的尽头并不是白宫，而是布坎南总统在草坪上建起的那幢红砖仓库。缺少漂亮的建筑，疏于管理的宽阔街道呈现出满目荒凉的景象。薄薄的鹅卵石铺砌的路面，由于漏洞百出的排水系统和沉重的公共马车（它们往来于国会大厦与乔治敦之间）的通行，被损毁得支离破碎，坑坑洼洼。天气干燥的时候，车辙和坑洞成了坚硬的陷阱，覆盖着厚厚的尘土。下雨的日子，雨水把路基冲刷成了泥泞的沟壑，底下是危险的砂砾。宾夕法尼亚大道的南侧（或称“糟糕的一侧”）是些肮脏的建筑，人们唯一常去的地方是中央集市，那是一个茅椽蓬牖的大杂烩，背靠着运河那敞开的下水道。饭馆、商店和大酒店全都在北侧，那里砖砌的人行道是这个城市里人们散步的去处。

在这样一个首都，政治家们在世纪中叶才从小旅馆和寄宿公寓的背景里走出来，酒店是最近才发展出来的。这些巨大而丑陋的建筑，是宾夕法尼亚大道的主要吸引力，身穿制服的侍者，骑马出行的队列，来去匆匆的客人，让这条沉闷乏味的大道有了些生机。每逢国会

从国家大酒店远眺扩建中的国会大厦

开会，酒店的大堂和客厅、餐厅和酒吧里便人头攒动，水泄不通。喧闹嘈杂，价钱高得离谱，店员傲慢无礼，但是，要想看人或者被人看，要想与当时的政治名流接触，感受政府脉搏的跳动，你就必须去那些酒店。

其中有两家酒店在第 6 街的两侧遥遥相对：一家是国家大酒店，它是一座巨大的旅舍；另一家是正面铺砌着大理石的布朗酒店，后来被称作大都会酒店。由于到国会大厦很方便，国会议员们，尤其是南方的议员便经常光顾这两家酒店。这些种植园主政治家的奴隶们总是在宾夕法尼亚大道的人行道上闲逛，而他们的主人则戴着宽边礼帽，在走廊里交谈，或者在酒吧里叫上一杯波旁威士忌酒和冰镇薄荷酒。布坎南先生就职的那段时间，国家大酒店蒙上了阴影，因为有一种肠道疾病在酒店的客人当中爆发。新任总统也是众多患病者之一，他的侄子就死于国家大酒店这次流行病爆发中。在极端支持南方事业的小圈子中，有传言说这次流行病是共和党人密谋毒害民主党领袖的结果；但大多数人觉得它是下水道的有毒气体造成的。为了维修而短时间关闭之后，国家大酒店重新获得了从前的声望。

坐落于第 12 街拐角上的柯克伍德酒店也有它忠诚的客户，宾夕法尼亚大道上另外两三家类似的酒店同样如此。其中最著名的是第 14 街上的威拉德酒店。它从前是一家生意并不怎么好的小旅馆，原因是距离富人区太远。它的名气是在来自佛蒙特州的威拉德兄弟的有效管理下建立起来的，在扩建和重新装修之后，威拉德酒店成了华盛顿的大型集会地。据说政府的很多事务是在它的过道里和酒吧间里完成的。从上午 8 点到 11 点——因为华盛顿人并不是喜欢早起的人——你可以看到川流不息的政要名流走向早餐桌。丰盛的早餐之后（早餐菜单包括像醉牡蛎、洋葱牛排、牛奶冻和肥鹅肝酱饼这样一些名目），紧接着便是规模庞大的中午正餐，另一顿正餐下午 5 点开始，然后是 7 点半的浓茶，最后是夜里 9 点的晚餐。胃口不小的英国人看到美国客人（既有绅士也有淑女）能够吃掉这么多饭菜，也不免大吃一惊。

英国游客憎恨威拉德酒店——它的建筑风格冒犯了他们。他们习惯有私人客厅的、整洁舒适的小旅馆，在这个布局凌乱、很不舒适的大营房里，他们找不到任何适当的私人空间。美国的酒店生活是群居性的，面对闷热、吵闹、灰尘、吸烟、吐痰，平静地抽身离去似乎是当地人最不愿意做的一件事。早餐之后，正如在主餐之后一样，客人们赶忙在公共大厅里凑到一起。在威拉德酒店，客厅的沙发被同样苍白而坚定的男人、同样衣着考究的女士和同样尖叫而早熟的孩子们所占据，旅行者在美国各地都能看到这样一群人。

然而，当英国使馆的秘书们干完了一天工作之后，他们鱼贯而去的地方，正是威拉德酒店的酒吧间。在雪茄的蓝色烟雾中，在大声喧嚷的男性声音中，有真正的生活；而且，这些年轻人已经染上了“当地人豪饮威士忌的不良习惯”。脸色红润的英国公使莱昂勋爵写道，对年轻人来说，华盛顿是一个可怕的地方；它没有俱乐部，没有好餐馆，没有常设的剧院或歌剧院。然而，它有大量的酒吧，再加上数量相当的妓院；同时，在宾夕法尼亚大道上那些拉紧的窗帘后面，绅士们能够在牌桌上消磨一个晚上的时光，不必担心华盛顿警察的干涉。

在国会大厦与总统官邸之间，宾夕法尼亚大道南边的那片区域是华盛顿唯一被建造得能证明其城市品格的地方。这里有一些房子和教堂，有几幢不那么合格的学校建筑，而且，这里是主要的商业区（在第 7 街）。华盛顿被分为七个街区，负责行政管理工作的是位于司法广场的那幢粉饰着灰泥的市政厅，里面有市长办公室，还有市政委员会和市议会使用的房间。这幢房子还是巡回法庭和刑事法庭开庭审案的地方，有联邦地方执法官的办公室。市政厅的后面是这座城市唯一的一家综合医院：E 街医院。顺着广场（它一直延伸到了 G 街）再往北，就是老监狱。

城中的商业似乎都是小打小闹，与联邦政府事务之宏大形成鲜明对照，后者需要有森然的门廊作为背景。为了抢占商机，丑陋的办公大楼匆匆建起。破破烂烂的寄宿公寓，很小的杂货店，毫不起眼的律师事务所，普普通通的餐馆和酒吧，为各部门雇用的 1 500 名职员提供服务。职员们都太穷，而且在连续不断地争夺职位的过程中，他们太不稳定，没有办法把家人带在身边。由于有这么多的单身汉住在单间里，个人火炉的需求量很大。城里的堆木场数量多得惊人，其原因就在于此，它们凌乱地堆放在几乎每一个广场上。

它更像一座南方城市，没有如画的风景，却有懒散的氛围，混乱而缺乏公共卫生系统。那些懒洋洋地打发时光的黑人总是让北方人大吃一惊，提醒他们原来首都也蓄奴。小贩到处都是。卖鱼和牡蛎的小贩在街角上大声叫卖商品，呜哩哇啦吹着号角。鹅群摇摇摆摆地走在宾夕法尼亚大道上，大小和颜色各异的猪自由自在地漫步，在国会山和司法广场的泥沼里打滚。污水和垃圾倾倒在排水沟里，死家畜扔进运河里。大多数人的饮用水来自水井和城市背后的山泉，品质没有保障。由于缺乏足够的污水处理系统，厕所大量存在于庭院和肮脏的小巷里，每天，运送粪便的大车隆隆驶过，驶往城外的联邦公地，那里与白宫隔着十个街区。

在人口集中的区域之外，是一些荒凉孤寂的林地和公地，每隔一段距离，便有树木葱茏、浓荫蔽日的大庄园，以及被日渐扩张的城市中心排挤出来的移民点。这种毫无规划的胡乱开发，被一个外国观察者形容为“一个柏林刺绣的框子，漂亮的刺绣女工开始在这个框子中作出时断时续的尝试”。首都详尽的设计图纸并没有说明，它标出的那些城里的街道和林荫大道其实都是荒野中纵横交错的乡村小路。亲切友好的旅行者安东尼·特罗洛普写道：

> 如果在旅行中随身带上一张精确的华盛顿地图，你没准会在大街上迷路，倒不是像一个人在伦敦迷失于肖迪奇大街与拉塞尔广场之间，而是像一个人迷失于圣地的茫茫沙漠里，在埃梅厄斯与亚利马太之间找不着北。首先，没有一个人知道一些地方究竟在哪儿，甚至都不能肯定它们是不是存在，其次，在它们推定的位置之间，是一片这样的地区：蛮荒未化、无路可通、无桥可渡、杳无人迹、荒无人烟……卷起裤腿，蹚过沼泽，你会迷失在崎岖不平的小山丘中，四顾茫茫，不见人影……如果你是个热爱运动的人，你会忍不住想在总统官邸的视野之内开枪猎鹬。

在华盛顿发展起来的最老的乡村社区坐落于阿纳卡斯蒂亚河畔的海军造船厂附近，是船厂雇用的机械师、劳工、木匠和文员们的家。它紧挨着海军陆战队兵站，是一个自给自足的乡村社群，通过一条公共马车线路与城市的其余部分相连。在第 11 街的尽头，有一座很不牢固的木结构建筑，那就是海军造船厂大桥，或称阿纳卡斯蒂亚河大桥，可以通到政府办的精神病院和马里兰州的乡村地区。从船厂再往东，是国会公墓，尽管名为公墓，但并非国家所有而归本城所有；这条河的拐弯处紧挨着一些开阔场地，济贫院和天花病医院就在这儿。在海军造船厂的上方，战舰无法在阿纳卡斯蒂亚河航行，而且，曾经严重依赖于这条水路的与布莱登斯堡之间的贸易已经成为过去。

华盛顿的西南区通过老运河与城市的其他街区分隔开来，人们亲切地称之为岛区。联邦兵工厂在绿叶角（波托马克河与阿纳卡斯蒂亚河交汇处的一个岬角)，稍稍往北一些便是老监狱。岛区有理由让当地人为之骄傲，并激发起进一步开发的勃勃雄心。这儿有购物中心、史密森学会，还有兵工厂。在第6街和第7街的尽头，是停泊蒸汽船和帆船的码头，这些船只把首都与亚历山大港和阿奎亚河畔的铁路连接起来；或者经由切萨皮克湾和海洋作更远的航行。从马里兰大道的尽头出发，过长桥，便是从华盛顿到弗吉尼亚州的干线公路，以及北方与南方各州之间的大邮路。

然而，岛区这个美好的名字被那些混乱潦倒的小巷里频繁爆发的骚乱给玷污了。城里一些人口不那么稠密的地方，不仅庇护了一些声名狼藉的热闹场所，而且是流氓团伙出入之地，他们用无法无天的行为扰乱了善良市民的正常生活，甚至开始在市选举期间聚众闹事。自由北区这个体面的社区坐落于G街的上方，也有它肮脏不堪的地段。另外还有一些瘟疫滋生的场所，包括远在北10街之外的黑人山，市政厅东边的英国山，以及斯瓦姆普德尔，那是一个爱尔兰人聚居地，位于国会大厦北街附近的一片沼泽地带。

到夜里，只有胆子很大的人才敢经过首都那些灯光昏暗的街道。低效无能的华盛顿警察，就像它的拦路劫匪和横行的强盗一样臭名昭著。市政当局养着一支50人的日间巡逻队，而夜间巡逻队的50个成员则由联邦政府掏钱支付薪水。然而，后者的主要职责是保护公共建筑；而本城的一些职位，则奖励给了在地方选举中为当选者出过力的人。据菲利普旅游指南说，这两支巡逻队都与“其他城市的习惯做法背道而驰，他们并不是分别巡逻整个城市，你只有在公共场所才能找到他们”。

这座城市最让人不满的地方，以及当地人高涨的自豪感，都源于这样一个事实：它是联邦政府的所在地。对国会(它是哥伦比亚特区的最高权威)，它像一个被人忽视、内心烦躁的继子。事实上，过于宏大的城市规划是导致大多数缺陷产生的主要原因。联邦政府为改善街道而断断续续拿出的拨款，与它对政府财产征收的税额并不相等；除了国会大厦和总统官邸周围的场地之外，联邦当局并没有做多少事来美化华盛顿。

从国会的观点看，这座城市的要求是贪得无厌的。国会拨出了巨额的款项，用于建造高架渠，这条水渠最终跨过岩溪，从波托马克河带来了足够的纯净水供应，能够满足城市的需要。在拨付这笔费用的时候，促使议员们采取行动的，不仅有对健康的关切，而且还有减少火灾隐患的愿望。然而，华盛顿的消防队被流氓团伙所控制，频发的火灾往往得不到有效的控制，这不仅仅是因为缺水，而且也因为流氓作风、管理混乱，以及人们经常爆发的掷石大战和枪战。在市民生活的每个部门，只要是国会对华盛顿市施以援手的地方，都遭遇了市政管理中选区体制的低效无能，这一体制在当时的城市中十分常见。

波托马克河上的高架渠大桥

华盛顿的季节性特征源自它与联邦政府的紧密联系。它是冬天的度假胜地。在漫长而不卫生的夏季打了一顿安静的瞌睡之后，城市在秋天醒来，为国会的开幕做准备。冷清的火车站迎来北方和西部的旅行者。码头则忙于接待南方人，蒸汽船从阿奎亚河抵达这里。议员队列的后面，紧跟着一大批寻求官职的人、主张权利的人、议会游说者、各阶层的代表、发明家和记者。流浪歌手的表演来了，歌剧团也来了；大名鼎鼎的明星大腕，乔·杰斐逊和夏洛特·库什曼，埃德温·福雷斯特和埃德温·布斯，在C街和第12街拐角处那家肮脏而阴暗的老华盛顿剧院联袂演出。不断有扒手、骗子和流浪汉偷偷摸摸地进来。到11月底，这座城市一直充满活力。荒凉冷清的宾夕法尼亚大道上，挤满了无聊的雇佣文人，使馆的豪华马车，以及南方人的纯种马。商店把橱窗擦拭一新。酒店和寄宿公寓里人满为患，E街医院、济贫院和监狱也是如此。更务实的动机则决定了所有冬季旅居者的出现。没有游手好闲之徒，也没有寻欢作乐的观光客。城里的居民在忙着招待他们的亲朋好友，每年冬天都有一群漂亮女孩赶来参加这个社交季的盛会；但是，除了这些无足轻重的少数人之外，美国人并不去华盛顿游玩找乐。尽管那里有很多教堂，有一个活跃的基督教青年会，以及一个庄严高贵的官方社交界，但对这个国家守本分的人而言，这座城市的名声不大好听。有人阴暗地把它想象为一个邪恶的渊薮，在那里，一个意志薄弱的单身汉会暴露在酒吧、赌场和轻浮女人的诱惑之下。酒店生活的盛行，便是这座城市道德败坏的明证。

这就是1860年12月的美国首都，是国民对宏伟庄严的设想的一个漫无计划、尚未完成的缩影。尽管它尚未完工，但它不断唤起人们的美好想象，拿它与遥远的古代比较。亨利·亚当斯回想起儿时的印象：“相对而立的邮政部和专利局……就像白色的希腊神庙，耸立在一座荒芜的叙利亚城市那些被废弃的砾石坑中。”陆军指挥官查尔斯·P. 斯通上校认为，财政部将把它们打造成最宏大的巴尔米拉城[①]。安东尼·特罗洛普也由新国会大厦穹顶的框架，联想到了巴尔米拉城的遗址；工程师蒙哥马利·麦格斯上尉常常监管国会大厦延伸部分的工程，人们喜欢叫他“迦太基废墟中的麦格斯”。

在众多首都当中，华盛顿只是一个雄心勃勃的新来者，是个婴儿。它的缺点，是青春蓬勃、充满活力和缺乏经验之人共有的缺点。但人们乐于想象它正在腐朽，已经被废弃，是历史上一个乐观时刻的遗存，那个时候，人们正在尝试着一种被称作民主的实验。如今，散伙的氛围在空气中很浓重，就连正在拔地而起的合众国纪念碑也呈现出衰败和腐朽的形象。

老将军的出现，使得忧心忡忡的华盛顿居民稍觉安心：对于那些习惯于生活在首都的人，那些靠他们在首都的工作养家糊口的人，那些在首都拥有不动产的人，那些满怀希望看待首都的人，它并不是它事实上的这个样子，而是它可能发展成的那个样子；其中有些人甚至抱有永久联邦的理想。当斯科特走下他那辆低矮的、由一匹壮马拉着的四轮轿式马车，蹒跚着走向温德尔大楼的时候，路人肃立两旁，脱下帽子，高声喊道：“上帝保佑您，将军。”

---

① 巴尔米拉是一座叙利亚古城。——译者注

第 2 章 “先生,联邦散伙了”

有人热爱华盛顿，不只是怀着对温暖炉边和葱郁花园的习惯性的喜爱之情，而且还因为他们在这座城市的独特生活中找到了快乐。他们从紧挨着联邦政府这一事实中，从五花八门的谣言中（华盛顿是这些谣言的共鸣箱），得到了另一种兴奋感。他们自豪而快乐地注视着公共建筑的日新月异，参加史密森学会的改良讲座，在大酒店里跳舞，手忙脚乱地奔赴火灾现场。

尽管有很多消遣娱乐，生活依然从容不迫，几乎是田园牧歌式的。礼拜天上教堂之后，朋友们便去热情好客者的家里用餐，有时候是在 4 点到 7 点之间，吃的是集市上买来的菜肴，品质精良，花样繁多。客厅里有舒心惬意的夜茶会。灯火通明的窗户里传出钢琴的声音，或者是从容不迫地拍打纸牌的声音。像乡下人一样，城里人也去火车站欢迎来访的观光客，或者送他们上路。喜欢运动的人去小瀑布抓鲈鱼，扛上猎枪去波托马克沼泽打野鸭或食米鸟。春天里沿着岩溪漫步，紫荆树繁花盛开。面对河鲱和草莓，人人大快朵颐，在逐渐暗淡的暮色里，白衣飘飘的身影在门阶上不时闪现。城里的孩子们在杨柳树下那干燥的灰泥中曳步而行。4 月去了，5 月来了，尘土取代了烂泥，风信子、雪花莲和紫丁香让位于忍冬、铁线莲和大片的玫瑰。

天气晴和的日子，很多人去户外远足。到处都有联欢会和社交聚会，人们在城市附近小树林中的亭子里跳舞、野餐。有人乘坐蒸汽船去亚历山大港和华盛顿要塞，或去参观乔治·华盛顿在老家弗农山的那幢已经破败坍塌的乡间宅第。哥伦比亚大学坐落在子午线山那漂亮的山岗上，是人们最喜欢探访的地方。华盛顿北边也有一些漂亮的庄园：埃金顿庄园、海伍德庄园和卡洛拉马庄园。在城市边界线与第 7 街交叉处再过去 3 英里的地方，是一座树木葱茏的小山，山上的“军人之家”，是用斯科特将军在墨西哥城征收的部分贡赋修建起来的。一条长长的车道延伸到第 7 街公路，超出了特区边界线，通往银泉山庄，那是深受尊敬的政治家弗朗西斯·P. 布莱尔先生的避暑别墅。跨过长桥，罗伯特·E. 李上校那幢有立柱的宅邸坐落于艾灵顿高地的

军人之家

山顶上。川流不息的马车跨过岩溪，驶往乔治敦，那里有令人赏心悦目的街道，街旁是老式的红砖房子。不仅在乔治敦，而且甚至在遥远的布莱登斯堡，人们期待女士们留下她们的 carte de visite[①]，于是包含长途艰苦跋涉的各式走访成了一项义务。

华盛顿城有它的贵族阶级。《纽约先驱报》(*New York Herald*)说，它是“慢条斯理、体面正派者的住所，大热天里，他们给自己降温的办法就是愉快地回忆他们出身名门”。城里杰出的居民都通过马里兰和弗吉尼亚的家族纽带与南方政治家结成同盟，在富兰克林·皮尔斯[②]执政期间，官方的社交聚会就格调而言是南方的。在其内部小圈子里，包括了一些外交部门的成员，还有表现出容忍奴隶制的北方民主党人。另有一些来自各自由州的绅士名流也被客客气气地（即便是形式上）接纳了。

这个社交圈子允许给予女士们以异乎寻常的自由。她们娇喘吁吁地到处走动，在频繁的握手和交换名片之间不可能有清静独处的时间，她们在客厅里有角色要扮演。在韶华不再的年龄，她们依然可以享受到别人的敬意，要是在其他美国城市，也许已经沦落到靠着炉边织毛衣的悲惨境地。“神圣”国会大厦的旁听席因为她们漂亮的帽子而变得明亮起来。她们挤满了国会大厦的走廊，在参众两院的一楼大厅里向熟人派发名片。对于一位女士来说，如果她丈夫抽不开身，由他的一位朋友护送她出席招待会被认为是合适的。如果找不到一位女性同伴一起去游览公共建筑，由一个孩子陪同也是很得体的做法。在H街科科伦先生的宅邸里，有一个装饰着红色天鹅绒的八角形壁龛，那尊著名的雕塑《希腊奴隶》就立在那里，被一根金链子围着。这尊

① 法语，意为“名片”。——译者注

② 富兰克林·皮尔斯：美国总统（1853～1857）。——译者注

雕像是裸体的，但它是艺术，就连女士们看了，也不由得赞叹不已。

社交季从新年元旦开始，在全国各地，这一天都成了一个欢庆热闹的日子，走亲访友的日子，请客送礼的日子，也是胡吃海喝的日子。在华盛顿，人们敞开大门，笑迎宾朋，这种殷勤好客的习俗，无论是在公共圈子，还是在私人圈子，都颇为盛行。新年那天，总统官邸举行第一场冬季招待会。这些社交聚会不提供茶点，但普通公众——或者说至少是他们当中那些衣着体面的白人——都可以在总统官邸自由走动，跟总统亲切握手。

元旦之后，一连串的娱乐活动便开始了。早晨和下午的招待会，轻松随意的宴会和音乐会只不过是序幕，接下来是流光溢彩的舞会，以及有音乐和晚餐的大型晚会。到夜里，阴暗的街道上不停地回响着马蹄的得得声，马鞭的噼啪声，以及车夫的大呼小叫声。马车缓慢地驶进街巷，停在某幢灯火通明的寓所前，卸下它们活蹦乱跳的货物——参加聚会的女士们，她们的样子看上去像一口口巨大的钟：1850 年代流行的那种容易损坏的低胸晚礼服是用丝网和薄纱做成的，装饰着玫瑰、白铁线莲、睡莲、紫罗兰或鲜红的忍冬花；头饰与胸衣上隆起的花束相配，一直拖到鼓起的裙子上。

除了少数老派的家伙对胡子的新时尚无动于衷以外，几乎所有绅士都不再修刮上唇的胡子。南方人留着披肩长发。美国的男人至今尚没有严格区分白天的衣服和晚上的衣服，一律穿着他们最好的黑色或蓝色细平布燕尾服，有鲜亮的纽扣。他们当中很多人，即便是华盛顿社交界那些排他性上流小圈子里的一些人，至今尚不知道，在伦敦，一条白色围巾对夜晚的聚会来说是必不可少的，在他们的锦缎刺绣马甲的上方，系着色彩鲜艳的领巾。外国公使们穿着装饰着金银蕾丝花边的华丽宫廷盛装，依序而列，光彩照人。在用煤气照明的雕花枝形吊灯放射出的光亮中，绅士淑女们手挽着手，款步而行，跳活泼欢快的四对方舞、华尔兹和曳步舞，尽情地享用时髦的法国大厨戈蒂埃提供的晚餐。有牡蛎、龙虾和淡水龟，有野火鸡、鹧鸪和鹌鹑，戈蒂埃擅长用甜点做成的塔楼、城堡、金字塔和宝塔来装饰餐桌，既赏心悦目，又令人胃口大开。

到1856年，国会的大厅里充斥了喧嚣的吵闹声，议员们围绕接受堪萨斯准州加入联邦的问题争论不休。自由土壤党人与奴隶制的支持者针锋相对，言辞激烈；但在客厅里，人们依然对这些论战漠然视之。看起来有人刺破了这种斯文健忘的伪装，普雷斯顿·布鲁克斯挥舞起他的手杖，劈头盖脸地把参议员查尔斯·萨姆纳痛打了一顿，当时，萨姆纳正在参议院他的办公室里伏案疾书。萨姆纳是一位喜欢说教的废奴主义斗士，曾就争论不休的堪萨斯问题发表了一通措辞激烈的演说。布鲁克斯是一位来自南卡罗来纳州的众议员，他通过打破萨姆纳的头，从而对这篇演说作出了自己的答复。华盛顿的社交界很熟悉萨姆纳这个英俊潇洒、颇有教养、自以为是的来自马萨诸塞州的参议员。他一直喜欢跟南方的女士们讨论一些讨巧的话题——蕾丝花边、凹雕宝石和舞蹈史。普雷斯顿·布鲁克斯则是南方骑士们眼里的大英雄。北方人对这次袭击深感愤慨，它危及了萨姆纳的脊椎，使得他在三年半的时间里没能在参议院里积极履行自己的职责。

在布鲁克斯发起这次攻击不到一年之后，华盛顿张开双臂迎来了宾夕法尼亚州的布坎南先生。新任总统尽管人高马大、脸色红润、满头银发，但有一只眼睛严重斜视，他总是习惯性地闭上这只眼睛，头僵硬地向左肩弯曲。华盛顿杰出的共和党人 B. B. 弗伦奇少校说，这位老朋友“像一头患有角痛的母牛，总是歪着头”。但那些崇拜他的人认为，布坎南先生有相当好的风度。他的政治观点与首都大多数人志趣相投，而且，他很喜欢社交。

总统的生活习惯，就像华盛顿的习惯一样，也是简朴的。仿佛并不是最近才从英国的宫廷圈子里回来（他在那里担任美国驻英国大使），他每天要在宾夕法尼亚大道上散步一个小时，友好地跟熟人打招呼。夏天，为了他的健康，布坎南先生同意使用军人之家的一间简朴的石头小屋，但他很少使用马车和马匹。星期六下午，斯卡拉的水兵乐队在总统公园里演奏的时候，他便在草坪上与民同乐。他会邀请朋友在总统官邸友好地坐上一个下午，常常在小型晚宴上亲自切烤肉。他总是穿一件很大的老式立领衬衣，浆硬的白色高领就像脖子上贴着一片膏药。

布坎南是个单身汉。他的侄女在伦敦的时候就一直跟着他，如今帮他操持总统官邸的事务。尽管还很年轻，但哈里特·莱恩小姐姿态优雅，社交经验丰富，她有很多崇拜者。蕾丝花边宽领因为她穿而成为时尚，一艘缉私船便是用她的名字来命名，还有一首新歌《听嘲鸫鸟鸣唱》被题献给她。莱恩小姐沉着机智，言行得体，有一双紫罗兰色的眼睛，遵循着严格的礼仪观念。总统官邸晚宴上的客人在进入餐厅之前都要经过正式的介绍。尽管有法式餐点和陈年马德拉葡萄酒助兴，但总统所办宴会的气氛仍很拘谨。布坎南先生有很多轶闻趣事，但态度冷淡。莱恩小姐“客气有礼的冷淡”使得远远谈不上奢华的陈设显得更加朴素。没有鲜花装饰餐桌，桌布也是素面朝天。事实上，整个官邸里的鲜花是如此稀少，以至于蓝厅的圆形会议室里几株盆栽植物和一棵小棕榈树显得格外引人注目。据说，杰斐逊·戴维斯曾把布坎南先生的这届政府比作一个简洁优雅的共和国宫廷，就连赞美的

詹姆斯·布坎南

话语中也散发着殖民地时期的冷漠气息。

总统并不小气。他为了支付家里的花销，而不得不自掏腰包，以弥补他每年 25 000 美元薪水的不足。然而，华盛顿的社交界越来越攀比奢侈铺张的宴请，社交领袖都很有钱。据说，支持奴隶制的参议员、来自加利福尼亚州的威廉·M. 格温每年花费 75 000 美元，来维持他在第 9 街和 I 街拐角处的宅邸。有两位内阁成员过着同样排场奢华的生活——密西西比州的雅各布·汤普森和田纳西州的亚伦·布朗，后者在本届政府的前几年担任邮政部长。科科伦先生是华盛顿最有钱的人之一。他在 H 街的那幢宫殿般的豪宅包含一个艺术画廊，其中的藏品后来搬到了他在第 7 街与宾夕法尼亚大道拐角处建造的那幢大楼里，最终将会对公众开放。科科伦以他的盛情好客和约翰尼斯贝格葡萄酒而闻名。在另外一些华盛顿人的家里，也有豪华气派的社交聚会，其中有里格斯夫妇、帕克夫妇和泰洛夫妇。他们慷慨大方地款待他们的朋友，财政部长科布、最高法院大法官坎贝尔先生和来自路易斯安那州的参议员斯莱德尔。佐治亚州参议员的妻子图姆斯夫人尽管是一位比较理智的女士，只有一个女儿，但她一年也要花掉 21 000 美元。

在一个未经改良的街区，新泽西大道西边的 I 街，深受欢迎的自由州民主党领袖、参议员斯蒂芬·A. 道格拉斯建造了首都最漂亮的房子之一。来自肯塔基州的副总统约翰·C. 布雷肯里奇和来自明尼苏达州的参议员亨利·M. 赖斯也在相邻的地块上建造了自己的房子，这三幢新房子被称作“明尼苏达街”。道格拉斯的豪宅有着装修雅致的客厅和蒸汽供热的暖房，这更好地衬托了他那位年轻漂亮的新娘——华盛顿著名的美女阿黛尔·卡茨，道格拉斯夫人头发上插着她最喜欢的日本山茶花，主办过很多招待会，聚集了首都最时髦的那群人。社交约会带来的压力让华盛顿的女士们筋疲力尽。在紧张累人的一天之后，为了准备晚上的聚会，漂亮的克莱门特·C. 克莱夫人只能靠一台电器让自己重新振作起来，还得有专人操作，为了请到这位能干的女仆，这位亚拉巴马州参议员花了 1 600 美元。

在连续不断地狂欢作乐的氛围中，南方人与几乎所有北方人的交往越来越成为礼节性的。在布坎南本届任期的一开始，围绕奴隶制而引发的群情骚动，由于最高法院在奴隶德雷德·斯科特的案子中所做的裁决而变本加厉。年事已高的首席大法官、马里兰州人坦尼抓住这个机会宣称：国会无权在各准州禁止奴隶制。自由土壤党人对联邦司法部门无条件顺从奴隶主提出强烈抗议。当国会被党派之间为控制“该死的堪萨斯”而展开的战斗所震撼的时候，双方都发表了言辞激烈的煽动性演说。参议员道格拉斯与支持奴隶制的布坎南政府公开决裂，从此在南方骑士的眼中他比“黑色共和党人”好不到哪儿去。

1859 年秋天，约翰·布朗袭击了位于哈珀斯费里的联邦兵工厂，此事像一次爆炸一样让南方人大为震惊，他们大声呐喊：共和党人是无法无天和残酷杀戮的煽动者。谢南多厄河与波托马克河交汇处的弗吉尼亚市距离华盛顿只有 50 英里，这个蓄奴社区与邻州一样惊慌。即使后来认识到了布朗这个老狂热分子的力量不足挂齿，袭击所带来的恐惧也已经过去，人们依然担心首都会发生黑人暴动。在华盛顿，南方人普遍以疑惧的态度看待首都的黑人居民。由于 14 年前那场黑人暴乱，人们曾经尝试着恢复哥伦比亚特区的民兵组织，但在 1859 年，仅剩下四个规模很小的民兵队。联邦政府在哥伦比亚特区的军事力量——106 个水兵——被匆忙调往哈珀斯费里，由罗伯特·E. 李上校指挥。市长从战争部弄到了一些武器，并在通往华盛顿的大路上驻扎了一些骑兵。在骚动持续期间，黑人被禁止聚集。华盛顿清楚地知道自己的防御状况，再次做出努力，试图建立民兵组织。很多新兵自告奋勇地挺身而出，但征兵工作在市民那里并不受欢迎。

参议院大厅

那年冬天的国会大厦回荡着约翰·布朗的名字。参议院辩论的主题全都是关于无法控制的冲突和迫在眉睫的危机。脾气暴躁的南方人大声鼓吹各州主权和分裂，常常听到他们嘲弄北方人是胆小鬼，不愿意战斗。政治分歧导致了充满敌意的个人仇恨。查尔斯·萨姆纳在长期养病之后回到了他在参议院的席位上，没有一个民主党参议员欢迎他回来。众议院里争吵很激烈，厮打几乎不可避免。很多共和党人在外套之下用手紧扣着左轮手枪的扳机，护送不那么好战的同僚进出国会大厦，保护他们免遭袭击。来自密歇根州的参议员撒迦利亚·钱德勒为此练习臂力和枪法。据说，来自俄亥俄州的本杰明·F. 韦德把两支马枪带到了参议院，大剌剌地放在自己的办公桌上，狞笑着用他那双锐利的小眼睛环顾四周，直至他确信人们注意到了这两支枪。

成分混杂的社交聚会上，政治成了敏感话题。人们压抑着内心的怀疑和痛苦，谈论着无关痛痒的话题：意大利的骚乱，已故的托马斯·克劳福德为国会大厦穹顶雕塑的“武装自由女神”像；丁尼生的诗歌或萨克雷的新书《弗吉尼亚人》(*The Virginians*)，或者是年轻英国作家乔治·艾略特的《亚当·比德》(*Adam Bede*)，他的长篇小说是最新的文学发现。本届政府的朋友们，斯莱德尔夫妇、图姆斯夫妇、格温夫妇、克莱夫妇和杰斐逊·戴维斯夫妇，组成了一个紧密的小集团。一些小党派完全成了地方性的。外国公使们在准备他们的晚宴时不得不参考一下美国地图。

热情的南方女士当中，有一个人继续招待共和党人。她就是罗斯·奥尼尔·格林豪夫人，一个土生土长的马里兰州人，是斯蒂芬·道格拉斯夫人的姑姑。作为弗吉尼亚州出生的学者罗伯特·格林豪的妻子，她一直是首都社交界的一个领袖人物。丈夫去世之后，她就与女儿们一起生活在第 16 街圣约翰教堂对面的一幢小房子里。格林豪夫人不再年轻，但她是华盛顿最善于说服人的女人。她家里温暖舒适的客厅，用一道红色的薄纱隔开，有很多名流要人来到这里，她与总统本人关系密切。约翰·布朗被吊死几周之后，格林豪夫人冒冒失失地邀请了纽约州参议员西华德，以及马萨诸塞州众议员查尔斯·弗朗西斯·亚当斯夫妇出席一次宴会，而其余在场的都是南方人。亚当斯夫人很不明智地以赞赏的口吻谈到了约翰·布朗，女主人用强烈而激动的口吻回击了她，并决定再也不搞这种混合宴会了；但她依然经常会见西华德参议员，还有另外一位共和党人，来自马萨诸塞州的参议员亨利·威尔逊，此人的反奴隶制观点让南方人深感不快。

1860 年春天，斯科特的军事秘书凯斯上校陪同将军来到华盛顿，出席了很多宴会，经常在宴会上听到人们谈论国家危机。一天晚上，他坐在底特律商人撒迦利亚·钱德勒的旁边，“窃窃私语中充满了战争和血腥”。另一次，一些轻浮的南方女士“用她们狂热的叛国激情”

让他心烦意乱。格林豪夫人认为，夏天的南方海岸疾病流行、不利健康，试图以此劝凯斯不要参加这场即将到来的战争。凯斯觉得，她推荐治疗瘴气的方法，正显示了女人的软弱。凯斯是一个强烈支持联邦的人，但同时也是个浪漫多情的鳏夫，今年50岁。他承认，尽管从未改变他对国家的忠诚，但来自蓄奴州的女士们的奉承常常引诱他走到“悬崖边上”。

脱离联邦的前景令人兴奋，吸引了首都的社交界。南方人很现实地面对内战爆发的可能性；但他们相信，胆小怯懦的扬基佬很快就会被打败。士兵们在各蓄奴州训练、武装自己，华盛顿的美女们在宴会上谈论备战和要塞。当日本特使带着庞大的随行人员访问华盛顿的时候，欢迎宴会被抹上了东方的奇光异彩。幕府将军的代表们的古怪发型，他们的扇子和他们的刺绣长袍，以及腰间佩着的两把剑，在首都制造了不小的轰动。人人争相目睹在总统官邸举行的欢迎仪式，日本使节还在私人宴会上受到热情的款待。即使是在1860年夏天国会的休会期，也不乏有趣的花样。8月，芝加哥的轻步兵队来到华盛顿，穿着花里胡哨的阿尔及利亚制服，看上去几乎像日本人的装束一样古怪。轻步兵队的队长、年轻的埃尔默·E. 埃尔斯沃思上校在全国各地激起了人们对轻步兵编队的极大热情。芝加哥的轻步兵队受到邀请，在白宫草坪上面对布坎南先生和莱恩小姐，表演了他们古怪的操练。

那一年的社交季异乎寻常地提早开始了，因为在10月，布坎南先生做东招待了伦弗鲁男爵，这是威尔士亲王阿尔伯特·爱德华在旅行中用的假名。这个“脸颊绯红、嘴上无毛的男孩”已经是外交家们的一个典范。在招待会上，当他看到总统没有戴手套时，便立即摘下了自己的手套。注意到布坎南先生与那些被介绍给他的人一一握手，亲王也赶忙握手。他被领上了缉私船“哈里特·莱恩”号，驶往弗农山庄那座破败的老房子，在乔治·华盛顿墓前脱帽肃立，在墓旁谦恭地栽下了一棵小树。布坎南先生因此写信告诉女王，她的儿子给“一个敏感而有鉴别力的民族”留下了极好的印象。

总统大选的乌云笼罩着首都。明尼苏达街上居住着两位候选人：北方民主党人的旗手道格拉斯，以及南方民主党人选择的布雷肯里奇。尽管特区民众想要在国家决策中具有发言权，但他们又不够团结，而是积极地组成党派同盟，互相争斗。人们组建了一些俱乐部，支持民主党各派系的领袖，还有保守派候选人约翰·贝尔，以及“黑色共和党人”亚伯拉罕·林肯。民主党组织“全国志愿者”支持南方的权利，与共和党组织“广泛觉醒”互相攀比着发起游行，穿戴着抢眼的帽子和斗篷，挥舞着火把。人们情绪高涨，在林肯当选的那天夜里，一群暴徒袭击了当地的共和党临时会场，在警察把他们驱散之前部分毁坏了那幢建筑。

从查尔斯顿的方向（那里飘扬着棕榈旗，而不是星条旗），传来了炮声、欢呼声，以及号召拿起武器的呐喊声。南卡罗来纳州的联邦法院已经暂时关闭，该州的参议员在 12 月并没有来首都。在装饰一新的参议院大厅的两边，南北双方的极端分子严阵以对。主席的位置上坐着极端民主党人布雷肯里奇。在这势不两立的僵局带来的死一般的寂静中，议员们开始共商国是。在两位超越于党派之争的民主党人——肯塔基州深受尊敬的克里滕登和伊利诺伊州的道格拉斯——的领导下，温和派依然希望达成某种妥协。

来自南方各州的参议员坐在联邦国会大厦里，梦想着一个新帝国，把墨西哥湾变成西地中海。没有任何妥协的希望，无论是在狂暴而傲慢的图姆斯那里，还是在他那位好斗的同僚艾弗森那里；无论是在傲慢无礼的斯莱德尔那里，还是在慢声细语、有着律师的精明狡猾的朱达·P. 本杰明那里；无论是在体弱多病、目中无人的佐治亚州参议员克莱那里，还是在满脸疤痕、面目凶狠的得克萨斯州参议员威格福那里，都不存在丝毫妥协的余地。他们当中最有影响力的，是一个冷峻而挑剔的人：来自密西西比州的杰斐逊·戴维斯。他是西点军校的毕业生，曾经在墨西哥立下赫赫战功，在皮尔斯执政期间担任过战争部长。基于他军人的举止风度和浪漫的荣誉观念，他成了导致这次革命的南方理想的象征。这样一些人，听不到任何爱国主义的呼声。“你不可能靠发表国庆节演说来拯救联邦，”参议员威格福讥笑道，“你得放下架子去工作，你得做点实事。”

参议院大厅的另一侧，坐着一群同样顽固的人，他们随着年轻的共和党的崛起越来越强大，他们拒绝承认各州的主权，憎恨奴隶制，热爱权力。不存在让步的可能，无论是心直口快的本杰明·韦德，还是撒迦利亚·钱德勒（他们认为，流点血对联邦来说反而更好）；无论是新罕布什尔州的哈勒、缅因州的费森登、伊利诺伊州的特朗布尔，还是艾奥瓦州的格里姆斯；无论是马萨诸塞州的亨利·威尔逊，还是颇有修养的废奴主义斗士萨姆纳（如果处在论战的激情中他可能粗俗得令人吃惊），都不可能对南方作出让步。来自纽约州的共和党领袖威廉·H. 西华德则完全不同。他平淡乏味，高深莫

国会里的火爆场面

测，说话含糊其词。他没有公开宣布自己的观点，激进的共和党人便开始远离他，因为有人怀疑他赞成安抚南方。

就在旁听席上为脱离联邦的观点而鼓掌喝彩的同时，一些调停者也在努力挽救国家。就像火灾中的救火队一样，一个势单力孤的南方参议员站出来为联邦说话。田纳西州的安德鲁·约翰逊一点也不像南方骑士。他是个煽动家，粗鲁、诚实而勇敢。他直言不讳地谴责脱离联邦的观点。他说，南卡罗来纳州没收联邦的财产是叛国，彻头彻尾的叛国。

圣诞节前夕，总统出席了一场时尚婚礼。正当他疲惫不堪地坐在客厅里，呼吸着不合季节的玫瑰和百合的芳香时，他被大厅里的吵闹声给吓了一跳。他问罗杰·普赖尔夫人（她丈夫是来自弗吉尼亚州的众议员，一个分离主义者），是不是房子着火了。普赖尔夫人想当然地答道：是的。其实是人们的欢呼声——刚刚收到一份电报：南卡罗来纳州宣布脱离联邦。总统让人叫来自己的马车。

国会平静地收到了这个意料之中的消息，战争部和海军部出现了争论，下班时间已过，愤怒的争论声仍未停息。当短暂的下午在蒙蒙细雨中渐渐进入黄昏，消息传到了各大酒店。正是傍晚正餐时间，兴奋的人们让餐厅和走廊变得一片闹腾。那些佩戴分离主义蓝色帽章的人喜气洋洋地从那些佩戴联邦国旗的人身边擦肩而过。有人认为，在华盛顿谈论叛国的人就像在查尔斯顿一样多。那天夜里，南方的领袖们在杰斐逊·戴维斯家的客厅里举行过庆祝活动之后，便去拜访总统官邸。戴维斯夫人走在他们前面，急匆匆地要去跟总统分享这个好消息。

棕榈树和响尾蛇[①] 的阴影笼罩着欢快的圣诞节标志。一些小店抱着刺激节日生意的希望，装饰了它们的橱窗，在报纸上插入了它们的

① 均为南方殖民地常用旗帜中的图案。——译者注

广告。迷人的礼物暗示了各种不同的品味：剃须盒，印有箴言的咖啡杯，相片簿，手套箱，双人茶具，十五子游戏棋盘，板羽球球拍，以及眼睛可以活动的小蜡人，应有尽有。戈蒂埃准备接受圣诞蛋糕的订单，既有磅饼，也有水果蛋糕。德拉鲁太太宣布，她刚刚从巴黎运来了一批盛装女帽和乔文牌手套。有些广告发出了及时的声音："读者们，联邦岌岌可危，但在拉蒙德商店购买圣诞礼物，你就可以拯救联邦。"圣诞节过后，首都出现了新的惊慌，珠宝商高尔特把挂表和银器的价格降到了"恐慌价"。

对华盛顿安全的担心，随着分离主义者在马里兰和弗吉尼亚的煽动而进一步加剧。在参议院大厅里，来自佐治亚州的艾弗森暗示，华盛顿可能成为南部邦联的首都。圣诞节那天，里士满的《观察家报》（*Examiner*）居然呼吁马里兰人与弗吉尼亚人联合起来占领国会大厦。不断有谣言说，华盛顿有一个秘密的分离主义组织，正密谋占领这座城市，僭取政府的控制权。参议员西华德并不是一个动辄大惊小怪的人，但他在 12 月底写信给当选总统①说，这样一场密谋正在形成，而且在公共委员会里有他们的同谋。对国会大厦的担心是如此严重，它的主要入口都布置了卫兵把守，而且每夜搜查地下室，寻找爆炸物。

与此同时，南卡罗来纳州也出现了新的危机。联邦仿佛是一件贵重物品，保持着脆弱的平衡，布坎南先生害怕作出哪怕最轻微的举动。具有讽刺意味的是，一个南方同情者代表联邦当局所采取的行动让他失去了平衡。安德森少校控制着查尔斯顿港的联邦要塞，他是肯塔基人，有着强烈的责任感。由于担心在莫特里尔要塞那不堪一击的阵地遭到攻击，他拆除了这个要塞，把那支规模很小的驻守部队转移到了俯瞰着查尔斯顿港的萨姆特要塞。南卡罗来纳州把安德森的举动

① 当选总统，指林肯总统。——译者注

理解为挑衅。它立即演变成了一次令人愤怒的事件，布坎南先生被这个消息给吓呆了。

南卡罗来纳州的三个高级代表来到华盛顿，就像外国使节一样对待联邦政府，还对布坎南先生步步紧逼，告诉他，这涉及他的个人荣誉。总统百般推托回避，恳求给他时间。他告诉他们，在作出任何决定之前，他会一直祈祷。这次会见之后，他们紧接着提出了一个要求，即让联邦军队全部撤出查尔斯顿港。幸好内阁的意见最近发生了改变，否则布坎南没准会屈服于他的朋友。科布已经走了，去领导佐治亚州的脱离运动，而弗吉尼亚州的分离主义者弗洛伊德很快会被迫辞职。邮政部长、来自肯塔基州的约瑟夫·霍尔特将接替他成为战争部长，在南卡罗来纳州脱离联邦之后，他摆向了坚定的国家政策。尽管来自密西西比州的雅各布·汤普森依然留在岗位上，但同情联邦的人在内阁中占支配地位。他们劝总统维护联邦政府的权威。终于，他写信告诉南方代表，联邦驻军将留在原地；而且，他同意斯科特将军增援萨姆特要塞。总统的决定打断了代表们的社交活动，他们本已租好一幢漂亮的房子，作为符合驻外大使身份的一个府邸。他们受到了南方骑士热忱的欢迎，但就在他们离开之前的那天夜里，有人叫来了警察，以阻止一场吵吵闹闹的致敬活动——当时，华盛顿一伙上不了台面的家伙提出要向这几位来自南卡罗来纳州的绅士致敬。

在悬而未决的那些痛苦而紧张的日子里，正当全国的注意力都集中在总统官邸的秘密会议上时，布坎南先生接受了本杰明·F. 巴特勒的来访，他是布雷肯里奇派民主党人，来自马萨诸塞州。在总统办公室里，他们面对面而坐——不是眼对眼，因为巴特勒也有明显的斜视。巴特勒是个粗壮结实、样子狡猾、孔武有力的小个子，对于解决国家当前的困境，他有自己的计划。他建议布坎南先生把南卡罗来纳州的代表们给逮起来，在最高法院面前以叛国罪审判他们，最高法院的裁决肯定会终止脱离联邦的权利。布坎南先生被这个大胆的提议吓得脸色煞白，只好答道：那会导致大规模骚乱。

本杰明·巴特勒在华盛顿听到一些南方人说，北方决不会战斗，但他告诉他们，北方会战斗，而且他本人也会与北方人并肩作战。他是马萨诸塞州的民兵准将，该州有好几个满腔热血的民兵组织。他也希望国家能够找到某种补救办法，但是，在跟戴维斯参议员一起喝茶之后，他意识到，战争不可避免。

布坎南先生后来声称，在这一时期，他的心情是平静的，他“没有失去一个小时的睡眠，也没有少吃一顿饭”。但一些毫无同情心的观察者把他描述成一个被打垮的老人，成天只会哭泣和祈祷。现在看来，前一幅图景几乎像后一幅一样夸张。他下令搞了一个全国祈祷日和国耻日，并准备了一份给国会的特别咨文，反映了他对这场革命的进展深感绝望。在查尔斯顿，棕榈旗飘扬在莫特里尔要塞和平克尼城堡，也飘扬在联邦兵工厂及其他政府房产的上空。脱离联邦的狂热蔓延到了南方各州。在分离主义者把持的战争部和内政部，出现了一些令人愤慨的违纪行为；而财政部则处在威胁要让国家财政破产的状态。在首都私下流传的众多谣言当中，有一个故事是威格福参议员听来的，说是有人密谋绑架总统，让布雷肯里奇取而代之。在新年招待会上，布坎南先生面容憔悴。拜访比平常更少了。东厅看上去几乎被废弃了。很多来访者（佩戴联邦标志和脱离徽章的都有）拒绝与总统握手。

这位来自宾夕法尼亚州的老政治家虽然胆小，但并不奸诈。要是在平常时期，他可能在任期结束时光荣退休。然而，他生不逢时。甚至那些他所看重的南方朋友也转过来反对他。在科科伦先生举办的一次宴会上，斯科特将军目睹了图姆斯参议员和本杰明参议员的一场情绪大爆发，他们痛骂总统，捎带着也把安德森少校和联邦给大骂了一通。布坎南先生是个胆小鬼和傻瓜，这个四分五裂的国家仅仅取得了这么一个统一的意见。他曾沮丧地坐在斯科特司令部里大声喊道：“美国总统的职位并不适合一个绅士来担任！”

随着新年的到来，北方人的心态越来越倾向于安抚。但是南方各州脱离联邦的消息打击了他们。密苏里是第一个效法南卡罗来纳的州。佛罗里达和亚拉巴马紧随其后，接下来是佐治亚、路易斯安那和得克萨斯。脱离出去的各州都没收了境内的联邦财产——要塞、兵工厂、海关、缉私船等。联邦政府并没有做出努力要回这些财产，其消极被动与各自由州不相上下。自由州的民众也无动于衷，甚至当南卡罗来纳炮轰美国国旗、赶跑运送援兵至萨姆特要塞的“西部之星”号时，也没有爆发强烈的愤慨。然而，1 月底的时候，出现了这样的迹象：北方人已经灰心丧气，苦于群龙无首，但并没有对国家的命运漠不关心。来自纽约州的保守派民主党人约翰·A. 迪克斯被任命为财政部长，他被继续没收南方港口的缉私船给激怒了。迪克斯发电报给新奥尔良的税收官员说：“如果任何人试图降下美国国旗，就当场击毙。”这话听上去像是华盛顿那胆小怕事的寂静中吹响的号角，北方人为这位敢于为国家说话的政府官员鼓掌喝彩。

在参议院，来自纽约州的西华德先生发表了他等待已久的演说。他是共和党群众的偶像。在提名西部人林肯之前，人们认为他理所当然是共和党总统候选人。1 月，人们得知他将成为新一届政府的内阁之首；简言之，他将成为事实上的总统，只是没有总统的名号。很多人指望他来拯救国家。

西华德州长（人们通常这样称呼他）是个性格复杂的人。他彬彬有礼、敏锐机智、常带笑容，但并不十分优雅，也不文弱，有太多纽约州西部人的特征。他才华横溢，愤世嫉俗，但不完全是一个油

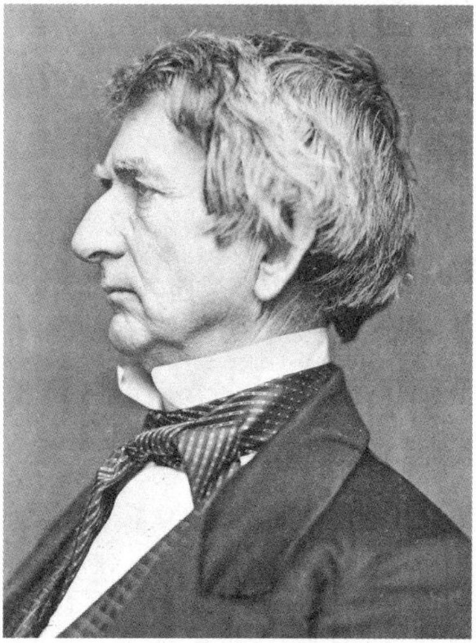

威廉·H. 西华德

头粉面的吊儿郎当之徒；他太像一个政党机器，是精明的政治经理人瑟洛·威德的心腹知己。尽管已经60岁了，但他用他的热情和友善，用他的言行举止的谦逊和简朴，吸引着年轻人。尽管他相信自由劳工与奴隶制之间存在“不可调和的冲突”，而且这一信条使得他憎恨整个南方，但人们认为他是一个没有坚定信仰的人，一个虚伪狡诈之徒和机会主义者。他是杰斐逊·戴维斯的知心朋友，在安抚各蓄奴州的事业上，布坎南本人未必比他更热心。

西华德采取的是拖延和忍让的政策，就是要把敌对行动拖延到3月，好让共和党人有时间组织起来。他在政府之外活动，已经建立了一个秘密联盟的网络，且深入到了各蓄奴州。布坎南内阁中有一位成员把政府的议程及时通报给他，此人除了搞阴谋诡计的天才和对联邦的深厚感情之外，在很多方面与西华德刚好相反。他就是埃德温·M. 斯坦顿，一个刚愎自用、顽固执拗的华盛顿律师，精明能干，但在全国范围内知名度不高，他在12月被任命为司法部长。那年冬天，他一直在跟另外两个政治家交换意见，对于一个布雷肯里奇派民主党人来说，有这两个心腹知己不免有些奇怪，他们是撒迦利亚·钱德勒和查尔斯·萨姆纳。为了防止引起怀疑，斯坦顿给西华德的报告总是通过第三人转交，除了一次在F街偶然相遇之外，他们俩在布坎南执政期间从未碰过头。

1月12日，当西华德出现在水泄不通的参议院大厅里的时候，他似乎是那里唯一一个心平气和的人。由于他早已公开宣布：60 天之内一切将恢复正常，人们相信，他必定已有了一项明智而谨慎的计划。面对这个身材修长、无精打采、穿着灰色外套的人，北方人和南方人都安静而紧张地坐了下来。不指望有雄辩的言辞让他们为之动容，因为西华德是一个单调乏味的演说者。他在一个例行公事的日子发表了他精心准备的演说，他嘶哑的声音由于过度地抽雪茄和吸鼻烟而变得更加微弱。但他代表新一届政府，代表斯普林菲尔德的那个未知数。他乐观而自信，代表了希望。在一个混乱的时期，一个人能谙熟时局并始终面带微笑，这让人们安心。

西华德的和蔼亲切让人捉摸不透。当南方的女士们拒绝见他时，他面带微笑，当来自各蓄奴州的那些年轻鲁莽的参议员不理睬他的问候致意时，他依然面带微笑。在丢掉共和党总统候选人提名之后（成为总统是他事业生涯的最高抱负），他还是面带微笑。他身上有太多东西，符合你对一个老练政治家的预期。他含含糊糊的安抚之词，让激进的共和党人和分离主义者一样恼火。事情以不可阻挡的速度发展着。当南方各州脱离联邦的时候，他们的代表便撤出了参众两院。大部分代表平静地离去，但在参议院，出现了情绪激昂的挑衅和告别演说。来自佛罗里达、亚拉巴马和密西西比的参议员在同一天发表了他们的告别演说，南方女士们挤满了旁听席，甚至有人坐在地板上或挤在门道里，她们浑身颤栗挥舞着手帕，大声叫喊，表示对脱离的支持。就连共和党的女士们，也为杰斐逊 · 戴维斯的演说那悲切的结尾而暗自垂泪。戴维斯的声音因饱含感情而显得紧张，他表达了一个希望：南方和北方的关系应该是和平的；如果在激烈的争论中冒犯了哪位参议员，他在此表示道歉。这位来自密西西比州的参议员平静地发表了演说，没有虚张声势。他对新成立的南部邦联抱有大胆的梦想；但是，比起他的大多数南方同僚，他更多地考虑了可能要付出的代价。他认为，只有傻瓜才会怀疑扬基佬[①]的勇气，而且，如果爆发战争的话，它不会很快就结束。

1861年以斯科特将军备受器重拉开了序幕：他与联邦政府建立了密切的关系。霍尔特立即把他请去商议，在霍尔特的掌控下，战争部已不再支持主张脱离联邦的参议员和众议员。在“西部之星”号的不幸经历之后，对萨姆特要塞的增援暂缓了。安德森少校像联邦政府一样希望避免任何可能造成敌对状态的行动；而分离主义领袖们希望为他们的政治和军事准备赢得时间，因此对南卡罗来纳州那些头脑发热的鲁莽之徒施加了影响力，让他们有所收敛。双方达成了一项非正式的休战协议，不仅在萨姆特，而且在彭萨科拉港的皮肯斯要塞，根据斯科特的命令，联邦军队已经占领这座要塞。这两座要塞，加上佛罗里达南端的两座要塞（斯科特加强了它们的驻防），是联邦政府在当时已脱离联邦各州所拥有的仅余财产。一些小分队也被派往蓄奴州边境的几个军事据点，包括位于波托马克河马里兰一侧、在弗农山庄对面的华盛顿要塞。尽管这座要塞年久失修，破败不堪，对于防御来说起不了什么作用，但它很容易被敌军占领。在一支海军陆战队被从华盛顿兵营派往那里之前，它的全部驻军就是一个领退休金的爱尔兰裔老人，斯科特将军说，只需一瓶威士忌，就可以轻而易举地拿下这座要塞。

处理要塞问题之后，摆在总司令面前最紧迫的问题是维护首都的秩序。人们担心2月份计算选票期间可能会爆发一次起义，甚至有一些颇有说服力的传言说，3月4日是骚乱爆发的时机。一些身居高位的人宣称，林肯的就职典礼根本就不应该举行。当地一家接受联邦政

---

① 扬基佬（Yankee）：又译“北方佬”。美国南北战争时期南方人如此称北方人，含有嘲谑意味。——译者注

府资助的分离主义报纸《宪法报》（*Constitution*）建议用武力阻止就职典礼的举行。人们相信，布雷肯里奇派民主党人詹姆斯·E. 贝雷特与分离主义者里应外合。

本杰明·巴特勒从他的民主党伙伴那里听说了很多正在首都流传的叛国谈话。一天夜里，华盛顿的一位熟人在酒店里与巴特勒共进晚餐之后，提议去散一会儿步。点上雪茄，两个人顺着 K 街往西闲逛，在一些低矮的建筑（有点像市场的货棚）旁边停了下来。透过一堵墙上的洞，巴特勒看到一伙人正在拿着武器操练。他的朋友告诉他，这些人正在为 3 月 4 日做准备。

“训练一队特区民兵去护送林肯吗？”巴特勒问。

那个华盛顿人笑了起来。“是的，他们可能是去护送林肯吧，”他说，“但我猜，并不是往白宫的方向。”

1 月初，在给国会的特别咨文中，总统觉得有必要提到，在即将到来的就职典礼上，首都将会得到充分的保护。斯科特将军正在跟艾奥瓦州参议员詹姆斯·W. 格里姆斯和伊利诺伊州众议员伊莱休·B. 沃什伯恩通力合作，他们组成了一个由国会任命的调查委员会。这几位先生已经请求纽约警察局长，以及那些蓄着大胡子、耷拉着帽檐的侦探，嚼着烟草的该死的扬基佬，去华盛顿、巴尔的摩、里士满和亚历山大开展工作。

斯科特叫来了一位陆军指挥官查尔斯·P. 斯通，当年在墨西哥的时候，他曾在将军手下效力；斯通起草了一份还算令人满意的首都防御计划书，之后他被委以组织和训练特区民兵的重任。他积极投入到了自己的工作中，在华盛顿居住了几个月之后，他已经确信，三分之二的人会在保卫首都这件事情上支持联邦政府。

四个现有的民兵组织（三个在华盛顿，一个在乔治敦），已经配发了武器。乔治敦的民兵队尽管包含了一些可疑的成员，但总的来说还是可靠的；华盛顿轻步兵和国民警卫队都是值得信赖的老机构。而华盛顿第三个也是最时髦的一个民兵组织：国民步枪队，则是叛国者的温床。它由内政部的一位雇员 F. B. 舍弗尔上尉指挥，他从前是美国炮兵部队的一名中尉。舍弗尔团队的花名册上有 100 多人，大部分是马里兰州人，装备和训练都非常好。斯通上校惊讶地发现，除了枪支弹药之外，他们还装备了马刀、左轮手枪、两门山地榴弹炮、马具和马车，这些全都来自联邦兵工厂。当他为这支队伍的出色训练而表扬舍弗尔的时候，这位民兵上尉答道：他估计自己很快就会领着人马去马里兰边境，阻止扬基佬胁迫南方。

通过安插在这支部队中的一个密探，斯通得到了关于招募新兵的报告，他们当中的很多人都是公开的分离主义者。他命令舍弗尔把榴弹炮及其他不适用的武器装备存放到军械库里，这个命令得到了遵守。最终，舍弗尔上尉辞职了，带着他手下的精英分子去南方效力。

一个准政治性的国民志愿兵分队（在总统竞选期间，他们极力鼓吹南方人的权利）也在每天夜里操练。华盛顿的《星晚报》（*The Evening Star*）在 1 月份的时候攻击国民志愿兵是一个叛国组织，他们的意图是要阻止林肯就职。斯通手下的一个密探报告，在他们的集会上，人们公开讨论占领这座城市。众议院任命了一个五人委员会，调查密谋叛国的谣言，对贝雷特市长提出质询，因为他认可国民志愿兵是一个非政治团体，由正派的市民组成。他们的长官，一位被称作科尼利厄斯·博伊尔博士的分离主义者，向众议员们保证，这个协会不是一个秘密组织，也没有任何非法的意图。尽管该委员会发现了很多叛国活动，但它很慎重地报告：他们没有发现任何证据，证明哥伦比亚特区存在跟联邦政府敌对的组织；而且，就算有人计划这样一个联合，马里兰和弗吉尼亚的脱离也只是偶然事件。

在批准国民志愿兵要求配发武器的申请之前，斯通上校要求他们提交集体花名册。花名册交出之后不久，团队的领导者纷纷离开，去了里士满。斯通毫不费力地招募了新的志愿队，来维护特区的秩序。惊慌失措的华盛顿市民急于保护他们的财产。一些地位显赫的绅士发挥了他们的影响力，招募了一些消防队员，还有一群手艺人和德裔车床工。到 2 月中旬，斯通已经有了 14 个小分队、900 多人，准备为国效力；他宣称，只要一声令下，这个数字可以在一周之内翻倍。他所遇到的唯一反对来自市长，他拒绝交出本市警察的姓名和住址。

斯科特将军是个久经沙场的老兵，不可能在危急时刻把全部的依靠寄托在市民身上。他清楚地知道，对这些没有受过训练的乌合之众，不可能指望他们在劈头盖脸的石块和碎砖之下还能保持镇定。他觉得有必要下令，调集一些正规军，特别是机动炮兵进入华盛顿。陆军只能抽出八个连来保卫华盛顿。三个连来自堪萨斯，一个连来自纽约州的普拉茨堡，两个连来自路易斯安那和佐治亚，还有两个连来自西点军校。

尽管布坎南先生被迫向斯科特和霍尔特的代表作出让步，但调正规军进城的想法还是让他充满忧虑。华盛顿是所有首都中最不军事化的。除了兵营里屈指可数的海军陆战队员之外，城里唯一穿制服的人，是几个海军指挥官，以及战争部那几个颤颤巍巍的老将军。

1 月下旬出现了一个对政府来说似乎是和平的、有益的特殊事端。随着妥协计划在国会受挫，对各边境州最有影响力的弗吉尼亚州发起了和平会议，计划于 2 月 4 日在华盛顿举行。马里兰、肯塔基、田纳西、北卡罗来纳、密苏里和特拉华等蓄奴州都接受了弗吉尼亚州的邀请。如果在跟自由州代表谈判协商的过程中，能够达成某种友好的调整，那么，脱离联邦的狂热就有可能会退烧，而且，南方各州就有可能被说服回到联邦。为了给和平使者们做准备，钱德利先生让人在威拉德酒店里立了一个书写板，展示了一系列徽章，“适合于各种不同的政治观点”。按照布坎南先生的意见，武装部队的到来会刺激分离主义者，并激怒各边境蓄奴州。

唯一可用作军队住处的地方，是兵工厂的营房和位于中心集市的民兵军械库。当局于是又安排寄宿的部队入住财政部大楼、司法广场和E街。在国会山，以及在战争部西面的一块地上，仓促建起了新的兵营和马厩。报到的人虽是三三两两而来，没有号角、音乐或游行，但八个吃苦耐劳、训练有素的正规军连在华盛顿引起了不小的轰动。他们的装备塞满了那间小仓库，仅马鞍就堆起了一座行李的纪念碑。骑兵和炮兵的马匹在局促的车厢里得不到休息，如今在大街上昂首奋蹄，好不兴奋。黄铜野战炮陷在泥泞中不得动弹，士兵们喊着号子把它们拖出来，喊叫声引来了围观的人群。一个轻型炮兵连让这座城市陷入了恐慌，因为他们点燃了24响礼炮，庆祝自由州堪萨斯获准加入联邦。城里的居民们把礼炮的轰鸣误认为是脱离联邦的弗吉尼

兵工厂大院静悄悄

亚大军发起了进攻；与此同时，住在国家大酒店的分离主义者的夫人们担心联邦与南方开战，开始收拾细软，准备仓促撤离。拂晓时分，E 街的鼓角声吓醒了胆小的市民，他们慌里慌张地披衣起床推开窗户，从清晨的薄雾中探出他们戴着睡帽的脑袋，这才发现，外面的吵闹声原来不是革命，而是起床号。骑马的士兵在宾夕法尼亚大道上来回穿梭，训练他们的战马。政府的保留地里泥泞不堪，正规军士兵大概喜欢在首都出点风头。比如，炮兵连训练战马，似乎大可不必戴着插满红色羽毛的老式帽子，这种帽子很招摇漂亮，引得路人啧啧称叹。

来自边境蓄奴州的和谈代表们在他们压低的帽檐下怒目而视，布坎南先生在散步的时候想必是避之唯恐不及。他可能很后悔自己的软弱，不该请来斯科特将军，因为在这里，在大炮、羽毛和昂首奋蹄的战马身上，都自然而然地让人们联想到军人。斯科特对和平会议不以为然，把参加会议的人看作是一群不切实际的幻想家和狂热分子。但这次他错了，因为代表当中有很多声望卓著的绅士。就在已脱离联邦各州的代表在亚拉巴马州蒙哥马利市碰头的那一天，和平会议也重新聚集在一个光秃秃的大房间里，那里从前是一座长老会教堂，后来被不断扩张的威拉德酒店给吞并了。在一幅从市长那里借来的精美的乔治·华盛顿肖像前，一个颤颤巍巍、温文尔雅的老人坐在主席的位置上，他就是前总统、来自弗吉尼亚州的约翰·泰勒。带着适度的保密性，各派人马在紧闭的大门之内交锋碰撞。稍后，他们“以送葬队伍一般的庄严肃穆”走向总统官邸，布坎南先生在那里泪眼婆娑地接待了他们，并恳求他们达成某种妥协。

在南方，人们并没有忽视斯科特将军对联邦政府的忠诚。他收到的邮件里充斥着暗杀的威胁。他在弗吉尼亚大学的肖像被人烧毁了，他老家弗吉尼亚州的代表在众议院大厅里指责他是一个忘恩负义、杀父弑母的逆子。将军同意霍布斯的观点：战争是人的自然状态，但他想到的不是内战。维护和平是他最大的希望。然而，他给他的客人留下的印象，是他坚决镇压首都叛乱的坚定意志。当选总统派来一位使者试探他的忠诚，结果，这位使者彻底打消了顾虑。正患痢疾的将军在床上接待了这个伊利诺伊州人，并宣称他会负责林肯先生的安全，不管他准备什么时候来华盛顿。如果必要的话，他会在宾夕法尼亚大道两端各架设一门大炮，把任何一个胆敢在这里露头的马里兰和弗吉尼亚绅士轰进地狱。

与此同时，在私人宅邸和酒店里，黑人女佣已经收拾好了女主人的衣服，男仆已经准备好了主人出门旅行穿的披肩。“我们必须作出让步！”北方这样喊道。但驶往阿奎亚河的蒸汽船已经满载南方的骑士。街道上到处都是嘎吱作响的行李车，衣箱和行李箱堆得老高。房子大门紧闭，里面黑咕隆咚。宽檐帽和纯种马从宾夕法尼亚大道上消失了。图姆斯夫妇的马车夫逃跑了，参议员和他那位头脑冷静的妻子不得不赶着一匹租来的马。杰斐逊·戴维斯丢下了他那只小巧的日本狗，“方便的时候再把它要回来”。撒丁王国公使恳求克莱门特·克莱夫人不要哭，因为这只不过是一场革命而已。有人带着对一个棉花帝国的骄傲预期，启程去南方；有人带着对即将取代他们的扬基商人和粗俗的西部人的蔑视；还有一些人，则带着因失去友谊和雄心壮志不再而留下的悲痛。一个政权已经在华盛顿终结。

城里到处都是新来者，他们当中有很多南方人。巴尔的摩的暴徒，与华盛顿流氓团伙结盟的支持脱离联邦的无赖，全都渗入了这座城市。气氛因为不祥的预感而变得紧张。酒店大堂里，人们满面愁容，轻声低语；在街道拐角处，人群窃窃私语。年轻艺术家托马斯·奈斯特（他来这里给纽约的一份报纸画速写）后来回忆起华盛顿的这几周，依然不寒而栗。

2 月 13 日一大早，便有人群开始往国会山的方向移动。正规军士兵各就各位，战马、马具和大炮准备就绪。在国会大厦的入口处，士兵们把守着大门，只允许持有门票的人进入。在金碧辉煌的走廊里，100 个便衣警察混在陆续到来的观众当中。众议院大厅的旁听席满是时髦的女士，她们在衣帽间周围激动不安地走动，甚至在众议院大厅里占据了献殷勤的议员们让出的座位。12 点过后，看门人宣布，参议员及被击败的候选人布雷肯里奇带头进入。没有意外事件，计票员开启票箱，登记选票，脸色苍白的布雷肯里奇按照礼仪宣布：伊利诺伊州的亚伯拉罕·林肯当选美利坚合众国总统。

参议员们撤走之后，大厅里和旁听席传来了反对的怒吼声。南方人诅咒老斯科特是“自由州的皮条客”，抗议他的“近卫兵”出现在国会大厦周围。在外面，人群留在国会山迟迟不肯散去。酒吧里人头攒动，那一夜，这座城市因为街斗而变得喧嚣吵闹。在共和党人眼里，每一个喜欢吵架的酒鬼都是叛国者，每一个推推搡搡的无赖都是武装侵略者；但没有一个人以起义的名义来抬高这些争吵和混乱。这些吵吵闹闹的南方同情者都是分离主义者中的渣滓，跟那些声望卓著、鲁莽冲动、有个人野心的绅士们没有任何关系，这些绅士们正在亚拉巴马州蒙哥马利市组建南部邦联政府。

一场危机就这样平安过去了，但另一场危机即将到来。为了就职典礼，斯科特将军调来了更多的正规军。每一天，都有渴望最早抓住机会分享联邦恩惠的共和党人来到华盛顿。那些晒得黝黑、举止粗野、脚步沉重的西部人也开始成为街头巷尾的熟悉身影。在布坎南办公室的前厅，共和党人在等着见他。总统始终是一个勤勉的工作者，每天都要在他的办公桌前度过艰苦的几个小时；这个“老官员”（他曾经很不明智地这样自称）总是穿着宽松外衣和拖鞋，嘴里叼着一支没有点着的雪茄。在白宫的招待会上，据说出席的共和党人越来越多；而且，当他们人数增长的时候，布坎南先生的招待会也越来越受欢迎。总统扭曲的脖子上围着白色的领结，站在新来者的面前，就像一个颓废的罗马贵族面对一群汪达尔人。他的宫廷如今在某种意义上是共和党人的，但它的优雅超乎人们的想象。2 月中旬的最后一次招待会有 5 000 人出席。斯卡拉的水兵乐队专门为这次招待会演奏音乐，以一曲《迪克西》开始，以一曲《扬基杂牌军》结束①，堪称布坎南先生这届政府的缩影。

---

① “迪克西”（Dixie）一词，泛指南方各州同盟，《迪克西》可能指 Dixie Land 这首歌。《扬基杂牌军》（*Yankee Doodle*）本是英国人写出来讥讽美国军队的歌曲，后却被美国人接受并改编为自嘲的爱国歌曲。此处从“迪克西”到“扬基”，意指该届政府从亲南方转到亲北方。——译者注

第3章　来了一个西部人

就在南方为杰斐逊·戴维斯出任南部邦联总统的就职仪式做准备的同时，亚伯拉罕·林肯从伊利诺伊州出发，一路向东。陪伴在他身边的，有他的妻子和三个儿子，以及一大批随从人员：伊利诺伊州的几位政治家、私人朋友、姻亲、秘书和报社记者；还有一支由战争部任命的军事护卫队，由四位陆军指挥官组成。其中一位是他的朋友大卫·亨特少校，他是一位诚实正直、反对奴隶制的军需官，留着染了色的胡子，戴着深褐色的假发。年轻的约翰·波普上尉是伊利诺伊州一位法官的儿子，而埃德温·V. 萨姆纳上校是一位老骑兵指挥官，白发苍苍，来自马萨诸塞州。

轻步兵的训练官埃尔默·E. 埃尔斯沃思上校代表民兵系统，负责护送当选总统穿过沿途遇到的人群。然而，林肯先生最信赖的人是沃德·希尔·拉蒙，一位年轻的律师，曾经在巡回法庭执业时与林肯合伙。拉蒙是土生土长的弗吉尼亚人，他的长头发、目空一切的眼神和蓬松下垂的胡子让他看起来像是南方骑士。他的行李中有一把班卓琴，总是用黑人歌曲逗同伴开心。这些歌曲当中，林肯先生最喜欢的是一支欢快的民谣《蓝尾巴苍蝇》；他还喜欢听拉蒙演唱的其他很多简单的曲调，不管是忧愁悲伤的，还是滑稽好笑的。除了班卓琴，

亚伯拉罕·林肯

拉蒙还带来了五花八门的手枪和刀子，弹弓和铜钩爪。他身强体壮，勇猛无畏，他认为自己的专门职责就是把林肯先生安全护送到华盛顿。

这是一次观光和巡游，而不是一趟旅行。专列由一辆引导车开路，遵照精心制定的日程在各座大城市之间穿行，根据预先的约定，当选总统要在这些城市发表演说，举行招待会。穿过数英里欢呼的人群，在篝火、游行、致敬和握手的混乱中，林肯先生驶近了费城的欢迎仪式。他在2月22日去了一趟哈里斯堡，接下来继续向华盛顿进发，预计次日下午晚些时候抵达那里。在他接到的像雪片一般涌来的邀请函当中，没有一份来自马里兰。因为交通的原因，这个疏忽更加明显：通过巴尔的摩城的那一段非常缓慢，这是从北方经铁路到首都的必经之路，要用马车在车站之间来回转运。

巴尔的摩令林肯一行人很不安。这里的流氓团伙无法无天，可谓臭名昭著，马里兰州正在狂热地煽动脱离联邦。在那里，就像在华盛顿一样，一些忠诚度存疑的武装部队正在操练。据说有人放言：决不让林肯先生活着通过巴尔的摩。费城、威尔明顿和巴尔的摩铁路公司总裁塞缪尔·M. 费尔顿先生觉得运送当选总统通过一个敌对州责任重大，同时还被有人密谋毁坏铁路财产的传闻搞得心烦意乱。几周前，他请来了芝加哥一位侦探阿伦·平克顿，此人是一位苏格兰裔枪管制造商，创办了美国最早的私家侦探事务所，很受客户信任。平克顿还受雇于林肯先生在伊利诺伊州的顾问，他把一些密探安插在巴尔的摩城内及周围的武装部队和秘密社团中。在证实了谣传所说的切断铁路的密谋之后，费尔顿组织并武装了一支大约 200 人的卫队，把他们伪装成工人，分布在萨斯奎汉纳与巴尔的摩之间的铁路沿线。

国会认识到了林肯先生的华盛顿之行及他的就职典礼所伴随的危险，于是又任命了一个两人委员会，众议员沃什伯恩再次在该委员会代表众议院，而西华德先生是代表参议院的委员会成员。就像沃什伯恩与格里姆斯参议员组成的那个委员会一样，这个委员会也跟斯科特将军密切合作。2 月 21 日，斯通上校安插在巴尔的摩的密探传来报告说：林肯先生在经过这座城市时很可能遭到暗杀。斯科特派斯通去找西华德，后者同意将军的意见：林肯先生应该改变他公开宣布的日程安排。为了说服他，西华德派自己的儿子弗雷德里克带着一封警告信（里面装着斯通的报告），紧急赶往费城。

情况很危险，但华盛顿的共和党人实在是一帮大胆的家伙。他们为了就职典礼的舞会在市政厅背后竖起了一幢庞大的临时建筑。带着热切的期盼，他们等着在 2 月 23 日下午到火车站迎接林肯先生，而且，他们准备了大量的国旗，用来装饰他们的棚屋。与此同时，整个城市为华盛顿生日那天即将到来的阅兵仪式而兴奋不已。一大早，乡下人驾着马车来城里一睹盛况，马车就胡乱停在宾夕法尼亚大道上。集市、市政厅等热闹的地方，小贩们支起桌子，摆上了猪脚和姜饼。孩子们把写有文字的招贴抱在胸前，叫卖爱国歌曲，及很多带有爱国标志的旗子。自新年以来，西华德先生就一直为在首都大规模展示一次国旗而殚精竭虑，他的努力在华盛顿生日那天得到了回报：到处飘扬着红、白、蓝三种国旗色，场面极为壮观。那天早晨，《国民通讯员报》（*National Intelligencer*）的报道称，战争部证实了那个人人都在盼望的消息：正规军和特区民兵都将列队行进，接受检阅。

然而，吃早饭的时候，斯科特将军接到命令：取消联邦军队参加。弗吉尼亚人约翰·泰勒不喜欢军队这种挑衅性的展示，他的反对使布坎南先生不得不屈服。民兵队伍昂扬地走过宾夕法尼亚大道，但是，没有穿蓝色制服的正规军，没有机动炮兵，也没有昂首奋蹄的战马。取消预定的安排给老百姓的节日心情蒙上了阴影，到处都有谣言说：正规军士兵终归不会出现了。总统的一位密友，来自纽约州的众议员丹尼尔·E. 西克尔斯也有和公众一样的愤慨。两年前，西克尔斯因为开枪打死了菲利普·巴顿·凯而臭名远扬，因为凯跟他那漂亮的妻子有一腿。凯的父亲是《星条旗之歌》的作者，他本人是哥伦比亚特区的地方检察官，在华盛顿社交界是一个深受欢迎的人物。他的被杀，以及随之而来的审判，引发了巨大的轰动。埃德温·M. 斯坦顿担任西克尔斯的辩护律师，他援引习惯法进行辩护，最终的无罪裁定在法庭上受到人们的欢呼喝彩，总统也欣然接受了这一裁决。

这位冲动的国会议员对庆祝华盛顿的生日充满热情，他心急火燎地冲向了战争部的办公室，霍尔特部长正在那里与总统商议。西克尔斯的激烈反对让布坎南改变了主意，霍尔特匆忙赶到斯科特的司令部。将军自然大为光火。这会儿已是正午时分。军官们已经脱下了制服，士兵们也脱下了军装。就在一支规模大为缩水的部队匆忙集合起来的同时，布坎南先生写了一张便条给前总统泰勒，为自己允许联邦军队在华盛顿招摇过市进行辩解。下午，人们的愤怒情绪由于第二次游行而平息了下来。炮兵训练被证明是这次公开展示的高潮部分。操作大炮、准备行动的速度让所有人都大吃一惊，啧啧称奇。宾夕法尼亚大道上尘土飞扬，就像战场上的硝烟一样弥漫在人们和大炮的周围，使得军事场面尤为逼真。

次日早晨6点，当来自费城的列车缓缓驶进华盛顿火车站的时候，列车长也许被一个病人的突然康复吓了一跳。头天夜里，此人默不作声地被抬进了最后一节车厢尽头的铺位。这位先生戴着一顶耷拉着帽檐的软帽，围着一条围脖，穿着一件截去了燕尾的短大衣，生龙活虎地跳到了站台上。他那瘦长、高挑的体形，放在任何一群人中都显得有些古怪，他有一张普通、黝黑而忧郁的脸，下巴上有一片新长出的硬胡子茬。有两个同伴贴身陪伴着他，其中一个膀大腰圆，外套下面每一个可能携带武器的地方都鼓鼓囊囊，而另一个人是个蓄着胡须的矮个子，有一张警惕的、农民模样的脸。当他们沿着站台走进睡眼惺忪的人流时，车站里只有一个人注意到了他们，此人躲在一根柱子的后面，正带着敏锐而焦急的表情注视着周围。当那个瘦长的陌生人从身边经过时，此人迈步上前，一把抓住了他的手。"亚伯，"他大声喊道，"你少跟我玩这一套！""别打他，"陌生人赶忙告诉身边的护卫。"他是沃什伯恩。"当选总统就这样抵达了美国首都。

弗雷德里克·西华德带到费城的警告，已经在平克顿侦探的一份报告中发出了：巴尔的摩有一场暗杀密谋。两次警报让人倍加不安，林肯的朋友们说服了他改变已经公布的计划。在结束了哈里斯堡之行后，他秘密地乘船登上了夜班列车，陪伴在他身边的，只有沃德·希尔·拉蒙和 E. J. 艾伦先生，此人在别的时候被称作平克顿。弗雷德里克·西华德返回后带去了口信：林肯先生可能比预期的时间更早抵达华盛顿，众议员沃什伯恩于是在那个冬日的拂晓匆匆赶往火车站。三个旅行者爬进了沃什伯恩的马车，驶往威拉德酒店。

按照最初的计划，在就职典礼之前林肯先生将住进一幢租来的房子里，在纽约州的政治经理人瑟洛·威德的建议下，这一计划改变了。酒店更方便新任总统接近老百姓，威德先生亲自写信给威拉德酒店，预定了房间。然而，当林肯先生意外地提前出现的时候，酒店里最好的房间已经被人占用了，不得不让纽约的一位资本家仓促地搬出跟6号客厅相连的一个套间，那是第二层拐角处的一个大套间，可以俯瞰宾夕法尼亚大道和总统官邸的草坪。

西华德先生正在威拉德酒店等候新任总统的到来，并祝贺他安全抵达。沃什伯恩觉得，西华德好像有点不高兴，因为自己没有及时起床去火车站。然而，到8点钟的时候，两位议员已经愉快地坐在一起用早餐，盘子里装满了新鲜的鲱鱼。林肯先生已经回房间休息去了。林肯并不像他的朋友们那样兴高采烈，他屈从于别人的建议，改变了计划，但他并不相信他们讲的故事——他在巴尔的摩险遭暗杀。自从获得提名以来，他就不断接到恐吓信，威胁要他的性命。他相信自己注定要暴毙而亡，并表达过这样一种感觉：他可能不会活着回到斯普林菲尔德。但林肯的忧虑（尽管这些忧虑可能由于敌人的威胁和朋友的牵挂而更加活跃）是预感和焦虑所带来的莫名其妙的惊慌，而现实危险的情形倒让他无动于衷。在他的余生，他会为这次秘密抵达华盛顿而深感遗憾。这使他更容易招致朋友和敌人的激烈批评，在很多人看来，这似乎应该归咎于一个原本已经足够丢脸的政府。西华德先生大概会笑着同意诋毁者的看法，并说，他也不相信什么巴尔的摩的刺客，但斯科特将军信以为真。

林肯先生9点钟的时候独自在他的客厅用过了早餐，直到11点才露面，然后在西华德先生的护送下离开了酒店。早晨独处的几个小时，是他在华盛顿最安静的时刻。从今往后，他的时间将由不得自己，人们将川流不息地来找他。

新任总统要做的第一件事是拜访总统官邸。内阁正在那里开特别会议，看门人递给布坎南先生一张令人吃惊的卡片。“亚伯大叔就在楼下！”总统惊呼，赶忙下楼，来到红厅，并很快就领着两个共和党人回来了。林肯先生被介绍给内阁，交谈几分钟之后，他便离开前往拜访斯科特将军。内阁中有一位成员，也就是司法部长斯坦顿，对林

宾夕法尼亚大道

肯先生不屑一顾。许多年前，他们作为一宗著名案件的辩护律师，曾经有过合作，那次诉讼是收割机的发明者赛勒斯·麦考密克提起的，案由是侵犯专利权。斯坦顿怠慢并羞辱了这个来自乡下的律师，林肯从未忘记自己所遭受的羞辱，但他对埃德温·M. 斯坦顿的能力一直保持着鲜活的印象。

林肯先生对华盛顿并不陌生，他在这里代表伊利诺伊州担任过一届众议员，但首都不可能回应他的问候。尽管他有着不同寻常的体形，但当他与西华德一起走在街头时，没有一个人朝这个丑陋的西部人瞅上第二眼。有谣言说他就在城里，这导致《星晚报》空前热销——这份报纸在那天下午登出了一篇描写他抵达威拉德酒店的报道。很多人依然抱怀疑态度。一些共和党人宣布，这个故事是一个诡计，为的是让他们远离总统专列；而且，他们用旗子装饰他们的车子和棚屋，希望在林肯先生离开火车站、前往酒店的路上给他留下深刻印象。后来，“那群抱怀疑态度的人”冒着大雨去迎接专列，第 14 街通往威拉德酒店的入口被围得水泄不通。他们得到的回报是：远远地瞥见了总统的陪同人员，无精打采，疲惫不堪，马里兰州的阴云和林肯的突然离去也让他们倍感郁闷。林肯夫人因为与丈夫分开而变得有些歇斯底里。埃德温·萨姆纳上校是一个脾气很不好的老兵，在履行自己的职责上颇感受挫；而埃尔斯沃思上校原本以为他们的专列会在巴尔的摩遭到暴徒的围攻。为了抵消这种沮丧，在列车穿过马里兰边境的时候，鲍勃·林肯[1]领着大家唱起了《星条旗之歌》。

林肯夫人挽着西华德先生的胳臂，走进了酒店，在人头攒动的过道里，威拉德先生亲自迎候她。楼上，新任总统躺在扶手椅上，脸上喜气洋洋，而他的两个被宠坏的孩子，威利[2]和塔德，则爬在他身上。他将有一个忙碌的下午，来访者已经坐满了隔壁的 6 号客厅。斯科特将军（林肯上午没见到他）一身戎装前来回访，弯腰鞠躬的时候帽子上的羽毛扫到了他的脚背上。由斯蒂芬·A. 道格拉斯领头，伊利诺伊州的参议员和众议员前来拜访。年迈的弗朗西斯·P. 布莱尔领着他那位脸形瘦削的儿子蒙哥马利走了进来，他希望蒙哥马利可获任邮政部长。布莱尔家族（父亲和两个儿子）是共和党内的一股势力。他们是一个好战的家族，来自边境蓄奴州，是倒戈反对奴隶制的民主党人。老布莱尔从前是个有名的报纸编辑，是杰克逊“厨房内阁”的一员，他是个敏锐的政治家，依然在幕后发挥着很大的影响力。小儿子弗兰克从前是众议员，最近再次当选，是密苏里州的自由土壤党领袖。而蒙哥马利则像他父亲一样，如今在马里兰州居住和活动。林肯先生对老布莱尔相当信任，把自己就职演说的副本给了他一份，也给了他的首席顾问西华德先生一份。

---

① 罗伯特（鲍勃）·塔德·林肯：林肯总统的长子。——译者注
② 威利·华莱士·林肯：林肯总统的第三子。——译者注

家人到达不久之后，林肯被告知，和平会议的代表们想来拜访他。他约定 9 点接待他们，然后坐马车去参加西华德 7 点钟的晚宴，当选副总统、缅因州参议员汉尼拔·哈姆林也将出席。当他回来的时候，威拉德酒店长长的客厅走廊里站满了人；林肯跟走廊两边的人一一握手,《纽约先驱报》说，他兴致很高，连帽子都忘了摘。

前总统泰勒和来自俄亥俄州的萨蒙·P. 蔡斯率领和平会议代表们上楼来到 6 号客厅。蔡斯像斯科特将军一样派头十足，几乎像萨姆纳参议员一样痛恨奴隶制。他在本州担任一届州长之后再次当选参议员，是共和党中最杰出的前民主党人。传闻他将进入内阁，这会让激进分子感到满意，他们不喜欢主张绥靖的西华德。他身材高挑，仪表堂堂，英俊潇洒，有着一个政治家天庭饱满的前额。当他站在林肯旁边逐一介绍代表们的时候，看上去更像是美国总统，而蔡斯本人肯定会第一个这样想。

东部人和那些来自边境蓄奴州的人心里充满好奇和偏见，他们仔细打量这个来自大草原的奇人。这个身形高大、身子歪斜、满脸菜色的乡野律师，让那些不习惯西部类型的人大吃一惊。他的口音在东部人听来十分刺耳。看来，林肯很难唤起人们的信任和赞佩；不过有些人在他脸上看到机智、诚实，甚至还有一种自然而然的尊贵。他的眼睛多少弥补了脸的丑陋，虽说这双眼睛有些朦胧模糊，沉思的表情既没有显示坚定，也看不出什么力量。他的微笑亲切友好，令人愉快，并不像他的画像那样难看。林肯与代表们随便地闲聊着，像一个优秀的政治家一样，记住了他们的要求，甚至他们的中间名的首字母缩写，总而言之，林肯并没有令人留下不快的印象。

第二天是礼拜天，林肯先生与西华德先生一起出席了圣约翰教堂的礼拜仪式。在同一位向导的带领下，他在星期一走访了参议院和众议院，还有最高法院。但在就职之前的那一周，他几乎都是在酒店套房的那间人头攒动的大客厅里度过的。威拉德酒店前所未有地聚集了一大批在公共事务（民事、军事及海军事务）中抛头露面的名人。共和党领袖在那里商议，代表们在那里就政府的政策和内阁的任命提出自己的建议。和平会议即将闭会，作出的决议没有一个人满意，边境蓄奴州的人恳求联邦政府保证不胁迫。从清晨到深夜，川流不息的人来找新任总统，有资历较浅的政客、官职寻求者、编辑、记者，还有人只不过是为了来跟总统握个手。大街上擦肩而过的路人依然不认识他，但有成百上千的人已经在6号客厅里熟悉了他的音容笑貌。贝雷特市长和华盛顿的政务会成员拜访了他，对他表示欢迎，林肯让他们相信，他对他们有亲切感，乐意像邻居一样对待他们。再一次，在回应华盛顿共和党人的示好时，林肯先生表明，他清楚地知道自己在首都的奇特处境：华盛顿的居民在政治立场上几乎全都倒向了与他对立的阵营。

新任总统下定决心：在奴隶制扩大的问题上不接受任何妥协，并像他的就职誓词所要求的那样，坚决捍卫宪法。自他离开斯普林菲尔德以来，凡是偶然遇到过他的人，或者听过他演讲的人，没有一个人能觉察到他的决心和他的焦虑。在他的公开言论中，林肯先生极力贬低这场危机的严重性。他平静温和的举止，他谈话时那种“轻松幽默的自由”，以及他源源不断的趣闻轶事储备，给人留下的印象是，对国家事务他只有肤浅而褊狭的理解。在共和党领袖当中，最感到困惑不解的莫过于查尔斯·萨姆纳参议员了。林肯先生有一个俏皮的小癖好：喜欢跟其他高个子比身高，有一次，他提议跟萨姆纳比一比，这冒犯了参议员的尊严。萨姆纳婉拒了，他的借口很是幽默：这个时候，应该联合起来的，是他们的前胸，而不是后背。华盛顿共和党人、就职典礼游行的首席典礼官弗伦奇少校宣称：他们所有人都喜欢老亚伯，但希望“他停止发表‘小’演说。他没有语言天赋，尽管他可能有西部人的饶舌”。

随着蒙哥马利·布莱尔被任命为邮政部长，林肯内阁的提名名单宣告完成。在他的顾问名单的最前面，是西华德先生，以激进分子蔡斯作为平衡，后者出任财政部长。有两项选择实际上是他的政治经理们在共和党提名他的那次会议上讨价还价之后强加给他的。一是内政部长、印第安纳州的凯莱布·B. 史密斯，此人是个样子平淡无奇且口齿不清的保守分子。另一个是宾夕法尼亚州参议员西蒙·卡梅伦，林肯先生万分不情愿地任命他为战争部长。卡梅伦是他自己那个州的共和党领袖，但他的政治手段肆无忌惮，这样的名声并没给新内阁带来什么光彩。

作为对新英格兰的安慰，林肯先生让康涅狄格州的吉迪恩·韦尔斯担任他的海军部长。他也是个高个子，“令人尊敬却无足轻重”，长髯飘飘，戴着巨大的灰色假发。韦尔斯是哈特福德的一位报人，对轮船一无所知，但他是一个勤勉而能干的行政管理者。他还很容易发脾气，那些低估他的人并不知道，他在用一支饱含怨恨的笔写日记。在某一方面，韦尔斯在内阁成员当中是独一无二的——他并不认为自己比总统更牛。

司法部长、密苏里州的爱德华·贝茨是林肯先生最早的选择之一。他曾经是个奴隶主，值得尊敬，信守并尊重宪法。对马里兰人蒙哥马利·布莱尔的选择，使得林肯有了两个来自边境蓄奴州的顾问。布莱尔是个勇敢的人，他曾担任奴隶德雷德·斯科特的辩护律师，此举赢得了废奴主义者的欢呼喝彩。温文尔雅的老先生贝茨几乎不可能有任何人反对，但腹背受敌、怀有报复心的蒙哥马利却有很多敌人。共和党的激进派痛恨他，温和派也不喜欢他，认为他是一个不妥协的、好战的极端分子。他有很多亲戚是分离主义者，总是针对他对联邦的同情发出挑衅。

林肯内阁

左起：贝茨　韦尔斯　布莱尔　西华德　蔡斯　林肯　斯科特　史密斯　卡梅伦

带着明显对脱离联邦同情的例外，总统的内阁就像钱德利先生的徽章一样，代表了各种不同的政治观点。内阁中的四位成员，西华德、蔡斯、卡梅伦和贝茨，是共和党总统竞选提名会议上的候选人，对前面两位来说，未获提名的失望简直令人痛苦。别指望这些持不同政见的人和谐共处，携手合作。西华德能够预见到，担任这个混合内阁之首并不是件容易事。他在林肯就职之前最后的时刻递交了辞呈，但在总统的坚决要求下又收回了。

尽管有国家危机的阴云，但总统的招待会并不缺乏愉悦的气氛。在长子罗伯特（一个 18 岁的哈佛学生）身边，有三个年轻人，是林肯在斯普林菲尔德的律师事务所里的学生，他与这几个年轻人都建立了深厚的感情。约翰·乔治·尼古拉是个能干的日耳曼人，将近 30 岁，是他的私人秘书。助理秘书约翰·海是个 22 岁的大学毕业生，聪明佻仛、漂亮。英俊潇洒的小个子轻步兵埃尔斯沃思比他们大不了多少，他孩子般的热情很有魅力。他拿出了一份改革民兵体制的计划，打算把民兵组织置于联邦政府的控制之下；而且，他希望担任战争部的办公室主任。罗伯特·林肯曾在菲利普斯－埃克塞特学校[1]接受教育，在演说和举止方面比他父亲更显优势。父亲当年以制栅栏工身份开展的竞选宣传活动，他也偶被提及，于是有人开玩笑地给罗伯特取了一个绰号“栅栏王子”。不可避免地，有人说他骄傲而做作，但在经受公众关注和奉承的那个漫长的考验时期，他十分明智地保持了自己的言行得体。

尼古拉认为，客厅里成群的女士使得他看上去好像夜夜有派对。然而，他一直忙于总统的通信，无法脱身，而埃尔斯沃思是一个道德家和斯巴达式的人物，尽管女生们为他的黑色卷发而倾倒。约翰·海和罗伯特·林肯才是派对上的积极分子。海交了一个新朋友亨利·亚当斯，他也是私人秘书，不过他很快就会跟父亲一起去圣詹姆士宫[2]。夜里，罗伯特有时候会待在楼下的吸烟室里，与其他人一起听竖琴师演奏的音乐，抽雪茄。有一次，几个分离主义者劝诱竖琴师演奏《迪克西》，南部邦联已经采用这支曲子作为国歌；但竖琴师紧接着演奏了一曲《欢呼，哥伦比亚》。在六号客厅，林肯夫人在她妹妹尼尼安·爱德华兹夫人、她的两个侄女和她表妹格里姆斯利夫人的陪伴下，穿着时髦的斯普林菲尔德的装束，接待客人。总统的这位肯塔基州妻子对自己的位置颇为得意，把自己想象成一个在政治上很重要的人物，私下里在同伴中把西华德先生称作“肮脏的废奴主义小人”。

每天夜里，新建立的民兵队都会在城里的开阔地带操练，但是，对革命的担心大大地减弱了。很多爱国人士认为，在就职典礼上炫耀武装力量是个馊主意。然而，对自己生命的威胁使得斯科特将军相信，就职典礼是一件危险的差事，他准备出动城里的每一个士兵来保

① 美国数一数二的老牌私立寄宿高中，建于1781年，位于新罕布什尔州埃克塞特市。——译者注

② 亨利一直为其父担任私人秘书，圣詹姆士宫为英国王宫。——译者注

护新任总统。如今，除了海军造船厂的水兵之外，还有653个正规军士兵归他指挥。他把林肯先生乘马车从威拉德酒店到国会大厦看作是一次重大行动，他计划把一队精挑细选的人马，来自西点军校的工兵，安排在先导车队里。特区骑兵中队骑马走在总统马车的两侧，民兵的步兵连殿后。步枪队和少量的联邦骑兵奉命在沿途布岗。正规军的主要力量，由斯科特乘坐他的四轮轿式马车领头，被安排在F街，“从侧翼保护这次行动”。

与此同时，一个炮兵连被安排在财政部大楼附近，两个炮兵连驻扎在国会大厦北入口外。在后面这个重要地点，斯科特打算在典礼期间亲自坐镇，作为东部军区司令，约翰·E. 伍尔少将也会留在那里，这是一位身材瘦小的老人。

星期六和星期天，外地人（几乎全都是男人）纷纷涌入城里，因为他们预计就职典礼将在星期一举行。巴尔的摩人喝着烈酒，尖声高喊着他们的战斗口号，他们只是吵吵嚷嚷的少数，淹没在潮水般涌入的共和党人中。后者当中有很多名流显要——有27位州长和前州长，很多前参议员和众议员——还有民兵和市民组织。然而，就数量而言，最庞大的还得算是西部的平民百姓——华盛顿最近才熟悉这种类型的人——他们风尘仆仆，孤独无助地在城市周围东躲西藏，寻找睡觉的地方。酒店的房间已经全都占满了。最好的住处是客厅里的一张帆布床或一块床垫。这些新来的人可不是出手大方的家伙。小旅店的老板注意到，他们是一支无油水可榨的大军。出租马车的车夫和搬运工纷纷抱怨，他们宁愿扛着自己的旅行包徒步，也不愿掏出四分之一美元。

礼拜天，街上到处都是东游西荡的人群，似乎不像是安息日。早晨，潮水般的人群冲向第14街，争相目睹当选总统离开教堂。女士们进入威拉德酒店的入口被人们围得水泄不通，以至于警察很难在人行道上清理出一条过道。《星晚报》的措辞相当贴切，说所有从酒店经过的个子很高且相貌平平的人，都会被人仔细审视。然而，亚伯大叔并没有出现。人群只好在职业拳击手约翰·莫里西露面时凑凑热闹，他戴着一顶大礼帽，正在那儿闲逛。

威拉德酒店礼拜天有 1 500 人进餐，国家大酒店则接待了 1 000 人。夜里，劳工们勤勉地清扫着整个宾夕法尼亚大道，从国会大厦直到白宫，这是一项很费力的工作，礼拜六夜里他们没能干完。大风卷起厚厚的尘土，尽管如今有充足的水供应，但城里没有打湿街道的系统。傍晚时分，各怀心机的人群漫步走向灯火通明的国会大厦，参议院的旗子在那里高高飘扬。成百上千无家可归的观光客睡在集市的摊位上和木材堆上，或者通宵达旦地在街上闲逛。值班的骑兵队在夜色中巡逻。有谣言传到了斯科特的司令部里，说有人试图炸毁国会大厦东门廊竖起的那个平台。于是在台下安排了一队卫兵，拂晓时分，一个营的特区民兵来到这里，在台阶脚下围成一个半圆。

这座城市因了人生地不熟的外地人而早早醒来，他们聚集在公共喷泉那里洗漱。人们开始出来看游行。报童们尖声叫卖早晨的报纸，上面印有油墨未干的亚伯大叔的画像。宾夕法尼亚大道的人行道挤得满满的。在拥挤的人群中，年仅 4 岁的牛顿·伦纳德与父母走散了，他长着蓝色的眼睛、饱满的脸蛋，穿着彩格呢外套，第二天在《国民通讯员报》上登出了寻人广告。

尽管阳光灿烂，但那是一个寒冷难挨的日子。瑟瑟冷风中，当正规军士兵和特区民兵列队的时候，人们站在那里等待着。那不是一次喜庆的节日聚会。整个城市似乎焦虑而沮丧。少数几幢建筑为了庆祝就职典礼而装饰过。沿途有些房子紧闭着百叶窗，很多不友好的面孔在阳台上和窗户前紧皱眉头。有谣传说，如果林肯先生能顺利就职的话，弗吉尼亚的一队骑兵就打算冲过长桥，在那天夜里的联邦舞会上活捉总统。

在屋顶上的围观人群当中，挎着步枪的民兵各就各位，他们的哨位俯瞰着宾夕法尼亚大道。12 点刚过，举枪敬礼的命令传递给第 14 街的骑兵队列，以及威拉德酒店门前宾夕法尼亚大道上的炮兵。乐队开始演奏《向统帅致敬》，布坎南先生和林肯先生携手走出酒店的侧门，在一辆敞篷马车上坐定。1 点钟，“老官员”将会交出那个让他蒙受耻辱、遭人蔑视的位置。而他旁边那个西部人将会被萨姆特要塞的障碍物给绊倒，在仇恨的爆发下领导一个难以驾驭的国家——已经有七个州从这个国家脱离出去了。当马车驶向国会大厦时，布坎南先生坐在那里一言不发。他干瘪的脸在白色围领之上显得越发苍白。仅仅四年之前，他也是这样驱车穿过欢呼的人群，在两辆漂亮的彩车之间缓缓移动，一辆是拥有底座的自由女神像，另一辆是一艘装备完整的帆船，由来自海军造船厂的水兵操纵。如今，就职典礼游行紧凑而简短，就像一次军事行动，防备着袭击。人头攒动的人行道上没有多少热情，观众几乎没有办法透过昂首阔步的骑兵队看到新总统。斯通上校骑马走在旁边，正用马鞭戳他的坐骑，他想，他已经成功地让民兵的马匹变得焦躁不安，恐怕连一个神射手也很难瞄准坐在马车里的人。

一百个骑在马上的典礼官，披着橙色、红色和蓝色的马饰，使出浑身解数让游行呈现出花枝招展的节日氛围；但是，在训练有素的正规军队列和规模可观的民兵卫队之后，市民队伍看上去稀稀落落、无足轻重。队列里有 500 个华盛顿共和党人，少量来自各州的代表。34 个年轻姑娘乘坐着一辆彩车，后来林肯先生一一亲吻了她们。《星晚报》取笑新英格兰人的钉靴，在水兵乐队暂停的时候像气枪一样噼啪作响，除此之外没有什么声音惊扰宾夕法尼亚大道上的游行队伍。那些吵吵闹闹的无赖在卖烈性酒的店里聚首了。几个醉醺醺的家伙试图妨碍士兵的前进，其中一个人大声辱骂一位来自弗吉尼亚州的共和党代表，为南部邦联三呼万岁。在国会大厦的东部公园，一个蓄着红胡子的小个子男人高高地坐在树上，手舞足蹈地对人群发表演说。然而，这些都是小规模的骚乱，很快就被警察平息了。在马背上待了漫长的一天之后，首席典礼官弗伦奇为自己圆满完成了任务感到欣慰。

官员的队伍由北门经过一条用高高的木板栅栏围起来的、由水兵守卫的通道进入国会大厦。就在参议院大厅里举行仪式、副总统哈姆林和几个参议员宣誓就职的同时，大多数人在东部公园里默默地等待。他们默不作声地看着国会大厦四处延伸的建筑，以及未完工的穹顶，它们被一些用钢索固定的阴森恐怖的脚手架所环绕。为它的顶端设计的"武装自由女神"像，其模型耸立在草地上，周围胡乱堆放着一些破损的大理石。新建两翼的每一扇窗户里，都布置了两个步枪手；斯通上校从其中一扇窗户里朝外打量，对他们完美地从侧翼保护台阶甚感满意。终于，大门打开了，代表们在台上各就各位，台下面隐藏着50个全副武装的士兵。

林肯先生的老朋友、来自俄勒冈州的参议员、满头银发口若悬河的爱德华·D. 贝克迈步上前，介绍新总统。当林肯走到那张为他致辞而准备的有点摇摇晃晃的桌子前，响起了一阵软弱无力的欢呼声。林肯拿着金头手杖，戴着光滑的绸帽，尴尬地停顿了片刻。当他把手杖放在桌子下面的时候，道格拉斯参议员笑眯眯地伸出手，帮他接过帽子。所有人都可以看到坐在台上最前排的道格拉斯，他手里拿着林肯的帽子，作为一种公开的表白，显示其对国家统一的信念。在背后，得克萨斯州参议员威格福双臂交叉倚靠着国会大厦的门廊，注视着就职典礼的现场，他那张凶狠的、布满疤痕的脸上带着轻视。

以洪亮高亢的声音（这是在西部的开阔集会上训练出来的），林肯先生开始发表演说。当他的听众在一种令人痛苦的沉默中突然安

林肯第一任期就职典礼

静下来倾听的时候，一个目光敏锐、表情漠然的高个子男人却超脱于人群之外。就像一个十分熟悉后台因而早已对演出没有什么兴趣的人，奥尔巴尼市的瑟洛·威德先生背朝林肯，在国会大厦公园里闲逛。他大概太过伤心，不想留在那里，看着这个面容苦涩的西部人站在那个位置上，他曾经梦想并策划了要把另一个精明狡猾、满脸堆笑的人推到那个位置上。威德先生是他那个时代最有技巧的政治经理人，但他没能实现他最大的野心：操纵共和党提名西华德为总统候选人。

正当他在国会山的北边散步的时候，威德先生碰巧看到了轻炮兵的两门大炮。在其中一门大炮的旁边，斯科特将军正弯下他曾经辉煌的老迈之躯。在另一门大炮旁边，伍尔将军一本正经，笔直地站在那里，高高的衣领让人透不过气来。威德先生拔腿往前走。1812 年，这个愤世嫉俗的政治家还是一个年轻的鼓手。将近半个世纪前，他曾见过这两位老将军（一位如此之胖，一位如此之瘦），当年，他们都是干劲十足、活蹦乱跳的年轻军官。他赶紧上前介绍自己，毕恭毕敬地跟他们握手。

在他的身后，林肯的声音回荡在空中，越过缺乏热情的民众，越过这个四分五裂的国家。“我们不是敌人，而是朋友……尽管愤怒或许可以绷紧我们之间友情的纽带，但绝不可能把它折断。”声音停止了。传来鼓掌喝彩的喧闹声。首席大法官坦尼蹒跚着走上前来，就像黑色绸袍里的一具尸体。老政权与新政权彼此正面相对，一本《圣经》摆在他们之间，那是一本漂亮的书，有镀金的搭扣并由肉桂天鹅绒包覆。林肯先生庄严宣誓，要捍卫联邦宪法。

大炮鸣响着礼炮。这次巧遇两位老将军，威德先生深深沉浸在激动中。他并不记得托克维尔的警告：一个民主国家的军队，往往由于老迈无力的军官所带来的重负而遭到削弱。他由于这种伤感之情而变得仁慈起来（腐败者往往容易受这种情绪的影响），怀着崇敬之情凝视着他少年时代的英雄；他却没有从国会山上的这个古老的场景当中，看出这样一个迹象：联邦并没有为漫长而血腥的战争做好准备。

第4章　荒　村

“3月4日来了，又过去了，我们的共和党总统还活着，”专利局的职员克拉拉·巴顿这样写道，“而且，奇怪的是，在整整一天的时间里，没有看到一个人对他的活着表现出丝毫的不高兴。”在就职典礼的紧张之后，华盛顿在星期二早晨醒来，突然有一种扫兴的感觉，并且怀疑过于夸张的军事预防措施是不是有点荒唐可笑。

联邦舞会在市政厅后面“白纱阿拉丁宫”里如期举行，没有任何令人不安的意外事件发生。这座“宫殿”是用木头临时搭建的，被分为跳舞和用餐的房间，更衣室则靠市政厅提供，女士们在市政委员会的会议室，先生们在法庭。林肯先生看上去很疲惫，被他的白色小山羊皮手套搞得心烦意乱，与贝雷特市长臂挽臂走在盛大游行队伍的前面，而他妻子则和从前追求过她的道格拉斯参议员一起紧随其后。那些跟着水兵乐队的曲调旋转的女士们，抛弃了1850年代那种有褶裥的、装饰着花环的衣裙，现在流行的是僵硬而笨重的材料，镶缀繁复，饰以蕾丝花边。衬裙硕大无朋，为避免脑袋显得像针头似的，女士们给自己戴上了夸张的头饰：金发、羽毛、天鹅绒和鲜花。有人注意到，跟道格拉斯跳四对方舞的林肯夫人穿着一身蓝色衣裙，戴着黄金和珍珠做成的项链和手镯。大多数购买了舞会入场券的人都是首都社交界的陌生人，他们对薄纱装饰，巨大的煤气枝形吊灯，以及戈蒂埃为餐桌设计的优雅的金字塔，都有一种天真无邪的喜爱。亨利·亚当斯认为这是一场令人伤感的盛大集会。

林肯先生带着沉重的心情来到华盛顿，在就职之前就对自己的职务感到厌恶。在所背负的艰巨责任中，他被两个毫不相干的职责搞得心烦意乱——他这个身份的社交要求和他这个职务的分派。

林肯夫妇从未学习过华盛顿的官方礼仪；国务院就礼仪职能、先后顺序和名片的使用准备了一份详细的备忘录，供他们参考。总统和他妻子被告知：在致辞的时候不要把外国人称作“阁下”；并建议国宴应该在7点钟举行，尽管总统一家私下里可能在6点用餐；出席晚间活动，先生不得穿长礼服。在礼仪问题上，西华德先生是总统的指导者和监护人。上任不久他就有个任务，即为撒丁岛的外交代表贝尔蒂纳蒂骑士安排一次觐见，贝尔蒂纳蒂刚刚被任命为这个意大利新王国的公使。林肯先生严格依礼仪规矩向这位英俊潇洒的骑士鞠躬，后者戴着三角帽、银饰带和佩剑；为了回应一篇冗长的致辞，他从那件皱巴巴的黑色外套的口袋里掏出了一份名副其实的“小演说”稿。

就职典礼几天后，总统夫妇在白宫举办了他们的第一场招待晚会。以出席人数来衡量，它算得上是一次巨大的成功。7点钟的时候，距离开门还有一个小时，大车道上便塞满了马车。参议员查尔斯·萨姆纳身着裁剪完美的英式晚礼服到达；有一些陆军和海军指挥官，还有很多外国公使出席，这是他们的一项外交职责，即便他们并不喜欢。从8点直到10点半，总统片刻不停地跟人握手，常常还要用左手请来访者先行。他穿着就职典礼时穿的那身衣服，戴着崭新的白色小山羊皮手套。沃德·希尔·拉蒙站在他身旁。林肯先生打算提名他这位朋友出任特区警察局局长，在哥伦比亚特区的职位中，这是总统有权任命的职位之一。正是这个职位，把宫廷侍从的临时角色添加到了治安官的职责之上，因为，警察局长负责管理县监狱，并部分负责维护华盛顿的秩序；按照传统，还要在白宫招待会上负责把宾客介绍给总统。总统夫人也有一个类似的随从，这个角色要求由公共房产管理局局长来担当。在林肯夫人周围，聚集着一群女性亲戚，她们从斯普林菲尔德陪伴她来到这里：她妹妹爱德华兹夫人，穿着褐色和黑色的衣服；两个侄女，分别穿着柠檬色和深红色的衣服；格里姆斯利夫人，穿着蓝色的波纹绸。还有两个同父异母姐妹，她们是为了参加就职典礼而特意赶来的，其中一个是亚拉巴马州的分离主义者克莱门特·怀特的夫人。招待会在争抢行头的混乱中结束。在布坎南执政期间，曾经做过一次尝试，试图在大厅里检查各自的行头，但这一做法并不受欢迎。在林肯的第一次招待会上，随便乱丢的外套和帽子纠缠在一起。按照《星晚报》的说法，大概有十分之一的人走出白宫时不是穿着自己的外衣。

寻求职位的人——最热门的职位是邮局、领事馆和印第安人事务局——立即占领了白宫。他们占据了客厅和过道，在门廊和草坪上闲逛。不分白天黑夜，宽阔的楼梯上始终有两队人上上下下。总统办公室的接待室和第二层走廊里挤满了焦躁不安的求职者，他们手里拿着各种证书和文凭。

总统官邸的设计可能压根没考虑过总统的隐私。行政事务在第二层东头、主楼梯起始处的三个房间里办理。家人睡觉的地方位于同一楼的另一端——林肯先生住在西南角上的小卧室，他妻子住在隔壁的一间大房，两个孩子则在对门。穿梭于办公室、卧室或餐厅之间的时候，总统不得不奋力穿过求职者的行列，他们当中有些人一把抓住他，递上自己的材料。唯一的看门人在行政大厅值班。林肯这个新家的条件，跟护送他到华盛顿和就职典礼时对他的保护形成鲜明的对照。对他的身家性命的所有担心，在他成为总统之后立马就给忘得一干二净；然而，他依然不断收到恐吓信，白宫里还会有一些怪人出没。他的秘书写道，这些疯子频繁地来到接待室，有时候甚至冲到林肯面前。

对国会内外的游说者来说，在国家危难的非常时期，政府专注于官职任命权是很不合适的。南部邦联各州正在积极备战。2 月底，联邦陆军的大卫·特威格斯将军把 19 个陆军哨位拱手交给了得克萨斯州的叛乱当局，投降的时候还穿着联邦军制服。新近任命的西点军校校长、路易斯安那州的皮埃尔·G. T. 博勒加德上尉已经辞职，成了南方军的一个旅长，驻守查尔斯顿。陆军和海军中很多经验丰富的高级指挥官都在给叛乱政府效力。辞职都毫无疑问地被接受，这些指挥官都被允许光荣退伍。一些留在岗位上的人也明显是靠不住的。

华盛顿的空气里弥漫着浓厚的叛逆及叛国的猜疑。陆军副官长、新泽西州的塞缪尔·库珀 3 月份辞职去了南部邦联。军需部长约瑟夫·E. 约翰斯顿是弗吉尼亚人，对联邦并不忠诚。老军医署长的不忠因为年老体弱而起不了什么作用，但现任军医署长罗伯特·C. 伍德是杰斐逊·戴维斯第一任妻子的弟弟。时髦的弗吉尼亚上尉、“约翰王子”马格鲁德指挥着联邦第一炮兵部队，被召来保卫首都，众所周知他是个分离主义者。华盛顿海军造船厂的司令官富兰克林·布坎南来自马里兰州，有分离主义倾向，他的大多数下属都靠不住。所有行政部门都保留了大量不忠于联邦的职员和信差。最高法院大法官约翰·A. 坎贝尔与蒙哥马利当局保持着频繁的通信，他最终把赌注押在了南方。在就职典礼之后召开的参议院短期特别会议上，除了六个蓄奴州以外，其他蓄奴州在很多情况下都是由分离主义领袖来代表。来自得克萨斯州的参议员继续端坐在国会大厦，尽管该州已经派代表出席南部邦联的国会。威格福甚至在参议院的大厅里大声宣称要武力

威廉 · T. 谢尔曼

分裂，并自吹，他没有义务忠诚于联邦政府。有人提出动议驱逐他，但没有采取任何行动。

如今在华盛顿召集开会的，是一个犹豫不决的共和党内阁，而不是一个优柔寡断的民主党政务会——这可能就是政府从 2 月这届变到 3 月这届后唯一看得见的差别。北方的民意是冷淡的，也是有分歧的。爱国情绪的低落，由于新一届政府的不作为而变本加厉。旅行者如果从“深南”地区北上，他会通过一个上下一心、战争情绪高涨的地区，进入一个无动于衷、满不在乎的地区。3 月初，一个红头发、急脾气、神经紧张的家伙注意到了这种鲜明对比，他就是前陆军上校威廉 · T. 谢尔曼。他是众多对戎马生涯颇感失望，于是解甲归田的北方军官之一。过去一年半的时间里，他一直担任路易斯安那州一所军事学院的校长。谢尔曼上校喜欢那个地方和那里的人民，但他再也没办法光荣地留在那里，他回到了俄亥俄老家，另谋他就。

谢尔曼深知，战争即将到来，但他并不认为战争会给他带来任何让他能够养家糊口的就业机会。然而，他有个弟弟在华盛顿，即来自俄亥俄州的共和党众议员约翰。约翰 · 谢尔曼刚刚进入参议院，接替蔡斯先生的位置。他相信他哥哥的军事才能，他劝哥哥来华盛顿。上校去了，却对自己看到的每一样东西都很反感。没有什么职位等着他，而他天生就是个急躁的人。有一天，约翰带他去白宫，把他介绍给总统，并解释：他哥哥刚从路易斯安那回来，可能有一些有用的信息。上校开始讲述他令人郁闷的故事，他说南方正在备战。“哦，好吧！”林肯先生说，“我想，我们会设法管好这个家。”谢尔曼上校闭上了自己的嘴。在总统办公室外，他破口大骂，诅咒这些政治家。“你们让事情陷入了绝境，”他对弟弟说，“你们完全可以尽自己最大的努力来摆脱绝境。”国家正睡在一座时刻准备爆发的火山上，威廉·T. 谢尔曼不想置身其中，他走了，接受了圣路易的一份工作。

对于这场国家危机，华盛顿居民的意见并不一致。大多数人（包括时尚圈子）盼望黑色共和党人滚蛋，让南方的“高雅之士”回到首都。分离主义的徽章继续摆在酒店门口叫卖。南部邦联的国旗设计好了之后，就很少有窗户插星条旗了，有些女人穿着象征性的装束招摇过市——饰有红白色宽条纹的短裙，蓝色的上衣，胸前有七颗星星。社交界很不礼貌地看待这段共和党人的过渡期。女士们疯传关于林肯夫人如何粗俗的笑话，嘲笑那个劈栅栏的家伙为了来华盛顿而戴上了一顶苏格兰人的帽子。她们取笑那些沉闷无趣的派对，共和党人也不喜欢这些派对，周围尽是那些被迫出来见他们的人“几乎抑制不住的抱怨和咒骂”。格温夫妇的一封信——承蒙联邦邮政服务的好意——带来了这样的信息：“他们说，华盛顿完美呈现了戈德史密斯笔下的‘荒村’。”

尽管很多人对联邦政府的命运感到忧心忡忡，但他们的担心随着就职典礼的顺利进行而缓和了。无论是书店里储备的军事手册，还是看到特区民兵在某块空地上操练，其中都没有什么让人惊慌的东西。外地人依然挤满了酒店，在公共建筑附近四处闲逛。每周两次，必须使唤一艘蒸汽船，以容纳所有想探访弗农山庄的人。其他方面，华盛顿的生活像往常一样慢条斯理。哈维酒店始终保持有 20 个饥肠辘辘的食客在那里忙着打开牡蛎，在热气腾腾的大锅里涮着吃。在华盛顿剧院，乔·杰斐逊用他在《瑞普·凡·温克尔》（*Rip Van Winkle*）中的表演让观众乐不可支。一些人去看杜普雷兹和格林的“最初的新奥尔良”和“大都会双吟游诗人剧团”；有些人去第一长老会教堂听关于曼特农夫人、帕斯卡尔和伽利略的讲座。而另一些人则坐在家里，阅读《埃利希·维恩纳》(*Elsie Venner*)。埃尔默·埃尔斯沃思被授予陆军少尉军衔，还从林肯的孩子们那里感染上了麻疹。根据孤儿法庭的命令，县监狱里一个价钱很贵的黑人被拿出来拍卖。城里失业的机械师当中，有很多人穷困潦倒。国会大厦周围的郁金香树绽放出了绿色的嫩叶。紫色的丁香含苞待放。纺织品店在推销它们的剩货，好给蝉翼纱、莫桑比克纱、漂白平纹细布、草帽和遮阳伞腾出地方。

整个3月份，华盛顿都太平无事。人们普遍预期：危机将得以避免，没有任何严重的麻烦。林肯先生已经在他的就职演说中宣布了他的打算：要保住属于联邦政府的财产和地方。但一周以后，华盛顿人的普遍看法是：萨姆特要塞和皮肯斯要塞不久之后都会被放弃。人人都知道西华德先生的绥靖观点，他是本届政府的国务卿和最有影响力的人。三位南部邦联的高级代表已经被派到华盛顿，商讨和平协定，把联邦政府留在已脱离联邦的各州的财产全部交出是雷打不动的条件。西华德先生倾向于接待这几位代表，但要通过中间人，其中一位是坎贝尔大法官，他向代表们转达了这样一个保证：萨姆特要塞将被撤空。查尔斯顿港的这座要塞没有多少军事价值，西华德先生反对在保住要塞的问题上小题大做。

人们相信，他是代表政府说话，西华德的意见不仅出自他自己的利己主义，而且也是斯科特将军的意见。老人已经失去了早些时候对增强南方要塞的热情。在大斋节期间，他常常独自一人用餐。吃完之后，他的男仆便调转他的轮椅，平放他的双脚，他仰天叹道：“真是个废物，到了该死的时候了。”在弗吉尼亚，脱离运动迅速蔓延。想到要跟已经脱离联邦的各州开战，将军就不由得害怕，那将是一场漫长的、毁灭性的战争。他脑子里想到了一句话:“任性的姐妹们,和平地离去吧!”这句话令人印象深刻地出现在他的一封信的末尾,他在这封信里表达了自己对这场危机的看法,准备把它寄给西华德先生。

总统一边听着那些想当邮政局长的求职者的恳求,一边为萨姆特要塞的问题伤透脑筋。就职之后,他接到一份报告称:安德森少校的供给快耗尽了。博勒加德的大炮正威胁着要塞,救援还是不救援,这个问题立即摆在了新一届政府的面前。斯科特将军提出了自己的意见(总工程师、老将军约瑟夫·G. 托滕表示同意):撤离几乎是不可避免的。日复一日,内阁里那帮绅士们垂头丧气地聚集在地毯破旧、家具笨重、毫无装饰的总统办公室里。他们围坐在一张铺着绿色桌布的橡木长桌旁,听取专家的意见,专家包括:陆军指挥官,他们对救援萨姆特要塞感到灰心丧气;海军指挥官,他们相信这项任务能够成功地执行。即便承认一次远征是可行的,但想要解围也不是件容易事。萨姆特问题成了一个火药桶,总统的顾问当中,只有一个人,也就是蒙哥马利·布莱尔先生,急着想拆下它的导火索。在壁炉的上方,安德鲁·杰克逊的画像凝视着林肯和他的内阁。

在彭萨科拉港,皮肯斯要塞依然在联邦的掌控之下,但它也被敌方的大炮所威胁。然而,总统对保住这座要塞还是抱有希望的,因为他已经让斯科特将军下令增援它,增援部队已经上船驶往彭萨科拉港。尽管林肯一直频繁与斯科特商议,而且也看到了他写给西华德的那封信,但他并没有完全认识到将军的绥靖倾向。在接到斯科特关于皮肯斯要塞和萨姆特要塞都将被放弃的声明之后,林肯深感不安。

3 月 28 日夜里,林肯夫妇举行他们的第一场国宴,招待内阁部长、副总统哈姆林及他们的夫人。客人也不全是政要,其中就有伦敦《泰晤士报》(*Times*)的威廉·霍华德·拉塞尔,他是一个身材魁梧、头发灰白、时髦的英国人，喜欢摆弄他的眼镜，这副眼镜用一根链子挂在他的脖子上。他自己完全不知道，他将成为一连串文风简练、语言流畅、喜欢冒险的绅士们的先驱。他是第一个战地记者。他从克里米亚和印度发出的新闻报道，已经为他在英国赢得了名声，如今，他被自己所效力的报社派来美国，向海外报道这个民主国家所遇到的麻烦。

拉塞尔先生并没有发现这次国宴的安排有什么引人注目的排场，基本上这伙人没给他留下很深的印象。一位老海军军官的肩饰是唯一的闪光点，因为，尽管斯科特将军受到了邀请，但他没法出席。有些绅士——没有得益于西华德先生的监督指导——穿着长礼服出席。林肯夫人穿着鲜艳的衣服，在客人被介绍给她的时候，她稳稳地坐在那里摇着扇子。华盛顿一些恶毒的流言蜚语曾经让拉塞尔先生乐不可支，但总统的妻子让他颇感惊喜，他认为，她在举止和外表上都很朴实，也渴望让自己变得令人愉快。很显然，林肯夫人被她的"宫廷"里的一位年轻女士凯特·蔡斯小姐压了风头。财政部长三次成为鳏夫。组成其家庭的两个女儿当中，长女凯特是他的亲密伙伴、心腹知己和他的官方女主人。在几乎还是个孩子的时候，她就已经在父

凯特·蔡斯

亲的餐桌上占据了领头的位置，以她的机智风趣和精明的政治评论，款待过父亲的很多来访者。21岁的时候，她已经是个骄傲的漂亮姑娘。那些吹毛求疵的人可能会挑剔，说她的小鼻子太翘了，或者说她优雅的身材太过纤弱；但谁也不能否认，她那女王般的脑袋、青铜色的头发、淡褐色的大眼睛和大理石般的白皙肤色，确实漂亮可爱。那天夜里，林肯夫人大概能够猜到，华盛顿最受欢迎的派对，并不在白宫里，而在第六街和E街拐角处财政部长家里。

总统在用他的滑稽故事款待这帮客人，并没有让人察觉他内心的痛苦，除了他的内阁成员之外，他们因为一个短会而跟他分开了；但那天晚上他一夜无眠。他意识到，除非联邦当局采取强硬立场坚持自己的主张，否则就只能听任国家毁灭。在救援萨姆特要塞的问题上，他还没有下定决心，不过，在第二天的内阁会议之后，他签署了一项命令，准备一次远征，必要时动用武力。针对皮肯斯要塞的远征计划，西华德先生是主要的策划者，关于这一计划的所有信息，都没有让其他内阁官员知道，包括战争部长和海军部长。由此而导致的低效和命令混乱严重影响了为萨姆特要塞所做的防备工作，并损害了内阁的士气。林肯先生很快认识到了他在这件事情上所犯下的错误：竟然允许自己的国务卿无视同僚们的权威。聪明的西华德先生，一直以他“优雅的纽约刑事律师的派头，扮演着黎塞留的角色”，他认为，他的能力使他有资格履行政府的所有行政职责，他马上给林肯写了一封信，他在信中直截了当地暗示，他乐意履行总统的职能。林肯先生拟写了一封很客气的回信，把西华德先生置于他应处的位置上。从此以后，国务卿便更低调地扮演黎塞留的角色；但他并没有像一个地位更低的人通常所做的那样，因自己的雄心壮志日渐销蚀而怨恨林肯。他的头脑灵活，天性慷慨，两个月之后，他写信给妻子说：“总统是我们当中最棒的。”

由于联邦当局的一举一动都有人迅速报告给南方，这两次远征的准备工作因此非常保密，不让公众知道。但不久之后，大量的谣言便像海鸥一样，从纽约的码头盘旋而起；在华盛顿，开始有人议论说，联邦的军队根本不可能撤离萨姆特要塞。南部邦联的代表焦急不安地发电报给蒙哥马利市，转述宾夕法尼亚大道上的猜测，坎贝尔法官指责西华德先生不守信。4 月 6 日，总统在林肯夫人礼拜六下午的招待会上露面了。出席者当中有几个印第安人，由他们的白胡子老朋友比森神父陪同，他正代表印第安人开会；拉鲁库娃（印第安人的珍妮·林德）用歌声款待了这伙人。总统像往常一样饶舌而不拘礼仪，那天，他让人起草了一份通知给南卡罗来纳州的州长：联邦政府将会做出努力，尽可能用和平的方式给萨姆特要塞供应补给。前往皮肯斯要塞的远征队已经从纽约出发。两支海军舰队构成了切萨皮克湾以北全部可用的海军力量。

在轻松一个月之后，华盛顿再次不安起来。据说，一支 500 人的小分队，由得克萨斯州护林员本·麦克库罗奇率领，计划从里士满突袭首都。更有人说，他们的目标是抓走总统和内阁。斯坦顿写信给布坎南先生说，麦克库罗奇正让一支童子军向首都进发，在格温的官邸过夜，并告诉他的朋友们，他预期不久之后会占领华盛顿城。弗吉尼亚有强烈的国民感情，而林肯先生最初的克制和拖延政策也是因为抱有一种幻想：弗吉尼亚州将会支持联邦。然而，州长对北方怀有敌意，热衷于脱离联邦的积极分子很活跃。他们派出了联邦众议员罗杰·A. 普赖尔作为特使前往查尔斯顿，普赖尔是个年轻的玩火者，有一张充满激情、好勇斗狠的脸，还有笔直的长头发，在耳朵后面朝后梳。普赖尔带来的信息是：“揍一顿！”他告诉查尔斯顿兴奋的人群：如果有人流血，弗吉尼亚州就会在什鲁斯伯里教堂的钟声敲响后的一个小时之内加入南部邦联。

西华德先生依然信心十足，他说，这场国家危机将会在三个月内结束；但华盛顿已经嗅到了危险的气息。为了选举计票而调到华盛顿城的正规军士兵当中，留下来的几乎不到一半。斯科特将军正期待增援，但是，当舰队启程前往萨姆特要塞的时候，他开始担心，它们可能来得太晚。为了给公共建筑提供保护，总统调来了十个特区民兵连。

当这些人全副武装地集合起来接受斯通上校的检阅时，城里出现了一阵兴奋的骚动。6个连立即开始在战争部前面的院子里集结。一些看热闹的人力劝士兵们不要宣誓效忠联邦政府，事实上也只有一个连准备这么做。加入组织的国民步枪队的30个志愿者当中，有18个人立即辞职了。华盛顿轻步兵队大约有20个人拒绝宣誓。乔治敦波托马克轻骑兵队的17个成员在要求他们宣誓的时候便离队不干了。当他们回到兵营时，一些人朝他们发出嘘声，但华盛顿郊区的另外一些居民则为这些异议者欢呼喝彩，而对那些忠诚的士兵发出嘘声。然而，那天夜里，特区骑兵队在斯科特将军的住所向他宣誓。斯科特对他们发表了简短的演说，他谈到了“齐心协力”“光荣牺牲”，以及“我们国家古老的旗帜”等等；乐队演奏了《扬基杂牌军》。在西华德先生（他正和将军共进晚餐）的建议下，乐队还演奏了《星条旗之歌》和《欢呼，哥伦比亚》，这之后，斯科特便和客人们坐了下来，享用克吕谢准备的美味佳肴，还有来自法国、西班牙和马德拉岛的葡萄酒。

军队的集结是随意地突然开始的，对于这种突然，即便是一座更爱国的城市也会大吃一惊。国家并没有处于战争状态。根据一纸通知在半个小时之内集合起来的民兵，根本不知道自己要服役多长时间，也不知道他们服务的性质是什么。其中很多人是因为担心被派到特区之外的地方而拒绝宣誓。登记入伍的第二天，情况有所好转，此时，市民们已经明白他们被召集起来是为了履行保卫家园的职责。助理副官长欧文·麦克道尔少校解释道：他们的服役只要求在特区的范围之内，而且，入伍期限也只有三个月。有半打步枪连成员立即宣誓效忠，战争部大院栅栏周围那些支持联邦的观众不由得爆发出欢呼喝彩。

几个民兵小分队被安排在公共建筑值夜班，而华盛顿骑警队则驻守长桥、海军造船厂和岩溪上的桥梁，以及另外一些进入华盛顿的交通要道。城外最重要的地点之一是链桥，它横跨于波托马克河上，距离乔治敦只有 3 英里。尽管有一个老式的名字，但这座桥是一个坚固的木结构，安放在石桥墩上。它连接华盛顿和弗吉尼亚公路，这条公路经由利斯堡，一直通到哈珀斯费里。

政府在焦急地等待来自查尔斯顿的消息。求职者在白宫走廊里一刻不停的脚步声让林肯先生有点紧张。道格拉斯参议员向韦尔斯先生透露，他已经得到确切消息：叛乱者将会炮轰萨姆特要塞。4 月 12 日星期五，华盛顿听说，博勒加德将军已经要求萨姆特要塞投降，安德森少校拒绝了。第二天，报纸用大字标题宣布：对萨姆特要塞的炮击前一天开始了。报社遭到哄抢，报纸供不应求。那天夜里的晚些时候，《星晚报》发布新闻快报，说萨姆特要塞已经投降。星期日一整天，在大酒店里，在街道的拐角处，人们聚集在一起讨论这个消息。有人怀疑它的真实性。很多人觉得这个报道是故意放出来的，为的是影响弗吉尼亚的决心。星期一，总统发表声明，要求在三个月的时间里征募 75 000 名民兵。

突然间，无视或回避这场危机再也不可能了。内战正在逼近这个国家。政治家们燃起的篝火已经点着了叛乱的熊熊烈焰。华盛顿焦急地注视着长桥南边的高地。

罗杰·普赖尔是一个真正的先知。轰击萨姆特要塞的大炮把弗吉尼亚扫进了南部邦联；但无论是他，还是其他任何人，都不可能预见到：在什鲁斯伯里钟声敲响之后不到一个小时的时间里，炮声会唤醒北方。那面在失败中飘然坠地的国旗，让北方各州的人挤满了征兵办公室。钟声、欢呼声和乐队的声音发出由衷的轰鸣。人们脸上带着陌生的新表情涌向大街——那是一种不顾一切的欢乐，仿佛他们再次可以放心大胆地表达自己的强烈感情了。在南卡罗来纳州炮轰“西部之星”号的时候不是这样，在一个接一个州的要塞被叛乱者占领的时候也不是这样。同样的激情、兴奋和无理性，在这场战争中再也不会出现。

电报和信件像洪水一样从16个州涌入华盛顿，主动提出要出人、出钱、出武器。志愿者远远超出了总统要求的数字。六个边远蓄奴州愤怒地表示拒绝，其中也包括弗吉尼亚。一份语焉不详的回复来自马里兰州的希克斯州长。他是布坎南那种类型的联邦人，爱国，但胆小。马里兰州分裂为互相敌对的不同派系，是全国问题的一个缩影。有些马里兰人受雇于联邦政府部门，由于害怕麻烦而搬进了城里。像巴尔的摩的流氓团伙一样，马里兰的民兵也是分离主义者。

哥伦比亚特区的边界线与马里兰州接壤，弗吉尼亚州通过桥梁和渡口与华盛顿联系在一起，几乎一样紧密。通往首都的水路波托马克河与这两个州都接壤。巴尔的摩是两条来自北方的大铁路线的终点，一条来自费城，另一条来自哈里斯堡；而在巴尔的摩以南8英里处的中转站，来自俄亥俄河镇与西部的铁路跟华盛顿线形成了一个交叉点。华盛顿与其他地区的交通依赖于马里兰和弗吉尼亚，是一处对战争并不热心的场所。即便是支持联邦的居民，也都抱着怀疑和保留的态度看待冲突的爆发。

在北方人眼里，华盛顿是一个珍贵的符号，象征着国家权力，要不惜一切代价保住它，捍卫它。对南方来说，首都是一笔巨大的奖赏，占领它就会提高叛乱当局的威望，会让它得到外国列强的承认。南部邦联的战争部长公开夸下海口：5 月 1 日之前，南部邦联的国旗一定会飘扬在联邦国会大厦的上空。里士满的分离主义者渴望进攻，《调查者报》号召弗吉尼亚志愿者加入南方军，挺进华盛顿。首都那些不忠于联邦的居民的自信强化了这样一个印象：危险迫在眉睫，刻不容缓。

星期一早晨，宾夕法尼亚州两个重要的共和党人：柯廷州长和麦克卢尔先生，在白宫的一次会议上忧心忡忡地质问斯科特将军。斯科特承认，首都没有办法防御，而且，博勒加德指挥着一支庞大的军队；但他坚持认为，华盛顿并没有处在危险中，也不可能被占领，柯廷和麦克卢尔一致认为将军已经年老昏聩。在他们谈话的时候，林肯先生坐在那里转动他的眼镜。他慢条斯理地评论道：在他看来，如果他是博勒加德的话，他会拿下华盛顿。从总统办公室的窗户望去，可以看到一艘小型战舰（斯科特将军认为它很有价值）在亚历山大港与长桥之间孤零零地巡航。

华盛顿的防御，尽管经历过 1814 年的英军入侵，但一直不是陆军工程师们研究的课题，虽然他们对巴黎市郊及其他欧洲首都的地形了如指掌。这座城市，在一片沼泽峡谷中杂乱无章地蔓延，覆盖面积太宽阔，不容易防御，它的邻近地区没有适合修筑防御工事的自然地貌。一座年久失修的要塞，在波托马克河下游 12 英里处，是为华盛顿设计的唯一保护。这座城市所依靠的是人力。

马萨诸塞是唯一一个为这场危机做好了充分准备的北方州，它迅速派出了四个团，由民兵准将本杰明 · F. 巴特勒指挥，其中三个团奉命直接开赴华盛顿。两个疲惫不堪的正规军连在萨姆特要塞陷落之前从得克萨斯州赶到，至少还有一个连预计很快就能赶到。在等待援军到来之际，特区召集了更多的民兵。每一天，战争部的院子里都在

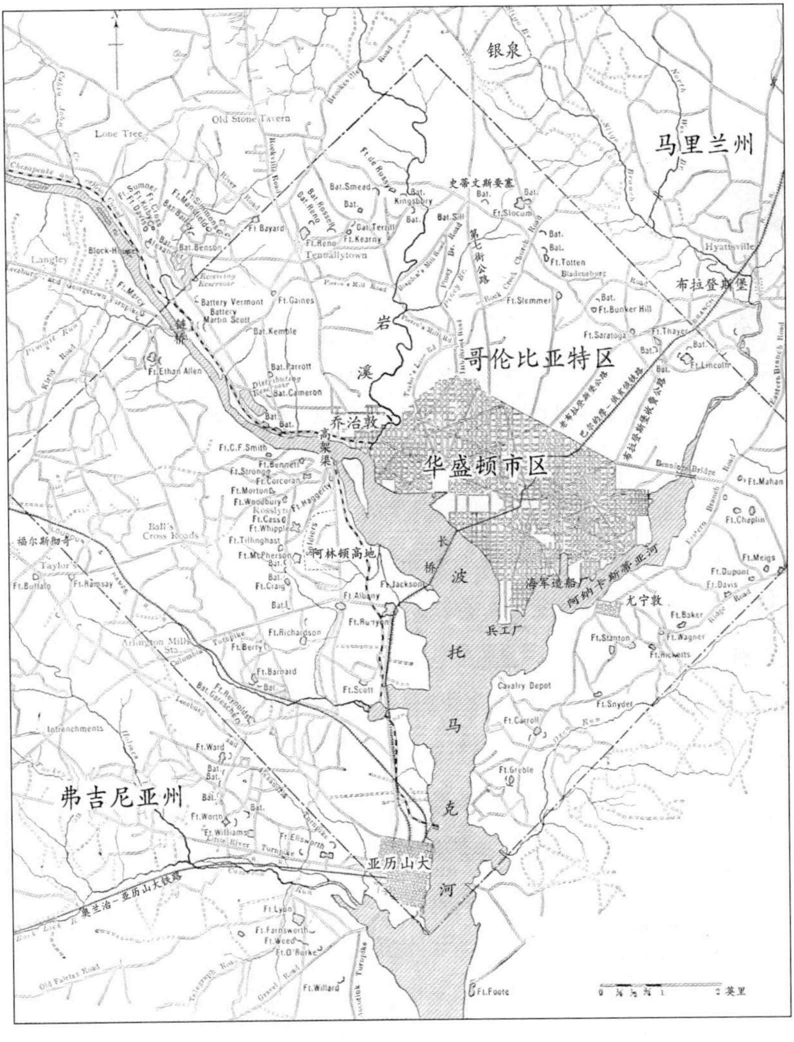
银泉
马里兰州
Old Stone Tavern
Lone Tree
史蒂文斯要塞
Ft.Slocum
Bat.Smead
Ft.Bayard
Ft.Reno
Ft.Kearny
Tennallytown
Langley
Block-House
Bat.Benson
Ft.Marcy
Battery Vermont
Battery Martin Scott
Ft.Gaines
Bat.Kemble
Bat.Parrott
Bat.Cameron
Ft.Ethan Allen
链桥
岩溪
第七街公路
Ft.Totten
Ft.Slemmer
Ft.Bunker Hill
Ft.Saratoga
Ft.Thayer
Ft.Lincoln
Hyattsville
布拉登斯堡
哥伦比亚特区
乔治敦
高架渠
华盛顿市区
Ft.C.F.Smith
Ft.Bennett
Ft.Strong
Ft.Corcoran
Ft.Morton
Ft.Woodbury
Rosslyn
Ft.Haggerty
Ft.Cass
Ft.Whipple
Ball's Cross Roads
福尔斯彻奇
Ft.Buffalo
Ft.Ramsay
Ft.Tillinghast
Ft.McPherson
Ft.Craig
阿林顿高地
长桥
波托马克河
Ft.Jackson
Ft.Albany
Ft.Runyon
Ft.Richardson
Ft.Berry
Arlington Mills
Ft.Barnard
Ft.Scott
Ft.Reynolds
Bat.Garesché
Intrenchments
Ft.Ward
Ft.Worth
Ft.Williams
Ft.Ellsworth
弗吉尼亚州
亚历山大
奥兰治-亚历山大铁路
Ft.Lyon
Ft.Farnsworth
Ft.Weed
Ft.O'Rorke
Ft.Willard
Ft.Foote
海军造船厂
兵工厂
阿纳卡斯蒂亚河
尤宁敦
Ft.Mahan
Ft.Chaplin
Ft.Meigs
Ft.Dupont
Ft.Davis
Ft.Baker
Ft.Stanton
Ft.Wagner
Ft.Ricketts
Cavalry Depot
Ft.Snyder
Ft.Carroll
Ft.Greble
Benning's Bridge
布拉登斯堡公路
巴尔的摩-俄亥俄铁路
布拉登斯堡收费公路
英里

华盛顿的防御

进行征兵。国民步枪队正在忙着征募新兵，在第二次清除异己之后，这支民兵队宣誓服役。财政部门的首脑们碰头开会，打算组织一个由职员和信差组成的民兵团。求职者纷纷走出酒店，去聆听墨西哥战争中的两个老兵激情四射的演说，一个是卡修斯·M. 克莱，一个活泼的肯塔基人，曾经立志要当副总统，另一个是詹姆斯·H. 莱恩将军，堪萨斯边境战士，新当选的参议员。在紧要关头，来到华盛顿的这些陌生人至少证明了他们的忠诚是值得信赖的——他们全都是共和党人，无一例外。

联邦政府确信，在几天的时间内，大量的民兵团将会到达，除了职业军人之外，对其他人来说，民兵就是军队。然而，就连平民百姓也认识到，很难找到能够胜任的高级指挥官。在那些依然忠诚于联邦的人当中，除了斯科特和伍尔，没有一个人指挥过一个旅的人马。"我们要为将军们做点什么呢？"西华德先生这样询问斯科特。

骑马半个小时，就可以到阿灵顿高地上那幢有立柱的宅邸里找到一位英俊潇洒的指挥官，斯科特对他的能力几乎可以说是崇拜。罗伯特·E. 李上校相信，脱离联邦就是革命和混乱，他已经在 2 月得到命令从得克萨斯赶往华盛顿。回家之后，斯科特将军拜访了他，两个弗吉尼亚人一起密谈了将近三个小时。斯科特的秘书凯斯确信，将军已经提出辞职，好让这位更年轻的指挥官取而代之。凯斯注意到，在这次面谈之后，斯科特一直默不作声、"表情严肃"；他还记得李的冷淡，以及正式回避关于特威格斯投降的询问。

4 月 18 日星期四早晨，李再次骑马过长桥去华盛顿。他与老布莱尔和斯科特将军有约。他首先去了蒙哥马利·布莱尔在宾夕法尼亚大道上的那幢黄色房子。应总统的请求，老布莱尔那天早晨向李上校提出了一个非官方提议，让他指挥联邦的军队。不管李上校是犹犹豫豫地没有给出答复，还是立即给出了坚决的拒绝，反正在那天下午，他最后一次骑马从华盛顿回到他在阿林顿高地的家，把这座因为谣传弗吉尼亚脱离联邦而焦虑不安的城市留在了身后。民兵们正准备各就各位。大车装载着一箱箱子弹和葡萄弹，前往各哨位分发弹药。宪兵队员在他们马鞍的前鞍桥上放上了干草捆，从街道上疾驰而过，蓝色披肩迎风飘扬。为了准备应对进攻，炮兵们在李上校跨过波托马克河的那座桥的桥头架设大炮。工程师威廉·B. 富兰克林上尉在财政部负责建筑工作，如今被任命为财政部大楼的指挥官。卫兵已经各就各位，准备把财政部变成一座防守坚固的城堡，侧翼是国务院，由里格斯银行的一支加强卫队负责保护。欧文·麦克道尔指挥的国会大厦已经为攻击做好了准备。木板、石块和一桶桶水泥把门窗都封死了；绘画和雕塑用厚重的板材给盖上了；木柴被堆放在地下室的拱道里；铁板（原本打算用于穹顶）成了柱廊的防护墙。在两翼，虽预期一切将遭毁灭，工人们依然在切割立柱上的碎块，修补柱子上的雕刻。

在威拉德酒店的客厅里，谣言在人群当中不胫而走，说弗吉尼亚人正在向华盛顿进军。邮政专列晚点了，在巴尔的摩，人们担心反叛。在威拉德酒店，人群中有一半是南方人；忠诚于联邦的人则大声宣布他们的观点，并焦急地问："军队为什么还不来？"还有人袖手旁观，在那里窃窃私语或洗耳恭听。一些值得信赖的房客聚集在威拉德酒店隔壁的大厅里，派出了信差去叫来其他酒店的客人。他们被分为克莱营和边境卫队，分别由卡什·克莱和詹姆斯·莱恩率领，并统一交给一位陆军军官指挥——他就是林肯先生的朋友大卫·亨特少校。这两伙人都是成员混杂的治安维持团体，而不是军事组织。堪萨斯州新当选的参议员波默罗伊与一些求职者一起加入了边境卫队。加入克莱营的共和党求职者当中，有一位亚当·古罗夫斯基伯爵，他从前是波兰的革命领袖，写过几本书，认识华盛顿每一个有声望的人。古罗夫斯基脾气暴躁而倔强，奴隶制是他特别憎恶的事情之一。他迫不及待地宣誓效忠，并签署了誓死保卫首都的保证书。宣誓之后，人们便配发了步枪，亨特少校让克莱的连队驻扎在威拉德酒店，并命令他们整夜巡逻街道，同时让边境卫队去驻守总统官邸。

那天晚上大约 7 点钟的时候，一列专列驶进了火车站，送来了明尼苏达州的一个正规军连，以及来自宾夕法尼亚州的 460 个志愿者。当这些士兵经过巴尔的摩的时候，一伙暴徒嘲笑他们，并朝他们扔石头。波茨维尔的华盛顿炮兵部队带来了一个老黑人，人称尼克·比德尔，这次远行中，他一路尾随着他们。他特意为这次远行穿上了一身制服，鲜血从扎在他头上的破布中慢慢渗出，那是巴尔的摩的流氓无赖扔出的石块给他留下的印记。尼克·比德尔是这场战争中进入华盛顿城的第一个受伤者。他告诉人们，他不害怕战斗，但他再也不想经过巴尔的摩了。

宾夕法尼亚人去了国会大厦，接受麦克道尔少校的检查，并在那里接受分配的临时住处，国会大厦的北翼已经被一个特区民兵队占据。尽管人们一直焦急地盼望志愿军来到，但并没有为接待他们做什么准备。这两批人被安顿在北翼豪华的委员会会议室里，他们很愿意用布鲁塞尔地毯和大理石脸盆架交换更丰盛的饭菜，而不是刚从地下室里拿出来的咸猪肉。在无人占住的南翼，枝形吊灯和火炉被匆忙点着了，烤肉和煎肉的气味飘过众议院的大厅。就其爱国热情而言，宾夕法尼亚是迅速的，但这五个连的大杂烩，缺少总管机构，且几乎没有装备，并不能给首都带来直接帮助。其中一个连的一个成员詹姆斯·D. 盖伊先生碰巧在华盛顿有事，他去拜访了他的朋友们，然后回到了威拉德酒店。在办公室里，他遇到了马格鲁德上尉，便把他拉到了大街上，指着灯火通明的国会大厦，说：有 2 000 名士兵已经到达那里，装备着米尼步枪。盖伊先生想为拯救华盛顿尽自己的一份力，他希望约翰王子相信他。

詹姆斯·莱恩将军是一个胆大妄为的堪萨斯恶棍，他的脸“像一个满面愁容、目光黯淡、牙齿残缺的妓女”，他昂首阔步走进白宫的东厅，挥舞着一把闪闪发光的新剑。在他身后，是认真而笨拙的追随者，包括一些废奴派游击队员和几个东部人，穿着平民百姓的服装，肩上扛着步枪。在水晶吊灯的光亮中，弹药箱被打开了，子弹被分配给各人。斯通上校来检查每夜驻扎在白宫周围的特区哨兵，东厅里传出的喧闹声和通条在枪管里发出的响声让他大吃一惊，但林肯的亲戚洛克伍德·托德上尉让他相信：一切正常。边防卫队搞了一会儿操练，晚上睡在天鹅绒地毯上，亨特少校睡在他们旁边。

白宫的二楼很安静，林肯先生早就睡了。约翰·海非常喜欢这种激动人心的兴奋感。有一位漂亮女士声称要见总统，让约翰·海无比高兴的是，此人原来是女演员简·M. 达文波特，在他“疯狂追星的青葱岁月”，曾经是他的偶像。这个可爱的人间尤物——在斯坦顿先生两次婚姻之间的那段间隔时期，曾经是他倾慕的对象——如今是弗雷德里克·W. 兰德上校的妻子，兰德是一位土木工程师，曾经在西部为政府做过一些重要的勘测。她有一个小故事讲到与一位神气活现的年轻弗吉尼亚人的相遇，这个年轻人语焉不详地自吹，要在48小时之内做一件铤而走险的大事。兰德夫人为这位来访者的鲁莽举止感到脸红，尽管有一位更朴素的老妇人陪伴在她身边，她担心这个弗吉尼亚人正在密谋暗杀或俘获林肯先生。约翰·海走到总统床边，把这个荒诞不经的故事讲给他听。总统“平静地咧开嘴笑了”。

在那天晚上，联邦政府接到报告证实，弗吉尼亚的代表大会（自2月中旬以来一直在里士满商议讨论）已经采纳了“分离法令”。除了首都本身所受到的威胁之外，弗吉尼亚的脱离使得三个重要地点处于危险之中：哈珀斯费里，连同它的兵工厂和军械库；诺福克的海军造船厂，连同它的战船和材料；还有门罗要塞，它守卫着切萨皮克湾的入口。要塞作为陆军和海军行动的基地至关重要。它有一支规模很小的驻军，斯科特并已下令从马萨诸塞州的四个团当中抽调一个团去增援它。从剩下的三个团当中，他考虑抽出一个团去保卫哈珀斯费里。然而，星期五早晨，人们得知，那支规模很小的联邦守军遭到了弗吉尼亚民兵的袭击，他们摧毁了兵工厂，焚烧了军械库。

与此同时，韦尔斯部长接到了来自诺福克的坏消息。士兵和水手都很缺乏，既无力保护海军造船厂，又没法把船只带走。不久前韦尔斯还有能力集结足够的兵力，把最有价值的战舰“梅里麦克”从那里撤出来；如今他得知，造船厂的老指挥官被背叛的下级给压服了，拒绝让这艘船离开。一支远征队匆忙奔赴诺福克。损失这些有价值的船只，后果很严重。海军的 90 艘战船当中，超过一半是老古董，根本没什么用，能用的战船大多数分散在外国驻地。为回应南部邦联宣布的一项武装民船计划，总统发表了一份声明，宣布封锁从南卡罗来纳到得克萨斯的所有叛乱港口。即使有一支强大的海军，要巡逻的海岸线也太过漫长。

星期五，内阁得到了来自马里兰和弗吉尼亚的严酷消息。一份官方电报称，巴尔的摩出现了可怕的骚乱，市民与北方军队之间发生了冲突。首都援兵遭到攻击的传闻在城里不胫而走。到 5 点钟的时候，火车站已经被焦急不安的人群围了个水泄不通。下午的常规列车之后，紧跟着来的一列专列停在了车站外面。一些身穿制服的人走下车厢，人群爆发出欢呼，向马萨诸塞第 6 团致敬。这是前来保卫华盛顿的第一支全副武装的志愿军。他们全都是像模像样的军人，穿着暗灰色的外套，有整齐的背包和崭新的步枪，但他们年轻的脸庞沾满尘土，疲态尽显。在巴尔的摩的大街上，他们穿过了暴徒、投石和枪林弹雨，夺路前行。他们中死了 4 人，31 人受伤。当担架被抬上来时，一些女士冲向前去用手帕包扎伤员。他们的领头人是专利局的职员克

马萨诸塞第6团经过巴尔的摩

拉拉·巴顿小姐——一位腼腆的小个子老处女，她忘记了自己的胆怯，勇敢地帮助这些来自老家的小伙子们。伤员被放在出租马车上，送往E街医院，当马萨诸塞第6团向国会大厦行进的时候，人群一路护送着他们。士兵们饥肠辘辘，疲惫不堪，等分到食物——一份咸肉、面包和咖啡，他们便立即跌跌撞撞地来到地下室，在炉火上加工他们的食品。他们的营地是参议院大厅，他们裹着毯子，用背包充当枕头，扑通一声倒头便睡，躺在铺着地毯的地板上，旁听席的座位上，以及走廊里冰冷的地砖上。

如今，首都被叛乱给包围了。北行的列车人满为患。整夜，宪兵队员在大路和桥梁上警戒，民兵一直在公共建筑上敏锐地监视着周围。边防卫队的哨兵在白宫的柱廊里巡逻。亨特少校依然忠实地巡视着东厅。整个华盛顿都在预期早晨之前的一场进攻；但对于睡在战争部沙发上的卡梅伦部长来说，最烦的是巴尔的摩一个委员会，他们闯进来，要求再也别让士兵通过他们的城市了。在那些受伤市民的刺激下，这座城市的不满已经发展成了疯狂的愤怒，马萨诸塞的军队曾经朝巴尔的摩的市民开火，造成了一些人员伤亡，而武装分离主义者受到了控制。半夜，巴尔的摩当局决定实施一项计划：要把扬基佬的士兵挡在城外。正当西蒙·卡梅伦翻过身去再打个盹的时候，马里兰州风传要烧毁通往费城和哈里斯堡的铁路桥。星期六早晨，华盛顿一觉醒来，发现自己已经没有了与北方各州的铁路交通，没有了来自北方的邮件和报纸。到星期天夜里，电报也开始时断时续。接下来，暴民占领了巴尔的摩的办公室，首都陷入了寂静、隔绝的恐惧中。

过了这个周末，女人和孩子被送走了。酒店的客人纷纷逃离这座城市。求职者匆忙打道回府。旅行者挤满了不定期开往巴尔的摩的列车；那座城市可能已经落入暴徒之手，但它听上去似乎比华盛顿更安全一些。租用交通工具的价钱高得吓人。各种各样的运输工具都被逃难者用上了。一条漫长而混乱的运输线在第 17 街缓慢移动——四轮马车、手推车、板车和运货马车，装载着小孩子和家庭财物。有些人开始徒步出城，推着装满食品和衣物的手推车和婴儿车，或者是堆满行李的独轮车。

在波托马克河对岸，那些同情脱离运动的人加入了移动的人群，到处都在传播华盛顿无助和恐慌的故事。去往阿奎亚河的旅行者对联邦政府扣押几艘大蒸汽船感到恼火，这一行为不仅妨碍了与南方的交通，而且夺去了弗吉尼亚的船只。几十个陆军和海军指挥官，以及数以百计的行政官员，纷纷离开首都，前往南部邦联，军需部长约瑟夫·E. 约翰斯顿在星期一递交了辞呈，马格鲁德上尉在同一天带着他油亮的发型和优雅的举止去了弗吉尼亚。马格鲁德曾多次发表忠诚于总统的声明，得知他的背叛，总统深感震惊和痛苦。星期一，布坎南将军也辞职了，一同辞职的，还有海军造船厂大多数军官。海军中校约翰·A. 达尔格伦是海军造船厂一位很有才华的军械官，他发明的大炮是海军的主要武器装备，他接替了布坎南的职位。《国民通讯员报》依然宣称，从未有过比富兰克林·布坎南更加忠诚的心，该报发表了一篇感人的报道，描述他手下的工人们，当他们听到将军临别告诫他们要忠诚的时候，眼泪顺着他们黝黑的脸颊流淌下来。人们很快就发现，海军造船厂制造的大量炮弹，里面填充的是沙子和锯末，而不是炸药。

市民们被号召到各政府部门去帮忙，职员的大批离去使得它们人手不足，这一号召遭到一些市民的拒绝，他们担心弗吉尼亚人日后占领首都时会为难他们。那些支持联邦的华盛顿居民疑虑重重、左右为难。爱国市民的困惑部分程度上是由于他们没能理解：弗吉尼亚早就无可挽回地倒向了南部邦联。他们起初把波托马克河对岸的敌对行动解释为少数叛乱分子所为，并希望脱离联邦将会遭到弗吉尼亚人民的拒绝。斯科特将军早已不抱这样的幻想。如今，在说到这个老家州的时候，他称之为敌国，一遍接一遍重复这个陌生的术语。斯科特被说服从克吕谢的房子搬到了杜瓦尔太太的寄宿公寓里，位于宾夕法尼亚大道，在第17街的上方。人们焦虑不安地注意到，将军与战争部保持着密切的联系，一队卫兵驻扎在他住处周围的院子里。没人敢信任他的这些邻居——斯科特是个弗吉尼亚人。有谣传说他并不忠诚于联邦。巴尔的摩袭击之后的那天，一个来自里士满的委员会拜访了斯科特，提出让他指挥弗吉尼亚的部队，查尔斯顿的一家报纸宣布，将军已经主动把他的佩剑交给他老家所在的州。南方人信以为真，兴高采烈。但斯科特在国旗下效力50余年，他生是联邦人，死是联邦鬼。弗吉尼亚军队的指挥权被交给了罗伯特·E. 李。

老将军的痛风很严重，当他坐马车去白宫商议事情的时候，林肯先生总是走下台阶，站在车道上他的四轮马车旁，以免去他爬楼梯的痛苦。无论如何，军队必须想方设法赶往首都。他们可能已经得到命令：要在巴尔的摩杀出一条血路——像亨特少校和詹姆斯·莱恩这样的人，很乐意看到这座叛乱城市被夷为平地。然而，林肯先生想避免流血，并安抚马里兰州提心吊胆的联邦支持者的情绪。该州四处蔓延的骚乱很快就导致他放弃了向巴尔的摩周围进军的希望。斯科特批准了铁路当局在星期五建议的一条路线——乘蒸汽船从萨斯奎汉纳北岸的佩里维尔到安纳波利斯，那里有一条铁路与华盛顿支线相连。尽管有谣言说波托马克河上有叛乱的炮兵，但人们还是期望军队可以通过这条水路来到首都。星期天，联邦政府收到了一个令人高兴的消息：本杰明·F. 巴特勒将军率领马萨诸塞第 8 团正在安纳波利斯沿海，而且，纽约第 7 团和罗得岛州的一个团据信紧随其后。斯科特没办法抽出一队骑兵，去建立与援军之间的交通（援军仅在 40 英里之外），而只能依靠侦察兵，他们像联邦政府的信差一样，在穿越马里兰州不友好的地区时遇到了困难。星期一，收到了来自希克斯州长的一封信，抗议正在安纳波利斯登陆的士兵。众所周知，那座城市并不忠诚于联邦，而且，把它与华盛顿连接起来的 20 英里铁路已经被拆毁了。然而，斯科特认为，如果有很好的安排，士兵们可以在那里登陆，奔赴华盛顿。

马里兰州暴动的消息让整个南方群情激昂，嚷嚷着要立即进军华盛顿。首都收到的唯一消息是通过巴尔的摩和亚历山大港转来的。在缺少可靠信息的情况下，谣言便有充分的影响力。不管人们朝哪里看，他们看到的都是隐隐约约的危险——在波托马克河上，在弗吉尼亚高地上，在第 7 街公路，以及在布拉登斯堡。普鲁士公使格罗尔特男爵把一个标识牌（用很大的德文手写体书写）置于使馆入口的上方。他还打算展示本国的国旗，但没等他从纽约取来这些国旗，铁路就被切断了。有一些谣传说，分离主义者会炮轰整个华盛顿城，好

设有路障的华盛顿街道

让入侵的暴徒能够轻而易举地占领它。财政部里锤子的敲击声（工人们正在那里用铁条固定大门）引来了一个耸人听闻的谣传：财政部大楼下面正在埋地雷。

整座城市看上去一片荒芜。商店门窗紧闭，空房子的台阶和栏杆上积满厚厚的尘土。很多办公室和所有娱乐场所都关门大吉。寂静降临大酒店。威拉德酒店空荡荡的大厅里回荡着仆人们的脚步声。当来自马里兰和弗吉尼亚的供应停止的时候，有过很短一段时间对饥荒的担心，投机的食品杂货商把面粉的价格从7.5美元一桶涨到12至15美元一桶。在上一周，联邦政府预计到有数千士兵到达，已经储备了大量腌肉及其他军需品。星期日，乔治敦的磨坊数千桶面粉被征用。船和仓库被民兵接管，星期天的整个下午和晚上，一桶桶的面粉被运到国会大厦、财政部和邮政部。当政府宣布，这座城市已经为围城准备了充足的供应时，家庭主妇们不再按照限量提供膳食，暴利价格也应声而降。

两艘蒸汽船在星期一畅通无阻地到达，这证明了封锁的谣言毫无根据；但没有军队经波托马克河到来。星期二中午，正当内阁坐在白宫里开会时，又报告有两艘蒸汽船到达。人们心中燃起新的希望，但很快就熄灭了。诺福克远征队带回的消息说，海军造船厂已经丢掉了——建筑被烧毁，船只被凿沉。那天，政府在火车站安排了一支卫队。所有的车厢和机车都被查封，并被派往安纳波利斯枢纽站。

每一天，人们都聚集在火车站，渴望看到士兵的影子。他们漫无目标地闲逛，神情漠然，垂头丧气。普遍的看法是：南方已做好了准备，而北方没有。那些宣称相信联邦力量的人，遇到的是怀疑的微笑。抬头仰望国会大厦穹顶的铁架子，一位华盛顿居民沮丧道："我很想知道，它还能不能完工。""能，夫人！"一个扬基佬用有力的声音回答道。声音来自马萨诸塞第 6 团的一个哨兵，他是那种觉醒的北方精神的代言人。星期二,一个迟到的纽约邮包不知用什么办法来到了华盛顿。人们贪婪地抓住报纸。萨姆特要塞的英雄安德森少校在纽约受到热情的欢迎；纽约第 7 团已经在欢呼的风暴中启程出发，罗得岛州的斯普拉格州长已经带着一个团从该州扬帆出航。报纸以显著位置报道了征兵、命令、宣言、升旗。但这些报纸都是三天前的，北方的爱国主义似乎是一个愚蠢的笑柄。从总统到绝望的财产拥有者，华盛顿传出了一阵阵哭喊："他们为什么还不来！"

在首都与世隔绝的那些日子里，征募的民兵连数量增加到了 33 个，还有一个骑兵连差不多随时可以召集起来。法裔和意大利裔居民举行集会，打算为防御而组织起来。一些上了年纪的人组成了"银发家乡护卫队"。1812 年的老兵步履蹒跚地走出家门，主动提供服务。斯通上校由衷地敬佩特区志愿者的精神，但华盛顿其余的人并没有他那样的热情。人们抱着怀疑的态度看待这些笨手笨脚的民兵队。就连训练最好的民兵队，似乎也是由一些营养不良的职员以及行动笨拙的德裔和爱尔兰裔劳工组成的。很多人的忠诚值得怀疑。在乔治敦，波托马克轻步兵被解散了，和平不恢复就不回归，它的一位成员提议干杯祝贺："波托马克轻步兵，在和平时期打不败，在战争时期看不见。"

斯科特将军邀请斯通上校跟自己一起用餐。饭吃完的时候，老将军和年轻的上校坐在那里，面对各自的酒杯，互相凝视着对方。斯科特总结了过去几天的灾难——哈珀斯费里，诺福克海军造船厂，被烧毁的桥梁。

“他们正在完成对我们的包围，先生！”

“是的，将军。”

斯通拿出了华盛顿的防御计划。防御中心是三个地方：国会大厦；市政厅山，连同专利局和邮政部；行政广场，包括总统官邸及相邻的各部门。三个中心太多了，将军说。必须把有限的兵力集中在固守行政广场上。它的堡垒是财政部大楼，连同每一个开放的路障，以及用沙袋在廊柱上筑成的防护墙。它有清洁水供应，地下室里有2 000桶面粉。在最后的关头，总统和内阁成员将以那里作为他们的住处。“不允许他们抛弃首都！”将军说。

总统平静温和的举止掩饰了内心的紧张。当悬而未决的状态拖延到几乎超过忍耐限度的时候，他的神经在跟他开玩笑。一天，他好像听到了大炮的隆隆声。白宫侍从当中没有一个人注意到有什么事情发生，林肯先生走到外面，想亲自看看。他一直朝南走，直到最后站在了兵工厂的门前。隆隆的炮声是幽灵的声音，但兵工厂洞开的大门是真实的。林肯先生发现，没有卫兵值班。任何一个人都可以自己武装自己。

第二天，符咒被打破了。看到一列满载士兵的火车徐徐驶来，车站上的民兵不由得欢呼起来。在国会大厦，马萨诸塞第6团发出了一声喊叫。人群跑了过来，屋顶、窗户和阳台上挤满了人。看到了救星，城市重新恢复了活力，就着南方的火，让它已经变冷的信心暖和起来。在敌对状态开始以来的六天时间里，华盛顿对自己的命运感到不寒而栗——这座边境城市，内部四分五裂，在一个大叛乱时期赤条条地暴露在危险中。

第5章　勇士之家

对华盛顿的解救成功实现了。解救它的，是纽约第7团，这支温文尔雅的北方民兵部队。他们穿着崭新的灰色制服，胸膛上一丝不苟地斜挂着皮带，年轻的绅士们经历了几天战争所带来的不便——肮脏邋遢、拥挤不堪的船只和粗糙难咽的配给食物，漫长的行军和艰苦的劳动。在德尔莫尼科的监督下为他们准备的三明治早就吃完了；而且，他们不得不把1 000个裹着天鹅绒的轻便折凳留在了安纳波利斯。整整一夜，他们跋涉了数英里，从安纳波利斯走到铁路枢纽站，帮助马萨诸塞第8团修补路轨，饥肠辘辘地分享他们的配给食物，他们都是些不屈不挠的水手和机械师。这些纽约人毫无怨言地承受了各种艰难困苦——就连那些胃口娇贵的家伙也是如此，在德尔莫尼科的酒店，如果块菌碰巧硬得咬不动，他们就会把块菌松鸡原封不动地还回去。他们来拯救首都，很自豪地认识到自己的勇气和坚韧。当他们踩着完美的步伐向白宫行进的时候，旗帜飘扬，音乐奏响，步枪和小铜炮在阳光下闪闪发光，他们心安理得地接受了华盛顿市民的热烈欢迎。

列兵菲茨·詹姆斯·奥布赖恩是一个爱尔兰裔作家，在家乡，他是纽约城精英圈子中的一员，他写道："我们在这儿……我们所有人的感觉都有点像恺撒·奥古斯都在渡过卢比肯河时体会到的那种感觉。”

西奥多·温思罗普

向总统致敬之后，第7团列队沿着宾夕法尼亚大道回到了国会大厦。走上国会山的时候，透过飞扬的尘土，他们看到了他们的住处，并开玩笑说他们的“大帐篷”已经搭好。当然，帐篷顶敞开着，正好用于通风。

列兵西奥多·温思罗普认为，这是一次戏剧性的事件。他是康涅狄格州温思罗普家族的一员，是一个瘦小而害羞的人，有着明亮的眼睛、波浪式头发和连鬓胡子。他的兴趣和才能在文学方面；不过，尽管他已经发表过一些小说和游记，但在32岁的时候，他还没有什么名气。温思罗普身上有一点业余爱好者的特质——某种精制、苍白而没什么作用的东西。一位朋友注意到，他的身上有一种“古怪的批评性的内省，这使得他缺乏行动的能力”。亨利·亚当斯想必会理解他。他们被同样锋利的文化给修剪过。

然而，在美国生活的粗糙和混乱中，西奥多·温思罗普突然发现了方向和深刻的意义。总统号召志愿者的时候，他正生活在斯坦顿岛上，立即赶到第7团的军械库去报名。这之后一切很快就发生了——崭新的灰色制服，1 000名战友，纽约欢呼的人群，长途跋涉，在安纳波利斯和在行军途中跟马萨诸塞第8团结下的友谊。如今，第7团正登上国会大厦的台阶，进入参议院深红色和金色的大厅，取代了取悦选民的演说。

办公桌和旁听席的座位被分配给他们。剩下的人占据了角落和休息室。参谋们使用委员会的办公室。议长的客厅留给了上校。众议员的盥洗室深受好评，第 7 团洗漱之后，便三五成群地走下国会山，去大酒店吃饭。对定量配给咸肉和饼干并可拿到火炉室里去烤的待遇，该团毫不领情；在驻扎国会大厦的那一周里，他们一天三顿都跑到宾夕法尼亚大道上吃喝。

第二天一大早，来自马萨诸塞和罗得岛的士兵拖着沉重的脚步进入华盛顿。运兵船云集在安纳波利斯港口外，它那条很不坚固的小铁路如今成了首都与北方之间的连接线。本杰明・巴特勒准将被派来指挥新近成立的安纳波利斯军区，他干劲十足地迅速完成了运送这几个团去华盛顿的工作，但他与纽约第 7 团团长之间的猜疑争吵延缓了第一支部队的到达。巴特勒是一个军事门外汉，但自视甚高。他硕大的身躯被塞进一身华美漂亮、镶金绣银的民兵制服里，那双内斜视的眼睛闪烁着权威的光芒，他下达命令时就像舞台上的将军一样简略。尽管他声称，修复轨道完全是马萨诸塞第 8 团的功劳，但一些技术工人也在从事这项工作。在卡梅伦部长的要求下，宾夕法尼亚铁路公司副总裁托马斯・A. 斯科特先生带着一帮助手赶到安纳波利斯。他从前的私人秘书和报务员，一个长着亚麻色头发的小个子苏格兰人，名叫安德鲁・卡内基，随劳工和民兵一起进入了场地，他还是从安纳波利斯沿重建后的铁路线运送士兵去华盛顿的第一趟列车的工程师。路上，卡内基让列车停下来去修复电报线路，这条电报线被人拆毁了，并被钉在了地上。当他拔起树桩的时候，松开的电线打着了他的脸，等到了首都，他已经流了很多血。

马萨诸塞第 8 团驻扎在国会大厦通风良好的圆形大厅里，在他们的第 6 团战友和他们新交的朋友纽约第 7 团之间。大理石大厅里回荡着军鼓的敲击声、沉重的脚步声和擦枪的声音。在两翼，模拟国会开会成了最受欢迎的娱乐活动。喧嚣吵闹的声音每天早晨伴随着起床号开始。自封的主持官敲击桌面，提醒大家保持安静。旁听席上的人朝大厅大声嚷嚷，大厅里的人声嘶力竭地予以回敬。装模作样的演说和滑稽搞笑的争论，得到的是喝彩的欢呼和嘲讽的嘘声。在吵闹声中，一些人始终在写信。民兵们认为，坐在立法议员的办公桌前，使用参议员和众议员的纸笔墨水是一件滑稽的事；他们的大量通信甚至都用不着花费三分钱的邮资，因为这些信件全都盖了免费投递戳。

国会大厦公园是一个令人愉快的操场，空气里弥漫着雪球花和马栗花的芳香。士兵们四仰八叉地躺在草地上的阴凉处，看着其他团的操练。在地下室古老的委员会厅里，正在建一个巨大的面包房。5月过后，炊烟便从散落于西露台上的那些形状古怪的小烟囱里冒出来。常看到士兵们拿着面粉消失在地窖中。即使在熄灯号响过之后，国会大厦的地下室也依然活跃。人们戴着纸帽子在巨大的水槽和烤箱周围走动。哨兵站在他们的哨位上，他们的枪在煤气灯下闪闪发光，换岗的人在警卫室等待接班。快到早晨时，新鲜面包的香味便温暖地飘过潮湿的天花板。马车开始把车倒上来，为各团装载褐色的面包。

罗得岛第1团的人把他们的铺位摊开在专利局那些稀奇古怪的柜子旁边。他们穿着简朴粗糙的制服——灰色的裤子，深蓝色的法兰绒衬衫和军帽，一侧向上翻起——肩上斜挎着他们卷成筒状的深红色毯子。缺少漂亮的佩饰使得罗得岛民兵看上去适合于干活，他们也时刻准备干活，尽管该团以一些列兵的社会地位而著称。约翰·海在布朗大学读过书，很熟悉普罗维登斯，他对自己看到的景象留下了深刻的印象：在专利局C连的住处，一些有钱人和受过良好教育的人在杂物堆中安静地履行自己的职责。海以一种年轻气盛、自命不凡（这种自命不凡古怪地与他对林肯的敬佩相一致）的腔调写道："像这样一些人，抛别他们的骏马、女人和美酒，让他们的双手长满老茧，吃薄

安布罗斯·E. 伯恩赛德

脆饼干当主餐，一件衬衫穿一个礼拜，从不用黑色的鞋油擦他们的鞋子——所有这一切都是为了一个原则——你很难对这样一支军队的潜力设定任何界限。”

罗得岛第1团由一位西点军校的毕业生指挥，他就是安布罗斯·E. 伯恩赛德上校，最初是印第安纳州的一个裁缝。他从陆军中辞职经商。伯恩赛德是民兵组织中的稀罕物：一个职业军人；而且，还是一个极其优秀的军人。他身材高大，仪表堂堂，有一双明亮的深色眼睛，谈吐举止真诚而温和，这一切赢得了每一个人的赞赏；他蓄着陆军中常见的老式连鬓胡子——在上唇和下颌上形成了一个大写字母W——其胡子的漂亮和浓密将使得他的名字被收入到《韦伯斯特词典》中。罗得岛州的娃娃州长威廉·斯普拉格，站在这位诚恳热情的上校身边，顿时显得无足轻重。斯普拉格的重要性是基于家族的棉纺厂——他是新英格兰最富有的人。斯普拉格瘦小而单薄，有些驼背，有一张和蔼可亲的脸庞，戴着眼镜，他陪伴军队从本州出发，也穿着军装，戴一顶插着黄色羽毛的帽子。人们很快注意到，可爱的凯特·蔡斯小姐频繁参加他的社交聚会，看上去似乎在罗得岛团的住处扮演着女主人的角色。就连斯科特将军也对这样的闲言碎语产生了兴趣，当娃娃州长在一次军事展示中走到蔡斯一家的马车旁表示敬意的时候，将军意味深长地眯起眼睛打量那位年轻的女士。

这个罗得岛人带来了四个女人：一个洗衣女工和三个亲戚。《星晚报》说，这些妩媚迷人的女士“断然拒绝把她们留在家里”。她们当中的一个很快嫁给了一位士兵。她的新婚礼服是土耳其式的——樱桃色绸缎短上衣，蓝色的裤子，插着白色羽毛的毡帽。另一个是凯迪·布劳内尔，一个严肃的长发姑娘，是一位中士的妻子。凯迪对军事生活有一种热情，她穿着一件修改过的制服，有一条裙子罩在裤子上面，一直拖到膝盖，系着一条缀着大流苏的腰带，别着一把佩剑。不久，她被任命为她丈夫所在连的掌旗官。

马萨诸塞第 5 团在财政部安营扎寨，在院子里埋锅造饭，也在那里用餐。旁边一间敞开的棚屋既是一个联邦骑兵连的营房，也充当他们的马厩。有些团睡在中心集市的仓库里、路易斯安那大道公共礼堂的打蜡地板上，或者市政厅背后的白纱阿拉丁宫里。纽约第 70 团被派去海军造船厂，而纽约第 20 团在富兰克林广场建造了棚屋。

在火车站建造了一道木板栅栏，以保护部队免遭欢迎人群的骚扰。“5 月 1 日那天，”西奥多·温思罗普写道，“看起来仿佛全国所有身强体壮的人都来了，肩上背着他们的全部家当，前往波托马克河畔那些舒适惬意但布满灰尘的寄宿处。”穿着灰色制服的士兵和穿着蓝色制服的士兵，花哨的轻步兵连，轻骑兵和消防队，各自举着他们的展示旗从白宫门前走过。纽约人的军团与来自宾夕法尼亚、康涅狄格、佛蒙特、新泽西和密歇根的几个团混在一起。来自新泽西的整整一个旅，共 3 200 人，是华盛顿所见过的最大阵列；但这个记录很快就被打破了：当天下午，就来了一个 4 000 人的队列，从第 6 街到第 17 街，刺刀一路闪闪发光。来自三个州的六个团几乎是一起达到的，以至于形成了一个连续不断的行进队列。

有些团经过迂回曲折的航行才到达，还有一些团在铁路沿线被留下来担负护卫的职责，因而耽搁了。几乎所有人都忍受了饥饿和日晒雨淋。纽约州西部人詹姆斯·S. 沃兹沃思先生迅速行动，派出了一艘蒸汽船，满载供应品，驶往安纳波利斯，缓解了这些军团物资的匮乏。当军队抵达首都的时候，战争部甚至没有有效组织起来照料他们。它的各部门习惯于和平时期小机构的那些不慌不忙的繁文缛节，军需部长的职位依然空缺。每个团都像一个不速之客——受到人们的欢迎，却没有为招待他们做任何准备。补给部倒是储备了大量的食品，但没有组织人分配这些供应。车马都很缺乏。许多天之后，烧火做饭的家什才开始配备起来。帐篷、帆布床、床垫、毯子、衣服、炉子和厨房用具的需求量，超出了官员们的想象。联邦政府和各州当局急忙发出订单，也不问价钱和质量。除了在 E 街的华盛顿医院留出 40 张床位之外，军医署没有办法，也想不出任何办法来照料这么多的伤病员。

战争部没有能力作出大规模集结所必需的生活安排；而且，陆续抵达华盛顿的数千人都是士兵，除了少数几个团有步枪之外，他们都需要武器。北方的兵工厂生产少量的改进型武器。然而，总的来说，他们储备的主要是革命年代的老式燧发枪，只不过增加了火帽和来复线。这些生锈而笨拙的枪支（而且经常有缺陷）被分发给了民兵。军械部像其他部门一样墨守成规，它倒是未雨绸缪，订购了一些武器，但购买的并不是后膛装填式来复枪，而是有各种不同的口径和花样的欧洲老古董。

装备较好的几个团收到他们的辎重之后，被派到城市周围的小山上安营扎寨。一些新成立的组织中，人们甚至连换洗的内衣都没有，但东部一些早就建立的民兵团有一大堆帐篷、袋子、帆布背包、背箱、大衣、毛毯和吊床。他们在一大堆临别赠品——烟斗、烟草、药片、针线包、《圣经》、书、杂志、刀子、毛巾、肥皂、拖鞋、滤水器和便携式书桌——的重负下蹒跚而行。在华盛顿，人们寄给他们的食品及其他奢侈品淹没了邮局和快递公司。究竟谁更适合军队生活，是两手空空的部队，还是那些需要几十辆马车帮他们运送辎重的部队，这还真不好说。

纽约第 69 团的爱尔兰人打着翠绿色的旗子向乔治敦学院进发。他们全都忠诚于他们那位长脸指挥官，迈克尔·科科伦上校，威尔士亲王访问纽约的时候，他曾拒绝命令他们去接受亲王的检阅。军事法庭以违抗命令的罪名审判科科伦，但指控被驳回，并允许他领着他的人马上战场。南方学生全都离开了乔治敦学院，另外一些学生因为他们的父母担心特区骚乱被接回去了。大约有 70 个学生还是留了下来，第 69 团占据校园期间，学校还照常上课。

新泽西旅在子午线山安营扎寨，跟纽约第 7 团是隔壁邻居。正规军骑兵被派到第 7 街公路。康涅狄格第 1 团和第 2 团去了格伦伍德，那是 W. W. 科科伦的漂亮庄园，在华盛顿以北 2 英里处。罗得岛人占据着格伦伍德墓地的棚屋，屋顶上盖着毛毡。入口悬挂着红色、白色和黑色帷帘，几个士兵以扬基佬的足智多谋，在地板下面挖了一些地窖，来冷藏他们的供给。有些人后悔没有及时赶到营地，弄一小块菜地。

到 5 月中旬，大批的货物经由铁路和波托马克河运到华盛顿。海军造船厂挤满了蒸汽船、纵帆船、螺旋桨船和拖船，这些船运来了成千上万的毛毯，以及数以吨计的煤、硬面包和杂货。一群牛（都是为了给士兵们提供新鲜牛肉而订购的）被赶到了华盛顿纪念碑的草坪上吃草，但不久后这些牛都跑到了运河里，士兵们用了一天半的时间才把它们赶上岸，而六头膘肥体壮的菜牛被淹死了。华盛顿那群暴利承包商把卡梅伦部长的办公室挤得水泄不通，争相从政府经费中分一杯羹，提供的却是肮脏的毛毯，以及破破烂烂的劣质军服、鞋子和背包。渐渐地，通过军需部某个超人的努力，有了足够的宿营装备可以装备大多数没有这些设施的部队，一个半圆形的营地在城市后面的小山上形成了。

华盛顿居民的忧虑，由于军队的到来烟消云散。糖果制造商、采捕牡蛎的人和剃头匠欣然重操旧业，除了顽固的分离主义者之外，所有人都很高兴发现：前些日子的大恐慌所预示的那场战争，却原来不过是民兵的一次假日远足。纽约第7团到达两天之后，它的乐队便在白宫南草坪上演奏。穿着艳丽、快乐无忧的人一边在场地上闲逛，一边听着《扬基杂牌军》《尤皮迪》《我抛弃的女孩》和《哥伦比亚，海洋的宝石》等曲子。星期六下午，水兵乐队的音乐会上演，就像平时一样，有很多新奇的娱乐——花样繁多的民兵团音乐会、操练、盛装游行和彩旗飘飘。专利局举行了一场盛大的庆祝会，总统在那里升起了内政部职员捐献的一面崭新的国旗。罗得岛的部队意气风发，在表演了一些军事队列操之后，唱着《我们的国旗依然飘扬》，列队回了他们各自的住处。在海军造船厂，纽约第71团的乐队举办了一场午后音乐会，还有歌唱表演，面对的是一大帮声望卓著的观众。一门巨大的铸铁达尔格伦大炮朝河上的目标物开火，第71纽约团盛装列队游行。约瑟夫·布拉德利·瓦纳姆写道：

> 外地人都来城里看表演，孩子们在街上扮演士兵——女士们被大献殷勤的军官逗得乐不可支，军乐队演奏动听的乐曲。似乎有持续不断的鼓声。早晨，人们被起床号吵醒，白天踩着有节奏的步伐行走，夜晚被归营号送入梦乡。一切看上去似乎是一个盛大的节庆日，而不是严肃的战争工作。

华盛顿的爱国市民主动聚集起来，帮助士兵们。基督教青年会举行宗教仪式，分发《圣经》和小册子。女士们给病人送来美味佳肴，并集中起来制作遮阳布——那是英国将军亨利·哈夫洛克爵士为印度的军队设计的一种头饰，用厚重的白色斜纹布做成，拖着长长的垂帘，盖住士兵的脖子。当遮阳布被宣布是一种完美的保护，可以防止士兵中暑的时候，渴望为国效力的女士们便缝制了大量的遮阳布。在联邦各地，整捆整捆的白色斜纹布堆在教堂里，女士们围成一圈在那里缝制，很快，志愿兵们（穿得有点像贝都因人的样子）既要承受阳光的照射，还要忍受遮阳布带来的闷热。

纽约第 7 团在子午线山上一块苜蓿平地里搭好帐篷之后，每天傍晚，第 14 街公路上便有马车和骑马的士兵在那里盛装游行，这条大路因而也显得充满活力。偶尔，内阁部长们会出现在观众当中：笑盈盈的西华德先生，他的"脑袋像一只聪明的金刚鹦鹉"；韦尔斯先生，他看上去就像个生气的圣诞老人；卡梅伦先生，他消瘦的脸庞上留下了"无数次政治交易"的标记。罗伯特·安德森少校在华盛顿颇受敬意和好感，他会在某个下午骑马出城检阅大名鼎鼎的第 7 团。数百个戴着鲜艳软帽的女士，挽着男伴的胳臂，出现在橡树遮阴的漂亮露台上。在他们脚下，华盛顿城静静地躺在温暖的暮色里——"雄心勃勃的华盛顿，像新兵们的一排排棚屋一样，一路向前延伸。"

当盛装游行结束、马车颠簸着沿第 14 街公路返回的时候，当最后一个骑兵走远了、天色暗淡下来的时候，第 7 团便解放了，在他们整

纽约第 7 团的营地

洁的帐篷村里轻松自在，那里有大帐篷、理发店、办公室和厨房。每个帐篷都成了“一个明亮的小金字塔”，炊火照亮各连的街道，每条街道都贴着标签，写着稀奇古怪、富于幻想的名字。温思罗普写道：

> 最后，10点钟的时候，当人们正在引吭高歌、谈论着当天的上百个传闻时，鼓声和横笛声交织骤然响起（总是响得过早），这被称为归营号。第7团开始脱衣上床……当熄灯号响起——10点半钟——灯光熄灭，万籁俱寂……接下来，直到第二天的黎明，里面是一道打鼾者组成的警戒线，外边是一道哨兵组成的警戒线，拱卫着我们的首都。外边的警戒线发出“太平无事”的声音，里面的警戒线（正在酣睡）与它一唱一和，此呼彼应。

纽约人的另一个团吸引到的关注丝毫不亚于第7团，但是关注的理由完全不同。埃尔默·埃尔斯沃思原本雄心勃勃，想在战争部谋个职位，然而受阻于一些陆军指挥官的妒忌和敌意，他于是匆忙北上，去了纽约，从志愿消防队招募了一个团。他在5月初回到华盛顿，带来了一帮粗人，穿着灰色、深红色和蓝色的轻步兵装束，装备着步枪和大猎刀，旗帜气派却又很成负担。

这支“消防轻步兵”个个膀大腰圆，面目狰狞，一心想着战斗，是一种新类型的英雄。他们急匆匆地走出车厢，四处寻找杰斐逊·戴维斯，他们一想到自己是经由安纳波利斯被运送到这里，便暴跳如雷。其中一个人告诉《星晚报》的记者：“我们会迅速穿过巴尔的摩。”当他们在宾夕法尼亚大道上列队行进的时候，富兰克林消防队从他们身旁呼啸而过，正赶去救火的路上，轻步兵们认出了同行，大呼小叫地向他们致敬。埃尔斯沃思对于政府没有为接待这个团作任何准备感到气愤。他与约翰·海一起坐在哈马克饭店里，无心品尝他的茶，因为他的轻步兵们还没吃上饭。像他们一样，埃尔斯沃思也把头发剃得精光，戴着一顶小红帽，拿着一把一尺长的刀子。他的脸很消瘦，声音嘶哑，但他指挥着自己的人马，他很快乐。

这个团很快就被安顿在众议院的新大厅和老大厅里。这些肌肉结实的消防队员穿着花哨的服装席地而坐，抽烟、看书、睡觉或玩牌。他们从圆形大厅的檐口上吊下一根绳索，把自己挂在上面荡秋千，在护墙外到处闲逛，像猴子一样吊在穹顶的边缘上。有一天，他们当中的一些人想办法弄响了火警警铃，然后跑到宾夕法尼亚大道威拉德酒店对面的富兰克林消防队的车库，“偷偷摸摸弄出了”消防车和消防水带（这些都是联邦政府为保护公共建筑而准备的）。绕城奔跑一圈之后，他们回到了住处，大汗淋漓，心满意足。

消防轻步兵们很尊敬他们的小个子上校，但他们像码头上的老鼠一样野性难改。一些人逮住了一头到处游荡的猪，割断了它的喉咙，把它给吃掉了。一个轻步兵把另一个人从价值 35 美元的平板玻璃窗里推了出去。他们在一家很时髦的鞋匠店里买了一些新鞋子，并要求把账单寄给老亚伯。正餐和晚餐，雪茄和交通，都把账记到杰斐逊·戴维斯名下。这些消防员们到处追逐分离主义者，吓唬上了年纪的老夫人。有一个关于诱奸的可怕故事把城里的老姑娘吓坏了。这个团身强力壮，骁勇好战，他们当兵入伍的期限，可不是区区三个月，而是三年。《星晚报》对消防轻骑兵很迁就，称他们“羊羔宝贝”，认为他们的荒唐举动很好玩。然而，华盛顿市民却一点也不觉得好玩。对于这些“可怕的纽约轻步兵”来说，再可怕的犯罪都算不了什么，他们把杰斐逊·戴维斯模样的一个稻草人开玩笑地挂在国会大厦公园里的一棵悬铃木上，便有谣言说他们吊死了一个受害者。埃尔斯沃思上校把一些最难管束的士兵打发回家了，并恳求其余的人要约束自己的行为。

埃尔斯沃思和他的消防轻步兵

他的讲话得到了响应，士兵们大声喊道“讲得好”。但他私下里表达了这样一个看法：针对他手下人的大多数批评，都源自报社记者的凭空臆造。

消防轻骑兵们在国会大厦待了一个礼拜之后，来了一个让自己扬名立万的机会。一天凌晨，威拉德酒店隔壁的裁缝店突发大火。由于华盛顿的消防队早已臭名昭著（他们总是等到建筑被烧为平地才赶到），指挥华盛顿军区的约瑟夫·曼斯菲尔德上校于是下令调用纽约人的一支分遣队。埃尔斯沃思上校从各连挑选了10个人。他们砸烂了富兰克林消防车库的大门，飞奔着跑过大街，这个团留下来的大多数成员紧随其后，他们听到了火灾的呼喊声，便撞翻了门口的哨兵，从国会大厦的窗户里跳了出来。宾夕法尼亚大道上的一大群人，包括威拉德酒店的客人，穿着各式各样的衣服，看着轻步兵们熟练地攀上避雷针，爬进窗户。他们搭起了人梯，向上传递水桶。有一个人，为了够着消防水带，把自己倒挂在燃烧的屋顶上。慌乱中，屋顶上联邦的国旗掉了下来。人群中的分离主义者正等着看好戏，但有个轻步兵手疾眼快抓住了国旗，振臂挥舞，在人们的欢呼声中，威拉德酒店升起了两面国旗。在救火训练和爱国精神得到展示的同时，一场灾难得以避免。裁缝店已成废墟，但威拉德酒店保住了。

到早餐时间，火灾的痕迹还没消散，但酒店已经井然有序。仆人们打扫了地板，冲洗了窗户；在约瑟夫 · 威拉德先生的邀请下，轻步兵队的英雄们在餐厅里与客人们一起用早餐。曼斯菲尔德上校赞扬了他们。所有人都向他们衷心致谢。陶醉于人们的夸奖称赞，整个上午，他们“在一大群男男女女的面前”，拆除了那幢被烧毁建筑的墙壁，自得其乐。那天，“羊羔宝贝”们依然我行我素。他们夺过消防车和消防水带，在城里四处狂奔，跟在后面的，是“常见的救火人群”。市民们为他们凑了 500 美元。就连贝雷特市长也出了 10 美元。然而，轻步兵们还是成功地让华盛顿对志愿者的赞佩蒙上了阴影。人们开始认识到，战争所展现的，不仅有最好的一面，而且有最坏的一面——既展示了英勇，也展示了懒散和凶残。当这帮纽约消防队员们搬到政府精神病院附近的时候，大概没有一个人感到惋惜，无疑有很多人认为营地选择得很恰当。

华盛顿的报纸，在记录这座城市的日常生活时，报道了很多让国民感兴趣的事。《国民通讯员报》高傲而保守，在传统的意义上属于南方，它很少屈尊刊登本地消息。报社老板 W. W. 西顿先生已经 80 岁高龄，他是在报社被英国人烧毁之前不久获得了这份报纸的股份。在纽约第 7 团抵达华盛顿的那天，《国民通讯员报》针对国家的疯狂发表了一篇有点着急上火的社论，还有一篇长文，报道大马哈鱼在英格兰的消失。在不断高涨的战争大合唱中，它是一个老者温和克制、虚弱无力的声音；但它竭尽全力颂扬志愿兵。它注意到，第 7 团对财产权的尊重十分严格，以至于在子午线山宿营期间，士兵们没有弄坏一根栅栏杆，甚至没有摘过一朵花。它描述了专利局的礼拜仪式，以及富兰克林广场的斋戒和祈祷集会；发表了一篇颇有宗教意味的轶闻：一些新泽西州的志愿兵把一本装帧精美的《圣经》送给了一位老太太，因为这位老太太给他们一位生病的战友送来了新鲜的蔬菜。为了首都的名声，《国民通讯员报》对华盛顿治安秩序不好的传闻进行了嘲讽；紧随其后的是《全国共和党人报》(*National Republican*)，这是新上台的执政党所办的一份平庸的机关报，它把华盛顿描绘为一个军事乌托邦。

《星晚报》则完全是一张通俗小报。它的老板是 W. D. 沃勒克先生，一位活泼风趣、机智幽默的新闻记者；在哥伦比亚特区，这份报纸的发行量最大。沃勒克尽管与南方颇有渊源，而且是激进民主党人的同情者，但他强烈支持联邦政府。不过《星晚报》的专栏所描绘的华盛顿，不是乌托邦，而是一座逐渐转向娱乐化的城市。

华盛顿为士兵们衷心祈祷，而得到的回报是一次报复。这个乡村小镇变成了混乱的大兵营，最初的新奇有趣很快就变得乏味。安静的居住区处在喧嚣中。士兵们到处在操练、吹号、敲鼓。尽管纽约第20团纪律严明，但他们在富兰克林广场的营地及周围的军队医院使得这一地区变得令人十分不快，以至于斯坦顿先生被迫举家搬出了他们在 K 街的房子。

士兵们像小孩子一样不负责任，他们随意开枪放炮，在街道上，甚至在房子里造成意外。女士们害怕过运河上的桥，害怕进入史密森学院的地盘，因为那里是打靶练习的地点。民兵们习惯于操作步枪或来复枪，乡下的孩子们都熟悉猎枪。然而，对于手枪或左轮手枪，没有一个人有经验。这些志愿兵把这种小型武器当作玩具，拿它们开玩笑，把它们乱扔，用它们打苍蝇。结果是一长串的伤亡名单。

与高涨的爱国激情形成鲜明对照的是，华盛顿令小伙子们扫兴。这座城市本身就令人失望。他们并不指望华盛顿像波士顿、纽约或费城一样，但看到国家的首都竟然是一座东倒西歪的城市，肮脏不堪，而且没有铺砌，他们还是有些沮丧。一个志愿兵评论道：“它几乎不值得保卫，除非是为了荣誉。”而华盛顿市民，尽管付出高价为他们购买牛奶、黄油和草莓，但在这些北方人看来，市民们迟缓而懒散。唯一充满活力的大概是孩子——白人小报童，尖声叫卖《纽约先驱报》，25 美分一份；还有擦鞋的黑人小孩，他们高声叫喊：“用联邦牌鞋油擦亮你的靴子，只要 5 美分。”跟漫天的尘土、糟糕的气味、懒洋洋地打发时光的黑人和四处觅食的猪比起来，更令人震惊的是华盛顿居民的无精打采。在北方的战争狂热之后，士兵们发现，华盛顿安静得令人费解。“仿佛有一道屏障把我们与普遍的兴奋隔绝开来。”卡尔·舒尔茨这样写道，他是个德裔美国人，曾经积极参与林肯的竞选活动。尽管到处都是卫兵和路障，但这座城市似乎并没有处在危险中。志愿兵们惊讶地看着工人们在给国会大厦延伸部分的立柱制作凹槽、雕刻檐口。

很多年轻战士通过醉酒狂欢来抵抗厌倦和不适。应当承认，除了无法无天的消防轻步兵，大多数士兵的行为还是得体的，但就是那不受纪律约束的少数，也足以破坏华盛顿的平静。醉醺醺的士兵在街上大呼小叫，互相打斗，并与他们的长官厮打。城里的警察从来都没有能力应付平常时期的违法犯罪，人们对政府的普遍不满并没有激发公众对警察效率的信心，这种不满不仅白天存在，夜里也存在。因此，军队很快组建了一支宪兵队，夜里在城里巡逻。士兵们奉命 9 点半必须回到住处，贝雷特市长也命令喝酒的场所在同一时间关门打烊。但宪兵队也不过是忙着把违纪者送回他们的驻地，在那里，他们常常受到冷水浴的惩罚，一股冷水流从消防软管中喷出，对准他们裸露的后背。

让首都烦不胜烦的，是部队里的一些人与居民之间的敌对。他们粗鲁无礼地冒犯了很多家庭，与招惹他们的市民大打出手。有时候，士兵们可能被证明有理。有一个这样的案例：纽约第 20 团有个列兵，一个华盛顿人说他是北方婊子养的。志愿军们前来保卫的首都，发现竟然有人同情脱离运动，他们不由得义愤填膺，他们逮捕了很多市民，把他们投进监狱。大多数案子因为缺乏证据而被驳回，也有人宣誓效忠联邦之后就被释放了。北方爱国者困惑地发现，当军事当局显示高压手段的时候，人们并不赞成逮捕。

大部分士兵完全没有做好自力更生的准备。即便是最优秀的民兵团，也没有军营生活的经验。它们纯粹是社交俱乐部，操练成了一种业余爱好，喜欢在全国性的节假日穿着漂亮的制服，列队接受检阅。本杰明·巴特勒承认，就连马萨诸塞第 8 团的那些小伙子也不知道如何烧火做饭，他们在野营时总是带上包办伙食的人。他们总是一脸无奈地看着分配给他们的腌牛肉、干面包和木柴捆干瞪眼。每个团都被小贩所包围，有人因为吃了变质的馅饼、蛋糕和糖果而病倒了。很多人就像离开了母亲的小孩一样，接连几个礼拜忘了换内衣，而且，有的人也没内衣可换。

联邦军的营地

有些团在营地建设上表现得很有独创性，他们有组织良好的厨房和面包房，一排排整洁的帐篷，还装饰着青枝绿叶。然而，他们完全没学过卫生学的知识，把帐篷排得太过紧密，没有设置排水系统，没认识到挖沟的必要性。城里卫生条件十分吓人。在华盛顿，河边浅滩、糟糕的下水道系统和厕所，天气暖和的日子总是散发着恶臭。在1861 年 5 月，它就像中世纪的瘟疫区一样气味难闻。通风不佳的建筑散发着霉味，广场在溃烂化脓，小巷里臭气熏天。宾夕法尼亚第 4 团和第 5 团的营房在市政厅后面的礼堂里，是公众避之唯恐不及的地方。《星晚报》问："我们当中是不是有瘟疫？"忧心忡忡的市民重复了这个问题。昏昏欲睡的卫生署这时候才醒了过来，对这个问题表示抗议，军医署长提出质询，战争部展开了一次调查。

这座城市有越来越多的抱怨，更多地不是针对士兵，而是针对军官。很明显，有些团的指挥官认真负责，在这些团里，干净得体的营地和秩序井然的行为是常态。民兵上校们认为自己的位置源于他们的个人声望，而最近成立的那些民兵团，它们的上校通常由各自所在州的州长任命，他们之所以当选，并不是基于军事才能，而是因为他们的影响力，他们的政治职务，以及他们招兵买马的能力。其他所有指挥官都是由士兵自己选举产生。在这样的体制下，肩章并不能给一个人带来权威，指挥官要想赢得手下士兵的尊敬，就必须靠他们的个人品质：正派、勤奋和智慧。

掌握陆军五花八门的条例细节，组织本团的补给和医务部门，同时还要钻研训练手册和战术手册，都需要相当的勤奋。许多选拔太过随意，有些军官是愚蠢的、不称职的，个别人甚至完全是不诚实的。很多军官懒惰而平庸，宁愿围着华盛顿的酒吧懒洋洋地打发时光，也不愿关注手下士兵的训练和福利。有些团几乎根本没有得到配给，有些团得到的是少得可怜的猪肉和发霉的饼干。补给部提供的食物尽管单一而粗糙，但是大抵来说足够了。士兵们很快就明白，如果他们吃得比同伴更差的话，他们的指挥官难辞其咎。一些营地的不满情绪几乎达到了哗变的程度。

即使有些士兵高度尊敬指挥官，但他们也不想无条件服从他们自己推选出来的战友。具有民主精神的列兵们反感军事特权阶层的观念，他们与连队指挥官勾肩搭背，直呼其名，向他们敬礼纯粹是胡闹。这些士兵都是独立的美国人，他们响应国家的号召拿起武器准备战斗，但不想服从一大堆严格刻板的纪律和令人讨厌的军事礼节。

推选军官的制度是容易接受的，不仅为志愿兵们自己所接受，而且也为美国人民所接受。这一制度意味着战争的技术方面不难掌握，足智多谋的扬基佬很快就会发展成合格的军事领导人。只有正规陆军的人，才会带着蔑视的态度看待志愿兵组织。斯科特将军的政策也鼓励推选没有受过训练的指挥官，他的政策是：继续让职业军人指挥正规军，战斗的主要冲击力要靠正规军。应征新兵三个月的期限太短，还没来得及把他们打造成军人，退伍的时间就到了。自萨姆特要塞陷落以来，斯科特不得不面对战争的事实。他想通过封锁来关闭南方的港口——正如吉迪恩·韦尔斯所说的那样，斯科特始终准备把重担放在海军的肩上。接下来，当正规陆军被扩大，一支庞大的三年期志愿军正在受训的时候，斯科特计划派出一支远征队，沿密西西比河顺流而下，去对阵南部邦联。他对组织志愿炮兵和志愿骑兵感到灰心丧气。卡尔·舒尔茨充满热情，想从纽约德裔美国人当中招募一个骑兵团。因为竞选中的表现，他已经被任命为西班牙公使。但是他获准了推迟赴任，斯科特对他的计划很不以为然。将军不耐烦地告诉舒尔茨：就算有战争的话，那也等不到把志愿骑兵训练得适合于效力沙场，战争就结束了。

西华德先生他们认为，这场战争将会很短；总统认为他们可能是对的，但他并不十分乐观。弗吉尼亚已经武装起来了。北卡罗来纳、田纳西和阿肯色正倒向南部邦联。马里兰、肯塔基和密苏里被内部争吵所撕裂。在民兵三个月服役期的问题上，政府基本同意斯科特的看法。战争部拒绝再接受短期服役的兵员，总统广泛地行使了自己的权力：召集三年期的志愿兵，给正规陆军增加了 10 个团，给海军增加了 1 800 个水兵。在国会闭会期间，林肯先生让政府僭取了战争权力。内阁的先生们被自己的胆大妄为给惊呆了，他们批准了一些行动，在西华德先生看来，这些行动有可能把他们全都送上断头台。其中之一是宣布封锁，如今也被应用于弗吉尼亚和北卡罗来纳的海岸。林肯还授权斯科特，在华盛顿与费城之间任何军事阵线的沿线暂停执行法院的人身保护令。这一命令将会导致政府被指控为军事专制，但林肯先生毫不犹豫，铁面无情地发布了它，因为他觉得公共安全需要它。

在军队为保卫华盛顿开始陆续抵达之后的将近四周的时间里，形势的唯一变化是马里兰州分离主义煽动渐次平息。敌意最深的分离主义者都去投奔哈珀斯费里和里士满的叛军了。马萨诸塞第 6 团遭到袭击三周之后，大约 1 300 名正规军到达巴尔的摩的南边，没有遭到任何干扰。

本杰明 · 巴特勒

本杰明 · 巴特勒正摩拳擦掌，准备在马里兰州采取激烈的行动。就在华盛顿与费城之间的常规列车恢复工作之前，他构想了一项巧妙的计划。为了防御来自哈珀斯费里的进攻，他被斯科特将军派驻到了中转站——巴尔的摩－俄亥俄铁路与华盛顿线的交汇点。巴特勒领着马萨诸塞第6团及另外几支部队，对巴尔的摩发起了突袭，把他的大炮架在了联邦山上。不出所料，他没有遭到任何抵抗，就顺利地征服了巴尔的摩。

巴特勒很快得知，他即将被晋升为少将，奉命指挥一个重要的哨位：门罗要塞。然而，他却深深地被伤害了，一方面是因为被解除了安纳波利斯军区的指挥权，另一方面是由于他收到了斯科特将军一封吹毛求疵的信，斯科特像巴尔的摩城一样，对他的行动感到吃惊。一座要塞没有一个军区那么大，巴特勒觉得，这次调动让他丢脸，他准备离开军队，卷铺盖回家。他登上列车，去了华盛顿，与斯科特发生了一场激烈的争吵。尽管在将军面前，他甚至眼睛都不眨一下，但回到国家大酒店的房间，他一下子瘫倒在长沙发上，眼泪夺眶而出。

毕生的政治运作让卡梅伦部长深知：失去一个重要民主党人的忠诚，对本届政府来说，不是一件可以轻松对待的事情；他试图安抚巴特勒将军，这也得到了总统和蔡斯部长的鼓励。而且，巴特勒的大胆也为其赢得了民众的欢呼喝彩。报纸上有一些安慰人心的消息，很多朋友去国家大酒店拜访他，威瑟斯的铜管乐队向他大献殷勤。到最后，他决定让步，接受少将的军衔，担任门罗要塞的指挥官。在离开华盛顿之前，他与斯科特将军进行了一次愉快的会谈，将军向他表示祝贺，他说，在这个季节接受这一任命是幸运的，因为能吃上软壳蟹和美味的豚鱼。

在波托马克河的弗吉尼亚一侧，形势依然险峻。用望远镜可以清楚地看到亚历山大港马歇尔旅馆屋顶上飘扬着南部邦联的国旗；河岸边，李将军部队的营火刺破了黄昏的暮色。弗吉尼亚人民会忠诚于联邦的希望在华盛顿慢慢地破灭了；到了5月23日，全民公决批准脱离联邦的正式程序让人们更清楚地认识到：忠诚于联邦的地区全都在阿勒格尼山脉以西。首都有一支庞大的驻守部队保护，并不感到害怕。往来的车辆太平无事地从桥上通过。中断了一段时间，农民们再次把他们的作物推向城里的集市。士兵们偶尔漫步桥上，打量着对岸的弗吉尼亚。

然而，军队指挥官们并不认为，在城里部署大量的人马，华盛顿的防御就大功告成。白胡子监察长曼斯菲尔德在就任华盛顿军区指挥官之后马上建议占领波托马克河弗吉尼亚一侧的河岸。曼斯菲尔德是个工程师，他认识到了控制阿林顿高地的重要性，它距离位于低处的行政办公室和政府大楼只有两英里。炮火的射程最近增加到了三四英里。为了华盛顿的安全，有必要在长桥、链桥和高架渠的南端设立要塞，高架渠跨过波托马克河从乔治敦运来切萨皮克湾与俄亥俄运河的水。最后，为了保护波托马克河的航运，联邦军队必须占领亚历山大港坍塌失修的老要塞。

曼斯菲尔德的建议被采纳了，但并没有立即执行。直到弗吉尼亚人投票支持脱离联邦之后的那天早晨，联邦的部队才开始进发。

拂晓之前，一路纵队将经由长桥，另一路纵队经由高架渠上的纤道进发。埃尔斯沃思上校和消防轻步兵们乘坐两艘蒸汽船，从兵工厂对面的吉斯博罗岬角出发，前往亚历山大港。关于这次军事行动的传闻在华盛顿私下里流传。军队已经整装待发，只等午夜时分的一声命令传遍营地。子午线山上敲响了战鼓，纽约第 7 团列队完毕，穿过树林朝大路行进。当他们经过威拉德酒店孤零零的建筑时，周围万籁俱寂。列兵温思罗普写道："当我们迈着铿锵的步伐从旁边经过的时候，一个戴着睡帽的老巫婆从楼上的窗户里检阅我们。"

骑兵队驻扎在大桥的弗吉尼亚那一头。在斯通上校的指挥下，几个特区民兵连（包括国民步枪队）执行侦察和巡逻任务。向南穿过熟睡中的岛区，走来了纽约、新泽西和密歇根等州的小伙子们。另一些纽约人从乔治敦高地向高架渠汇合。没有鼓声或笛声。军官们低声下

埃尔斯沃思上校

达命令。大炮滚动时发出的隆隆声盖过了士兵们行进时断断续续的、不规则的沉重脚步声。月亮在波托马克河上照出了一条白花花的路，一排排刺刀在士兵的头顶上闪烁着点点亮光。

在弗吉尼亚河岸边，各团建立了它们的哨站，工程师们在为防御工事拉线。纽约第7团四仰八叉地躺在地上休息。当太阳升高的时候，步枪被堆放在一起，毯子被悬挂起来遮阴。列兵温思罗普想："再也没有像当兵这样诗情画意的勾当了——除了同戴着平顶草帽的女士们一起郊游之外。"他躺在那里注视着战友们，有的人懒洋洋地躺着，有的已经沉沉睡去，有的在啃咬着干粮。那是一个热天，他打起盹来。一阵马蹄声把他吵醒了。骑马的人大声喊道：埃尔斯沃思上校死了；还没等他听清楚，骑马的人已经远去，飞驰踏上了大桥，把这个消息带到华盛顿。

华盛顿城顿时惊慌起来，起初并不相信。10点钟的时候，富兰克林消防车库铃声大作，证实了这个消息。消防队降下半旗，接着华盛顿所有的旗子（不管大小）全都缓慢降下，向年轻的埃尔斯沃思致敬。

他的尸体躺在一堆步枪上，用船运到了海军造船厂，安放在整洁的小蒸汽机房里一张长椅上。那天有几千人来瞻仰埃尔斯沃思的遗体。面对纽约第71团（他们在海军造船厂值勤）的一群人，消防轻步兵队的列兵弗朗西斯·E. 布劳内尔坐在那里，他那身花哨的制服上到处是血。他不得不向人们再三重复事情的经过：埃尔斯沃思如何爬到马歇尔旅馆的屋顶上，扯掉南部邦联的国旗；当他走下楼梯的时候，旅馆老板如何朝他开枪；而他（列兵布劳内尔）又如何开枪打死了旅馆老板。为了努力忍住不发出大声叫喊，他的嘴唇几乎被咬穿了。埃尔斯沃思懂得如何指挥他的士兵。他训练这些粗野的纽约人，与他们一起玩球，像父亲一样对待他们，赢得了他们的热爱和尊敬。最初的悲痛过后，接下来便是愤怒，消防轻步兵们威胁要烧毁亚历山大城；人们觉得，那天夜里得把他们困在波托马克河当中一艘抛锚的蒸汽船上。

总统也承受了丧友之痛，埃尔斯沃思的葬礼在总统官邸举行，数千人列队穿过白宫东厅。他的遗体庄严地停放在那里，穿着制服，胸前放着白色百合花。林肯夫人把他的画像框在一个蜡制的月桂花环中，放在了棺柩上。诚实、勇敢而质朴，他是一个阵亡英雄的理想形象。据说他佩戴着一枚徽章，一个金圈被嵌入了他被子弹打穿的心脏里，上面刻着一段铭文："Non nobis, sed pro patria." ①

葬礼结束的时候，覆盖着国旗的棺柩被放在灵车上，由四匹白马拉着。军人护卫队列队护送覆盖着彩布的灵车，枪口朝下。紧跟在灵车后面的，是一队没有拿武器的消防轻步兵，他们当中，列兵布劳内尔吸引了所有人的目光，因为他拿着埃尔斯沃思为之献出生命的那面布满弹痕的南部邦联国旗。总统低着头，跟着送葬的队伍走向火车站。

宾夕法尼亚大道上，三角旗被系上了黑纱。人群涌上大街，但没有嘈杂声，只有沉默和缓慢敲响的钟声。从首都开始，悲痛之情一波接一波传遍整个联邦。就好像如此缺乏战争经验的合众国人民，对他们的年轻人被派到华盛顿的目的视而不见；仿佛埃尔斯沃思的

---

① 拉丁文：不是为我们，而是为了我们的国家。——译者注

死让他们突然醒悟过来，一种不祥的预感，像一阵颤栗一样，掠过人们的心头。

有谣言说波托马克河对岸发生了激烈的战斗，报社记者们传来的电讯令人恐慌；但是，当联邦军队到达的时候，叛军撤离了亚历山大港，在阿林顿高地上，来自纽约和新泽西的民兵正在劳工的帮助下，忙着“铲平弗吉尼亚……”罗伯特·E. 李的宅邸（全家都撤离了）成了联邦军队的司令部。

尽管这次进攻行动是刚刚从西部被调到华盛顿的塞缪尔·P. 海因策尔曼上校策划的，但指挥官是一个老律师查尔斯·W. 桑德福，许多年来他一直领导着纽约市庞大的民兵组织，在这个组织中领少将军衔。然而，陆军指挥官欧文·麦克道尔很快就接替了桑德福，指挥弗吉尼亚的部队，他是蔡斯部长身边一位有影响力的朋友。麦克道尔被授予志愿兵准将军衔，因为担心引起同行们的妒忌而谢绝了少将军衔。他是一个敏感的人，这一年 43 岁，身强体壮，留着黑色的短发，铁灰色的长胡须。他在法国受过良好的教育，拥有渊博的军事理论知识。他的业余爱好是建筑学，他热爱音乐和园艺。麦克道尔身上没有任何随和之处。他既不喝酒，也不抽烟，言行举止直率而简单。他以一种“粗鲁的冷漠态度”对下级说话，太过矜持，没法让人亲近。他总是记不住别人的名字和面孔，别人跟他说话的时候他总是走神，心不在焉。

麦克道尔很快得知，他的任命让斯科特将军颇感不快，斯科特两次派人捎信给他，要他亲自请求战争部不要把他派到波托马克河对岸去。麦克道尔“冷了很长一段时间”，因为这位新任旅长觉得太没把握，不敢提出这个冒昧的请求。麦克道尔认为，斯科特之所以生气，是因为他的任命把桑德福置于一个尴尬的位置上，尤其是因为他对曼斯菲尔德受到轻视深感不满，后者作为陆军上校和前监察长，级别高于麦克道尔。曼斯菲尔德也被任命为志愿兵旅长，但弗吉尼亚的岗位比华盛顿军区的指挥权更重要。麦克道尔面对更重大的责任，强烈地感觉到缺乏合作。在他接管指挥权之后的前几周，根本没有派一兵一卒到河对岸去。

有些已经前进的团从弗吉尼亚撤了回来。纽约第 7 团干了两天挖战壕的苦工之后，回到了子午线山的营地。该团只有 30 天的志愿服役期，它的期限结束了。它最后的完美姿态是给华盛顿纪念碑捐献了 103 美元——那根停工的石柱，如今在它的旁边建起了一家政府屠宰场，畜禽下水的腐烂物有两三英尺深。

毫发无损而自鸣得意的第 7 团没有实现多少功绩，几乎不能说国家对兵力的需要结束了。不过有一点倒是真的，当他们缓慢而沉重地推着他们的黄铜榴弹炮走向火车站的时候，某种优雅也跟着离开了华盛顿。比人们的赞佩更有意义的，是他们从马萨诸塞第 8 团那些真诚的伙伴那里赢得的友谊。他们给“慷慨、英勇而光荣的第 7 团”写了一封感谢信，字里行间充满了深情厚谊。热情洋溢的话语清楚地表明，在那些一丝不苟的军服底下，跳动着一颗颗善良而勇敢的心，那一双双有男儿气概的手，从未毁坏过一根栅栏杆，从未采摘过子午线山上的一朵花。

当第 7 团登上列车回纽约的时候，列兵温思罗普并没有跟他们一起回去。战争是他的天命——他终于找到了自我。在安纳波利斯，他引起了本杰明·巴特勒将军的关注，巴特勒参谋团队中有一个职位，连同一纸少校授衔令，在门罗要塞等着他。

走掉了几千人之后，华盛顿在温暖的阳光里懒洋洋地翻了个身，开始为总统召集的国会特别会议做准备。在国会大厦，肥皂和沙子擦除了士兵们占住期间留下的油腻、烟草和污秽。人们注意到，家具、帷幔、镜子、吊灯和壁画依然像新的一样光鲜明亮。尽管这些扬基佬出了名地喜欢雕雕刻刻，但旁听席的座位上没有发现一道刻痕。当擦洗完成，地毯被掀起并清洗之后，几乎没有什么东西让游客联想到国会大厦曾经是拥挤不堪的营地。为了完成修复工作，还雇用了一些艺术家给颜色不够鲜亮的众议院大厅装饰红黄两色的天花板。

一种陌生的活力被强加给了这座城市慢吞吞的生活。粗糙不平的人行道上喧嚣嘈杂，充满了武器的碰撞声，马车夫的尖叫声和咒骂声，以及他们的长鞭甩打出的噼啪声。每家酒店和每幢房子都住满了人。小贩们占据了所有空出的店铺。生意重新活跃起来。就连房地产业主也深受鼓励。火车站和船码头目睹了马、牛、马车、救护车、供应品、武器和制服川流不息地通过——全都是战时政府征用的。在新建的巨大马厩、谷仓和仓库周围，忙碌不停的活动让这座城市开始呈现出扬基佬的氛围：忙乱热闹，百事兴隆。

现代发明——电报——在军事上的应用，在华盛顿尤为引人注目。政府订购了一批巨大的绝缘电线卷筒，战争部与海军造船厂、兵工厂、国会大厦、火车站、链桥、偏远的营地连接了起来。电线还接进了弗吉尼亚，一大批报务接线员（主要从宾夕法尼亚铁路公司的雇员中抽调）在首都内外担负起了各自的职责。铁路公司的总裁托马斯·A. 斯科特受命负责管理政府的铁路和电报。他的得力助手安德鲁·卡内基被安排在亚历山大港，负责组织军事运输。

华盛顿惊闻另一项科学发明——热气球，可以用于军事观察。撒迪厄斯·洛教授是一个 29 岁的热气球驾驶员，有魄力，有胆量，他得到了史密森学会主管约瑟夫·亨利教授的资助。他进行过几次受控热气球飞行，从位于购物中心的兵工厂地面升空，给总统和卡梅伦部长都留下了深刻的印象，但这些实验没有引起斯科特将军的兴趣。为了证明发出观察报告的速度，撒迪厄斯·洛把一套电报装置带到了高空，通过一根长长的电话线与总统官邸相连。林肯先生收到了信息：

“华盛顿城，连同它的营地圈，看上去非常壮观。”洛教授又飞到了弗吉尼亚的上空，报告了散落各处的营地和费尔法克斯县城附近巨大的尘土云团。他宣称自己升到了 500 英尺的高空，尽管《星晚报》的记者认为高度不超过 200 英尺。

华盛顿已经对阅兵典礼感到腻味了。这座城市越来越厌倦于游乐，没有人再去听乐队的演奏，或笛鼓的喧嚣。一个路过的团并不比乔治敦的一辆公共马车更能引起人们的关注。新罕布什尔第 1 团抵达华盛顿，带来了 80 匹马和 16 辆行李马车，一支铜管乐队，一个戴着熊皮帽子的少校，一辆医院马车，还有一队护士，穿着旅行盛装，戴着平顶草帽。俄亥俄第 1 团阔步行进，他们那位毕业于西点军校的上校亚历山大 · M. 麦库克，来自“好战的麦库克家族”。缅因第 2 团穿着厚重的大衣，大汗淋漓。纽约第 79 团由卡梅伦部长的弟弟指挥，成功地让女士们芳心大动，见到穿着苏格兰方格短裙的高地人，她们兴奋异常。每个人都目不转睛地注视着德国流亡者路易斯 · 布兰克，他是纽约第 8 团（四个德裔移民团之一）的上校。布兰克是个幸运的军人，他在希腊和 1848 年的德国革命中打过仗。尽管他的过去让人半信半疑，但当他身披红色衬底斗篷骑马穿过华盛顿的时候，他的形象很有军人派头。另一个总能吸引眼球的军人是纽约第 69 团的托马斯 · 弗朗西斯 · 马尔上尉，他总是穿着一套华美的、布满金色蕾丝花边的轻步兵制服，沿着宾夕法尼亚大道昂首阔步。

有一个团彻底俘获了华盛顿的注意力，他们是在纽约招募的一帮外国无赖，被称作“加里波第卫队”。这个团由匈牙利人、德国人、意大利人、法国人、西班牙人和瑞士人组成，混合少量的哥萨克人、印度人、克罗地亚人和英国逃兵，全都穿着浪漫的盛装，红色的制服上衣，戴着狙击手的帽子；在这伙人的旁边，一群随军女小贩列队行进，她们戴着插满羽毛的帽子，穿着漂亮的红色夹克和蓝色罩衣。

《国民通讯员报》告诉它的读者：随军女小贩都有当兵的丈夫。但《星晚报》报道，她们当中有两个人是从泽西城逃出来的，不久之后便被逮住了，送回了各自的家里。然而，《星晚报》对加里波第卫队那位夸张做作的指挥官德尤塔西上校大加赞赏，把他的癖好归因于他那反复无常的外国性情。德尤塔西是个冒险家，据说在加入联邦军队之前是一个舞蹈教师和马戏表演者。他在华盛顿 1861 年的盛装游行中扮演了一个耀眼的角色，但他最终因为盗用公款、欺骗并劝诱士兵开小差，被关进纽约州的新新监狱。

首都的夏天对北方的小伙子们来说很不好过。密歇根第 2 团在经过乔治敦的时候有十几二十个人掉队。营地里出现了疟疾病例。在波托马克河两岸，士兵们憋在他们的帐篷里不敢出来。河水就像豌豆汤一样浑浊，里面还有蛇，在这样的水里洗澡，比没洗之前更脏。夜幕降临，蚊子成群结队而来，劣质威士忌的消耗数量惊人。配给有时候质量糟糕、数量不足，有少数团反抗它们的指挥官。纽约第 9 团（一个桀骜不驯的组织）的詹姆斯 · 杰克逊拒绝编入队列，被该团开除了。脱去了制服，穿上了一套普通粗花呢衣服，他被开释了。之前有很多人劝特区志愿兵不要作忠诚宣誓，但在如今的首都，人们的情绪已经发生了改变。詹姆斯 · 杰克逊的叛国晚了六个礼拜。一群人对他紧追不舍，嘲笑他，踢打他，朝他扔石头。最后，一位治安法官把杰克逊藏了起来，帮助他逃出了华盛顿城。

到 6 月，华盛顿对那些不负责任的指挥官越来越愤怒。《星晚报》说："这里到处都是士兵，请给我们组织者和指挥官。我们有士兵，请给我们领导者。我们有混乱，请给我们秩序。"外表光鲜的纽约第 8 团和加里波第卫队中有害群之马。这个月尾，当士兵们领到薪水的时候，首都到处都是醉醺醺的喧哗吵闹。消防轻步兵们在宾夕法尼亚大道上来回赛跑，挥舞着手枪，脱下他们的红帽子，换上他们从路人

驻扎在国会大厦圆形大厅里的马萨诸塞第 8 团

头上抢来的帽子。来自纽约和新泽西的小伙子们横冲直撞，搅得酒吧和饭馆鸡犬不宁。一些志愿兵砸烂了岛区的一座妓院，抢了瓷器和雪花石膏装饰品。另一些人被堵在大理石巷的朱莉亚·迪恩妓院门外，他们便朝里面开了枪。内利·马修斯勇敢地开枪还击。然而，内利是一个枪法糟糕的射手，子弹打中了一个女黑人的大腿。《星晚报》试图为现场警察的不得力辩解，说他们在士兵当中根本没有威信。不管怎么说，警察的力量确实太小，没法控制大规模的骚乱。

6 月初，费尔法克斯县城一场激烈的骑兵冲突导致了几个人死伤。华盛顿总算看到了它最早的战俘——几个弗吉尼亚小伙子，被带到海军造船厂。《星晚报》说，他们似乎并没有认识到他们的处境，满不在乎地玩了一阵牌。国家越来越急切地盼望一场决定性的战斗。里士满成了南部邦联的首都，叛军的国会 7 月 20 日在那里开会。

霍勒斯·格里利那份很有影响力的报纸《纽约论坛报》(*New York Tribune*)发出了“向里士满进军”的号召，这一口号响彻整个北方。南部邦联的军队集中在马纳萨斯，在亚历山大港以西不到30英里的地方，位于南部邦联新首都的正北方。阵容豪华的联邦大军必须打垮并驱散他们，才能胜利进军里士满，彻底结束这场叛乱。

在阿勒格尼山脉那边，弗吉尼亚的联邦主义者正在欢迎来自俄亥俄的军队，他们刚刚在那一地区打败了一小股叛军；不过，从东弗吉尼亚的方向只传来了一些小规模冲突的报告，大多对联邦军不利。到6月中旬的时候，从位于汉普顿和约克镇之间的大贝瑟尔传来了坏消息。在约翰·马格鲁德亲王的指挥下，南部邦联的军队在那里用战壕围起了一个营地，有一排经过伪装的大炮。联邦军从门罗要塞发起了一次远征，试图占领它。但是从一开始，这次行动就指挥得非常糟糕，进攻笨手笨脚、犹豫不决。没过多久，在造成一些伤亡之后，联邦军队便撤退了。

在这场战斗快要结束的时候，一位联邦指挥官试图恢复乱了阵脚的战线，他距离那排大炮如此之近，以至于南部邦联的士兵都能够看清楚他那瘦长而英勇的身形。那只原本应该拿笔的手上，却握着一把剑——西奥多·温思罗普在冒险。他被战斗的兴奋冲昏了头脑。他登上一段原木，举起手里的剑，号令士兵们前进。一个卡罗来纳狙击手举起枪，瞄准了他，西奥多·温思罗倒下了——这是一场已经失败的战斗中一次毫无意义的牺牲。

第 6 章　弗吉尼亚郊游

华盛顿的列车刚刚驶出巴尔的摩，旅行者便可以看到守卫铁路的警戒哨，星星点点的营地，越往南越密集。首都周围的荒地上看上去就像长满了茂盛而巨大的庄稼——帐篷、枪炮、弹药箱和白篷马车。在 6 月末的时候经过华盛顿火车站，你可以感觉到战争正在升温。严阵以待的北方到处都是飘扬的军旗、操练的士兵，以及围坐在一起缝纫的女士。在严防死守的首都，有一个更严峻的现实——博勒加德将军指挥的南方军主力早已严阵以待，距华盛顿只有一天的行军路程。

第 37 届国会根据总统的声明召集特别会议。已脱离联邦的各州代表的撤走使得他们的人数大为减少，雄心勃勃的共和党领袖控制了参众两院。没有不忠，只有死神使得一个民主党参议员的席位出现了空缺。斯蒂芬 · A. 道格拉斯在 6 月初的突然去世使得政府失去了这个强有力的来自伊利诺伊州的小个子煽动者的支持。在屈指可数的几个来自边境蓄奴州的议员当中，有两个参议员显得格外引人注目——田纳西州的安德鲁 · 约翰逊和肯塔基州的约翰 · C. 布雷肯里奇。田纳西州已经脱离联邦，但没有一个人怀疑约翰逊对联邦政府的坚定支持。肯塔基州没有脱离联邦，但布雷肯里奇的爱国表白令人怀疑。他并不是来华盛顿支持联邦政府的战争措施。很多人怀疑他到底有没有带着恰当的理由来这里。他优雅得体的仪表和讨人喜欢的举止，在他的朋友们已经纷纷离去的首都似乎格外不合时宜。

新英格兰人将领导四个大权在握的、决定战时立法的参议院委员会。马萨诸塞州的查尔斯·萨姆纳是外交委员会主席，他的同事亨利·威尔逊将主持陆军事务。新罕布什尔州的哈勒将掌管海军事务，缅因州的费森登负责财政。这些人，以及另外几个像他们一样的人——俄亥俄州的韦德、密歇根州的钱德勒——是共和党中的激进分子，在他们看来，战争提供了一个大好的机会，可以惩罚他们痛恨的南方，并终结奴隶制。同样怀有报复之心的，是身体残疾的众议院老领袖、宾夕法尼亚州的撒迪厄斯·史蒂文斯，他是个很有才华的人，强烈反对梅森－狄克逊线以南地区及其黑奴制度。史蒂文斯将作为众议院筹款委员会主席掌管国家的钱袋子，包括拨款的管辖权。

独立日的拂晓时分，华盛顿街道上传来微弱的连续射击声，酷似来自河对岸战壕和城北罗得岛炮兵连的隆隆炮声。桑德福少将下令，依然留在波托马克河特区一侧的纽约州各团举行一次列队游行。那天早晨，超过 20 000 名士兵行进在炽热的宾夕法尼亚大道上——这是华盛顿见过的最雄壮的一支大军。来自纽约州的 20 多个团只不过是华盛顿周边地区兵力的一部分，共有 64 个团集中在这一地区，另外还有 1 200 名正规军。

度假的人挤满了拉法耶特广场和总统官邸的草坪，宾夕法尼亚大道上人头攒动。在白宫前面一个彩旗飘扬的平台上，总统和总司令与内阁成员及参谋部的军官依次就座，接受各团的列队致敬。当加里波第卫队经过的时候，士兵们都把自己手里的鲜花或常青树枝抛向检阅台，同时，每个连的领头者扔出一个花球。一张漂亮的地毯铺开在这些名流政要的面前，老将军被戴上了花环。优雅的仪式，连同它的异域风情，激起了所有人的赞叹，除了加里波第卫队营地所在地区那些饱受蹂躏的花园的主人之外。

对首都的居民来说，独立日始终是远足和野餐聚会的时间。这一年，所有树林和山泉都被士兵的营地抢先占领了。哥伦比亚泉是人们最喜爱的野餐聚会地，位于长桥的弗吉尼亚那端，如今是鲁尼恩要塞，它的柱廊成了马厩，舞亭成了补给库。人们不得不退而求其次，去欣赏早已不新奇的娱乐：听军乐队在震耳欲聋的焰火声伴奏下发出刺耳的声音。很多人聚集在那里注视着富兰克林广场上那生动活泼的场景：纽约第 12 团的士兵们（他们今天不值勤）懒洋洋地在营地里闲逛，围着随军小贩的摊位狼吞虎咽地吃着馅饼和蛋糕。中国灯笼挂在树枝上和旗杆上，吊在棚屋之间。在温暖的薄暮中，富兰克林广场被五彩斑斓的灯光所照亮，纸扎的热气球通体透亮，升起在暗蓝色的夜空里。乐队不知疲倦地演奏着。有人在演说和唱歌，还有人在跳舞。丹尼尔 · 巴特菲尔德上校是一个英俊的小个子商人，有着轮廓

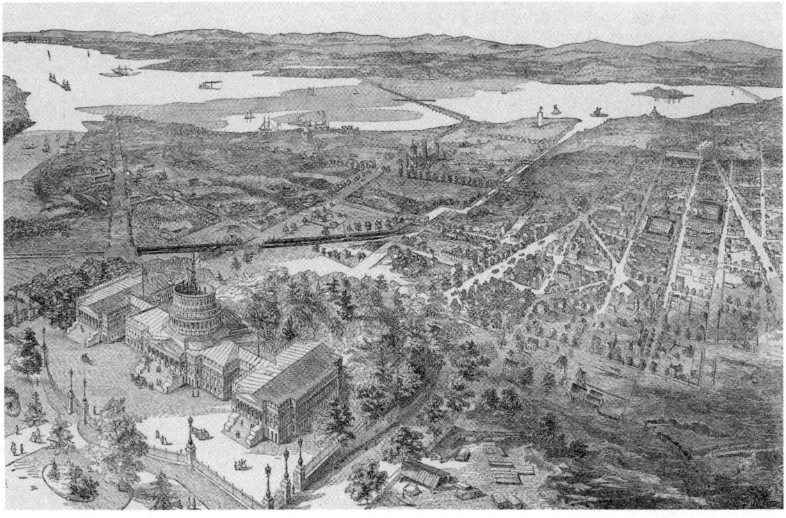

华盛顿鸟瞰

分明的希腊式相貌，以及墨黑的头发和胡子，很喜欢戎马生活。他把自己的民兵团牢牢掌控在手里，尽管这一天他让大家自由活动，也只有 14 个人错过了归营号。总的来说，这个假日是秩序井然地度过的。酒馆和酒吧在配制烈性酒上很谨慎。只出现了很少的几件意外，宪兵队警觉地清理街道上超假的醉酒士兵。爆炸声和大呼小叫的声音渐次平息，首都安静了下来，只有排水沟的臭味和嗡嗡的蚊子打扰人们的睡眠。

合众国的立法议员聚集在国会大厦里，在他们看来，纽约人那支雄伟壮观的大军，是人数、体格、操练和精良装备的一次令人眼花缭乱的展示。战争部的人可能没有他们那样的热情，但在国会大厦，人们对西点军校从来就没有多少共鸣。从建国的时候起，合众国就带着反感的态度看待领取薪水的常规部队，他们认为正是这样的军队，支持旧世界的专制政府。志愿兵是一种美国信念的化身。从宾夕法尼亚大道上五花八门的制服中，政治家们看到了正在行进的古老传统：栅栏、列克星敦、大草原上的有篷马车。

阅兵典礼充当了一个刺激，使得已经坐立不安的急躁情绪变本加厉。这支雄壮的大军，不是为了列队接受检阅，不是为了朝斯科特将军抛鲜花，也不是为了猛灌烈性酒，而是要扫荡里士满、平定叛乱。必须立即采取行动，因为民兵们三个月的服役期很快就要期满，联邦军队很快就要减少好几千人。

伦敦《泰晤士报》的记者拉塞尔先生写道：“他们认为，一支军队就像一个霰弹筒，任何时候，只要点着导火线，它就能够发射出去。”

拉塞尔刚从南方旅行回来，回到了这座骚动不安的城市，自他 4 月份离开以来，这座城市发生了几乎令人难以置信的变化。他用那双凸起的、淡蓝色的眼睛打量着华盛顿四周，他注意到了很多军事活动以及不小的混乱。就在宾夕法尼亚大道上他的寄宿处的隔壁，有一家葡萄酒和烈性酒商店，士兵和军官们经常吵吵闹闹地出入那里。身着制服的人在大街上东游西逛，向人讨钱买威士忌。拉塞尔开始有些怀疑联邦军。当有人向他请教某些关于炮兵、骑兵和运输方面的专业问题时，他的怀疑便愈发严重。他很快就意识到了正规军指挥官不大看得起“这帮志愿兵——没有军官指挥，穿着各种不同的制服，装备五花八门，完全不懂军事服从和协同作战的原则……”麦克道尔将军开诚布公地谈到了他的困难。当年在墨西哥的时候，志愿军士兵就给他留下了不好的印象，在跟约翰·比奇洛先生一起用早餐的时候，他说，有些指挥官“被怀疑”贩卖配给、中饱私囊，并从随军小贩那里拿钱。

麦克道尔即将开拔。形势的紧迫促使联邦政府赶在国会召集之前下达命令。起初，斯科特将军的打算是派一支大规模的远征队去哈珀斯费里，但那个地方已经被联邦军队轻而易举地夺回来了。斯科特命令宾夕法尼亚民兵首领罗伯特·帕特森少将从本州带领一支部队进逼哈珀斯费里，并从华盛顿派兵增援。面对帕特森小心翼翼的逼近，南部邦联指挥官约瑟夫·E. 约翰斯顿将军（不久之前的联邦军需部长）由谢南多厄河谷撤退至温彻斯特。帕特森是老牌民兵少将之一，联邦政府不得不接受他的军衔，他率领着最大州的民兵师。然而，他并非没有军事经验，因为他在 1812 年的战争和墨西哥战争中指挥过军队，斯科特感到很满意：帕特森牢牢控制了谢南多厄河谷下游的这个阵地。

作为一个军人而不是一个政治家来看待这场战争，斯科特依然指望在秋天打一场大战役：包围南部邦联。立即入侵弗吉尼亚只会是“一场零打碎敲的小战斗”，不能决定性地解决任何问题。公众和媒体的鼓噪让他烦不胜烦，再加上林肯总统和卡梅伦部长对军事事务的干涉，他最终不得不作出让步，他要求麦克道尔准备一份进攻马纳萨斯镇的计划。6月下旬，在一次由总统、内阁及很多陆军指挥官参加的军事会议上，麦克道尔在桌上摊开了他的地图，清晰而准确地阐明了他的计划。

这份计划从战略上精心选择了南部邦联的阵地。它守卫着奥兰治和亚历山大铁路与通往谢南多厄河谷的支线铁路的交汇点，驻扎在马纳萨斯和曼彻斯特的军队因此能够迅速集中到其中任何一个地点。麦克道尔计划的一个基本条件是：必须阻止这样的联合。斯科特将军保证，帕特森将会把约翰斯顿留在谢南多厄河谷，并保证派给他足够的援兵，使他能够战斗。

6月的一天，一个身材单薄的红头发军人出现在华盛顿，来接受他的上校授衔令。威廉·T. 谢尔曼在圣路易街道铁路公司的工作干得并不舒心。就连他最好的朋友也开始怀疑他的忠诚，他写信给战争部长说：他乐意为国效力，如果能让他领兵三年的话。他被任命为一个新成立的正规军团的上校，而且，在招募这个团的同时，他奉命与斯科特一起负责验收。6月底，当麦克道尔获准把他的几个团扩充为几个旅的时候，谢尔曼负责指挥其中一个旅。

正规军中那些缺乏经验的指挥官，跟那些被授予很高军衔的政治家们比起来，个个都是拿破仑。麦克道尔的几个旅当中，有一个旅的指挥官是来自俄亥俄州的罗伯特·C. 申克，在开始军事生活之前，他担任过众议员、驻巴西大使及共和党竞选者。另一个共和党人纳撒尼尔·P. 班克斯从前担任过众议院议长和马萨诸塞州州长，如今被任命为志愿兵少将。共和党第一位总统候选人约翰·C. 弗里蒙特被任命为正规军少将，负责指挥重要的西部军区。民主党人约翰·A. 迪克斯前不久还是布坎南内阁的成员，因为在招募纽约各团的工作中积极合作，而被任命为志愿兵少将。

斯科特将军由于职责太过繁重，再加上一直饱受痛风之苦，终于病倒了。在他的司令部，他躺在一张长沙发上，用芦苇秆对着墙上的军事地图指指画画。晚餐之后，在六灯头煤气吊灯炽热的光焰下，他坐在椅子里，头枕着衬衫袖子打盹，背后有一个仆人给他赶苍蝇。当他蹒跚着上下马车的时候，两个助手搀扶着他，但他的秘书凯斯已经不再是他手下的工作人员。凯斯渴望在这场战争中扮演一个积极的角色，他帮助制订援救皮肯斯要塞的计划，让斯科特不快。麦克道尔急需指挥官，于是任命凯斯为一个旅的指挥官。

斯科特明显的年迈体弱并没有动摇公众对他的领导能力的信任。有传闻说，他曾经乘坐洛教授的热气球升上高空，发现杰斐逊·戴维斯、李和博勒加德在一起共进早餐，有 8 000 人在他们周围安营扎寨。很多人相信，他会亲自指挥陆军。据说，有一辆轻便马车随时待命，准备迅速驶向弗吉尼亚。斯科特本人给谢尔曼上校留下的印象是：当他组织起一支庞大军队的时候（正规军将构成这支大军的“钢铁支柱”），他会披挂上阵。与此同时，他越来越接受在弗吉尼亚零星战斗的观念，确信这一行动会成功。

司令部里（设在罗伯特·E. 李的那幢被遗弃的宅邸里），麦克道尔陷入了深深的疑虑中。自从执掌在弗吉尼亚的指挥权以来，他遇到了许许多多的障碍。人们指望他把一大群没有经过训练的民兵（正姗姗来迟地跨过长桥）打造成一支军队。他们当中很多人还没有被有效地组织起来，以获得他们自己的配给。夜里，每一阵风吹草动都被误认为是敌人的进攻，神经紧张的哨兵用假的进攻警报吵醒整个营地。联邦士兵对弗吉尼亚公民的权利没有表现出足够的尊重，随意逮捕他们，破门闯入他们的家里；在某些团队，有一种不负责任的劫掠和抢夺的倾向。在高架渠附近，有一些农舍被洗劫一空。麦克道尔恳求卡梅伦和蔡斯不要强迫他同时完成组织、训练、行军和战斗这几项任务。他觉得，这几项任务太多，没有人能做到。在墨西哥战争中，

欧文·麦克道尔

他一直担任伍尔纵队的副官。如今，他要指挥30 000人的进攻行动。麦克道尔在国外见识过规模庞大的士兵队伍，在接受检阅的时候，在列队行军的时候，但从未亲自指挥过他们——美国陆军中没有一个军官指挥过他们。他需要时间。有人告诉他："你很年轻，这倒是真的；但他们也很年轻；你们全都一样年轻。"

麦克道尔的13个旅被编成了五个师，其中一个师打算守卫军队后方的公路。四个上阵作战的师分别由塞缪尔·海因策尔曼上校、大卫·亨特上校、迪克逊·S. 迈尔斯上校（他是从堪萨斯的岗位上被调来的）和康涅狄格第1团的丹尼尔·泰勒上校指挥，泰勒是一位上了年纪的西点军校毕业生，1834年以中尉军衔退伍。

当麦克道尔让八个团一起接受检阅的时候，斯科特将军批评了他，仿佛他"试图搞什么表演"。他的有些部队尚没有过河。加里波第卫队列队从桥上通过，按照法国人的风格把他们的面包配给挑在刺刀上。缅因第3团也出了城，一路上唱着《我希望身在南方》。有些团盼着参加战斗，而另一些团则一心想着回家，很高兴他们的期限行将届满，而且"没有打仗"便保卫了华盛顿。由于登记入伍的时间与他们在首都被编入建制的时间不一致，导致了一些士兵的不满。纽约第69团（谢尔曼上校那个旅的组成部分）是最早招募的队伍之一，但在到达华盛顿之前，他们被留在了马里兰履行守卫职责。科科伦上校及另外一些指挥官很想参加即将到来的战斗，但他们的士兵抱怨关于他们的服役期限尚未届满的裁定。

伦敦《泰晤士报》记者拉塞尔得到了斯科特将军发给的通行证，骑着一匹租来的马动身出发，想亲自看看弗吉尼亚的营地。他注意到长桥那头基本防御工事的薄弱，并标出了五分之一的营地，指挥官根本不懂连队操练，也不懂大炮的不同口径。军队的司令部由四顶小帐篷组成，位于阿林顿高地附近，麦克道尔坐在其中一顶帐篷的前面，正在研究作战计划和地图。他弄不到一份还算过得去的弗吉尼亚地图，也没有能执行侦察任务的指挥官。

拉塞尔还探访了科科伦要塞，纽约第 69 团在高架渠的弗吉尼亚那头建造了防御工事，并驻守在那里。兵营在要塞内部整齐地展开，有松树枝给帐篷遮挡太阳。有一扇小门，像一个冷藏室的入口，半埋在地下，一个士兵正在给一位朋友引路。一个中士跑了过来。“登普西！”他喊道，“你进了弹药库，怎么还点着烟斗？”拉塞尔顿时对科科伦要塞失去了兴趣，赶紧骑马离开了。在后来的一次范围更大的军营旅行中，他毫不迟疑地得出结论：联邦军是一帮乌合之众。北方的报纸把它描述为一支雄壮的军队，训练有素，装备精良，有战斗力，而这些报纸完全不知道一支军队究竟应该是什么样子。拉塞尔在此次南行期间所写的通讯使他在联邦有点不得人心，但他不为所动。他不大关注那些声望卓著的参议员，他们让他联想到那些穿着“宽松外套和浅色衣服、觉得自己很清醒的”面包师或磨坊主的一次集会。他根本不在乎列克星敦的传统。他了解世界，了解世界上的军队，他通过如实写出自己所看到的真相，赢得了作为一个记者的名声。由于伦敦《泰晤士报》对联邦的事业没抱多大的同情，他也就没有什么动力去写点别的什么东西。

麦克道尔埋头苦干，准备他那份漂亮的纸上计划。他认真而勤奋，很乐意接受这次让自己扬名立万的机会。然而，在 7 月初那些闷热的日子里，他在华盛顿光怪陆离的舞台上移动的英勇形象——孤零零地在挤满了军人的街道上走着，但这些军人都太粗心或太无知，以至于竟没有向他敬礼，尽管他的肩章上有金星——就像一个为悲剧命运所迫的人。他的朋友约翰·比奇洛去阿林顿高地拜访他，看出了他极为消沉。“这不是一支军队，”麦克道尔说。“打造一支军队要花很长时间。”比奇洛很同情他，他这辈子还没有这样同情过任何人。

通过电报，消息迅速传遍了联邦各地：终于要有一次进军了。7月8日，《星晚报》评论道，当这个话题在北方媒体上传播开来的时候，可能提到了麦克道尔将军的队伍大概会在本周行动。斯科特将军试图对电报实施军事监视的努力无果而终，他于是下令（得到了卡梅伦部长的批准）：从今往后，未经司令官的允许，不得发送关于军队活动的任何电讯。在政府许诺及时发布所有战斗的官方报道之后，新闻记者们只得万分不情愿地同意服从这一命令，但这个约定双方都没有遵守。

北方报纸的报道被定期从华盛顿寄给麦克道尔在西点军校的同班同学博勒加德的司令部。然而，南部邦联的军队并不一定要依靠报纸上的报道来获得情报，这些报道常常被爱国主义的自吹自擂、荒诞不经的谣言和厚颜无耻的捏造所扭曲。在华盛顿与敌军阵线之间来回并不是什么难事。波托马克河沿岸有很多人乐意充当秘密摆渡者。各军区的周围，都有人在注视和倾听。军事地图和作战计划有时候会莫名其妙地消失不见了。首都的那些支持脱离联邦的女士们并非全都是天真单纯、多愁善感、怀念旧体制的人。她们当中也有一些坚定不屈的人，不择手段地帮助南方的事业。其中最重要的是那位优雅的寡妇：罗斯·奥尼尔·格林豪夫人，她也是华盛顿最善于说服人的女人，对政治很有兴趣，也有搞阴谋诡计的天才。在布坎南执政时期，她认识每一个政要，被认为是一个有影响力的女人，在获得引见和任命这样的事情上，人们愿意找她帮忙。政客、军人和外交家在她家的客厅里打成一片。他们在她家的餐桌上用餐，陪她去散步，晚上——有时候是深夜——拜访她。

战争爆发之后，格林豪夫人对南方的同情并没有阻止她享受北方军官们的社交活动。她在共和党当领袖的朋友们也没有疏远她。她依然接待过西华德国务卿，并说西华德在晚餐之后活泼而健谈。来自马萨诸塞州的参议员威尔逊是她位于圣约翰教堂对面那幢小房子的常客。这个平民出身的废奴主义者丝毫也没有西华德那样的社交风度，但他在参议院是个有权有势的人物，他是军事委员会的主席。

格林豪夫人后来承认，她与共和党人之所以保持良好的关系，是为了知道他们的计划，以便她帮助南方。她写道："为了这个目的，我用尽了上帝赋予我的各种能力，结果远比我预期的成功得多。"5月的时候，她的一位朋友、联邦陆军的托马斯·乔丹上尉找到她，讨论送情报给南部邦联军队的事情。乔丹在把他的忠诚交给南方叛乱者很久之后，依然留在首都。在他脱下蓝制服、换上灰制服并投奔博勒加德的军队成为一名上校和副官之前，他交给格林豪夫人一份密码。在他位于马纳萨斯镇的防御工事的后面，小个子克利奥尔人博勒加德将军有理由赞赏乔丹在离开华盛顿之前所

罗斯·格林豪夫人

表现出来的先见之明。

因为她的一个女儿最近去世了，格林豪夫人便没有出去参加那年春夏两季的社交活动；但她继续一如既往地招待她的好友们。她招待过一些涉世未深的助手和职员，他们在她充满同情的耳朵边泄露了很多联邦政府的秘密；她还与华盛顿的分离主义者商议，他们当中的很多人尽管已经被共和党人替换了下来，但依然留在行政部门。在格林豪夫人声称由她转交给南部邦联军队的情报当中，有参议院军事委员会所使用的地图，上面红色的虚线显示了计划中的进攻马纳萨斯镇的路线。

据博勒加德将军说，大约在 7 月 10 日前后，他收到了格林豪夫人发来的第一条关于联邦军进发的信息。它由一个名叫贝蒂・杜瓦尔的华盛顿女孩递送给了驻守在费尔法克斯县城的南卡罗来纳人 M. L. 博纳姆将军。博纳姆从杜瓦尔身上看到了浪漫小说中美女间谍的形象，一头光滑的乌黑头发，一双闪光的黑色眼睛。前一天，她乘坐一辆集市马车过了链桥。在弗吉尼亚朋友的家里，她脱下了“农民的衣服”，穿上了一套整洁的骑马女装，骑着一匹借来的马，匆匆赶往费尔法克斯。获准进入博纳姆将军的司令部后，杜瓦尔小姐取下插在头发上的木梳，从蓬松的头发下面扯出一个用黑绸缝成的、半美元大的小包。小包里面装着情报，说的是联邦军将经由费尔法克斯县城和森特维尔镇进军，预计 7 月中旬发起进攻。这个消息被另外几份报告和报纸的报道所证实，它也证实了联邦军的一名俘虏所作的供述，这名俘虏是一个正规军士兵，在麦克道尔的副官署里从事编辑部队汇报的工作。博勒加德立即开始准备应对这次进攻，他派出了一名副官去里士满，向南部邦联当局提建议。

7 月 9 日，是麦克道尔预定采取行动的日期，但是，尽管付出了巨大的努力，他也只能等到一周之后，才能让军队动身出发。与此同时，在弗吉尼亚西部，年轻的乔治·B. 麦克莱伦少将——他不久前还是一名陆军工程兵上尉，辞职加入了铁路管理团队——让叛军遭受了惨败，这消息让人们兴奋起来。阿勒格尼山脉那边的这一忠诚地区重新被联邦政府所控制；而且，媒体让人们确信，麦克道尔的军队是最有战斗力的，北方兴奋地期待着弗吉尼亚东部的战役。

7月16日星期二早晨，华盛顿兴奋异常。过去两天里，军队、辎重车队和救护车络绎不绝地跨过波托马克河。部队行军那天，它们还在继续。在海军造船厂，纽约第71团为行军命令而欢呼，他们穿过喝彩叫好的人群，启程前往弗吉尼亚，给已经行动的军队又增加了最后的援兵。至于运输，麦克道尔只有救护车和军需马车。帐篷、行李和供应品不得不稍后运到。

联邦宪兵队的扩大妨碍了南方军与他们在华盛顿的朋友们之间的秘密通信。7月15日夜间，一个叫唐兰的人在亚历山大港附近一处地点秘密地乘渡船过了波托马克河，次日早晨进入了首都，并风闻军队已经进发。唐兰很熟悉这座城市，不久之前他还是联邦政府的职员，他毫不费力地找到了一幢房子，用博勒加德将军的话说，那里“距离白宫在步枪射程的范围之内”。他交给格林豪夫人的证明文件是一个很小的纸片，上面用乔丹上校的密码写着几个字：“捎信人值得信任。”格林豪夫人也用同样的密码写了几个字：“麦克道尔令夜进军马纳萨斯镇的命令已经发出。”据她自己说，她能够弄到这一命令的副本。

唐兰连忙乘坐一辆轻便马车（有接替的马匹），赶到波托马克河东岸马里兰州查尔斯县的一个南部邦联控制的渡口，这一地区的蓄奴种植园主强烈地支持脱离联邦。在弗吉尼亚一侧，情报被交给了一个骑兵信使，然后马不停蹄地被带到了马纳萨斯镇。黄昏时分，博勒加德拿到了格林豪夫人写的那几个字——对他来说是十分重要的几个字。不到半个小时，他便命令前哨指挥官赶在敌人之前撤离到指定的位置。第二天早晨，他给里士满发出了一份加急电报，请求批准约瑟夫·约翰斯顿将军在谢南多厄河谷的军队与他会合，以确保不是一个军，而是两个军的兵力抗击联邦军对马纳萨斯镇的进攻。

拉塞尔先生已经结束门罗要塞之旅，7 月 16 日晚上乘列车从安纳波利斯返回，他吃惊地发现麦克道尔将军独自一人在站台上，焦急地朝车厢里张望。麦克道尔在寻找两个炮兵连，由于他为数甚少的参谋正在司令部里忙活，他不得不亲自来火车站接他们。他问道："你知道我已经进军了吗？"将军在自己的马车里给拉塞尔让出了一个座位。他满怀信心地说着话，但情绪似乎不是很好。他在获取敌军的情报上遇到了很大的困难，他注意到敌军选择了一个非常强大的阵地。

在那天晚上举行的总统招待会上，斯科特将军的露面受到了人们的热情欢呼。当东厅里人们交头接耳地说到他在那里的时候，每个人都跑过来看他。很多人依然相信，老人将亲自披挂上阵。在热烈的掌声中，他早早地离开了，总统官邸外，人们欢呼着向他致意。

星期三，军队陆陆续续地进入了费尔法克斯县城，24 小时后进入森特维尔镇。紧跟在后面的，是一些观光客，他们被引人入胜的战斗前景所吸引，来到了这座县城。人们三五成群地骑着马或坐着马车跟在先头部队的后面一路前行。当叛军前哨后撤的时候，北方报纸欢呼南方军的一次败退。挺进费尔法克斯！挺进森特维尔！《波士顿文摘报》（*The Boston Transcript*）说，士兵们兴高采烈，仿佛正奔向一次户外野餐集会。市民们再次聚集在华盛顿的大街上，聚集在酒吧和酒店的办公室里，聆听惊险刺激的战斗故事。拉塞尔写道："听到那些醉醺醺的军官在威拉德酒店的大厅里吹嘘，我觉得有点好笑，他们根据自己的想象描绘事实，他们和我一样确切知道，费尔法克斯的阵地在联邦军队挺进的时候已经被放弃了，没费一枪一弹。"尽管所有人都对胜利坚信不疑，但有人认为，市民们是以严肃的态度来对待这场战争。即便那些醉醺醺的人群，也不像往常那样狂吼乱叫和狂欢嬉闹。某个爱开玩笑的家伙说，博勒加德调来了 1 000 桶沥青，打算把他的士兵们浸泡在沥青里，好把他们给粘住。这个笑话并没有达到预期的效果，倒是变成了一个令人困惑的谣言：南方军为了某个无法理解的军事目的而订购了一些沥青。

在森特维尔，麦克道尔的军队遇上了正在奔牛溪对岸严阵以待的博勒加德主力部队，那是一条蜿蜒曲折、水流缓慢的小河，两岸陡峭，树木茂盛。在星期四那个闷热的早晨，当那位伦敦记者走进宾夕法尼亚大道上的军区司令部时，曼斯菲尔德冲出了他的房间。“拉塞尔先生，我恐怕有来自前方的坏消息。”“他们在战斗吗，将军？”“是的，先生。泰勒上校与敌人交火，我们被打败了。”信使和传令兵，副官和市民，在各部门、总统官邸和国会大厦跑进跑出。在宾夕法尼亚大道上，一位陆军军官一边骑马飞驰，一边高喊：“这些该死的志愿兵都跑掉了。”从国会大厦可以看到浓烟在弗吉尼亚升起，人们以为它来自大炮，尽管它明显来自燃烧的房子和营火。

萨姆纳参议员容光焕发，坚信联邦军大获全胜，并夸口要在星期六夜晚之前拿下里士满。宾夕法尼亚大道上还有另外一些笑脸，但他们全都是分离主义者。女士们经过商店门口的时候，与店主互相意味深长地颔首微笑。“博勒加德把他们打得落花流水，”一位店主喊道。“相信我，”他妻子说，“是万能的上帝出手相助。就算他不诅咒黑鬼，他为什么要跟这些北方废奴主义者一起，站在黑鬼的一边，对付真正的白人呢？”他们说，他们有自己的“地下铁路”，获得来自弗吉尼亚的信息。

那天夜里，一个满头大汗、慌张匆忙的人在财政部大楼附近穿过了宾夕法尼亚大道。那是林肯先生，“像芦苇荡中的一只鹤一样，昂首阔步于巨大的大理石建筑之间，穿着一身裁剪怪异的灰色套装，一顶毡帽扣在后脑勺上，用一方红手帕擦着脸上的汗”。

陆军司令部已经收到消息：师指挥官老泰勒上校下令对奔牛溪的浅滩进行一次侦察，他的兵力有很大一部分被暴露在强大的火力之下，在这样的火力下，士兵们在混乱中撤退了。主要交战被推迟了。麦克道尔依然在森特维尔镇，试图获得关于这一困难地带的相关情报，并把他的半组织化部队集中起来。在费尔法克斯县城，有很多地方着了火，并出现了抢劫。士兵们因为在酷热中行军而筋疲力尽，因为泰勒的犯错而情绪低落。星期四，他们饥饿难耐，早已吃光或扔掉了他们帆布背包中的干粮，补给马车直到星期五早晨才达到森特维尔镇。

星期五，拼死作战和重大伤亡的故事继续在华盛顿流传；然而，北方人民的信心依然没有动摇。《星晚报》说，有了像麦克道尔的部

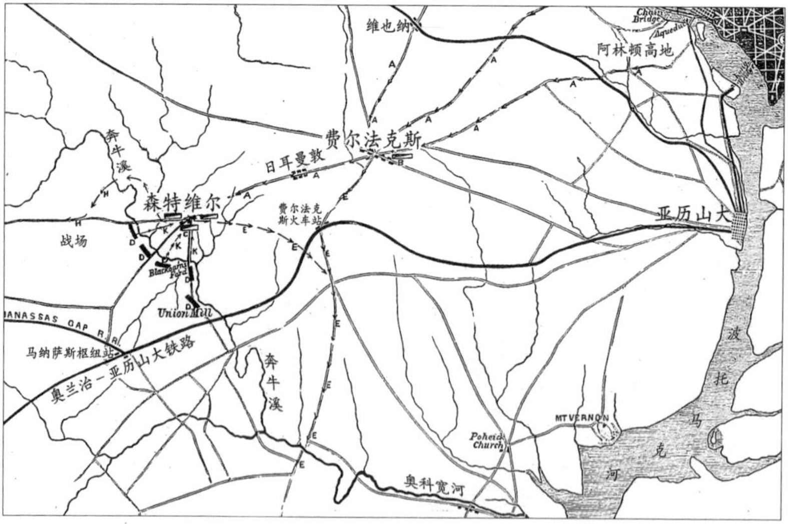

第一次奔牛溪之战地图

队这样一支大军，打败南方军只是个时间问题。有一则安慰人心的电讯，描述了泰勒的用兵技艺；士兵们在敌人的炮火下以盛装阅兵那样的冷静和准确度，秩序井然地撤退。每个人都在焦急地等待战斗重新开始。人们聚集在宾夕法尼亚大道的臭椿树荫下，猜测那些满身尘土的传令兵从弗吉尼亚带来怎样的消息。7 月的太阳从青铜色的天空上发出刺目的强光。那天的早上，一支正规军骑兵队疲惫不堪地穿过华盛顿城，马和人都在酷热中蔫头耷脑。一些叛军战俘被押解到曼斯菲尔德将军的司令部，坐在人行道和台阶上，等待曼斯菲尔德处置他们。掉队的联邦军士兵懒洋洋地在大街上游荡，丝毫也不害怕被抓起来，酒吧和餐馆里有很多装病的指挥官。夜里，麦克道尔将军和两三个参谋官被领进了斯科特将军的住处。麦克道尔已经完成了他的侦察，一场大战即将在星期天打响。

华盛顿很高兴得到这个消息。来自俄亥俄州的民主党众议员、绰号“日落”的科克斯先生写道：“在战斗打响之前，老百姓和议员们都满怀希望，几乎像过节一样兴高采烈。”在森特维尔，观光客们的马车让露营地“看上去就像一次大规模的军事郊游”。星期六，一大批人急着想获得去弗吉尼亚的通行证，为的是观看第二天早晨的战斗。为这次远足选择的那个日子对虔诚的教徒来说是一件丢脸的事，但很多经常上教堂的人还是忍不住要利用这个千载难逢的机会。有一则电讯让一些共和党参议员兴奋不已，电讯声称：麦克道尔已经拿下了奔牛溪，没费一枪一弹。科克斯说，众议院“以一种轻浮的态度兴高采烈地”宣布休会。一个例外是伊利诺伊州的约翰 · A. 洛根，他的黑头发和黝黑的皮肤显示出印第安人的血统。洛根已经离开华盛顿，加入了密歇根第 2 团。

野餐的需求十分巨大。拉塞尔写道：“法国厨子和酒店经理……都得出了这样一个结论：他们提供的一瓶瓶葡萄酒和一篮篮食品，必须是平常价格的三倍，华盛顿人为了舒服地欣赏他们的血腥比赛，纷纷订购。”华盛顿所有的四轮马车、二轮轻便马车、运货马车和出租马车，全都被高价租出去了。搞不到一匹像样的骑用马，因为市场上能见到的所有牲口都被指挥官、骑兵和随军小贩买光了。

作为一个英国人，以及一家对北方事业怀有敌意的新闻机构的记者，拉塞尔享受不到提供给美国媒体代表的任何便利——他们在战场上作为指挥官的客人受到欢迎，一路上骑着政府的马、坐着政府的车，陪伴着军队。拉塞尔不得不在星期日外出一天，像任何无所事事的寻欢作乐者一样。他租了一辆两匹马拉的轻便马车，承诺万一被敌军毁掉的话全额赔偿，在最后的时刻，他还设法租到了一匹脾气暴躁的肯塔基黑色骑用马，他计划在森特维尔镇骑这匹马。那天夜里，拉塞尔睡得并不好。月光透过床上的蚊帐亮晃晃地照进来，有一次，他起身下床，走进隔壁的房间，在那里，他幻想着自己看见麦克道尔将军站在书桌旁，笼罩在蜡烛的光亮里。

黎明时分，拉塞尔穿上了他曾经在印度穿的全套行头，收拾好一把左轮手枪，各种各样的瓶瓶罐罐，以及德裔房东塞给他的一包早已不新鲜的火腿和香肠三明治。马车（连同那个对这次远征万分不情愿的马车夫），以及那匹肯塔基驽马（由一个黑人男孩骑着），全都按时准备就绪。但这群人当中有英国使馆的一名随员，并不是个早起的人，因此他们很晚才出发。“你会发现，有很多国会议员就在你面前。”长桥上的那个哨兵笑着说。

在这个安静而美好的夏日早晨，观光客的队伍跨过波光潋滟的波托马克河，穿过树木葱茏的丘陵，以及弗吉尼亚乡村荒芜的农田和丰收在望的玉米地。绅士们穿着他们的夏季服装，拿着望远镜、来复枪和左轮手枪。舒适的马车里有丰盛的午餐、葡萄酒和威士忌。他们当中有几个喜欢冒险的女士。当他们在那条被大炮和军用马车碾得坑坑洼洼的大路上颠簸前行的时候，一些黑人从他们的小木屋里朝外打量着。隔着老远的距离，开始听到大炮那沉闷的重击声，当马车驶近费尔法克斯的时候，声音越来越沉重，越来越大。飞扬的尘土中，踉踉跄跄地走出了一队军人，大车上装满了行李和桌椅。他们是宾夕法尼亚第 4 团的人，他们的服役期限已满。还有纽约第 8 炮兵连，他们在森特维尔被解除了服役义务。他们有说有笑，匆匆赶往亚历山大港，把战斗的呐喊声留在了身后。

在通往森特维尔镇的大路上，参议员当中包括几个共和党领袖——亨利·威尔逊、本杰明·韦德和撒迦利亚·钱德勒，在要求进军的呼声中他们的嗓门最大。由于马上就能看到叛乱分子向里士满逃窜，这伙人更加兴奋。来自俄亥俄州的众议员阿尔伯特·G. 里德尔对他的选民们欠有一笔情感账。他曾向“我们的士兵们”承诺，如果有一场战斗在华盛顿附近打响，他将加入他们的行列，在战场上跟他们荣辱与共。这个诺言简明通俗。另一位众议员、来自纽约州的阿尔弗雷德·伊利也觉得对家乡的士兵们——来自罗彻斯特县的纽约第 13 团——有一项义务。伊利穿着白色亚麻布外套，情绪高昂地跟着他的一帮朋友动身出发。那天他花 25 美元租了一辆马车，那可是一辆骏马拉着的两厢马车，这个价格给他留下了深刻的印象，他觉得很满意。

时尚摄影师马修·布雷迪驱车前往森特维尔，拉着他巨大的照相机和胶片夹。他是个头发浓密的小个子爱尔兰人，有着尖尖的胡子和大鼻子，穿着一件轻便防尘长外衣，戴着一顶草帽。他的马车裹着黑布，装配了各种化学制剂，他能够做此前从未有人做过的事情——给战场留下一份摄影记录——这个想法让他着迷。

一身薄薄的黑色套装，一顶草帽，一双低帮鞋子和白色长袜，来自马萨诸塞州切尔西县的小伙子安德鲁·J. 克莱门特在一辆军用马车旁慢步小跑。他有个哥哥在马萨诸塞第1团，服役期限为三年。从家里带着一盒美食来到华盛顿之后，安德鲁沮丧地发现，军队已经动身向里士满进军。他急切地抓住了一个机会一起前往。对这趟南部邦联首都之旅，他的心里充满了向往，安德鲁并没有想到，在这个时候去前线寻找一位士兵，极不合适。

马车爬上了森特维尔的一座小山（那里俯瞰着奔牛溪），就像一场乡村赛马的观众们乘坐的马车一样。一位女士拿着一个看戏的望远镜。山下的平原上树林茂密，尘土飞扬，浓烟滚滚，要想搞清楚那里发生了什么事情是不可能的。但无疑正在进行一场战斗，能听到震耳欲聋的炮声和此起彼伏的枪声，有传闻说联邦士兵们正在击退敌军。

与此同时，在华盛顿，星期天的街道一片宁静。有一种强烈的紧张感，但没有惊慌。安静的人群整天站在财政部大楼前，倾听远处大炮的隆隆声。去教堂做过礼拜之后，林肯先生研究了从战场附近地区发来的一些非官方电报。随后，他去拜访斯科特将军，把这位老兵从下午的打盹中叫醒了。斯科特依然表示，他对胜利充满信心，然后镇定自若地再次睡着了。

下午的晚些时候，斯科特的司令部接到了一份令人欣慰的报告。所有电讯全都宣称，联邦军正在向前推进；总统松了一口气，命人备好他的马车。傍晚6点，当面容憔悴、声音嘶哑的西华德先生赶到白宫的时候，总统还没有回来。他问私人秘书：总统去哪儿了，有没有最新的消息。回答说有联邦军胜利的报告。“别告诉任何人，”西华德说，“那不是真的。这一仗输掉了。电报说，麦克道尔正全线撤退，并请求斯科特将军拯救首都。”

起初，斯科特对这个不利的消息存疑，但它很快被麦克道尔亲自发来的一份电讯所证实。总统和内阁成员聚集在斯科特的住处。他们穿着黑色的外套，一脸严肃地坐在战争部那些老学究式的将军以及那些装着铜马刺、戴着漂亮平顶军帽的初出茅庐的参谋官当中。传令兵拿着电报从战争部跑过来。代理副官长 E. D. 汤森上校坐在隔壁的房间里收电报，并大声宣读。突然间，他有些结结巴巴——在读到“卡梅伦上校”这几个字之后。汤森打量了战争部长一眼，部长的弟弟正率领高地团在前线；随后，他低声读出了这句话剩下的部分：“以身殉国”。

起初，麦克道尔宣布了他占领森特维尔镇的意图。在后来的一份电报中，他说，他将设法固守费尔法克斯。最后的电报说，他被迫撤退至波托马克河畔。撤退，撤退，电报反复这样说，这一仗输掉了——除了华盛顿接手——溃退的军队再也没法重新组织起来。军人和市民脸色煞白地听着这个消息。比煤气灯头发出的嘶嘶声更高，比汤森的轻声低语更响，似乎另有一个声音充满这个光秃秃的小房间——那是四散奔逃的乌合之众的哭喊声。

8 点钟以后，这天早些时候前去观战的人陆续回来了，他们对这次行动的情况略有所知。那些在下午 3 点钟左右便离开的人确信联邦军胜利了。然而，华盛顿的人群（他们当中有很多女人）依然在焦急地等待着结果的确切消息，他们在外面徘徊，不肯离去。在威拉德酒店灯火通明的窗前，人行道上挤满了人，每一个从前方回来的人都会被人群围着盘问。好几百人去了战争部，但没有发布任何公告。刚刚回来的人对战斗也没有明确的说法。长桥上越来越拥挤。在炙热的白天之后，夜晚的空气凉爽怡人，在朦胧的月色中，观光客叽叽喳喳地各自回家。来了几个士兵。大卫·亨特脸上裹着血染的手帕，躺在一辆马车里，一小队护卫陪伴着他。安布罗斯·伯恩赛德骑马疾驰而来，没有戴帽子，冲到威拉德酒店门前，翻身下马。瑟洛·威德站在路边。他什么也没问——根本用不着问。他那双精明的老眼擅长察言观色，灾难就写在伯恩赛德的脸上。

那些直到午夜才归来的人，全都是在喧嚣、尘土和撤退的恐怖中回来的，马车、军车、随军小贩的车队和奔跑的士兵构成了一股横冲直撞、人仰马翻的洪流。还有一些在那天早晨驱车外出的人，当夜并没有回来，因为他们的马车被毁了，或者被强行征用去运送伤员。拉塞尔先生的轻便马车离开了，但车上没有他，因为当时他刚好下车去观看战斗，于是他不得不一路骑马回到华盛顿。在长桥的华盛顿那头，士兵叫住了他："老外，你去看打仗了吗？"一群人围住了他的马，为他的看法而欢呼：军队已经撤到森特维尔，打算重新组织起来，准备一场新的进攻。

拉塞尔对那匹黑色肯塔基驽马产生了感情，决定买下它，不管价钱几何。车马出租行的老板把价钱降了 100 美元——老板心情很好，因为有 20 000 名北方士兵死伤。

本杰明 · 韦德和撒迦利亚 · 钱德勒驱车回到华盛顿，神情凝重，满脸愤怒。在费尔法克斯附近，他们的马车和众议员里德尔的马车把大路给堵住了，让惊慌失措、一路猛冲的士兵们停了下来，本杰明 · 韦德用他的来复枪威胁这些逃跑者。他和钱德勒径直去了白宫。

另外一些共和党人也回来了：特朗布尔参议员觉得蒙受了奇耻大辱，威尔逊参议员不得不骑着一匹走散的军骡，格里姆斯参议员险些当了俘虏，并下定决心：这是他自愿探访的最后一个战场。众议员里德尔回来了，由于对自己的本性有了深刻的认识而深感震惊。仔细检查了一个联邦士兵的尸体之后，他发现自己内心里有"一种野兽般的杀人欲望"。他很乐意拿着他的雷明顿步枪投入到战斗中去，但战斗已经开始，可叛乱分子一个也没见着。他是个禁酒主义者，但他承认，他喝了一大口威士忌。

伊利众议员那辆昂贵的马车回来了，同时回来的还有他的朋友们，那天早晨，他们是那样兴致高昂地动身出发。但伊利众议员没跟

撤退的联军部队

他们一起回来。在一棵大树背后躲避射击的时候，他被几个南方士兵给逮住了，那天夜里，他穿着亚麻布套装，哆哆嗦嗦地躺在博勒加德司令部附近一间谷仓的肮脏地板上。伊利的妻子经常劝他，不守安息日肯定会带来灾祸，事实证明，不听老婆言，吃亏在眼前。

关于溃败的谣言在华盛顿大街小巷悄悄地流传。一个小时接一个小时，人群焦急地围在那里等待着。来自印第安纳州的众议员 G. W. 朱利安被这个不幸的消息从床上叫醒了，他发现，宾夕法尼亚大道上，从国会大厦到财政部大楼，密密麻麻地挤满了人。凌晨时分，他们依然在那里。这座在劫难逃的城市的居民们在仔细倾听着雷鸣般的枪炮声，骑兵沉重的马蹄声，以及胜利的叛军的呐喊声。

坐在办公室里的长沙发上，总统接待了这场战斗的一些观众。有人认为，士兵们被惊慌失措的观光客传染上了恐慌的情绪，也有人认为，应该归咎于民用马车的车夫。还有人把责任归咎于这些服役期为三个月的志愿兵缺乏斗志，他们一心想着回家。所有人都谴责那些为了保命而抛弃自己的士兵逃之夭夭的志愿兵指挥官。林肯默默听着。他彻夜未眠。乌云遮住了月亮，天空变得更暗，阴郁的早晨在蒙蒙细雨中显露出曙光；晨曦照到士兵们的身上——不是胜利的叛军，而是联邦的捍卫者。穿过长桥、链桥和高架渠，他们连滚带爬地回到了华盛顿，回到了安全而熟悉的大街上，回到了店铺和住宅里，他们的休息、配给和老家的来信就在这个地方。

到6点钟的时候，他们沉重的脚步声和踩在水里发出的溅泼声，以及他们的低语声，盖过了雨的滴答声。拉塞尔被喧闹声给吵醒了，他看了看外面的宾夕法尼亚大道，披衣下楼。一个脸色苍白的年轻军官（他的剑丢了）告诉他，联邦军被击溃了，他要回家，因为他已经打了够多的仗，有资格延续他的寿命。拉塞尔写道："我看到这些被打垮的、伤了脚的、看上去像海绵一样的士兵、指挥官和军队的所有破破烂烂，鱼贯穿过泥泞和雨水，成群结队地挤在卖烈性酒的店铺门前。我住处楼下就是约斯特的酒店，今天早晨的生意格外红火。"

偶尔有一个团秩序井然地列队行进。士兵们依然拿着他们的武器，保持着军人的样子。大多数则是三五成群的一队，东倒西歪的一伙，以及零零散散的掉队者，乱七八糟混在一起。一位著名的旁观者弗雷德里克·劳·奥姆斯特德说，他们看上去不像军人，更像是"一群愁眉苦脸的乌合之众，大概是穿上了战场上阵亡士兵的衣服"。他们鲜亮的军服被烟熏黑了，沾满了泥，而且湿透了。枪、外套、帽子、鞋子和帆布背包要么丢了，要么是扔掉了。有些人脸上被弹药涂得黑乎乎的，咧着嘴龇着牙。很多人接连36个小时走了45英里，这还不算在战场上的行动。他们像梦游者一样，在这座城市的眼皮底下摇摇晃晃地行进，累倒在房子的台阶上，趴伏在路边石上，躺倒在雨水四溢的排水沟里。炮兵和指挥官则骑在马上睡着了。

街上有很多受轻伤的人，更多的人散落在从费尔法克斯县府到华盛顿的沿路上。在亚历山大港设立了一座医院，安德鲁·卡内基中暑了，当时他正在列车上指挥运送伤员，不过也有一辆辆满载伤员的救护车在陆续进入华盛顿。一辆小型运货马车从宾夕法尼亚大道上驶过，丹尼尔·麦库克法官坐在马车夫的位置上，在他身后，是他儿子查尔斯的尸体，一个 17 岁的小伙子，应征加入了俄亥俄第 2 团。在布朗酒店对面帕里斯夫人的寄宿公寓门前，当他们把遗体搬进去的时候，前来悼念的人已经等在那里。两年后，老法官本人也在西部的一场小规模战斗中以身殉国。

亨利·维拉德是一个年轻而机灵的德裔美国人，同时给不同城市的几份报纸担任通讯记者，他在黎明时分一路小跑着进入了首都。另外两位记者依然在森特维尔镇睡大觉。他们在这天的晚些时候到达那里，当他们下楼吃早餐的时候，吃惊地发现阳台上有叛军指挥官，这样的冒险让他们兴奋莫名。马修·布雷迪先生孤零零地回到了他在宾夕法尼亚大道上的摄影工作室。他丢掉了一切——马车、照相机、设备。他的防尘长外衣皱巴巴的，外衣里面佩着一把剑，那是消防轻骑兵送给他的，他们发现他在奔牛溪附近的树林里迷路了。

安德鲁·J. 克莱门特穿着夏季套装，戴着草帽，一瘸一拐地走过宾夕法尼亚大道。他目光呆滞，疲惫不堪，脚上长满了血泡，但他手里却拿着一支步枪，那是一个联邦士兵扔掉的。正如计划的那样，安德鲁找到了他哥哥，但那并不是一件容易事；因为马萨诸塞第 1 团埋伏在树林里，看管着一排大炮，星期日早晨就投入了战斗。安德鲁在树林里到处乱爬，与大约一百个切尔西县的小伙子握过手，这些人他全都认识。在回森特维尔的路上，他被撤退的队伍赶上了。在一辆被丢弃的随军小贩的马车上，他吃了一顿精美的晚餐，有烤鸡肉、甜烤饼和雪利酒——是他品尝过的最好的酒。路上到处扔的是步枪、水壶和背包，他连滚带爬地回到了华盛顿。他去了他住的酒店，洗了个热水澡，倒头便睡。这次战败并没有让安德鲁灰心丧气。他告诉人们，并非所有士兵都逃之夭夭。当他回老家切尔西县的时候，他将应征入伍，而且是长期的。

一整天，麦克道尔的军队川流不息地进入华盛顿。他们站在湿漉漉的街道上，围着用栅栏上拔下的木板搭起的火堆，大聊隐蔽大炮、黑马骑兵和军团溃败的可怕故事。几个花哨的家伙聚集在财政部大楼前，声称他们是消防轻步兵队仅剩的幸存者。曼斯菲尔德将军把先前各团驻扎的许多建筑都打开了。国民步枪队在他们禁酒厅的军械库里塞满了掉队者。士兵们在市民家门口讨吃的。女士们站在雨中，递来三明治和咖啡。一些市民派他们的马车过河去装运伤员和筋疲力尽的士兵进城。

另一方面，华盛顿城里的分离主义者并没有假惺惺地掩饰他们的观点。《星晚报》说，他们毫不掩饰联邦军溃败给他们带来的狂喜。他们宣称，他们将在 24 小时内拿下这座城市；有伤员从大街上经过的时候，他们对这些士兵的痛苦表现出“毫无人性的幸灾乐祸”。有一个“名叫罗伯杜的人”，他为了逗弄一群站在已故参议员道格拉斯的宅邸门前的爱国女士，故意脱下帽子，为叛乱者三呼致敬。他大声喊道：“现在谁会升起你们的星条旗呢！你们有 17 000 人被打死了。”一位负伤的罗得岛中尉掏出手枪，追赶这个家伙。他逃进了旁边的一幢房子里，几个女人把这位军官拒之门外。

夜幕降临，店主们惊恐不安地看着宾夕法尼亚大道上的那群乌合之众。拉塞尔先生的几位访客认为，这个时候到外面去很危险。他相信，整个冲突已经结束，但他也想到了，这些华盛顿的绅士们同情南方。当他终于锁上门、坐下来写报道的时候，街上的吵闹声让他心烦

奔牛溪

意乱。士兵们打断了他，向他乞讨酒和钱；到他把那篇通讯稿交给信差的时候已经是凌晨 3 点，这篇稿子注定要为他赢得“奔牛溪拉塞尔”的绰号，以及北方人对他的痛恨。

华盛顿无助地摊开在泥泞中，等待那天早晨被占领；可是，入侵并没有发生。叛军也是由志愿兵组成的。他们像联邦军一样，因为意想不到的胜利而陷入了无组织状态。跨过长桥进城的，只有川流不息的马车，慢悠悠地争夺着从森特维尔到华盛顿的那条路——盖着白布的供应车，像箱子一样的救护车，乡下的大车，以及随军小贩的有篷货车。到星期二中午，长桥从一头到另一头都被堵死了。可以听到伤员的叫喊高过马车夫的吆喝声。

大部分军队秩序井然地过了波托马克河，回到他们的营地。在曼斯菲尔德和斯科特的司令部里，作出了一次努力，试图把士气低落的士兵们集合到各团指定的地点。斯科特的副官们试图把那些在“华盛顿的酒店里履行职责”的指挥官聚拢起来。当骑马的巡逻队清理街道的时候，联邦军损失的夸大变得非常明显。有些团经历了激烈的战斗，遭受了伤亡，但并没有一个团被彻底击溃。在阿林顿高地，谢尔曼上校依然牢牢地控制着他的旅。科科伦上校（长着一张狭窄的脸，蓄着下垂的胡子）失踪了，纽约第69团比从前更加桀骜不驯。每一趟列车上，都有服役期为三个月的民兵启程离开华盛顿，打道回府。他们穿着破烂、熏黑了的制服，匆忙回家，讲述他们吓人的战斗故事，英雄般地接受人们的欢迎。

看到南方军的战俘，人们强烈的憎恨便被唤醒了，因为城里流传着一些故事，说到了联邦军伤兵在敌人手里遭受的种种暴行，而且，人们相信这些故事是真的。当这些俘虏从曼斯菲尔德的司令部出发，列队走向位于第1街的老国会大厦（已经决定把他们关在那里）时，有人故意溅他们一身稀泥，并痛骂他们。聚集在财政部大楼门前的士兵和市民们朝一队战俘大喊：“杀死他们！”水兵护卫队费力地用他们的刺刀逼退人群。然而，这些南方人不久便发现，他们在华盛顿也有朋友。格林豪夫人在纽约度完周末，回来后便去看望他们，她筹集了一笔资金，给他们置办食品和衣服。在这件工作上，她得到了菲利普·菲利普斯夫人的帮助，后者的丈夫是华盛顿的一位律师，从前是代表亚拉巴马州的众议员。据《星晚报》说，肯塔基州的布雷肯里奇参议员也去老国会大厦看望了南方军战俘。然而，几天之后，探望者被拒之门外，命令中特别点了格林豪夫人的名字。

酒店里挤满了心急如焚的人，他们是参战士兵的亲朋好友。新戏《艾丽·奥康纳》（*Eily O'Connor*）使得华盛顿剧院的每一个角落都挤满了人。怀曼——“举世无双的巫师和口技表演者”——让共济会大厅的观众为之痴迷。市政委员会一致通过了一项决议，对军队的这次溃退表示遗憾。没有点任何人的名字，但在从事某些特定行业的人当中激起了很大的愤慨，《星晚报》宣称，珠宝商、银行家、木材商、纺织品商、刑事律师、地方法官、法庭传呼员和市场助理职员都表现出了叛国的倾向；而且，最不忠诚的，恰恰是那些提供军需储备的食品杂货商。光学仪器制造商M. I. 富兰克林在报纸中插入了一张卡片，宣称：如果每一个上尉都配备一个他生产的战地望远镜的话，这一仗绝不可能输掉。凯迪·布劳内尔夫人一直高举着她的军旗，面对了敌人的六次开火，焦急地等待自己的丈夫直至他出现，才回到阿林顿高地。安妮·埃瑟里奇小姐是密歇根第2团的一位女兵，她拿着两把手枪，也在奔牛溪浅滩、在马纳萨斯镇冒着枪林弹雨。缅因第2团的奥古斯塔·福斯特小姐所骑的一匹马中弹阵亡，但后来人们得知，她已经到了亚历山大，安然无恙，在那里护理伤员。人们用过去式谈到罗切斯特县的伊利众议员，表彰他平生的功绩。但伊利并没有死。像科科伦上校一样，他也被带到了里士满。他是唯一一个到达那个目的地的重要政治家。

对于北方的乐观预期来说，这次逆转带来了令人痛苦的失望。尽管遭到了激愤的批评，但联邦继续战斗的决心并没有因此而低落下去。就在民兵们匆忙返回北方的同时，新招募的三年期志愿兵团踏着沉重的脚步走出火车站，编队向华盛顿进发。迎接他们到达的欢呼声在失败的乱局中重新响起。经过宾夕法尼亚大道的是他们严肃的青春脸庞，衣冠楚楚的指挥官，色彩鲜艳的旗帜，以及轻吹细打的乐队。再一次，国家被武装起来，捍卫它的首都和它的事业。

在奔牛溪岸边，输掉的不只是这场战斗，不只是光荣与骄傲。列克星敦的传统也蒙上了阴影。几周以来，华盛顿一直在传递这样一个观念：打造一支军队，光有勇敢的心是不够的，还需要训练。美国志愿兵挨揍了，可耻地挨揍了，国民的责怪重重地落在了指挥官的头上。其中很多指挥官是最早逃跑的。士兵们被丢在战场上群龙无首。有200个指挥官在这一仗之后递交了辞呈。还有一些指挥官则流连于华盛顿的酒吧，借酒浇愁，垂头丧气，悲观厌战，对他们的命令和他们的士兵漠不关心。沃尔特·惠特曼写道："你们就在那里，佩戴肩章的军官们……在那里鬼鬼祟祟、自我吹嘘、装腔作势，在威拉德酒店的大堂里和酒吧里，或者在任何地方——任何解释也救不了你们。奔牛溪是你们干的好事。"

在互相指责的大合唱中，高级指挥官也一样遭殃。西点人遭到人们的嘲笑。需要一个替罪羊为这次丢脸的失败承担责任，于是，麦克道尔将军被宣布不胜任他的岗位。他承受了最不公正的批评。他被指控饮酒，同样的指控也对准了迈尔斯上校（显然更合理一些），他当时指挥一个师。麦克道尔安详地坐在他位于阿林顿高地的司令部里，试图把被打垮的军队重新组织起来。他写信给约翰·比奇洛说，他的朋友们对他似乎比以前更热情，这是他最大的安慰。他乐意接受这个让自己扬名的机会。没有谁比他更清楚地知道自己这一次败得多么惨，也多么幸运。

帕特森将军颤巍巍地批准了约翰斯顿的军队与博勒加德会合。这位来自宾夕法尼亚州、服役期为三个月的老将军在谢南多厄河谷承担了太大的责任。他在一阵暴风雨般的辱骂声中退伍了。就连斯科特将军，也有人怀疑他对这场战斗的失误负有部分责任。他大为光火，责怪那帮政治家，称自己是美国最大的胆小鬼。有一片阴影从他那高大威严的形象上掠过，那是一位粗壮结实的年轻少将投下的影子，他被从弗吉尼亚西部召来接替麦克道尔和曼斯菲尔德，指挥华盛顿的所有军队。向乔治·B. 麦克莱伦欢呼致敬的国民总算知道了：仅凭民兵的一次夏日郊游，绝不可能终结这场战争。

第 7 章　波托马克河畔太平无事

麦克莱伦是在一个十分有利的形势下来到首都——此时，轻率鲁莽的计划以灾难而告终，暂时太平无事。他自己也确实有一些优势。他年轻、自信、精力充沛；头上戴着他最近赢得的胜利给他带来的桂冠，对于一群强烈需要英雄的人来说，他刚好就是一个英雄。他的外表强健结实。厚实的罗马鼻子下面，参差不齐的淡红色胡子掩住了嘴。他身材有点矮，但他有一副强壮结实的体格，有宽阔的肩膀和厚重的喉结；翘起的法式平顶军帽很适合他那颗形状周正的脑袋。他身上有一种戏剧性的品质。他富有想象力。他抱着大胆的构想——这种大胆能够征服或激励胆小者——立即开始按照 30 万兵力来讨论他的指挥权。

华盛顿的混乱激起了麦克莱伦几近疯狂的活力。他确信这座城市即将遭到一支占压倒性优势的部队的进攻，他每天有 12 至 14 个小时是在马背上度过的，伏案工作直至凌晨。刚到华盛顿，他便召集了一次记者招待会，《星晚报》记者注意到，由于在大热天里工作，他的衬衫彻底湿透了，以至于你很难说它到底是褪了色的蓝色，还是弄脏了的白色。他穿着一套纯蓝色的羊毛制服，没有肩章，一些记者最初并没有认出他们的报道中所说的这位“年轻的拿破仑”。这是有文字

乔治·麦克莱伦

记载的麦克莱伦在首都唯一不引人注目的场合。刚经历一次巨大震动的华盛顿毕恭毕敬地迎接了他。总统和内阁——还有斯科特将军本人——都尊重他。当他探访参议院议事厅的时候，一群头发花白的人围聚在这个还不到35岁的年轻将领的周围。他写信给妻子说："我几乎认为，假如我现在赢得了一次小小的胜利，我完全可以成为独裁者，或者任何别的什么，只要我高兴——但那种东西绝不会让我高兴——因此我不会成为独裁者。这真是令人赞佩的克己！"

古罗夫斯基伯爵在他的日记中写道："自武装备战以来，我第一次欣赏到真正的军事检阅。麦克莱伦在人们的簇拥下（一位将军原本就应该是这个样子）去视察军队。他看上去很勇武。同样，这座城市也有了更勇武的样子……似乎一只年轻有力的手紧握着勋章上的绶带。"

随着麦克莱伦的到来，穿制服的流浪汉从大街上消失不见了。乞丐们躲到偏僻小路上，或者仓促越过岩溪，以逃避逮捕。斯威特教授是罗得岛州的志愿军人，在宾夕法尼亚大道上空表演走钢丝，钢丝从国家大酒店的屋顶拉到克拉伦登酒店的屋顶，他那身肉色紧身衣里想必揣着本旅指挥官的批准证明，因为，华盛顿的通行受到严格控制，麦克莱伦的宪兵队会拦住每一个士兵，仔细检查他的证件。宪兵队由正规军士兵组成——大约1 000名步兵，一个炮兵连，一个骑兵中队——宪兵队长是经验丰富的指挥官安德鲁·波特上校，他曾在奔牛溪指挥过一个旅。

国会也对华盛顿施以援手，通过了一项法案，创立了市区警察局，由一名警长、10 名警官和 150 名巡逻兵组成。令人不满的夜间卫队解散了，市政委员会立即取消了日间警察。在组织新军的同时，宪兵队是在华盛顿维持法律和秩序的唯一机构。它最艰巨的职责之一是执行国会的一项法案：禁止销售烈性酒给士兵。一些小杂铺未经正式许可便销售烈性酒，很多大牌酒店和餐馆也开设了秘密酒吧。威拉德酒店、大都会酒店、哈马克饭店和戈蒂埃饭店的存货都被查封了，直到他们承诺将会遵守法律。警惕的哨兵在长桥上查扣葡萄酒、白兰地和波旁威士忌。然而，士兵们在偷运私货上表现出了足智多谋。威士忌酒瓶被藏在面粉袋、玉米粉桶、茶叶箱和干酪里。医药箱里装有小瓶的威士忌。他们还给长颈瓶装上两个软木塞，一个在瓶颈底部，另一个在瓶颈顶部，中间装着食用糖浆；牛奶罐的管口也用了类似的花招。

国会的另一项对华盛顿很重要的行动，是维修长桥的拨款。这座桥半是土堤，半是朽木和破板，支撑不了沉重的人马车炮。此外，修建一条与亚历山大港相连的铁路对于军事运输来说十分必要，加固后的这座桥将铺上铁轨，从巴尔的摩和俄亥俄铁路延伸过来，经由马里兰大道，跨过波托马克河。通过切断切萨皮克高架渠和俄亥俄运河的来水，把渡槽转变成一条马车道，从而形成了一条补充的军用交通线。事实证明，在长桥上铺铁轨并不成功，因为桥的结构太脆弱，承受不了列车的重量，最后只好新建一座铁路桥。

在 8 月初休会之前，国会还投票通过了一项法案，为继续这场战争提供人力和财力。对于正规军的增加，以及人身保护令的暂停，国会也有一些小声的抱怨，但还是支持了总统的命令和公告。这是一个繁忙而务实的会期，没有给旁听席提供多少火爆的辩论。然而，8 月 1 日那天，参议院出现了戏剧性的一幕。正当布雷肯里奇（他反对一切战争议案）发表一篇蓄意妨碍议事的演说时，俄勒冈州的贝克穿着制服走了进来。贝克是一个团的上校，这个团由他在东部招募来的加利福尼亚人组成，他把精力分派在国会大厦与战场之间。他把手里的剑放在了自己的桌子上，一言不发地坐在那里听着；接下来，他满头银发下的那张脸容光焕发，他跳了起来，抨击布雷肯里奇的观点是“漂亮而优美的叛国言论”。贝克是一位杰出的演说家，他雄辩滔滔的抨击把公众的注意力集中到了这位来自肯塔基的绅士的立场上。到最后，布雷肯里奇声称，他“从未说过一句对宪法和联邦不忠的话，也从未抱有任何这样的想法。”但不知用什么方法，他竟然能够把这一意见与那年秋天他加入南方军的行为协调起来。

随着国会议员的离去，华盛顿进入了一个军事效率的时代。麦克莱伦有一种非凡的组织才能，而且，作为一个被派到克里米亚观察军事行动的军事委员会的成员，他曾经亲身研究过欧洲的军队。他一丝不苟，条理井然，注重细节。在华盛顿，他认识到自己有两件事情要做：必须给这座城市构筑防御工事，必须打造一件武器——波托马克军团。

麦克莱伦就是骑在马鞍上的那个人——就连马鞍也以他的名字命名。当总统穿着灰色的套装漫步或坐着马车穿过街道时，没有一个人看他。所有眼睛都注视着这个年轻的指挥官。他不同于谦逊的麦克道尔（独自漫步在宾夕法尼亚大道上），也不同于身材肥胖、派头十足的斯科特。每一个在街上闲逛的人都认识他那粗短结实、穿着高筒靴的身影。他的经过，不管是在飞扬的尘土中，还是在四溅的泥水中，都是一件引人注目的大事，一阵马蹄的得得声，一排骑兵队列，拐过街角，策马飞驰，他稳稳地骑在他最喜爱的那匹马上。丹尼尔·韦伯斯特带着他的参谋团队和骑兵卫队费力地跟在后面。他很高兴把他们累得筋疲力尽，若无其事地从链桥出发，一路猛冲到亚历山大港，穿过弗吉尼亚营地，这些营地已经被打造成了一座绵延的军事城市，人口比首都还要多。麦克莱伦想让他的军队认识他、信任他。刚刚入伍的新兵熟悉将军的面孔，称他为“咱们的乔治”和“小麦克”，劲头十足地加入向他致敬的人群欢呼大叫。

麦克莱伦爱他的士兵，不过，当他们表现出不服从的时候，他的惩罚很严厉。有一些心怀不满的团，都是在春天入伍的三年期志愿兵，想跟那些期限为三个月的志愿兵一起回家。8 月中旬，麦克莱伦手上出现了两次哗变，分别在缅因第 2 团和纽约第 79 团。他态度坚决地平定了这两次哗变，下令把首犯送到佛罗里达州南端的海龟岛去做苦工，直至他们的服役期届满。就纽约第 79 团——都是已故的卡梅伦上校手下的苏格兰人——的情形而言，麦克莱伦责备了指挥官。他拿走了该团的军旗，把它们保存在他的司令部里，直至这些高地人后来通过他们的良好行为，赢得了归还军旗的权利。

新征募的三年期志愿兵——他们响应总统招募 50 万民兵的号召，陆续涌入华盛顿——表现得比那些为期三个月的志愿兵更坚定，但他们像孩子一样逃避训练，一样对战争工作毫无准备。审查委员会撤掉了一些最不称职的团指挥官，而那些认真而聪明的人逐渐理解了他们的职责。即便是他们当中最优秀的人，在西点军校毕业生看来也很不严谨、很不庄重。对于职业军人来说，很难对这样一支军队寄予太多的信任——在这支军队中，一个上校无拘无束地与一个列兵结伴而行，骑马走过宾夕法尼亚大道，两个人都抽着雪茄。

麦克莱伦手下的旅和师指挥官几乎全都是受过专业训练的军人，按照当时陆军的纪律和服从标准接受教育，在那个时代，肩章上的金星是心里唯一的朦胧抱负。有两个值得注意的例外，一个是容易冲动的众议员丹尼尔・西克尔斯，他招募了一个由纽约人组成的精锐旅，另一个是拥有大片土地的绅士詹姆斯・S. 沃兹沃思，他因为在奔牛

阿林顿高地的理查森要塞

溪作为麦克道尔的副官表现突出而被晋升为旅长。西点军校毕业的指挥官全都对自己在这场失败中扮演的角色诚惶诚恐。当晋升名单被拿到军官们在李的宅邸里所使用的那个大房间时，海因策尔曼用他那浓重的鼻音说："一派谎言！你们每个人都会被撤职。"但是，海因策尔曼、谢尔曼、富兰克林、伯恩赛德、凯斯和安德鲁·波特都被提拔为旅长。有几个人从波托马克军团中被派出去了。谢尔曼去西部效力，亚历山大·麦库克也去了西部，他也得到了提拔。伯恩赛德被任命领导一次对北卡罗来纳海岸的远征。然而，麦克莱伦接收了一些高质量的军官。不出一年的时间，米德、胡克、比尔、塞奇威克、汉考克、雷诺兹、卡尼、菲兹－约翰·波特、埃德温·萨姆纳和 W. F. 史密斯这些名字陆续出现在报纸的大字标题中。这些能干的西点军校毕业生使麦克莱伦在组织志愿兵上取得了巨大的进展。有些人，像卡尼、塞奇威克和汉考克，有着非凡的人格魅力，能够赢得士兵们的热爱和忠诚。而另外一些人则像麦克道尔一样不得人心，后者如今指挥着一个师。查尔斯·P. 斯通在行为举止上太过严谨和刻板，没法赢得士兵的喜爱。W. F. 史密斯在波托马克军团中被称作"光头"，士兵们痛恨他的严格纪律。

正是在史密斯的那个旅，佛蒙特州的一个小伙子威廉·斯科特在链桥上值勤的时候睡着了。他受到了军事法庭的审判，并被判处枪毙。这个案子唤起了很多人的同情，总统赦免了斯科特。波托马克军团中第一次执行死刑发生在这一年的 12 月，当时，林肯骑兵队的列兵威廉·H. 约翰逊因为开小差被枪毙了。然而，在这场战争的头几年很少执行死刑。犯错的士兵遭到监禁，或者受程度较轻的兵营刑罚（由于鞭刑在陆军中已被废除）。比如塞住犯错者的嘴巴，“受弓刑”——以坐姿捆绑，膝盖上抬，把枪或棍棒戳在膝盖之下，或者背着装满砖块的背包，在一只桶上罚站。“扎起”是夏天的一种惩罚：把犯错者捆绑起来，光着脑袋放在太阳底下，双臂和双腿伸开。用华盛顿冰冷的河水淋浴则是冬天里的一种可怕惩罚。

麦克莱伦把他最精锐的几个旅驻扎到了波托马克河对岸，从亚历山大港一直延伸到链桥，形成了一道弧形防线。联邦军的正前方就是南部邦联的军队。敌军的一个前哨站就在曼森山上防御工事的背后，南部邦联的国旗再次飘扬在首都的视野之内。

新招募的各团组成了几个临时旅，在华盛顿郊区安营扎寨，等待获得装备并得到足够的训练，才能被派往弗吉尼亚。新招募的炮兵部队和骑兵部队被安排在专门的训练营地，分别由威廉·F. 巴里将军和乔治·斯通曼将军指挥。这两支部队姗姗来迟的招募引出了一个令人吃惊的事实——在东部，轻便马车早就彻底取代了马鞍，以至于人们竟然忘记了如何骑马。新入伍的骑兵都是一些笨家伙，颠上颠下，膝盖朝外撇，这种方式“要把他们的马累死”。由于无知或冷漠，他们恶劣地对待他们的马，鞭打它们，伤害它们。很多战马被耗尽了最后一丝力气（因为消耗巨大），好在还有大量的战马足够吃苦耐劳，幸存下来。

为了保卫哥伦比亚特区，几个旅驻守在布拉登斯堡公路和第 7 街公路；以及乔治敦的北边——在链桥，以及在滕纳利镇，通往罗克维尔和普尔斯维尔的公路在那里交汇。在马里兰州，斯通率领的那个旅充当了观察哨和波托马克河上游的守卫队。麦克莱伦成功地拆解了斯科特将军钟爱的军区制，波托马克军团包括哈珀斯费里附近的军队被交给马萨诸塞州的政治家班克斯指挥，巴尔的摩的军队则由约翰·A. 迪克斯指挥。

华盛顿周边地区的士兵立即开始了修筑防御工事的艰苦劳动。波托马克河两岸的农场主都被弄得破产了。不仅他们的果园和菜园被踏为平地，他们的田地里搭满了帐篷，就连他们的土地的面貌也被彻底改变了，肥沃的土地变成了高高的土丘和深沟大壑。麦克莱伦决心用防御工事把首都围起来，好让他的军队在战场上能够自由行动；这座城市的周长（包括河对岸的高地）有 37 英里，这并没有把他吓倒。他以自己作为一个工程师所接受的训练的全部热情，批准了一整套工程计划，共有 48 项工程——要塞、眼镜堡、棱堡和炮台等，装备了 300 门大炮。他的总工程师（在麦克道尔手下担任同一职务）是约翰·G. 巴纳德，一个性格文静的中年军官，极度耳聋，能力超强。

在一支每个受过专业训练的士兵都要肩负指挥重任的军队中，经验丰富的参谋官十分抢手，麦克莱伦手下并没有多少这样的参谋官。他庞大的参谋团队由他的老丈人伦道夫·B. 马西率领，马西是一个稳重的老军人，能力只能算是普通。在很短的一段时间里，马萨诸塞州的参议员威尔逊是麦克莱伦的副官之一。他是一个民兵准将，在国会休会之后，他招募了一个团，并把它带到了华盛顿。威尔逊多半认为，参谋的职责是国会间隙期间的一段惬意的爱国插曲。他将近 50 岁，大腹便便，不习惯骑马，第一次骑马绕防御工事跑了一圈之后便累倒在床，很快便辞职不干了。

沙特尔公爵、巴黎伯爵、若因维莱亲王及朋友们在营地

另一个志愿兵副官是纽约大富翁约翰·雅各布·阿斯特，他一直在豪宅里过着奢华的生活，有他自己的男仆、管家和厨师。麦克莱伦还欢迎过很多外国来访者，有法国人、德国人和英国人。其中两位法国人给华盛顿的社交界增色不少，因为他们是奥尔良王室的两位王子——巴黎伯爵和沙特尔公爵。他们在拿破仑三世治下遭到流放，来到美国，主动提出为联邦的事业效力。他们都是谦逊而快乐的小伙子，人见人爱。穿上蓝色制服，他们的军官伙伴们把他们称作帕里上尉和沙特尔上尉。巴黎伯爵是法国王位的觊觎者，高大、笨拙而英俊。他的侧面轮廓像亚述人，他的黑头发在他的法式平顶军帽周围浓密地卷曲。他对军队和民主政治产生了强烈的知识兴趣，甚至蓄起了美国人所喜欢的连鬓八字胡须。沙特尔公爵是个身材瘦长、活泼开朗的小伙子，他喜欢战争，喜欢骑兵们的笑话。

这两位王子住在华盛顿，由他们的私人医生和一位大个子轻装步骑兵上尉照料。他们的叔叔若因维莱亲王警觉地监督着他们，亲王的小儿子在海军学院上学，海军学院如今从安纳波利斯迁到了纽波特。若因维莱亲王与麦克莱伦建立了亲密的关系，充当了参谋团队中的非正式成员。像巴纳德一样，他也耳聋。对于命运的无常，他泰然处之。麦克莱伦在谈到他的时候很自然地称之为“亲爱的老亲王”，尽管他的年龄只有 43 岁。这个满脸忧伤、蓄着胡子、逆来顺受的男人，喜欢给他观察到的滑稽有趣的东西画草图，以此自娱。

从一开始，就有人认为，麦克莱伦不住在营地里有些古怪。他在宾夕法尼亚大道上建立了自己的司令部，靠近拉法耶特广场。在小公园斜对面 H 街的一幢房子里，他享受着单身汉的舒适，同时等待妻子和刚出生的女儿来跟他会合。他在华盛顿引人侧目的是他从不与他的军队待在一起，却总是骑马在军营之间来回疾驰。

麦克莱伦最喜欢探访外裔人士（主要是德国人）组成的那个师，他把这个师的指挥权交给了冒险家路易斯·布兰克。欧洲人的劫掠（他们总是忍不住在乡下大肆抢劫）让布兰克的名字成了一个笑柄，但就军容方面而言，他们是麦克莱伦的样板部队。当他骑马走进他们的军营时，饱受蹂躏的弗吉尼亚风景便成了一场浪漫戏剧的背景。布兰克披着深红衬里的斗篷，站在他手下那帮说着多国语言、穿着五颜六色制服的指挥官中间。他的帐篷用双折边浅蓝色的材料做成，看上去赏心悦目。他喜欢仪式，总是以最正规的礼节接待上级指挥官。仪式过后，他会立即高声喊道："第 1 号令。"这是拿出香槟酒的信号。冒着泡沫的酒瓶被放在装满水果和糕点的桌子上；在军官们喝酒的同时，乐队演奏意大利乐曲，有时候也唱歌。士兵们有大量的啤酒，麦克莱伦明显不反对放松禁酒法规。他发现，在其他师，相比之下管理务实得多。

在秋高气爽的日子里，麦克莱伦开始举行波托马克军团的盛大阅兵。麦克道尔曾经因为在奔牛溪之战之前集中八个团而受到指责，但一周接一周，整师整师的军队在麦克莱伦的指挥下接受检阅。数以百计的观光客被这些壮观的阅兵式所吸引，来到首都。女士们穿着宽大的裙子，戴着小软帽，满脸惊奇地坐在她们的马车里，男孩女孩都瞪大眼睛注视着士兵们的白手套和闪闪发亮的刺刀、军旗、铮亮的铜管乐器、大炮的硝烟。一天傍晚，一伙波士顿人在拥挤的交通中乘马车

大阅兵

回华盛顿，他们哼着单调乏味的歌曲，以打发时光。马萨诸塞各团最喜欢的《约翰·布朗的遗体》便是其中的一首。在这伙人当中，朱莉亚·沃德·豪夫人是一位作家，她想给这支曲子填点新词。第二天拂晓，她在威拉德酒店的房间里醒来，一行行诗句浮现在她的脑海里。她起身下床，就着朦胧的光线，用一截铅笔头写下了《共和国战歌》的诗节。

最受青睐的阅兵场地是国会大厦东边的那块公地；但在 11 月里的一个刮着大风的阴冷日子，一次 5 万人参加的盛大阅兵在弗吉尼亚的贝利十字路口举行，距离华盛顿 8 英里。自奔牛溪之战以来，有一套更严格的通行证制度来控制市民跨过波托马克河的临时交通。由于阅兵的缘故，所有限制都放松了，那天凌晨，华盛顿人开始成群结队地进入弗吉尼亚。麦克莱伦将军由他的参谋团队陪同，在 1 800 名正规军骑兵的护送下，到达了阅兵场地。在他沿着各路纵队骑马疾驰的时候，总统、西华德国务卿和卡梅伦部长陪伴在他身边。巴黎伯爵想，看到这些平民“在一辆光鲜耀眼的军车前面大胆地纵马腾跃”，确实有些稀奇。在数以千计的观众看来，眼前这一幕留给他们的印象远比他们想象过的任何东西更加深刻。数个师的军队在平原上绵延数英里。直到黄昏笼罩了泥泞的场地，军队才完全通过了检阅。从费尔法克斯的方向隐隐传来低沉的、断断续续的枪炮声——敌军（他们总是能得到关于联邦军计划的准确信息）试图给人以进攻的假象，好让阅兵队伍阵脚大乱。

敌军是麦克莱伦成绩簿上的一个污点。有三件事情动摇了华盛顿对这位年轻拿破仑的绝对信任：波托马克河的封锁，南方军从城市前方的撤走，以及弗吉尼亚上游的一次交战。

首都一直为它繁忙的码头而骄傲，那里建造了 20 座新仓库，来自纽约和费城的纵帆船在林立的樯帆中等待返航。随着叛军最早的炮台在波托马克河下游竖立起来，贸易便开始衰落。海军试图否认封锁的存在。麦克莱伦拒绝与他们合作摧毁那些炮台。华盛顿的码头越来越萧条冷清。商品价格大涨，或者干脆缺货。有时候会运来一船不速之客：逃亡黑奴。一艘船的到来就像一位英雄一样。只有小帆船定期抵达，哈维牡蛎交易所做广告说，他们的小船每天穿过封锁线。

起初，弗吉尼亚的首都防线经常发出警报。训练的枪炮声让拎着半满篮子的老太太逃离中心集市。巡逻队的炮击声让很多人爬上屋顶，看着硝烟从树梢上升起。当每一个谣言传出，便有求证的轻声低语：“嘿，你听说了吗？”人们相信，一次决定性的战斗即将打响；忠诚于联邦的市民们高兴得太早了，他们挥舞着星条旗，为联邦军的胜利欢呼。

然而，夏末的那些日子并没有任何重要行动。关于南方军的情况，麦克莱伦没有多少情报。洛教授新做的丝绸气球在第一区的储气罐上充好了气，摇摇晃晃飘过了高架渠，很气派地飘浮在弗吉尼亚的山峦之上。约翰·拉蒙顿先生上升到了 2 英里的高空，没有使用系泊缆索。尽管有观察哨和侦察队，以及神出鬼没的联邦密探，但敌情依然不甚了了。麦克莱伦的秘密情报局（由阿伦·平克顿领导）给出报告：华盛顿受到庞大兵力的威胁，将军相信了这些报告。他接过指挥权的时候就抱有这样一个坚定的目的：要一战击溃叛军，但几个礼拜过去，他犹豫了，开始专心完善他精密周详的计划和军队的组织。

9 月底，敌军旗帜的消失告诉首都：南方军已经撤退到费尔法克斯。联邦军的阵线前移了，市民们纷纷外出旅行，去查看曼森山。人们大吃一惊，还有一丝丝不寒而栗的怀疑，因为他们发现：对抗联邦大军的，只有用原木和纸板做成的几门木制假炮。不久，有进一步的消息传来：南方军撤退到了森特维尔和马纳萨斯。马纳萨斯包裹在令人惊叹的伪装大炮的故事里，听上去就像是一个传说；在它强大的防御面前，人们想象着这样一个血腥的战场，波托马克军团将在这个

南方军架设的假炮

战场上表现出它的英勇气概。然而，就在这时，一场遭遇战的消息从波托马克河上游传来，斯通将军在那里坐镇指挥。一支分遣队在爱德华·贝克上校的指挥下，奉命渡过波托马克河向利斯堡进发，结果在博尔斯布拉夫遭遇惨败。那是一个美好秋日的薄暮时分，一个报社记者听见麦克莱伦司令部内室里电报机持续不断的咔嗒声，看到林肯先生踉踉跄跄地走出房间，眼泪顺着他的脸颊滚落下来。有一种勇敢，会消解仅有的谨慎，贝克正是以这种勇敢，冲在他所率领的那个营的最前面，中弹阵亡。

这位有着雄辩口才的俄勒冈州参议员在华盛顿深受欢迎，他的葬礼是一件大事。由于林肯夫人让室内装潢商把白宫搞得乱七八糟，仪式便在H街詹姆斯·沃森·韦布的宅邸举行，韦布前不久还是纽约一家报纸的老板，很快将成为驻巴西大使。贝克的朋友们凝视着他那张英俊的脸，那似乎是一张熟睡士兵的脸。覆盖着国旗的棺柩装饰着白花和常青树枝编成的花环，由六位上校抬上灵车，一支队列护送着棺柩走过街道。

由于审查制度的阻碍，博尔斯布拉夫战斗的细节是逐渐才被国民所了解。联邦军在悬崖与波托马克河之间中了埋伏，没有足够的船只让他们安全撤退到马里兰一侧的河岸。这支部队的很大一部分被俘，有些人在水中中弹，还有一些人被淹死了。有一些尸体漂浮在波托马克河上，泛滥的河水呼啸而下，在11月初的时候撼动了长桥那脆弱的结构。一个穿着淡蓝色制服的士兵躺在附近的一堆漂流木上。一具几乎赤裸的尸体被冲到了第6街脚下的码头。还有一些尸体在链桥上和乔治敦码头附近被找到。在华盛顿要塞对面，人们找到了炮兵部队的一位列兵，连同一份遗嘱，一面圆形镜子，以及口袋里的一缕头发。

从这些溺亡士兵的命运中，我们再也看不到比战争更加没有理性的东西了。博尔斯布拉夫战斗是一场小规模的遭遇战，但它在北方传播了沮丧。贝克的朋友把他的死称作军事失误的牺牲品，他们把矛头指向斯通将军。像麦克莱伦一样，斯通也是一个民主党人。在平时的交往中，他宽厚而谦恭，跟对待特区人的态度比起来，他对蓄奴的马里兰州人并没有表现出更多的专横倾向。痛恨奴隶制的共和党人听说了关于斯通的故事，发现很难把宽容和叛国区分开来。

10 月，出现了一些国会开会的先兆信号。韦德、钱德勒和特朗布尔都在华盛顿，拜访总统，与麦克莱伦商谈。他们要求进攻，并宣称，失败并不比拖延更糟糕。麦克莱伦让他们相信，斯科特将军是行动的主要障碍，他们答应设法让斯科特马上退休。

从一开始，麦克莱伦就用轻蔑的忽略态度对待斯科特。仅仅在四年前，这位年轻的指挥官只是以上尉军衔从陆军辞职。如今，他再也忍受不了这样一个事实：这位总司令是他的上司。他认为，斯科特"要么是个老糊涂，要么是个叛国者"，在发现他是自己前进道路上的一个笨重障碍之后，便把他推到一边。

在第一次体会到这个下级的傲慢自大之后，斯科特便递交了辞呈。总统说服他收回了辞呈，但他的重要性已经一去不返。

"那些为国效力的人，他们最后的结局总是令人心寒，"拉塞尔先生在 9 月份的时候写道，"今天的一些军官，在大街上遇到这位老人，尽管他穿着那身制服外套，有黄色的翻领和黄色的饰带，却若无其事地擦肩而过，不仅不敬礼，还装作不认识；有个人从将军家旁边的一家餐馆里走出来，大声说道（几乎在他的听力范围之内）：'老家伙今天看来绝非一流。'"

当斯科特在两个副官的搀扶下步履蹒跚地回家时，麦克莱伦将军正沿着他的队伍，在一阵几乎像炮声一样震耳欲聋的欢呼声中，策马疾驰而过。当他在秋日朦胧的暮色里骑马回城的时候，一大帮随行人员跟在他的身后——将领、副官、助手、传令兵、政治家、市民、游客。那就像一位攻城略地的英雄的凯旋队列。人群簇拥在麦克莱伦的门口，而在屋内，国家领导人在等着他，就连林肯总统也经常在客厅里坐冷板凳。共和国历史上从未给过任何人这样的抬举。

11月里一个淫雨霏霏的早晨，4点过后，传令兵的喊声和马的喷鼻声在屋前响起。一队骑兵走上前来，在黑暗中静静地等待。麦克莱伦将军和他的参谋团队披着斗篷，戴着黑色头罩，匆匆走下台阶，飞身上马，绝尘而去，骑兵队紧随其后。波托马克河上并没有响起枪炮声，大清早把他们从床上叫起来，是为了礼仪，他们要护送斯科特将军去火车站。年轻的副官们在骑马前行的同时一边闲聊着，一边猜测着他们的指挥官的命运。巴黎伯爵写道："穿透那笼罩着我们的夜幕和薄雾比这样的猜测更容易些。"在灯光朦胧的火车站，麦克莱伦和他的参谋团队像身披黑色盔甲的骑士一样，藏在斗篷下的佩剑发出叮当声。斯科特将军客客气气地向这个极力让他戎马生涯的最后几个月变得不快的人作最后的告别。他给麦克莱伦夫人和新生的婴儿捎去了亲切友好的问候，并说，对于离开华盛顿和活跃的生活，他别有一番滋味在心头。麦克莱伦写信给妻子说，看到这个虚弱的老人，对他来说是一个教训；并请求她，如果有朝一日他变得虚荣而野心勃勃，务必提醒他记住这个教训。他的雄心壮志如今总算实现了。在保留波托马克军团指挥权的同时，他还接替了斯科特，出任总司令。总统大胆地暗示，新增加的责任放在一个人肩上是不是太多了。"我能做好这一切。"麦克莱伦马上告诉他。

为了庆祝麦克莱伦的晋升，布兰克师的士兵组织了一次盛大的火炬阅兵。很多其他部队的士兵，以及大批市民，纷纷加入了游行队列，走过用红、白、蓝三色灯光标出的行军路线。在麦克莱伦的门前，乐队在演奏欢快的乐曲，人们大声请他出来。他出现了片刻，鞠躬致意，然后退了回去。焰火在大街上闪耀，爆发出噼啪声，在月光如水的天空绽放出国旗的图案，但麦克莱伦并没有观看所有的展示。他不得不出席一次“伪内阁会议”。内阁让他感到“厌烦而恼怒”——有一些他所见过的“最大的傻瓜”。只有战争部长西蒙·卡梅伦赢得了他的认可，因为他“专心于合同和政治事务”，独独丢下战争不管。

斯科特的去职和自己被晋升为总司令并没有让麦克莱伦感到满足。他膨胀的自尊还需要杜绝任何人对他的妨碍或质疑。他不仅要应付欢呼喝彩的军队，而且还要应付那些大权在握的人，这让他饱受折磨。在麦克莱伦傲慢自大的表面之下，其根子是一种过于敏感的虚荣。他只喜欢自己的下属和盲从的仰慕者，并会在别人对他的马的赞许中获得安慰，他写道：“至少，它对自己的主人有充分的信任。”

并且，麦克莱伦的思想中还发展出了一种更危险的倾向。就他的政治观点而言，他与执政党针锋相对。他对黑人怀有模糊的善意，但他对废除奴隶制的事毫不关心。他的一些激进的民主党朋友和支持者，通过把一项宏图伟业放置在麦克莱伦的影响和权力的行使之上，鼓励他把自己想象成一个肩负使命的超人。他虔诚地相信，上帝站在他一边，他是华盛顿唯一的爱国者。这导致他认为，他可以“高高兴兴地取得独裁的权力”，正如人们要求他去做的那样——当然，不是出于自私的动机，而是为了拯救国家。

民主党人、律师埃德温·斯坦顿与麦克莱伦关系很好。斯坦顿有一种骂人的天赋，他把这种天赋十分大方地用在了共和党身上，特别是用在了林肯总统身上。他最喜爱的笑话是，杜·谢吕是个傻瓜，竟然跑到非洲去寻找他在斯普林菲尔德能够轻而易举地找到的东西：“原始的大猩猩”。麦克莱伦说，斯坦顿的这番话曾让他大吃一惊；但他在写给妻子的信中谈到总统的时候用了这个说法。还在伊利诺伊州担任铁路公司主管时候，麦克莱伦就认识林肯，不止一次在偏远小镇上过夜的时候，在炉火旁听人们讲过这位乡村律师的奇闻轶事。总统的行为举止向来很随便，与老熟人在一起更是无拘无束，他经常拜访麦克莱伦。有时候他会在早餐之前出现。他经常夜里来，希望在上床之前听到最新的消息。他让口袋鼓鼓囊囊塞满了文件——因为他试图让自己同时了解军事战略和海军战事的信息——他会走进客厅，军官们坐在那里抽烟、写信、读报纸。他问副官：乔治在吗？不必派人去叫他，他愿意等；他想他会与他一起共进晚餐。

林肯尊重麦克莱伦，那是一个文职官员对一个军事专家的尊重。但这个将军却因为他的“无知”而瞧不起他，因为他的顺从而鄙视他。麦克莱伦多少有点势利小人的味道。他父亲是费城的一个医生，他享受了一种自由主义的教育。他阅读广泛，精通几种不同的语言，对考古学和收藏老瓷器感兴趣。尽管他总是以一种礼貌性的尊重把总

林肯在麦克莱伦的营帐里

统称作“阁下”，但私下里总是取笑他那家常化的谈吐和举止。

11 月的一天晚上，林肯在西华德国务卿和约翰·海的陪同下拜访了麦克莱伦的住处。他们被告知，将军去参加一位军官的婚礼了，于是他们便坐在客厅里等他。将近一个小时之后，麦克莱伦回来了。传令兵通报说总统在那里等他，他没有理会，径直上楼去了。想到可能有误会，林肯便派一个仆人去了他的房间。得到的答复是，将军已经上床了。约翰·海认为，“军官们这种空前的傲慢”是“未来罪恶的一种预兆”。林肯先生平静地对此事一笑置之；但从此以后，他便让麦克莱伦去找他。

麦克莱伦在军事上至高无上的地位（林肯平静地认可了这一地位）在 12 月由于国会的开会而受到了威胁，但将军看上去似乎并未注意到这一事实。他再也不能找借口说斯科特挡了他的路，但他还是没有作出进攻的行动。操练还在继续，新兵不断到来，感恩节在军营里是用醉酒来庆祝的。

有一点倒是真的，麦克莱伦的军队并没有完全训练好，甚至在四个月的努力之后还没有装备好。蒙哥马利·麦格斯是一位能干的工程兵上尉，他曾组织过对皮肯斯要塞的远征，如今被任命为军需部长；但卡梅伦部长的合同竞标效率低得令人愤慨。那年的冬季，麦克莱伦的军需验收官宣布 25 000 件步兵外套不合格，一天时间让联邦政府付出了 167 750 美元的代价。

《纽约论坛报》的一位特派记者描写过贝克上校葬礼上的军事队列，其实更像是在写一篇关于麦克莱伦的防御工作的简讯。为了有更好的视野，这位记者站在一匹马的背上，他发现自己身处一群东部沿海地区的人中间。一个高个子穿着平民的服装跟着队列骑马前行，黑布马裤皱巴巴地卷到了膝盖上。他戴着一顶军帽，他的马鞍和马饰都是军用的。

东部人甲：那小子是谁？

东部人乙：我猜他是上校。

东部人甲：上校怎么穿着这样一身行头？

东部人乙：我猜那是阴阳装。

东部人丙：他不是上校，他是新任命的少将，还没有领到自己的制服。

东部人甲：一半是将军，一半是部长。

东部人乙：得了吧，我说他是个阴阳人。

出操和训练的时候，士兵们远远谈不上严谨。当贝克的棺柩被抬上灵车的时候，立正敬礼的步兵们东张西望，大声说话，吊儿郎当地撇着一条腿，不停扭动，抓耳挠腮。他们的枪指向四面八方，有的人像拿鱼竿一样扛着枪。在护送棺柩的庄严军事队列中，有几个连完全乱了套，有时候为了赶上前面的人而奔跑起来。骑兵和他们的马看上去粗野而顽劣。这位《纽约论坛报》的记者写道："不管是哥萨克骑兵，还是土耳其骑兵，在外表上都没有像这支为了葬礼仪式而精心选出的骑兵这么粗鄙、顽劣、缺乏训练和不文明。"

但波托马克军团依然是联邦所见过的最庞大的军事组织。到11月，麦克莱伦手下总共有20万人在哥伦比亚特区和弗吉尼亚州。人们并不指望这些军队去面对欧洲的职业军人，他们要面对的是另一支志愿军。他们对自己的总指挥有着无限的信心，准备追随他到任何地方。即便是一次小小的胜利，也足以让政治家们心满意足，让国民兴高采烈。因为陆军和海军的联合远征拿下了南北卡罗来纳的哈特拉斯要塞和皇家要塞，人们便欢喜不已。如果麦克莱伦打哑波托马克河上的叛军大炮，他肯定会受到疯狂的欢呼；但他觉得没有必要去安抚他们，无论是老百姓，还是政治家。共和党激进分子聚集在这座阴沉郁闷的城市里，环绕在他们周围的，是由一位以救世主自居的民主党人指挥的一支庞大却无能的军队。

参众两院的议员摩肩接踵地穿过杂七杂八的人群。欧洲军事冒险家争先恐后地奔赴战场，就像孩子们奔向一团火。麦克道尔说，在华盛顿，一个人只需“证明他曾经见过加里波第，就足以让我们相信，他完全适合指挥一个团”。但外国人最近变得越来越多，以至于就连参谋的职位也不足以安排他们所有人。克里米亚战争的退伍老兵与加里波第手下的老兵在议会休息室里挤挤攘攘。前者大多数声称自己曾经是轻骑旅的成员——考虑到轻骑旅很高的伤亡比率，他们的人数很可疑。一位住在威拉德酒店的英国记者发现自己不断联想到加里波第时期那不勒斯的维多利亚酒店，让他产生这种联想的，不仅有军事氛围和各国语言的嘈杂声，还有他经常见到的在卡普阿前方营地里和在那不勒斯咖啡馆里认识的人。

华盛顿挤满了被大部队吸引来的各色人等。承包商、发明家和共济会成员大批出没于各个部门。军官利用他们的假期来这里寻求晋升。有一个笑话，说的是一个小伙子朝宾夕法尼亚大道上的一只狗扔了一块石头，结果砸中了三个准将。记者在那里忙着写稿子，艺术家在画素描。士兵们的亲属与观光客们厮混在一起。一个由克里克族、西米诺尔族和契卡索族印第安人组成的代表团在视察了军营和要塞、观看了两次阅兵之后，对联邦事业的胜利表达了无限的信心。伪币制造者和骗子从全国各地聚集到了这里。窃贼和小偷，“从温文尔雅的时髦‘扒手’到什么都偷的流浪汉”，在人群中溜进溜出，让市区警察局的人疲于奔命。给尸体做防腐处理的人也来了——因为，一支军队即便在不打仗的时候，也有人生病和死亡。为了给这么多活着的人提供娱乐，来了舞女、歌手、滑稽演员、职业拳击手和赌徒，还有叫卖淫秽文学作品的小贩和“朗姆酒店”的业主。每一条街上都有站街女神出鬼没；风流放荡的女人花枝招展地挽着军官的胳臂出入音乐厅，妓女勾引醉醺醺的运输车车夫进入小巷深处的棚屋。紧跟在这些女人后面，医生接踵而来，他们的承诺十分直白。舒曼医生（专治各种难以启齿的疾病，保证根治，否则分文不收）很早就来了，在克拉伦登酒店开办了他的"南方诊所"，但他很快就不得不与"小巷里的某些骗子"展开竞争。拉邦塔医生有两家诊所，24 小时营业，每个诊所有一名助手；他的广告是：三天根治淋病，兼治各种形式的梅毒，不影响办事，也不使用令人作呕的药物。

12 月中旬，白宫的第一场晚间招待会开始了冬天的社交季，羽毛、亮晶晶的饰片和珠宝，与铜纽扣、肩章和佩剑交相辉映。在这种场合，麦克莱伦将军总是最引人注目的人物。他的妻子内尔挽着他的胳膊，她最近才来到华盛顿。她小巧玲珑，有一双淡褐色眼睛——"不是一个刚从大学毕业的毛头小子所说的那种漂亮"，《纽约先驱报》的记者这样写道。另外一些人发现，麦克莱伦夫人是一个漂亮而活泼的女人。她爱慕她家那位年轻的将军，很高兴陪伴在他身边，对共和党政治家们给他制造的无尽烦恼充满同情。

麦克莱伦和他的妻子

激进分子开始对麦克莱伦将军紧追不舍。参众两院的议员愤怒地质问博尔斯布拉夫战斗、波托马克河封锁，以及这支庞大军队的无所作为。他们对总统阻挠他们的计划也同样愤怒——他们要把这场战争转变成一场针对奴隶制的圣战。林肯撤销了爱出风头的废奴主义者弗里蒙特在密苏里州发布的一份武装解放奴隶的声明。弗里蒙特完全不适合指挥军队，以至于总统不得不撤了他的职。他 12 月来到了华盛顿，强有力的反奴隶制小集团的风暴中心。为了维护联邦政府立法分支的权力，国会任命了一个联席委员会——作战委员会。

与英国开战的威胁，像冬天的大雾一样笼罩着这座城市。南部邦联派到英国和法国的代表——都是华盛顿十分熟悉的人物：弗吉尼亚州的梅森参议员和路易斯安那州的斯莱德尔参议员——被监禁在波士顿港的沃伦要塞。美国海军指挥官威尔克斯上校强行让他们走下英国邮轮“特伦特”号，这在北方是一次值得大肆欢庆的机会，因为，英国承认南部邦联作为交战国的地位让北方怒不可遏。12 月，威尔克斯上校回到了他在 H 街的住处，受到人们的喝彩和致敬，被欢呼为“特伦特号的英雄”。外交使团紧张不安地表示反对，《纽约先驱报》说，有些公使表达了“愤怒和偏见”。这份报纸把他们的情绪描述为“上届政府的毒药”。刚好在圣诞节之前，里昂勋爵面见西华德国务卿，对冒犯英国国旗的做法表达了极大的愤慨，要求联邦政府立即释放南部邦联的代表。圣诞节过后，内阁着手对付这个问题，并得出结论：威尔克斯不必为他这一鲁莽轻率却深受欢迎的行动承担责任。

国会大厦的穹顶和延伸部分的工程还在有条不紊地进行；在众议院楼梯的墙壁上，一个名叫洛伊泽的红胡子画家在辛勤地勾画一幅巨大壁画：《帝国西进》。阿尔弗雷德·伊利在里士满的一座监狱里待了 5 个月之后，通过战俘交换回到了华盛顿，带回了一些令人悲伤的故事，讲到他的战俘伙伴们的悲惨遭遇。过了一个安静的圣诞节之后，新年给总统带来了又一个回合的握手比赛。来自新墨西哥州的印第安人事务官穿着全套的鹿皮服装，送给总统一件红、白、蓝色相间的纳瓦霍人的毛毯；总统的老朋友奥维利·H. 布朗宁接替了道格拉斯在参议院的位置，他在白宫的招待会上被人掏空了口袋。

总统似乎疲累不堪，萎靡不振。来自新罕布什尔州的深受欢迎的废奴主义吟游歌手哈钦森一家在一次招待会上为客人奉献了一场音乐会。在他们唱歌的时候，林肯两次闭上了眼睛，似乎在打瞌睡。焦虑不安给他带来的沉重负担，由于连续几个小时的站立、对推推搡搡的来访者机械地微笑、承受数百双手的紧握，变本加厉。

正在华盛顿游玩的安东尼·特罗洛普发现这是一个忧郁的地方。秋冬之交气候宜人的季节结束了，人们对一次进攻已经不抱任何希望，他们总是嘲笑每天早晨用电报发往全国的公告："波托马克河畔太平无事。"进入冬天之后，军队没接到任何命令，士兵们住在冷飕飕的帐篷和棚屋里，只有尽可能把自己弄得温暖舒适一些。两位法国王子打算离开，去尼亚加拉瀑布旅游。

这座城市萎靡不振，但它也漠不关心；特罗洛普发现，失去信心比失去希望更加糟糕。对麦克莱伦的信任正悄悄溜走。没有一个人对本届政府有任何信心。总统什么事也不做。众议院的一个委员会指责战争部合同招标管理混乱。当国家滑向破产的时候，首都却呈现出大规模浪费的景象。承包商的盗用公款，以及军需部的欺骗和偷窃，与之不相上下的，是患有蹄叶炎的马匹完全不中用，腐坏变质的口粮，以及破碎的干草捆——原本指靠这些干草，把铁路沿线斯瓦姆普德尔地区那些骨瘦如柴的肉牛喂养得膘肥体壮。华盛顿人对他们的士兵不屑一顾。即便在他们与英国处于敌对状态的时候，特罗洛普认为，他们与其说是慷慨激昂，不如说是愤世嫉俗。"我们正在四分五裂，"他想象一个华盛顿人会这样说，"当然，这对你们有利。再来支雪茄吧。"

西华德先生写信给家里说："我几乎不敢告诉你们，我们在这里正漫步于怎样的乌云中。"街道上死马的尸体导致了城市的瘟疫。政府购买的大群牲畜由民营运输车运送，这些大车的车夫粗鲁而残忍，经常醉醺醺的。天文台附近空地的畜栏里，数千匹马和骡子挤在一起，无人照料，伤病累累。一天夜里，天空的一缕火光让人们奔向薄松板搭建的马厩。一场大火突然爆发，并迅速蔓延。士兵和市民们冲了进去，试图割断拴住这些牲畜的缰绳。200 匹牲口被烧死了。另有 1 000 匹牲口冲进了夜幕里，冲向了岩溪岸边的公地，冲进了华盛顿的大街小巷。城北到处都是奔跑的马匹。一群马狂暴地奔过马萨诸塞大道。其中很多马成功地跑过了运河上的桥，进入了第 7 区。有些马跑进了洞穴或沟渠里，被摔死或摔断了腿；还有一些马严重烧伤，出于仁慈，人们干脆开枪打死了它们。第二天早晨，街上到处都躺着烧焦的马。财政部南边场地上也有一匹死马。

1 月初，联邦陆军第二步兵团的列兵迈克尔·拉纳汉因为杀死了他的中士而被处以绞刑。绞刑架搭在佛蒙特大道附近 O 街与 P 街之间的公地上。几个正规军小分队护送挂着布帘的刑车，拉纳汉坐在车里被拉往刑场。有两个卫兵和一个牧师陪伴着他。在车厢上，一个士兵与赶车人坐在一起，手里拿着绳索。军队在公地上围成了一个空心正方形。地面上落满了一层雪，阴暗的天空依然有少量的雪花在飘落。远处，在子午线山白色的斜坡上，可以看到士兵们站在一块块黑色的地面上。近处，大约聚集了一千个看热闹的人，为了看得更清楚，很多人爬到了库棚或杂屋上。一两个艺术家在给现场画速写，此时，双手被捆住的拉纳汉与牧师和两个卫兵一起走出了刑车。在登上台阶之前，他大声地说："再见，士兵们，再见了。"一些猎奇的人后来瓜分了绞索，以及绞刑架上剩下的碎片。

首都的消沉沮丧与冬日场景的阴郁凄凉倒是十分般配。日复一日，大雨倾盆而下。街道成了流淌稀泥的沟渠。在街道拐角，为了执行禁止快速骑行的命令，一些浑身溅满泥水的龙骑兵坐在那里瑟瑟发抖，脏兮兮的羊毛围巾裹着他们的耳朵。有人付给街道清扫工一些小费，让他们在十字路口清理出一条路来。女士们的长裙用一种获过专利的钩子拉到深红色或蓝色衬裙的上方。擦鞋匠丢掉了老本行，拎着木桶和海绵站在街角上，为行人洗靴子。宾夕法尼亚大道的路基危机四伏，骑兵只好在砖砌的人行道上骑行。城外，大路难以通行，军队为了维持生存不得不利用它们。只装一半货物的马车费力地颠簸着驶过泥潭，据说有一辆马车陷在阿林顿高地附近的时候，拉车的马被头一天陷落在泥泞中的很多刺刀给刺穿了。披着破烂的制服和毛毯，士兵们忍受着风吹雨淋，情绪低落。布兰克将军告诉作战委员会："在麦克莱伦将军的组织下，我们如今是一支军队了，而我们之前并不是。爱国精神不亚于从前，但在这一时期，我们已经做了大量的事。"

麦克莱伦将军在 12 月病倒了。报纸上说是着凉了，但泄露出来的事实是：他有伤寒的症状。在他的司令部，所有工作都处于停顿状态。他没有把自己的权力委托给其他人，没有一个人能以他的名义采取行动。激进派领袖给总统施压。就连麦克莱伦请了顺势疗法医生，也被当作证据引用，来证明他的判断力太差。埃德温·斯坦顿先生去了将军的病房，低声说道："他们在盼着你死……"

军需部长蒙哥马利·麦格斯在温德尔大楼他的新办公室里安顿了下来，总统满腹悲伤地来找他。他没能获得许可进入麦克莱伦的病房。林肯在炉火前的一张椅子上坐了下来，说："将军，我该怎么办？人民已经不耐烦了；蔡斯没有钱，他告诉我，他再也筹不到钱了；麦克莱伦将军患上了伤寒热。米缸已经见底了。我该怎么办？"麦格斯建议他去向军队指挥官们请教，林肯派人叫来了麦克道尔和富兰克林。他们达成了一致意见（麦格斯对此表示同意）：军队如今已经强大到足以向马纳萨斯推进。斯坦顿把这个决定告诉了麦克莱伦，加速了将军的康复。三天后，由于总统不可能去看他，麦克莱伦来到白宫参加一次会议，出席会议的还有西华德、蔡斯、布莱尔和林肯先前请教过的几位军官。气氛有些紧张。麦克莱伦对富兰克林没有恶意，后者是他的好朋友；但他觉得麦克道尔在搞鬼，想夺他的位置，因此明显表现出敌意。蔡斯先生要麦克莱伦解释他的计划，这让麦克莱伦很愤怒。

麦克莱伦处于困境中。他认为弗吉尼亚的公路无法通行军车和大炮，因此在春天之前进军马纳萨斯根本不可行。他不能对华盛顿所有的官员都推心置腹。有大量的情报泄露，而且，让南方军知道他没有行动的计划对南部邦联来说是最有价值的情报。此外，他正在考虑新的进军路线——经由切萨皮克湾南边把他的军队运送到里士满的邻近地区。麦克莱伦有理由保持沉默，这不是傲慢。麦格斯私下要求他说点什么，要求他承诺对马纳萨斯有所行动。将军答道，如果他把自己的计划告诉总统，第二天早晨就会出现在《纽约先驱报》上。接着他补充道，林肯先生不可能保守秘密——他会告诉塔德。麦克莱伦处在一种病态的怀疑心态中。他嗅到了一场阴谋的气息。他对麦克道尔的怀疑变得更加强烈，因为麦克道尔是蔡斯的人。事实上，就当时的情形而言，确实有一个阴谋人物。他就是埃德温·斯坦顿。表面上他对麦克莱伦很友好，但私下里他与激进的财政部长结成了同盟。总统刚刚任命斯坦顿为战争部长。

卡梅伦的去职是恢复公众对本届政府信任的重要一步。反奴隶制小集团中有一些抱怨，因为卡梅伦曾尝试提出一个正式建议：把奴隶武装起来，但总统迫使他收回了这一建议。国民为斯坦顿的任命鼓掌喝彩。在布坎南内阁，斯坦顿曾作为一个坚定的联邦人而赢得了名声。尽管自战争爆发以后，他抨击过共和党政府，诋毁过总统，但他与西华德先生关系密切，在布坎南执政期间，他们俩曾串通密谋。很快就能看出，他会全心全意地与共和党激进派通力合作。斯坦顿精力充沛，性格急躁，完全不懂军事。他给麦克莱伦施压，要他立即进攻，国会作战委员会很喜欢他。

安东尼·特罗洛普对国会的无能颇感伤心。它可以任命调查委员会，可以没完没了地提出问题——但它没有权力。特罗洛普陷入了思考。军队对国会议员已经没什么好感，“穿钉鞋的将军们是当下的风云人物”。这位和蔼可亲的英国人没有考虑蛊惑民心的政客们的自卫本能，他没有机会了解像本杰明·韦德和撒迦利亚·钱德勒这样的人。

作战委员会坐在国会大厦地下室的一个房间里，将军们就像被叫来参加秘密考试的小学生一样迈步走向这个房间的大门。本杰明·韦德坐在椅子里，他是一个粗鲁而精明的大审判官，长着一双黑玉色的小眼睛。在他的嘴角上，上唇折叠着盖住了下唇，让他的样子看上去十分凶恶。他的问题单刀直入，询问所有的军事事务，邀请军官们提出批评，让他们提出自己的建议。有些人得到了奉承，热情地把自己最得意的作战计划和盘托出。另一些人则回答得很僵硬，对这些违反军规的做法感到愤怒。

本杰明·韦德

本杰明·韦德说：“由于开支问题。我们必须迅速行动起来。”他作出了另外一种解释：“我们再努力看看上帝的世界里是不是有什么办法让首都摆脱围攻，尽管欧洲小瞧我们，几乎把我们视为一个被征服的民族。”大部分问题直接源自对麦克莱伦的敌意。如果他们真的有一个拿破仑来率领军队，他们可能会觉得轻松。“但是，”本杰明·韦德以近乎出自《圣经》般的语调喊道，“如果我们没有任何证据证明一个人是这个世界上最聪明的人，这个国家如何能够忍受这个人在自己头脑里酝酿的那些秘而不宣的计划呢。”

麦克莱伦被召到联席委员会的面前，并回避了关于他的计划的问题。他就军事方法问题发表了一通长篇大论，在讽刺性的盘问下依然保持彬彬有礼。在质询结束后，钱德勒告诉韦德，对进攻的拖延看来是那种“该死的、彻头彻尾的怯懦”的一个实例。麦克莱伦进一步激怒了激进分子：他禁止歌声动听的哈钦森一家进入弗吉尼亚军营，卡梅伦部长曾允许他们给士兵们举办音乐会。波托马克军团不是一支废奴主义者的军队。他们当中很多人不喜欢哈钦森一家唱的那些反奴隶制歌曲。《星晚报》抗议把军营变成了“政治会议的竞技场”。然而，对麦克莱伦来说，给敌人的怀疑火上浇油并非明智之举。针对另一个民主党人查尔斯·P. 斯通的谣言迅速传播，他可能由此得到了警告，于是进一步增强了谴责叛国的大合唱。

1 月，本杰明·韦德和他的同事们通过了对斯通的裁决。一些不友好的军官从波托马克河上游来到华盛顿，用叛国的指控给斯通的名字抹黑。共和党人很乐意听到有人诋毁这样一位将军，他曾经宽厚仁慈地对待马里兰州的奴隶拥有者。斯通在缺席的情况下受到审判，在秘密法庭被判决有罪，斯坦顿先生下令逮捕他。麦克莱伦提出，应该听取斯通自己的辩护，在他的要求下，斯通被召到联席委员会的面前。诋毁他的人没有一个跟他当面对质。含含糊糊的通敌指控被反复提及；斯通坐在那里目不转睛地注视着委员会，他是一个不苟言笑、过分讲究的人，除了他的胡子有些下垂、举止仪态紧张僵硬之外，很像范·戴克的一幅肖像。在极度愤慨中，他的话语连珠炮似的脱口而出。“这是我希望自己一辈子也不要遭受的奇耻大辱，”他对本杰明·韦德喊道，“我想，没有一个诽谤可以拿来控告我……我在去年冬天7个黑暗的日子里招募了这支志愿兵部队，他们眼下就在这里……我可以放弃华盛顿。”去年一年，他几乎没有脱过衣服，他继续说道。他守卫着首都的前哨，每天夜里不脱衣服便钻进毯子里，顶多脱掉自己的靴子。

“如果你们想要更加忠诚的军人，你们必须去别的地方找。我已经尽我所能地忠诚于联邦……”斯通将军可能是白费口舌。他遭到逮捕，被送去了拉法耶特要塞。

1月下旬，总统异乎寻常地发布了一项命令：联邦的陆军和海军将在2月22日行动。紧接着，另一项命令专门指示，波托马克军团在给华盛顿提供防御之后，将远征马纳萨斯镇。军官当中大家都在谈论，麦克莱伦的好运到头了，除了一场胜利，没有什么东西能够救他。

在肯塔基州，乔治·H. 托马斯将军指挥的联邦军队赢得了一场胜利。托马斯是弗吉尼亚人，林肯在谢尔曼的推荐下很不情愿地提拔了他。伯恩赛德率领的远征队也传来了好消息，他们与戈尔兹伯勒海军上将指挥的海军通力合作，占领了罗诺克岛，这对联邦军收紧封锁很有价值。根据总统的命令，另一次陆军和海军联合远征由格兰特将军和富特海军少将指挥，他们很快就在西部赢得了十分重要的胜利。占领田纳西州的亨利要塞之后，紧接着是坎伯兰市的多纳尔森要塞投降，为联军攻占田纳西州西部和中部打开了通道。在消沉沮丧几个月之后，忠诚于联邦的各州都兴高采烈地欢呼这些胜利。默默无闻的旅长U. S. 格兰特一夜之间成了联邦的英雄。他给多纳尔森的南部邦联指挥官发出了一封简短的电报。“除了立即无条件投降之外，其他任何条件都是不可接受的。我打算立即进逼你的工事。”这决定性的寥寥数语赢得了全国的欢呼喝彩。格兰特说话像个军人，人们用昵称“US”向他欢呼致敬。他的名字中的首字母

U. S. 代表美国（United States）、山姆大叔（Uncle Sam）和无条件投降（Unconditional Surrender）。

波托马克军团在华盛顿周围磨洋工，把它的纽扣和马镫磨得铮亮。麦克莱伦坚持要求的那种完美，在他个人为走上战场而作的准备工作上有了一个绝佳的例证。为总指挥和他的参谋团队提供了 24 辆篷车和两辆旅行马车（由四匹装备精良的枣红马拉着）。旅行马车设计精巧，适合在途中睡觉、用餐和写字。

甚至早在他妻子来华盛顿与他会合之前，麦克莱伦就放松了他马不停蹄的工作安排。11 月下旬，他在自己的住处举办过一次大型聚会，用魔术师赫尔曼教授的神奇表演招待与会者。拉塞尔先生当时评论道，“对于新英格兰那些冷酷而严肃的人来说”，将军的聚会是一个“令人恼火的消息”。麦克莱伦的所有社交活动，华盛顿那些冷酷而严肃的人都要仔细检查。人们注意到，他在黑白混血儿伙食包办人沃姆利的餐馆里大吃大喝，几乎每天下午都要吃一顿精美的正餐，有各种各样的葡萄酒。至少有 20 个客人，他们都不是政府的朋友。斯坦顿先生写道：“这支大军要么去打仗，要么就滚蛋，当人们在西部高贵地奋斗的时候，波托马克河畔的香槟和牡蛎晚宴必须停下来。”2 月份，就在白宫的一场盛大派对让废奴主义者对华盛顿的奢侈招待会深感愤怒不久之后，麦克莱伦夫人举办了一场大规模的招待会。

斯坦顿先生把那些欺诈瞒骗的承包商从战争部清除掉了，新的制服用优质羊毛，而不是再生毛做成。除了轻步兵组织之外，整个波托马克军团都穿着浅蓝色的裤子和深蓝色的紧身短上衣。一个红色的标志把炮兵区别开来，骑兵有一个黄色的标志。大多数团戴着法式平顶军帽，有些团则戴黑色的软毡帽。麦克莱伦的士兵看上去更像一支军队了，他们感觉到了这种改变，并为之而自豪。

在多纳尔森要塞周围，士兵们的鲜血把地上的雪染红了。共和党政治家们以猜忌的目光看待波托马克军团。他们的装束光鲜亮丽。优质羊毛紧身短上衣的上方，雪白的衣领闪烁着光亮。很多士兵戴着白色的手套，有的人裹着白色的绑腿。威拉德酒店的擦靴大军翻了三倍。军官们系着深红色的肩带，围着十分合身的外套。西点军校毕业的将军们佩戴着金线刺绣肩章，戴着宽口手套和插着羽毛的平顶毡帽，显得英姿飒爽。其中最漂亮的是菲兹－约翰·波特将军，一个冷峻、专横而多才多艺的军人，与麦克莱伦关系亲密。另一个超群出众的军人是约瑟夫·胡克将军，他那双蓝色的眼睛在他那张红润、英俊而自负的脸上闪闪发光。菲尔·卡尼将军曾经在阿尔及尔和意大利跟法国人打过仗，他的胡子刮得只剩下一小撮，按照法国人的方式斜戴着他的平顶军帽。他因为一只空袖管而显得更加瘦弱，他在墨西哥战争中失去了一条手臂。一批衣着考究的副官骑上佩饰昂贵的战马，前呼后拥，波托马克军团的将军们让国会里的绅士们更加忧心忡忡。西点军校的贵族传统在华盛顿光荣而骄傲地展示着。麦克莱伦用一个职业军人的小集团来统领这支大军，把他的计划透露给他特别青睐的人——傲慢自大的菲兹－约翰·波特和安静而谨慎的富兰克林。共和党激进派被偏见蒙住了眼睛，被炫耀所惊吓，因此得出了一个结论：麦克莱伦有叛国倾向。

事实上，自进军马纳萨斯的命令下达以来，麦克莱伦就不停地催促总统和作战部长实施他的计划：经由切萨皮克湾南部进军里士满。林肯的命令被证明只是一份空洞的宣言。他并不喜欢麦克莱伦的想法：从首都抽走它的庞大军队，但他还是耐心地听取了这个意见，并让将军解释他的计划。斯坦顿先生尽管完全反对这一计划，但还是为运输和供应做好了安排。总统告诉麦克莱伦，如果波托马克军团从华盛顿撤走，那么有两件事情必须要做。一件是把叛军的炮台从波托马克河上清理掉。将军答应了。对总统的第二个要求，他的态度更加合作，他同意打通巴尔的摩和俄亥俄铁路线，这条线反复受到敌军的攻击。麦克莱伦打算在波托马克河上游搞一次佯动，增援班克斯将军，从哈珀斯费里向谢南多厄河谷温彻斯特的南方军发起进攻。为了运送军队和补给过河，需要一座坚固的桥梁，麦克莱伦决定用运河上的小船建一座舟桥。他干劲十足地着手准备，把数量庞大的小船派到了切萨皮克湾和俄亥俄运河，亲自去哈珀斯费里，并下令调来增援部队。然而，直到最后一刻才发现，小船宽了 6 英寸，没法通过提升式船闸从运河到波托马克河。麦克莱伦撤销了增援命令，搞了一次侦察，然后心满意足地回到了华盛顿。蔡斯先生笨拙地试着说一句俏皮话，他说：温彻斯特远征死于牙关紧闭症。

2 月 22 日，营地里的日常工作并没有受到总统进军马纳萨斯的命令的干扰。白宫的大门上悬挂着黑纱，绿厅里，殡葬师正在忙活，因为威利 · 林肯死于伤寒症。为在华盛顿生日那天庆祝西部联邦军胜利而订购的彩灯被仓促取消了。一些私人宅第挂起了彩色灯笼，还有一些人家在橱窗里放上了华盛顿的半身像，用鲜花簇拥着。孩子们的欢庆被骗走了，只好玩中国爆竹，那天夜里拿着灯箱和火把满大街乱跑。

安葬威利 · 林肯的那天正好遇上大风，屋顶被掀翻，旗子被撕成了彩带。作为父亲的林肯对周围的一切视而不见，他与罗伯特及两位伊利诺伊州参议员特朗布尔和布朗宁一起，坐在马车里从满街的残片中驶过。林肯夫人病倒了，没法出席葬礼。

3 月初，首都目睹了另一场葬礼。弗雷德里克 · W. 兰德将军——他妻子是约翰 · 海仰慕的一位可爱的女演员——在弗吉尼亚西部指挥作战，那年冬天，他与南方军之间的小规模冲突是华盛顿周边地区唯一的军事行动。兰德将军病倒了，死在了他的岗位上。此刻他的遗体被以隆重的军礼安放在一个弹药箱上，颠簸着驶过泥泞的大路。麦克莱伦是护柩者之一。一位旁观者注意到，他“满脸悲伤”；富兰克林将军告诉米德将军（他写信给妻子谈及此事），麦克莱伦对他说，他几乎希望躺在棺材里的是他自己，而不是兰德。

潮湿的空气里已经有了春天的气息。然而，在狭窄而泥泞的道路那头，马纳萨斯镇依然在等待。麦克莱伦坚决拒绝向那个要塞进军，运输工具正在集结，为的是把波托马克军团送到将军选择的某个弗吉尼亚战场上。他已经为自己的计划赢得了批准，但依然有很多反对的声音。林肯因为孩子去世所带来的悲痛而分散了注意力，几乎被要求撤销麦克莱伦职务的呼声给淹没了。那天早晨的 7 点 30 分，他派人叫来将军，在两个人之间，“叛国者”这个词就像一把拔出的剑闪着寒光。麦克莱伦跳了起来，要求总统收回这一措辞。在焦虑中，林肯否认这是他自己的想法。他只是复述别人说过的话：从华盛顿撤走防守大军的计划有叛国的意图。麦克莱伦暗示，他在措辞上应该谨慎。总统再次道歉。

面临自己的声望可能要付出惨重的代价，林肯让麦克莱伦留在了指挥官的位置上，允许他着手装运他的部队，但他的战争命令透露出他的信任已经被极大地动摇。没有提前与麦克莱伦商议，甚至也没有通知他，总统指示把波托马克军团的 12 个师编成 4 个军——作战委员会极力主张这样的组织，但麦克莱伦希望延迟到他在战场上检验了他的将军们之后再整编。总统亲自指定了各军指挥官——麦克道尔、海因策尔曼、埃德温·萨姆纳，以及斯科特将军从前的军事秘书凯斯。最近，在总统的鼓动下召集了一次军事委员会，在这次会议上，除凯斯之外，所有人都表示反对由切萨皮克湾南边发起行动，凯斯赞同麦克莱伦的计划，他提出的理由是：首先应该减少波托马克河上的炮台。另一号总统令把凯斯提出的观点具体化了，指定了军队行动的日期是 3 月 18 日——命令接着说：“总司令应当负责在那一天尽早行动。”对首都来说，最重要的是总统的这一命令：应当留下足够的兵力保卫华盛顿。关于这支部队的规模，将咨询各军指挥官。

3 月 9 日星期天早晨，吉迪恩 · 韦尔斯急匆匆地冲进白宫，他发现，总统和斯坦顿先生正处于恐慌中。从汉普顿锚地传来了糟糕的消息。前段时间，政府得到报告：南方军正在准备一艘装甲船。他们已经从诺福克港打捞出了联邦护卫舰“梅里麦克”号，发现它的船体和发动机都能用，于是，他们给它装上了铁撞角和铁板棚顶。眼下，有一份电报说，“梅里麦克”号已经从诺福克港顺水而下，去扩大汉普顿锚地已经遭受的破坏。木质船在这艘铁甲巨兽面前毫无用处，“国会”号和“坎伯兰”号遭到炮击，沉没了，“明尼苏达”号被逼搁浅。海军部助理部长古斯塔夫 · 福克斯上校早先曾对林肯说：“如果它能击沉我们的船，谁又能阻止它在波托马克河上抛下它的锚……并把它百磅重的炮弹扔进这个房间或轰塌国会大厦的墙壁呢？”林肯答道：

“莫尼特”号与“梅里麦克”号

“那只有全能的上帝了，上校。”这件事情让我们看到了总统失去了镇定和信心。在神经紧张的状态下，他表现出了一种少见的兴奋，他命人备车，去找他的朋友布朗宁，然后拉他一起去海军造船厂，找来海军中校达尔格伦。对于“梅里麦克”号进攻华盛顿的可能性，他想听听行家的专业意见，但达尔格伦只能给他“些许安慰”，并让他回头去找韦尔斯先生。斯坦顿、西华德、蔡斯、麦克莱伦、麦格斯及另外一些军官围聚在总统的办公室里，海军部长则在解释说还有一线希望。联邦军刚刚完工的装甲舰“莫尼特”号头天夜里已经抵达汉普顿锚地。这艘装甲舰由瑞典发明家约翰·埃里克森设计，是战舰的一次新实验——它是一艘样子古怪的小船，有很低的装甲甲板，顶部有一个旋转的炮塔。所有老一辈海军军官都认为它不中用，但福克斯上校对试验这个设计满腔热情，韦尔斯先生冒着给海军部带来责难和嘲笑的风险，决定一试。星期天早晨，华盛顿紧张地等待着汉普顿锚地的消息。韦尔斯先生平静地表达了他对“莫尼特”号的信心。当他说到它有两门大炮面对“梅里麦克”号装载的十门大炮时，斯坦顿先生给了他一个“兼有怀疑和轻蔑的表情”。韦尔斯先生已经不知道用什么词来描述那种表情或轻蔑语调了。

那个星期天，总统办公室里有心存恐慌的人，最害怕的人是战争部长。当他在房间里踱步的时候，他预见到了联邦海军的覆灭，门罗要塞的失守，以及波士顿和纽约的投降。伯恩赛德的远征将会被击退，麦克莱伦不可能驶往弗吉尼亚半岛。斯坦顿匆忙发电报给各州长和市长，建议他们封锁他们的港口。他一口气跑到窗前，俯瞰着波托马克河，看“梅里麦克”号是否正在去炮击国会大厦、驱散国会的路上。他扰乱人心的预言让总统忍不住也跑到窗前。韦尔斯先生分析说，“梅里麦克”号的吃水深度使它既无法沿着波托马克河溯流而上，也触及不到伯恩赛德的远征队，而且，由于有沉重的装甲，它大概也不敢驶出汉普顿锚地。

韦尔斯先生正在度过他这辈子最不愉快的一段日子，但也夹杂着一丝隐隐的满足。他在掂量新任内阁成员斯坦顿的分量，打量着“他从一个房间跑到另一个房间，坐下来刚刚写几个字便又突然站起，挥动着手臂，破口大骂，愤怒咆哮”。斯坦顿先生不过是个懦夫。恐惧驱使他咆哮、讥讽、狂怒。韦尔斯先生只是静静地坐在那里看着斯坦顿。他那双发光的大眼睛里有一种表情，他认为战争部长不可能读不懂这种表情。第二天，他与斯坦顿将有一场激烈的争论，因为斯坦顿试图压倒他的权威，命令达尔格伦把装满石块和沙砾的运河小船沉入波托马克河的河道里。韦尔斯先生赢了这一仗，维护了他的权威，保持了波托马克河的畅通。斯坦顿先生也采取了他的措施，从此以后一直谦恭有礼地对待他。

星期天夜里，电报里传来的信息让绝望一下子变为狂喜，并证明了海军部长的判断是对的。小小的莫尼特号迫使“梅里麦克”号撤退到了诺福克港。那是一场不分胜负的战斗，但其效果却是胜利的效果。海军史在汉普顿锚地被改写了，所有人都从中读出了世界战舰的改变。外国公使们急着想知道这场战斗的细节，以便他们可以把关于装甲舰的事实传递给本国政府。瑞典公使派珀伯爵心中充满了骄傲——发明家埃里克森出生于瑞典，而达尔格伦（他设计了莫尼特号上的大炮）的父亲是一个瑞典人。

在那个重要的夜晚，华盛顿还收到了另外两份电报。第一份电报透露：叛军在波托马克河上的炮台被抛弃了。另一份电报带来了一个绝好的消息：南方军撤出了马纳萨斯镇。半信半疑的麦克莱伦驻扎到了波托马克河对岸。那天夜里，他下令整个军队前进。

一位朋友拍了拍若因维莱亲王的肩膀，冲着他的聋耳朵大声喊道：“Vous ne savez pas? l’ennemi a évacué Manassas, et l’armée part demain!"[①] 叛军逃走的消息唤醒整个军营。第二天早晨，华盛顿处在喧嚣骚动中。大炮、骑兵和马车堵塞了街道，缓慢地向波托马克河移动。两个气球已经准备好，新的气体发生器（这使得气球可以在野外充气）装载在他们的 20 辆运货马车上。在人行道上，军官们温情脉脉地辞别满脸泪水的女士们，与此同时，军队排着阵列走过大街。穿着蓝色制服的步兵和花哨的轻步兵扛着闪闪发亮的步枪向前迈进，神气地吊挂着毛毯卷、帆布背包、新水壶和子弹盒。各团的乐队大声吹奏着铜管乐。将军们与他们的参谋团队一起，英姿飒爽地骑在马上。可是，大雨倾盆而下；曾经为那么声名狼藉的士兵欢呼喝彩的华盛顿，这一天对进军中的波托马克军团并没有表现出多大热情。

约瑟夫·约翰斯顿安静而高效地撤走了他在拉帕汉诺克河对岸的部队。联邦军的行进不过是一次散步，是对早已被忽视的行军之事进行一次练习。过了奔牛溪战场，看到皑皑白骨，麦克道尔将军忍不住流下了眼泪，马纳萨斯的堡垒被证明不过是粗糙的土木工事，炮眼里架着木制假炮；一个名叫霍桑的热衷于幻想的人想起了一些古老的故事，在这些故事中，庞大的军队被巫师的把戏吓得不敢接近。

在过长桥的时候，若因维莱亲王遇到了麦克莱伦将军。在几门大炮中间（它们正一字排开缓慢通过摇摇晃晃的大桥），将军独自骑马前行，身边没有副官，只有几个骑兵陪伴。他看上去有些焦虑。亲王想，他心里一定很苦。打从这位年轻的拿破仑走出西部以来，将近八个月过去了，他的头上只有几次小小胜利的桂冠。他还没有打过一仗。然而，此时此刻，他大概意识到了：自己已经被打败。

① 法语：你知不知道？敌人已经撤离马纳萨斯，部队明天出发！——译者注

第 8 章　监禁中的女士们

国会大厦东边的公园，初冬时节，夜幕降临。在那些光秃秃的大树后面，一辆马车溅着泥水驶过第 1 街，停在了街角上一幢阴暗的砖砌建筑前。它那堂皇气派的门道有一扇三重窗高踞其上，是过去显赫的标志。在那扇大拱窗的背后，坐着这个年轻国家的几个参议员。这幢建筑是 1815 年建成的，供国会使用，而在公园的那边，有一幢更加令人自豪的大厦（已被英军士兵烧毁）正在重建。1861 年 1 月的这个夜晚，大大小小的窗户都被水平木板条给弄得很难看，透过这些窗户，微弱的光亮闪闪烁烁。全副武装的哨兵在第 1 街上执行巡逻任务，他们绕过街角，沿着一系列布局零乱的扩建建筑走在 A 街上。这座老国会大厦已经被改成了一座军事监狱。

接待室里，军官们带着一种期望的神情在闲逛，此时，一位夫人和一个小姑娘从马车上走了下来，被护送着通过了门口。监狱长伍德像一个热心的东道主，赶忙迎了上去。对新来者尽地主之谊是他的习惯。“嗨，格斯；你又回来了。你可不能再离开我们了，”他会这样对一位弗吉尼亚农场主说，此人因为拒绝忠诚宣誓而反复被捕。“我总是很高兴在这里见到你的同胞们，”有一次，他这样向一个英国人致意，此人在试图经由联邦军战线探访里士满的时候被抓了起来。他习惯于接收的都是先生，一位女士的到来在老国会大厦倒是件新鲜事。罗斯·奥尼尔·格林豪夫人站在接待室里，一袭黑衣，端庄优雅，不仅仅在首都的社交生活中是一个引人注目的人物；她被认为是联邦政府逮捕的最重要的南方间谍。她注意到，监狱长以“十分热忱”的态度接待她，似乎对于成为她的监护人“不胜荣幸之至”。

“你接收了你在这里所见过的最难对付的叛乱分子之一，”小罗斯尖声说道。她是格林豪夫人的女儿；与侦探和士兵们厮混五个月也不能有助于改进她的举止。至于格林豪夫人的入狱感言，历史上并无记载。她大概缺乏屈尊回应狱警的谦恭。她对南方制度的赞赏包含了等级观念；她懂得轻蔑的沉默所具有的戏剧效果。

格林豪夫人对老国会大厦再熟悉不过了。许多年来，它一直是一幢寄宿公寓——据说是她姑妈开的。一位著名的房客、她丈夫的朋友约翰·C. 卡尔霍恩使得这幢房子对她来说意义非凡。这位南卡罗来纳政治家是格林豪夫人的偶像。他塑造了她的政治哲学。当她在等待被人领到她的牢房里去的时候，她所在的这间空荡荡的房间，正是卡尔霍恩去世时所住的房间。当时，就是在这里，卡尔霍恩那双黑色的眼睛在他消瘦的面庞上燃烧，说出了他最后一番话，最后一次捍卫州主权，并预言了国家的分裂。罗斯·格林豪坐在他床边，伺候他，并倾听着。12 年后，他的影响把她再次带回了他的房间。但是，就算她想到了这一点，那也没有半点不安或懊悔。她因一种自信的优越感而快乐傲慢。在阴郁沉闷的监狱里，她就像玛丽·安托万内特一样坐在那里，她很喜欢把自己与这位法国王后相比较。

奔牛溪的溃退让格林豪夫人内心中充满了胜利的喜悦。她在给南方战俘送礼物并谋划把华盛顿交到博勒加德手里的同时，还在继续给乔丹上校送情报。据她自己说，这些情报包括内阁会议和共和党成员会议的“逐字报告”，华盛顿防御工事的精确图，以及“麦克莱伦私人磋商会的详细材料，常常还有他的笔记摘录”。格林豪夫人可能夸大了她的情报，但这些情报对敌军来说是详尽的、有价值的。她被捕的消息让一些了解联邦会议内情的人，或者表面上很光荣地穿着北方制服的人很紧张。

在奔牛溪之战之后，罗斯·格林豪的活动马上减少了。已经有人怀疑到她，8 月 23 日那个闷热的早晨——在她迁居老国会大厦五个月之前——她最后一次在华盛顿大摇大摆地散步。她已经得到警告，知道自己已被监视和跟踪。在她散步的时候，“一位貌似外交官的人员”走过来跟她作伴，直到她走到自家的大门口，才有两个人走上前来，向她说明了某种口头授权，要逮捕她。其中一个人穿着制服，自称是 E. J. 阿伦少校。格林豪夫人从自己曾经搜集的信息当中得知：他就是阿伦·平克顿，从前的苏格兰裔枪管制造商，后来成了一名侦探，如今领导着麦克莱伦的秘密情报局。

房子里到处都是人。楼下，在那间被红色薄纱隔开的客厅里，格林豪夫人沉着镇静地等待着，而侦探们则在搜查床铺、抽屉和衣柜，把脏衣服翻了个底朝天，仔细搜查了书房里的每一张纸。这一切都是静悄悄完成的，冀望尚未引发警报而也许会有同谋突然造访。可是，小罗斯跑了出去，爬到花园里的一棵树上，朝过路的行人大喊：“妈妈被捕了！”侦探们从屋里冲了出来，把这个 8 岁的、哭哭啼啼的小叛乱分子从树上拉了下来。尽管有她的警告，但还是有不少同情南部邦联的人自投罗网，并立即遭到拘禁。

那个 8 月的日子，另一个聪明机灵的南方女子菲利普·菲利普斯夫人也被监禁在她自己的家中。那天夜里，华盛顿市长詹姆斯·E. 贝雷特被宪兵队逮捕。没有一个人怀疑贝雷特是密探。然而，作为市区警察委员会的成员，他拒绝重复忠诚宣誓。他过去的记录和交往，也都带有同情脱离运动的味道。那天凌晨，贝雷特被突然带上了火车，押往纽约港的拉法耶特要塞。

被监禁在第 16 街家中的头一个星期里，格林豪夫人始终处在监视之下。她不可能有任何隐私。平克顿手下有一大帮女侦探，他把自己在芝加哥侦探事务所的全班人马都带到了华盛顿；但有一个男人透过敞开的大门注视着格林豪夫人的盥洗室里的一举一动。当她躺下的时候，一个男人坐在她的床边。8 月底，她从这些侵扰中被解放了出来。有关方面决定把她的房子转变成一座女监狱。格林豪夫人被限制在她自己的房间里，另外一些囚犯则被安顿在余下的房间里。麦克莱伦将军的一队卫兵，被称作斯特吉斯步枪队，取代了侦探们的位置。

战争部的一位职员整理了平克顿的侦探们在格林豪夫人的炉子里找到的一些撕成碎片的信件。有些信件包含军事情报，明显是打算提供给敌人的。还有一封信来自唐兰，曾经把麦克道尔进攻的消息带给她的捎信人。格林豪夫人成功地销毁了乔丹上校的密码的关键部分，但这些外行弄出来的密码电文很快就被专家给破译了。此外，她最近的几份电报落入了西华德国务卿之手。联邦政府积累了大量证据，足以证明罗斯·格林豪是一个“危险的、技巧娴熟的密探”。

斯特吉斯步枪队比平克顿的侦探更加体贴。N. E. 谢尔登中尉（一个英俊的纽约人）是一个迁就的监狱长。格林豪夫人记录道，他十分乐于助人，以至于答应把她的信件送给叛军。她并没有提及这样一个事实：谢尔登实际上把她的信全都交给了宪兵司令。但是，她在撰写自己的故事时，谢尔登是唯一一个被她出卖的给予过她帮助的军官。她反复表达了她对谢尔登的感激。谢尔登给她提供了一些文字材料，允许她使用自己的藏书室，并为她抵挡军医斯图尔特不受欢迎的拜访，后者奉宪兵司令之命，每天检查她的“卫生条件”。由于某种原因——大概是为了间谍活动的目的——有一位囚犯，芝加哥的安德多克夫人，被允许与格林豪夫人一起吃饭。但是，由于格林豪夫人抗议与一个“名声不好的女人”交往，谢尔登只好把安德多克夫人限制在她自己的房间里。最后，由于格林豪夫人吃不了监狱的伙食，这位关怀备至的军官给她买来精美的食物（由她自己掏腰包），直至她发现了这个慷慨大方的骗局，才停止了这种做法。

格林豪夫人和女儿

格林豪夫人有一种激起男人的兴趣，并赢得他们的信任的天赋。当她最早从老家马里兰来到华盛顿的时候（那时她是罗斯·奥尼尔），她还是个小姑娘，充满朝气，漂亮可爱，人称“野玫瑰”[①]。可如今，她已经 40 多岁，她光滑分梳的头发里夹杂着灰白的发丝。布雷迪在老国会大厦的院子里给她拍摄的那张照片显示了一张端庄秀美、坚毅果敢而饱经风霜的脸庞。她笨重的丝绸丧服有小小的丝网褶边，以及宽大的透明衣袖。她戴着黑色小山羊皮短手套，一块面纱从她光洁的后脑勺上披下来。这幅照片上有某种不屈不挠的东西，高贵而骄傲，坐在一张厨椅上，身后的白粉墙上有一扇钉着木板条的窗户。她一只手臂抱着女儿小罗斯，后者穿着整洁的平纹布衬裙和灯笼裤站在那里，头靠着母亲的头。格林豪夫人那双黑眼睛注视着布雷迪的照相机，依然很美。但是显然，照片上的这个女人早已风情不再。

① 罗斯（Rose）这个名字就是玫瑰的意思。——译者注

当她与男人说话的时候，想必有某种光辉点亮她那张布满皱纹的脸，因为格林豪夫人成功地保持了富有魅力的名声。《全国共和党人报》把她浪漫化为“第 16 街上美丽的叛乱分子”和“妩媚迷人的女叛乱分子”。在那些一本正经的官方战争记录里，写到了平克顿称颂“她那几乎无法抗拒的诱惑力”。他向安德鲁·波特将军报告，她十分有效地把这样的诱惑力用在了军队指挥官的身上；她不择手段地对“那些在政府里把持着名利兼收的位置的人”发挥了这样的诱惑力，为的是帮敌人获取情报。

战争结束五年后，当时的国务卿汉密尔顿·菲什从他的纽约老乡、报社老板和外交官詹姆斯·沃森·韦布那里听说了一个奇闻。这件轶事说明了南方军的托马斯·乔丹将军对韦布的信任。乔丹告诉韦布，战争爆发之后，他发现威尔逊参议员与“一个名叫格林豪夫人的女人”之间关系密切。于是，他（乔丹）也与这个女人建立了“同样的亲密关系”，然后诱使她从威尔逊那里获取官方情报，再用密码把它转给南方军。根据韦布的复述，格林豪夫人正是从这位马萨诸塞州参议员那里获得了麦克道尔进军的消息。

乔丹给了格林豪夫人一套密码，她使用这套密码与南方军通信，她还忠告博勒加德：麦克道尔的行动是有案可查的。格林豪夫人打定主意要把亨利·威尔逊牵扯到她的叛国活动中来。她的书《我的监禁》（*My Imprisonment*）1863 年在伦敦出版，书中说，威尔逊和她的一些被拦截的电报有关系。她说，有几个共和党官员被召集到内阁、斯科特和麦克莱伦面前，要求他们对自己的行为作出解释。她只提到了威尔逊的名字。

此外，在销毁她的很多通信时，格林豪夫人小心翼翼地保留了一包情书，它们最终落入了联邦军之手。情书上的签名都是用首字母 H。其中一封信的日期是 1861 年 1 月 30 日，是写在印有合众国图章和“第 37 届国会”字样的信纸上。有两封信提到了太平洋铁路法案的讨论，威尔逊对这个法案颇感兴趣。它们都是匆忙写就的便签，充满热情和苦恼——这是一个男人由于太忙而没法沉湎于自己的激情所带来的苦恼，还有对这种秘密关系被暴露的担心。

亨利·威尔逊

笔迹专家认为，这些信不是威尔逊的手迹。内在证据，结合格林豪夫人的说法，让人们怀疑：如果威尔逊没有写这些信，那么，她是有意让人们误以为这些信是他写的。

亨利·威尔逊是一个美国励志故事的主人公，最初是一个农场劳工，后来学会了制鞋的手艺。他通过努力工作和积极上进赢得了他在政治上的显赫名声。他那张僵硬呆板、愁眉怒目的农民脸，他那无所不适的胃口，他那身宽大的黑色平纺棉布衣服，以及他粗短的领口，怎么看也不是一个浪漫人物。格林豪夫人被捕之后，她的朋友们里很少有人去看她，但威尔逊去老国会大厦她的房间里探访过她，这似乎也不是一个自知有罪、惶恐不安之人所为。就算她在那些叛国电报中点名他是提供情报的人，他必定能够作出令人信服的解释。权力部门已经掌握了那些签名为 H 的信件，而且，威尔逊是个有妇之夫，即使这位女士不是敌人的密探，他的名声也会被一场风流韵事给毁掉。但他的政治命运并没有因此蒙上阴影。直到战争结束，他依然是参议院军事委员会的主席。1872 年，他当选为美国副总统。

格林豪夫人的被捕让她名声大噪。即使是一个不那么戏剧性的女人，也有可能把自己想象成一个女英雄。她的住宅，绰号“格林豪要塞”，成了首都一景，观光客来到这里，目不转睛地盯着这幢房子，希望一睹这位著名女间谍的芳容。有一段时间，格林豪夫人的风头被菲利普·菲利普斯夫人抢去不少，后者带着两个年长的女儿和她的妹妹利维小姐从她自己的宅邸搬到了格林豪要塞。这家人不久之后被送过了联邦的控制线，去了新奥尔良。联邦军占领那座城市之后，菲利普斯夫人被控告唆使她的孩子们朝联邦军指挥官吐唾沫。1862 年秋天，当一位北方军中尉的葬礼队伍经过的时候，她站在自家的阳台上大声嘲笑；当时在新奥尔良指挥军队的本杰明·巴特勒将军下令把她送去船岛，她在那里被监禁了两个多月。

在格林豪夫人那幢阴郁沉闷的宅邸里，还有一些女人来了又去，据被罢黜的女主人说，这些女人“大多属于底层阶级”。普尔小姐的出现让她十分恼怒，此人是在弗吉尼亚西部被逮捕的，被指控与叛军通信。普尔小姐可以在这幢房子里自由走动，通过报告每个人（从小罗斯直到卫兵）的情况来巴结政府。由于她的房间紧挨着格林豪夫人的房间，后者被切断了与别人的交谈，不得不从文字中“接受外部世界的所有信息”。

另一个令人反感的狱友在 12 月底来到格林豪要塞，她是一个上了年纪的离异女士，人称巴克斯利夫人。她是在一次探访里士满之后回到巴尔的摩时被逮捕的。她在那艘挂着休战旗的小船上多嘴多舌引来了自己的牢狱之灾。她向同船的乘客吹嘘，她给塞普蒂默斯·布朗博士弄到了一纸委任状，让他担任南方军的军医。她还声称自己有一些“从戴维斯总统的办公桌上拿来的坚果”，以及一封给格林豪夫人的信。格林豪夫人十分厌恶地认为这些吹嘘都是“疯狂的想象”。然而，联邦当局在仔细检查了缝在巴克斯利夫人帽子里的文件之后，开始严肃地看待她的里士满之行。布朗博士的委任状是其中的文件之一，这位倒霉的医生很快被押往麦克亨利要塞。

巴克斯利夫人大吵大闹，想让自己获得释放，她给西华德写了一连串的信，解释说自己太微不足道，根本不值得拘押。她让西华德相信，自己天性“神经质、好冲动、直来直去”，谁也不会把重要的文件托付给她。她去里士满纯粹是为了满足“情有可原的好奇心……想见见杰斐逊·戴维斯”，只带回了几封“友好的通信”，缝在她的帽子里。尽管有这些声明，但巴克斯利夫人并没有表现出对联邦的忠诚，并拒绝使用印有“U. S. ”字样的毛毯。格林豪夫人说：“她从凌晨开始胡言乱语，直到深夜，其语言与其说是纤细，不如说是激烈。”而且，她的尖叫和诅咒让小罗斯的耳朵很不舒服。巴克斯利夫人和普尔小姐都经常晕厥，发作时大声叫喊，突然摔倒在地板上。哨兵会给出警报。士兵们会跑过来救护，而那位体贴入微的谢尔登中尉“跑在最后……手里还晃着一瓶白兰地”。

在这些消遣活动当中，格林豪夫人总是冷眼旁观，不知用什么办法设法与外面的朋友保持了稳定的通信。她在书中含含糊糊地提到了一些“颜色词”，织入了她的挂毯工艺品的羊毛中。她还有一个中间人，被称作“我的小鸟”，在卫兵的鼻子底下，她居然成功地给南部邦联发出了快信。联邦当局有证据表明格林豪要塞监管薄弱；因为有格林豪夫人写给西华德国务卿的一封信被发表在里士满的一家报纸上，在这封信里，她满怀怨恨地详细描述她在监禁中遭受的暴行。这封信没有得到立即的回应，12 月下旬，格林豪夫人写信给乔丹上校说，她期望被送到南方去。这封信也成功地寄了出去，并交到了收信人的手里。在这个时期，格林豪夫人开始注意到狱警们态度的变化。报纸上讲述了这样一个故事：在圣诞节寄给她的一块蛋糕里发现了一封信，信中包含她的逃跑计划。1 月初，在她给西华德寄出第二封愤怒的信件之后，她的藏书室遭到了搜查，窗户用木板给封上了，所有纸张从她的书桌上撤走了。不久，女子监狱关闭。剩下的囚犯当中，只有格林豪夫人和巴克斯利夫人被继续拘押，她们被转移到了老国会大厦。

1861 年 7 月，老国会大厦成为一座临时监狱，颓圮的墙垣、破败的隔墙，嘎吱作响的门和楼梯没有人费心去加固。窗户横着钉上了一些木板条，高高的木板围栏填充了建筑物之间的空间，临时围成了四方形的内院。对囚犯的防范，不在于这些布局零乱的建筑，而在于全副武装的卫队，他们在外面的街道上来回走动。

虽然老国会大厦缺乏要塞的特征，但是，它的昏暗、污秽和不适倒是符合古老的监狱传统。房间里到处都是虱子和臭虫，蜘蛛网挂在脏兮兮的墙壁上。变味的猪肉和牛肉，半生不熟的豆子，以及发馊的米饭，构成了平日里的菜单。整个监狱的空气，由于那些敞开的、从未清理过的粪坑（挖在院中厨房的背后）所散发的臭气，而变得酸臭难闻。

有的囚犯享有特权。少数几个人可以（持卡为凭）使用官员们使用的两个被围起来的便池。如果他们在首都有朋友，则允许他们接受朋友馈赠的食品。事实上，只要他们的经济条件允许，他们可以不吃监狱里糟糕的伙食，而在他们自己的房间里单独用膳。监狱的食堂以高价帮他们代买食物，甚至还可以买到烟草及其他奢侈品。

老国会大厦起初只打算关押战俘，以南方军士兵居多，但很快就开始接收各种囚犯。政治犯形形色色，从间谍到那些含含糊糊地被怀疑有叛国情绪的人。叛军邮件的投递者、走私犯和偷过封锁线的人都被监禁在老国会大厦。还有联邦军的违反军纪者。第 13 街和宾夕法尼亚大道拐角处的一幢大房子和中央卫队大楼都被征用，作为陆军监狱。然而，老国会大厦依然关押了一定数量的联邦军指挥官，他们当中很多人是因为反对联邦政府的言论而遭到监禁。华盛顿军人犯下的违纪行为，其数量异乎寻常，这被归咎于整个战争期间非法供应的烈性酒。

在头几个月里，老国会大厦的一部分被保留给逃亡的黑人——从前是奴隶，其主人是叛乱分子。作为一种慈善行为，政府把这些一贫如洗的人收容在监狱里。如果他们能找到工作，就可以自由地离开。否则的话，政府就雇佣那些身强体壮的人去埋葬死去的马匹，以及从事其他繁重的体力劳动。有些人则充任监狱里的仆人，给囚犯的私人食堂准备伙食。

尽管阴郁沉闷，但监狱依然是一个社交场所。除了禁闭室之外（拒不服从的囚犯被送到那里接受惩罚），很少有人单独监禁。要想把囚犯们分隔开来，在这幢拥挤的建筑里是不可能的事，这里只有很少的小单间。等他们的工作干完，那些黑人便与他们的女人在院子里嬉闹。其他囚犯的主要消遣是打牌。周复一周，除了星期天之外，漫长的牌局从清晨直到夜里 9 点钟点名。最受青睐的娱乐是诈唬扑克（用一分硬币作筹码）。马金兹牌戏——当地人把这种多米诺游戏称作

老国会大厦监狱

“老国会大厦”——也深受欢迎。抽烟、唱歌和嬉闹让第二层五个大房间很热闹，这些房间由国会曾经使用的会议室组成。其中一个房间被联邦军指挥官占据，还有三个房间通常挤满了弗吉尼亚农民。正当中的房间（16 号）被分配给政治犯。透过那扇巨大拱窗破碎而肮脏的窗格（从前因为参议院的会议而灯火通明），这些联邦公民们看着外面国会大厦穹顶的骨架，诅咒穹顶下面的黑色共和党人。像隔壁的几个房间一样，16 号也是三层铺位。它提供了一个巨大的圆形炉子，三四个铁床架，一些凳子和长椅，两张松木桌子。监狱的主食堂在 16 号。政治犯中的精英们就在那些远不走运的狱友们的目光下，狼吞虎咽地吃着带骨火腿或牛肉。铺位上有臭虫出没，所以它们主要用来储存杂物——手提旅行包、锅碗瓢盆、报纸、烟斗、空酒瓶和残菜剩饭。夜里，桌子翻过来变成了床，地板上铺满了临时便床。

叛军指挥官被拘押在这幢建筑的北侧房间。这些战俘的待遇在老国会大厦大有改观。每个房间都有一个烧煤的炉子。威士忌很容易通过走私或守卫获得。像其他囚犯一样，他们也有纸牌和报纸。他们还享有额外的好处：吃得非常好，因为有一个由华盛顿的南方同情者组成的委员会给他们提供精美的食物。通常他们很少找麻烦，只是安宁地接受监禁。在早期，战俘们期待着赶快交换战俘，他们的心理状况远远好过政治犯。像数以百计关押在沃伦要塞、拉法耶特要塞、麦克亨利要塞及其他地方的政治犯一样，这些被怀疑对联邦不忠的人，对于何时是囚禁的尽头完全没有把握。自总统在华盛顿与费城之间的军事阵线沿线暂停人身保护令，并因此改变了它古老的特权以来，宪法提供的保障便不复存在。首席大法官坦尼端坐在巴尔的摩的巡回法庭里，宣布说：总统没有暂停人身保护令的宪法权力，也无权授权一个军事指挥官这样做。这位德高望重的大法官卷入了约翰·梅里曼的案子，后者因为叛国活动而被监禁在麦克亨利要塞。这座要塞的士兵们既不愿交出约翰·梅里曼这个人，也不允许联邦执法官进去送达指控他们的司令官蔑视法庭的传唤令。坦尼是一个上了年纪的偏袒南方的老人，他的裁决激起了很多争议。保守的司法部长贝茨先生支持总统。大多数忠诚于联邦的人开始都认为，对于这场关乎国家生死存亡的斗争来说，随意逮捕是必要的，甚至在 1861 年 9 月，当迪克斯将军和班克斯将军围捕马里兰州的分离主义国会议员的时候，人们还为他们的入狱而鼓掌喝彩。

在废除这项为人们所看重的宪法保护措施上，林肯先生也很谨慎。1861 年 5 月，他授权在佛罗里达海岸一个很小的地区暂停人身保护令；7 月，这一措施被应用于费城北边的军事战线，远至纽约；10 月，应用于哥伦比亚特区的士兵。直到 1862 年秋天，他才拒绝把这一特权给予所有依据军事命令遭到监禁的人。还要再过一年，根据国会给他的授权，他发现有必要在整个联邦暂停人身保护令。然而，“权利法案”已然是一份十分脆弱的文件，轻易就会被撕成碎片。1861 年，一套随意逮捕的制度已经广泛蔓延。战争部或某位军事指挥官频繁地加以利用，战俘始终处在军事监禁中。然而，起初所有政治犯都由国务院控制。雄心勃勃的西华德先生喜欢干预其他部门的事务，毫无道理地担负起了镇压北方人的叛国行为的责任，并为了这一目的而起用了一支庞大的侦探队伍。据说，他曾自吹，他只要碰一下他的小铃铛，就可以下令大面积的逮捕，他因此被人们所痛恨，人们担心他行使一个独裁者的权力。嫌疑犯在夜里——常常是秘密地——被带到军事监狱。他们的住宅遭到搜查，贵重物品被没收。在大多数案子中，他们甚至没有被告知自己受到何种指控。不允许他们听取法律建议，也别指望陪审团的审判减轻他们的监禁的不适。国务院不打算起诉政治犯，甚至都不去搜集指控他们的证据。他们只能希望，他们的权利要求所带来的压力能够引起国务院对他们的关注，为自己赢得一次专门讯问。当这样的讯问举行时，常常会发现，逮捕的理由并不充分。老国会大厦里最悲惨的情形，是绝望无助和不确定性，这使得16号的人麻木不仁地沉浸在无休无止的扑克游戏中，夜里躺在临时便床上辗转反侧，彻夜难眠。

华盛顿目睹过国务院领导下的军事统治的一个绝佳实例，当时，一个名叫约翰·墨菲的人试图让他儿子詹姆斯获得释放，后者在不到18岁的法定年龄应召入伍。法官威廉·M. 梅里克是马里兰州人，被布坎南任命为联邦巡回法庭的法官，他向宪兵司令安德鲁·波特将军发布了一份人身保护令状，刚好赶在针对特区士兵暂停人身保护令之前。波特拒绝遵守这份令状。不久之后根据宪兵司令的命令，送达这一令状的律师遭到逮捕，被关在禁闭室里。一天晚上回到家里，梅里克法官发现，一个全副武装的哨兵根据国务卿的授权驻扎在他家的大门口。第二天，他没有出现在法庭上。他那些义愤填膺的同事针对波特的蔑视法庭发出了一份法庭令，但总统禁止副执行官送达这份令状。特区并没有宣布军法管制，也没有通知巡回法庭暂停人身保护令。梅里克所遭受的几天监视，在西华德先生的头脑里，其理由大概出自下面这个传闻，即这位法官写过一封不忠诚的信寄到芝加哥，但政府没有向梅里克本人告知任何指控。

与随意逮捕形成鲜明对照的是，政府部门保留了很多可疑的联邦主义者。众议院为这种情形困扰，于是在特别会议期间专门任命了一个“职员忠诚特别委员会”，由约翰·F. 波特领头，此人是威斯康星州一个特别好斗的共和党人。两年前，弗吉尼亚州的罗杰·A. 普赖尔曾向他挑起了一场决斗，他选择单刃猎刀作为武器，从而让这一事件变成了一个笑话。作为一个提起秘密控告的机构，波特委员会成了一个扬声器，1861年下半年人们窃窃私语传播的每个怀疑叛国的谣言都被它放大了。在办公室里，职员们为自己的饭碗提心吊胆，他们刺探并报告同事的情况。委员会接到了大约 550 项指控，讯问了将近 450 个宣誓证人。忠诚度受到质疑的人当中，包括海军造船厂、兵工厂和白宫的工作人员。

国会通过了一项法案，要求所有政府雇员都必须宣誓支持宪法，但很多部门领导人的态度都很敷衍。在研究了证据之后，波特委员会得出了这样一个结论：超过 200 名政府职员同情叛乱分子；它还主张，一旦怀疑一个人不忠诚，就应该禁止他担任政府职务。由于国会没有任何权力撤销被怀疑者的职务，众议员们便把详细的材料寄给相关部门的领导，结果导致很多人辞职和被解雇。《星晚报》说，很多证据看上去简直是"一大堆恶意的伪证"。该委员会的报告披露了证人的名字及其证词的内容，它的发表把产生于华盛顿的反感带向了一场危机。其中一位证人在国会大厦附近被人痛揍了一顿，很多告密者匆忙出城，以避免面对那些被他们作出不利证明的人。

尽管众议院引发了这样的骚乱，但人们依然宽宏大量对待华盛顿的分离主义同情者——民主党人霍雷肖 · 金宣称，他们"在一定程度上被人们所容忍……其宽容程度几乎要危及公共安全"。只有在一些极端情况下，他们才遭到逮捕和监禁。波特委员会黑名单上的有些人依然留在他们的岗位上，并声称自己受到了不公正的指控。走马上任之后，斯坦顿先生发现，战争部里有很多"老鼠洞"，并通过解除职员和官员的职务、逮捕军官，来堵塞这些老鼠洞。战争部的邮袋就挂在一个大厅里，叛军同情者放心大胆地利用它向里士满传送情报。

斯坦顿被任命为战争部长之后不久，政治犯的管辖权便从国务院转交给了战争部。如果西华德先生确实有过一个小铃铛的话，那么，它再也不会敲响了。从人满为患的联邦监狱里移送了大批的人。司法不公的受害人——有很多案子国务院没有指控记录——获得了假释。一个新的委员会，由两个著名的纽约人迪克斯将军和爱德华兹 · 皮尔庞特法官组成，来审查那些依然在押的囚犯。它是后来很多专门军事法庭的先驱，这些军事法庭在华盛顿及其他城市举行漫长的庭审。军法署拥有非同寻常的权威，它的领导者是一个头发花白、谦恭有礼的高个子肯塔基人——布坎南政府的战争部长约瑟夫·霍尔特，他被任命为军法署署长。像他的民主党同僚斯坦顿一样，霍尔特热衷于共和党激进派的目标。国务院的专政只是偶尔为之，而且执行得很不力。斯坦顿先生把对叛国行为的镇压带到了一个新的高度，使之成为高度组织化的残忍暴行。对公民的任意逮捕和军法审判发展成了一个庞大的专政体系，激起了人们对政府的敌意。在战争期间，有超过 13 000 人被当作政治犯被战争部逮捕。

在新的管理制度下，老国会大厦与战争部的关系特别密切。无论是斯坦顿部长，还是他那位粗壮结实、红头发的苏格兰裔助理部长彼得·H. 沃森，都是在华盛顿执业的律师。尽管有国家事务带来的巨大压力，但他们往往忙于地方琐事。老国会大厦的监狱长威廉·P. 伍德，和他们俩都认识。伍德是土生土长的亚历山大人，曾经是个模具制造商，1854 年，在著名的专利案件“麦考密克诉曼尼案”中，他是专家证人，而斯坦顿和沃森则担任被告的辩护律师——也正是在这个案子中，斯坦顿险胜了一位默默无闻的同行：亚伯拉罕·林肯。赛勒斯·麦考密克输掉了这个案子，在这桩案子中，他诉称被告侵犯了自己的收割机专利。伍德的晚年，作出了一份宣誓口供，

威廉·P. 伍德

承认自己利用欺骗手段帮助了被告——更改了证据中提出的麦考密克收割机的一个早期模型的设计。法庭记录并没有显示他的欺骗对裁决有什么影响。伍德声称，斯坦顿对这一欺骗毫不知情。然而，这位监狱长据说对战争部长有着非同寻常的影响力。年轻的威廉·E. 多斯特少校（后来在波托马克军团走上战场的时候他成了华盛顿的宪兵司令）说，伍德在战争部陷入得比华盛顿的任何人都更深，人们普遍说，斯坦顿是战争部的头，而伍德是斯坦顿的头。

伍德曾经是正规陆军中的一名列兵，作为老国会大厦的文职管理者，他总是蔑视所有军事指挥官的命令。他的放肆尤其让安德鲁·波特恼怒，波特曾经是伍德服役的那个连的上尉。沃森告诉多斯特，有一次，波特怒气冲冲地来到战争部，因为他的命令被“公民伍德那只狗”给撤销了，“在新墨西哥的时候，他总是把这家伙的两个拇指绑起来”。波特要求撤销伍德的职务，在听完这番抱怨之后，斯坦顿先生给了将军“两个选择：要么继续受伍德的侮辱，要么卷铺盖走人”。多斯特也找到战争部，抱怨监狱长的不服从命令，让人回想起这则轶事。他得出的结论是：“干涉伍德很危险”。

斯坦顿后来让伍德得到了一张骑兵上校的授衔令。伍德还充当过战争部的间谍，几次肩负秘密使命被派往南方。1862年秋，他因为去位于弗吉尼亚州锡蒂波因特的南方军哨所交换战俘的事，遭到了一些陆军指挥官的严厉指责。他越权与南方军就交换战俘的问题进行谈判，并劝说南方代表罗伯特·乌尔德（土生土长的乔治敦人，从前的地方检察官，也是在华盛顿深受欢迎的花花公子）送他去里士满，表面上假装是逮捕他。来自联邦代表们的暴风雨般的抗议声迫使战争部召回了伍德。他拒绝向当时在门罗要塞指挥军队的迪克斯将军报告。迪克斯提交了一份愤怒的报告，以至于斯坦顿先生答复道：应该把伍德送去禁闭室。然而，战争部长还是对伍德寄予极大的信任，他在老国会大厦依然拥有广泛的权威，直至战争结束。

伍德是一个 40 多岁的小个子男人，但力气很大。有一次，他使劲摇晃一个战俘（特区宪兵队的一个警官），“险些把他的衣服都脱掉了”，因为此人擅自写信给特区军事长官，报告同室狱友的分离主义倾向。囚犯们都清楚地知道，老国会大厦漏洞百出，让那些受雇告密者有空可钻。一些侦探伪装成囚犯，被安插在各个房间里，开饭时间混进聚在院落的人群中。那个打小报告的警官是一个自封的密探，他错就错在与伍德的既定体制竞争。

伍德编写给战争部长的报告也依赖于囚犯的信任。尽管他举止粗俗——他为自己的平民出身感到自豪——但他随和且乐于助人。只要他高兴，他能够以讨好而恭敬的态度对待囚犯；他成功地使一些囚犯相信：他是他们的朋友，尽管他掌控着他们的生存状态。他总是保护囚犯免遭仆人和卫兵的欺辱。伍德自作主张地订购了新鲜的面包（这是监狱食谱中唯一值得称道的项目）——至少他跟囚犯们是这样说的，他们也相信他。所有记述老国会大厦生活的文字——包括格林豪夫人的书——都佐证了伍德的好心肠。他狡猾而虚伪，但他的好心好意是真诚的。当一个囚犯被一个哨兵开枪打死的时候，伍德这个粗鲁的前士兵掩饰不住他的激动和惊愕。他的脸顿时煞白，声音嘶哑，嘴唇颤抖。

然而，伍德在老国会大厦所赢得的绝不是友爱。他的废奴主义观点和他对联邦政府的忠诚足以让大多数囚犯恨他。而且，他们因为他的密探体制而痛恨他；他们认为，伍德收受贿赂，从监狱食堂抽取了巨额利润——他侄子是这个食堂的合伙人。一些虔诚的教徒惊悉监狱长是个异教徒。在那个时代，宗教异端是一件很丢脸的事——林肯和他的支持者们极力掩盖总统早年曾冒险涉足怀疑论——伍德从小接受罗马天主教信仰的熏陶，是一个公认的怀疑论者。有一次，当他作为证人出现在特区刑事法庭上的时候，他的证词被法官扔了出去，因为他不愿公开承认关于来世的信仰。格林豪夫人说："他想皈依自己想要的信仰，这种渴望是他的灵魂中主宰一切的激情。"而且，监狱里如果有人向他要一本书的话，他肯定会拿出一本剪贴簿，里面收集了自己的反宗教作品，或者是拿出托马斯·潘恩的著作。

1862 年 8 月一个令人愉快的早晨，伍德像个街头传呼员一样，在老国会大厦的走廊里大喊大叫："所有想听依据杰斐逊·戴维斯的理解宣讲上帝福音的人请到院子里去，所有想听依据亚伯拉罕·林肯的理解宣讲上帝福音的人去 16 号。"一个囚犯敏锐地注意到，这是监狱长嘲笑挖苦福音书和轻信者的典型方式。然而，事实情况依然是，有一位废奴主义传道士和他那位瘦得皮包骨头的妻子在 16 号室讲道，而院子里，囚犯中的一位南方军随军牧师正在攻击新英格兰的宗教狂热。这种表演在后来的礼拜天经常上演。而在拉法耶特要塞和沃伦要塞，则没有这样宽容的举措。伍德有一个狱警身上少有的特质：幽默感。他能听从有关管理方面的粗暴安排，这时"在他那双机灵、玩世不恭的双眼里闪烁着喜悦的光芒"。在回复格林豪夫人一封夸夸其谈的信件时（他提出帮助她弄到她的私人文件，并想要一份授权书，以便签收这些文件），他请求格林豪夫人"行行好，在您的声明中省却上帝和自由女神这样的称呼"，但这句十分中肯的批评没有被听取。

在频繁探访监狱的人当中，有一个相貌清瘦、肌肉发达、沉默寡言的人，有着浅褐色的头发和胡须，一双冰冷而锐利的灰色眼睛。此人便是拉法耶特·C. 贝克，从前是个技师，土生土长的纽约州西部人，曾经作为旧金山治安维持会成员有过良好的表现。战争之初，他作为间谍被斯科特将军派到里士满，在执行危险使命上表现出了非凡的智谋。在被叛军逮捕并与杰斐逊·戴维斯进行了三次会谈之后，他逃了出来，回到了华盛顿，带回了关于南方军和南部邦联首都的大量

拉法耶特·C. 贝克

情报。在斯科特的推荐下，国务院雇用贝克作为侦探，2 月战争部改组之后，他被战争部接纳。作为一个爱国而热心的间谍——忠心耿耿，尽管有欠审慎——他给西华德先生留下了非常好的印象，而且，斯坦顿和沃森都对他寄予极大的信任。战争部庞大的侦探队伍是在沃森的监督下组织起来的，作为这支队伍的首领，贝克成为一个更加危险的人物，他非同寻常的权力和残酷暴虐的行为让全国各地的人们害怕和痛恨。

最后，像伍德一样，贝克也被授予上校军衔。他指挥的是特区第 1 骑兵队——这个队伍缺乏华盛顿新兵，主要由来自缅因州的几个连组成。在赢得军衔和恶名之前，他是一个没有名气的间谍，主要在华盛顿、亚历山大和马里兰州南部活动，这些地方都是与南部邦联的秘密交易和秘密通信的中枢点。到华盛顿以后，贝克立即成为一个人们心中的恶棍。在老国会大厦的囚犯当中，他的贪财受贿成了一个笑柄。沃森自己也向多斯特承认，雇佣贝克就是“让恶棍逮恶棍”。多斯特发现，平克顿的侦探和华盛顿的警察对贝克也没什么好感，而伍德也有同感。然而，在监狱长的办公室里，贝克和伍德已经开始对囚犯的秘密讯问，战争后期，在附属老国会大厦的卡罗尔监狱的单人牢房里，这些讯问成了臭名昭著的程序。

格林豪夫人住在老国会大厦 A 街那一翼第二层的一间里屋里，安德鲁·波特将军说，她在那里“完全与世隔绝”。因为有人担心她可能会从自己的窗口向分离主义同情者发信号，所以对她的监禁很严格。她曾经轻而易举地骗过了第 16 街那幢房子的卫兵，这让她赢得了智谋过人的名声。她如今唯一能看到的地方是监狱的院子，她被禁止接近被封住的窗户。食物直接送到房间，不允许她离开这个房间，哪怕是为了锻炼身体。波特将军认为，这个房间"布置得……相当舒适"，而住在里面的人却并不这样认为，她很不喜欢里面的木椅和桌子，小得出奇的镜子，以及她和小罗斯一起睡的那张稻草床。多斯特少校认为这些家具陈设很适合一个二流寄宿公寓的房间——他从未这样赞扬过老国会大厦任何其他房间。格林豪夫人有一台缝纫机和一张桌子，还有一些书和文字材料。谢尔登中尉帮助她"挽救了几件她珍爱的纪念物"。她还有自己的手枪，不过子弹已经被卸掉了。

格林豪夫人从老国会大厦源源不断地寄出信件，向她认识的每一个人抱怨军事当局。她逗弄卫兵，提出一些不可能的要求，憎恨监狱里的一切规章制度。对于自己接近于逃亡黑奴的待遇，她的南方血液沸腾起来。像玛丽·安托万内特一样，她自认也是一个被贱民所迫害的贵族；她以一种戏剧化的高贵端庄的态度对那些扬基佬军官说话，用一种不自然的清晰发音强调自己说的话。狱友莫里斯夫人写道："格林豪夫人令人吃惊地自得其乐。"波特曾经惊呼：他宁愿辞职，也不愿继续看守格林豪夫人，这是一件令人厌烦的工作。另一方面，她总是同多斯特少校自由地交谈；多斯特曾说起，格林豪夫人总是向她的看守套近乎、卖弄风情。这位年轻的军官对格林豪夫人没有浪费他的同情。他认为，她被捕的那一刻应是她一生中最幸福的时刻。

在老国会大厦，格林豪夫人最讨厌的人是军医斯图尔特，她总是设法避免在自己家里接受这位大腹便便的狱医的服务。她把他描述为"一个粗俗的、没受过教育的人，他身上装饰的金蕾丝花边足够供三个陆军元帅使用"，她还说，他为了可以到处吹嘘自己与格林豪夫人说过话而造访她。这位军医身上那种骄傲的对联邦的忠诚使得他在分离主义者那里不受欢迎，他奉命探访所有囚犯，但格林豪夫人傲慢地拒绝他给自己和小罗斯看病。

小罗斯是在她妈妈的要求下被带到老国会大厦的；然而，格林豪夫人又设法让人们觉得对这孩子的监禁是联邦政府惨无人道的又一个证据。在她们进了监狱之后，她马上对小罗斯说："小宝贝，你必须表现得比那些扬基佬更高傲，不要消沉。"小罗斯答道："哦，妈妈，我一点也不害怕，我也痛恨他们。"但即便是一颗骄傲的灵魂，一个孩子也受不了被监禁。小罗斯很少离开那个阴暗的小房间。她那张胖乎乎的圆脸变得越来越消瘦和苍白。她吃不下监狱里那些油腻的豆子和肥肉，常常在饥饿中哭着哭着便睡着了。尽管据说格林豪夫人很富有，尽管她获释之后在里士满从事棉花和烟草投机，但在这一时期，她的经济条件明显很拮据。看上去她似乎不至于穷到买不起食物；即使她真的穷到了这种程度，她无疑仍可以从华盛顿那些慷慨的分离主义者那里获得食物。然而，她说，在老国会大厦，南方军指挥官寄给她的食物，顶多只能让她免于挨饿；几个礼拜过去，小罗斯在她的眼皮底下渐渐憔悴。她染上了军营麻疹，当时，这种病正在监狱里流行。最后，她的病情变得非常严重，她妈妈惊慌起来，写信给宪兵司令，要求让医生来给小罗斯看病。几个小时之后，斯图尔特军医冲进了房间，因为受到疏于职责的斥责而焦躁。那是格林豪夫人在老国会大厦最戏剧性的时刻之一，她有滋有味地描述了当时的场景。她的辱骂让这位军医面红耳赤，怒不可遏。他坚持要给孩子检查，但格林豪夫人挡在了他与床之间，发烧的小罗斯瞪着眼睛躺在床上。"别碰我的孩子，否则你吃不了兜着走，"她吼道，"你是个懦夫，而不是绅士，竟然这样侮辱一个女人。"倒霉的医生试图夺路而逃，但他根本不是"野玫瑰"的对手。当格林豪夫人捶打房门的声音招来了卫队指挥官的时候，斯图尔特军医“偷偷溜了出去”，落荒而逃。监狱当局另外请来了一个医生，此人的政治观点使得格林豪夫人愿意让他给小姑娘看病。

不久之后，格林豪夫人被允许每天领着小罗斯到监狱泥泞的院子里锻炼半个小时。她拒绝与狱友巴克斯利夫人和莫里斯夫人交往，并宣称，她们的陪伴是“一片阴影，只不过没有黑鬼的阴影那么可憎而已”。容易激动的巴克斯利夫人很不情愿地忍受了对她的监禁。她被称作“所有女囚当中最爱挑衅、最蛮横的”，有一次，巴克斯利夫人与一个卫兵打了一架。起因是她试图从这个卫兵的身边挤过去，卫兵骂了她。她挥拳把他揍得鼻血直流，卫兵又把她打翻在地，踢了她。在格林豪夫人看来，打架是一件丢脸的事。

奥古斯塔·莫里斯夫人是一个活泼而漂亮的小女人，也是格林豪夫人憎恶的人，而前者把这种敌意归因于妒忌和“卑劣的野心”。尽管对自己的出生地守口如瓶，但她总是让人觉得她出生于法国。多斯特少校觉得她“非常迷人”，据他说，莫里斯夫人是亚历山大港一个面包师的女儿。她在巴黎嫁给了一个土生土长的弗吉尼亚人 J. F. 梅森博士。他们后来离婚了。1861 年秋天，莫里斯夫人恢复了她少女时代的名字，带着两个年幼的儿子从里士满来到华盛顿。她找到国务院，提出要透露南方军的暗号，以换取 10 000 美元。她还跟麦克莱伦的老丈人、参谋长马西将军讨论了同样的提议。如果真的像她所说的那样，希望消除关于她是叛军间谍的怀疑，那么她采取了错误的做法。平克顿的人密切监视她。他们发现，她与托马斯·约翰·雷福德保持通信——那是乔丹上校的化名，格林豪夫人也是通过这个名字给乔丹写信——甚至还在布朗酒店接待过他的一次拜访，她在那家酒店过着“奢华的”寄宿生活。侦探们的警惕性非常高，就连莫里斯的孩子的葬礼他们都参加了，这个孩子死于 2 月初。第二天早晨 4 点钟的时候，根据麦克莱伦将军的命令，莫里斯夫人在酒店的床上被逮捕。但她认为，将军的行动为时已晚。“我已经从军事委员会的一位成员那里搞到了他的计划，跟摆放在该委员会面前的计划一模一样。”

副官署的一位职员曼斯菲尔德·T. 沃尔沃思与这位妩媚迷人的离异女人一起被捕。沃尔沃思是个情绪化的人，他父亲是个大名鼎鼎的人物：纽约州平衡法院首席法官洛伊本·H. 沃尔沃思。通过他的姻亲，曼斯菲尔德·沃尔沃思在南方有一些很有影响力的关系，几个月以来，他一直渴望成为联邦政府的一名密探。他从他父亲的朋友西华德国务卿那里得到了鼓励，但他声称，他的雄心壮志受到了马西将军的阻碍，因为他向西华德报告：马西对小巧玲珑的莫里斯夫人产生了不同寻常的兴趣。沃尔沃思是个文人，写过很多畅销一时的煽情小说。没有找到指控他不忠诚的任何证据。平克顿报告，他似乎只不过“一定程度上在社交场合与莫里斯夫人厮混在一起，就像另外几个当事人一样”。但他们之间的熟识——可能再加上在他衣箱里找到了一套南方军的制服——让沃尔沃思在老国会大厦被监禁了 3 个月。

莫里斯夫人 3 岁大的儿子弗兰克陪伴她一起进了监狱。他那个大木马也没能安慰他因为失去自由而带来的痛苦。他猛踢房门，对卫兵大喊大叫：“让我出去，你这该死的扬基佬。”他母亲提出抗议，要求允许他“像如今被关在这里的其他先生一样”，去院子里锻炼；伍德监狱长于是答应安排弗兰克出来透透风。莫里斯夫人比儿子更有风度地服从了监禁。华盛顿的一些同情者给她提供了各种慰藉，起初她发现，除了妨碍她的工作之外，监狱生活并没有什么不好。在她活泼开朗、爱开玩笑的外表之下，隐藏着一颗疼痛的心，由于离婚，她一直对丈夫心怀怨恨，对她公公的敌意感到愤怒。她认为，保持愉快并让自己在老国会大厦深受欢迎是一种责任。她自嘲地写道：“他们仅仅因为不愿与我分开才把我留在这里。”在她房间的壁炉上方，涂写着拜伦的诗歌《西庸的囚徒》开头几行；但莫里斯夫人对待看守她的扬基佬始终是心平气和的。

这一时期短暂拘押在老国会大厦的另外一些女人当中，最引人注目的是费城的 L. A. 麦卡蒂夫人。麦卡蒂夫人最初是以约翰·巴顿这个名字被监禁，因为当时她装扮成一个男人。整个战争期间，华盛顿目睹了一连串东游西荡的易装癖者——脸蛋光洁、身材苗条的小伙子穿着制服，她们凹凸有致的风姿和莺啼燕语的嗓音很快就向警察或宪兵出卖了她们。通常的做法是给她们裙子，并把她们一起集中到城外。只有麦卡蒂夫人被怀疑是一个间谍。在她的衣箱里发现了大量的鸦片、吗啡和奎宁，还有一把左轮手枪，一副军用马刺，以及一个铁射弹。最后一项是她丈夫的发明，她打算献给里士满的南方当局。格林豪夫人很喜欢麦卡蒂夫人，声称"敬佩她的精神和独立"。由于她们的交往只能通过一扇双开门的钥匙孔，格林豪夫人因此不大有机会为这个以炫耀穿一双裤筒的假男人所震惊。

如果真的像多斯特少校所宣称的那样，格林豪夫人"盼望看到一次公开审判变得声名狼藉"，那么，她一定大失所望。3 月底一个阴冷的日子，她被带到了斯坦顿先生的两位委员面前，他们端坐在前参议员格温先生在第 9 街和 I 街拐角处的宅邸里，这幢房子如今被特区军事长官和宪兵司令所使用。当格林豪夫人走上肮脏的楼梯时，她不由得回想起了它从前的高贵典雅。她在一个没有炉火的房间里足足等了一个小时。在极其愤怒的心情下，她终于被带去问讯，这次问讯围绕着一张长桌非正式举行，就在紧闭着的大门背后。"这次面谈非常斯文有礼"，她写道，但它"只不过是一次令人发笑的谈话"。她公开嘲笑这个"山寨法庭"，她刻意作出语含讥讽的回答，而且，她问的问题几乎像皮尔庞特法官的问题一样多。

皮尔庞特法官："你可以对这些指控作出任何答复，想怎么回答就怎么回答。”

格林豪夫人：“指控！你们有多少指控？这难道不是一场闹剧吗！它难道很严肃吗！这是一场不折不扣的闹剧！”

皮尔庞特法官：“你可以对这些指控作出任何答复，想怎么回答就怎么回答。”

但格林豪夫人愿意作出的答复对调查她的案子没有任何帮助。她要求出示她通敌的证据。当她被指控在奔牛溪之战之前向敌军通报联邦军的情况时，她说：她完全不知道自己干过这样的事，她根本没有机会获得重要情报。要不然的话，她肯定会发出这样的情报，那是“对我的朋友们的一项神圣职责”。

紧接着，关于格林豪夫人是否想去南方，进行了一次漫长的讨论。皮尔庞特认为，让她宣誓忠诚于联邦，或者以不帮助敌人为条件让她获得假释，都几乎没什么意义。“那样做你会脸红。”格林豪夫人答道。

“将军，”皮尔庞特对他的同僚说，“我想你跟格林豪夫人说话会更好一些，你是她的老朋友。”

“我不知道我还有什么要说的。”迪克斯将军嘟哝道。但他还是对格林豪夫人的密码提出了一些问题，她镇定自若地宣称，自己在一次生病期间发明了这套密码，但从未使用过。

就两位委员的问题来看，他们对格林豪夫人的情报来源明显缺乏好奇心。她对皮尔庞特法官说：“如果我真的发出了你们认为我有的那种情报，我必定从一些知悉政府秘密的来源那里得到它。我不想再说什么了。我只是把这作为一个暗示提出来。”稍后，她与迪克斯将军重拾这个话题，她提到了共和党内部“你们所说的叛国者”。她说：“如果林肯先生的朋友们愿意把这样重要的信息灌进我的耳朵里，难道我应该为这一切负责？”说到这里，她暗示，他们可能正在背离严格的问讯规则。

“我们根本不想限制你，夫人，”皮尔庞特说，“你可以自由陈述任何事情，想说什么就说什么。”

“没有任何限制。”迪克斯插嘴道。

对格林豪夫人的问讯没有取得任何进展。迪克斯说，他和法官都“更乐意”看到她洗刷掉这些指控。“我认为你更多的是恶作剧，而不是真的叛国。”皮尔庞特纵容地暗示道。迪克斯则认为再没有什么问题要问了。

格林豪夫人的下面这个想法被证明是有道理的：这次客客气气的交谈是她的光荣。离开的时候她对两位先生说：“在这样的战争时期，你们应该去忙更重要的事，而不是举行一场问讯女人的审讯。”

两位委员与巴克斯利夫人有过一次简短的谈话，她断然拒绝宣誓或假释，强烈反对去南方。他们在漂亮的莫里斯夫人身上花了相当长的一段时间。与讽刺挖苦的格林豪夫人形成鲜明对照，莫里斯夫人表现得楚楚可怜。对于挫败两位谦和而威严的委员来说，她的方法同样有效。

莫里斯夫人：“即使我能够犯下叛国罪，我也不知道我为什么要做这种傻事。”

皮尔庞特法官：“我不知道我是否完全理解你说的话。”

她瞪大眼睛，一脸的无辜，听取了对自己的指控。“好吧，我问你，”她说，“我在哪里能搞到这样的情报？”她说马西将军是她所认识的唯一一个联邦军官。

皮尔庞特法官：“他没给过你什么东西吗？”

莫里斯夫人：“我不认为他会给。你认为他会给吗？”

皮尔庞特法官：“我也不认为他会给。”

莫里斯夫人恳求道，可是“一个弱不禁风的可怜女子”能够造成怎样的危害呢？法官提到她曾提议透露南方军暗号。莫里斯夫人解释道，她是一个自私自利的人，并不想给任何一方效力。她透露这些暗号是为了换取 1 万美元。

皮尔庞特法官（得意洋洋地）：“那么，你瞧，一个弱不禁风的可怜女子还是能够对联邦政府有所帮助的嘛。”

莫里斯夫人（她没能做成这笔交易）：“如果她们有机会的话，她们确实能。”

皮尔庞特法官：“这些弱不禁风的小女子有时候能出大力，帮助强大的男人和强大的政府。”

开始谈到莫里斯夫人的案子的处理时，她表现出意想不到的坚定。她不能作忠诚宣誓“或任何诸如此类的事”。法官连哄带骗地提到了“我们所说的是荣誉宣誓”。她甚至也不能宣这样的誓。她解释道，她觉得心中充满仇恨，因为她遭到了虐待。监狱里的军官都很仁慈，监狱长伍德的行为“像个绅士”。但正规军士兵野蛮残暴，而志愿兵是“世界上最糟糕的男人”。

莫里斯夫人也不愿意去南方。她有家庭麻烦，她不想谈起这些烦心事；而且，在南部邦联生活成本很高。她对皮尔庞特法官说：“我坚持把我放回布朗酒店，你们就是在那里找到我的。”法官答应跟总统谈谈她的释放问题。他认为，总统先生有可能会帮她。在这个充满希望的音符上，讯问结束了。“祝你们早安，先生们，”莫里斯夫人说，“我将很高兴记住你们。”

迪克斯和皮尔庞特在华盛顿期间讯问了 80 多名政治犯。其中 65 人——包括沃尔沃思和麦卡蒂夫人——被撤销指控，或者在宣誓不帮助敌人后获得假释。委员会无权宣判无罪，也无权惩罚，而只能放人。老国会大厦三位顽固不化的女士被下令送过联邦军战线，进入弗吉尼亚，如果她们同意去的话；在那里，她们将被释放，条件是：战争期间不得返回北方。

格林豪夫人起初对这个决定大为光火。她的脾气越来越暴躁，她的倨傲被愤怒所取代，与此同时，她想进一步给南部联邦发挥作用的希望则逐渐减弱。她成了北方观光客眼里的穿插表演，她声称要让这些扬基佬处在恐怖中，并宣称，他们让她想到了法国大革命期间巴黎的那些满嘴脏话的女人。她渴望报复这些“黑色共和党的狗”。她写信给她的侄女阿黛尔·道格拉斯说：“我现在担心，我的仇恨会让其他每一种感觉黯然失色。”

有谣传说，她将被送去波士顿港的沃伦要塞，这个谣言促使格林豪夫人又想到弗吉尼亚去了。春天在悬而未决的状态中挨过去了。彻底沉闷不符合格林豪夫人的本性，她总会作出一些惊人之举，或是把她的空手枪指着卫兵的脑袋，或是用她的缝纫机缝制一面南部邦联的国旗，然后从窗户里把它挂出来。她在盥洗室的地板上撬起了一块木板，把小罗斯放到楼下，几个叛军指挥官用自己的双臂接着，他们与这孩子分享自己的新鲜水果。有一天，格林豪夫人跟在其他女囚犯后面，爬进了伍德的集市大车，绕着院子疾驰，大喊：“我要去南方！”她乐不可支地欣赏卫兵队的恐慌和混乱。但这些紧张刺激的举动只不过是对自己失去重要性的可怜补偿。

两位委员动身去走访其他军事监狱之后，老国会大厦再一次聚集起了更多的囚犯。多斯特说，这座监狱“像一个捕鼠器那样运转——只有一个进来的洞，没有出去的洞”。斯坦顿和他的助理部长、贝克及其他侦探，还有特区军事长官和宪兵司令，全都可以执行逮捕。“但是，”多斯特说，“他们当中没有一个人可以随便放人，这会有很大风险，其他人会找他们的麻烦。”

4 月下旬，一个囚犯因为拒绝服从命令，跳窗逃跑，被一个卫兵开枪打死。5 月，另一个囚犯在试图逃跑的时候被打伤了大腿，第二天在做截肢手术后死掉了。整个监狱都知道，打伤第二个人的哨兵曾答应接受一笔贿赂放他走；但是，在禁闭室关了很短一段时间之后，这个士兵重新回到了自己的岗位上。有人怀疑格林豪夫人是这次未遂逃跑的共谋。她被允许接待一些探访者，其中就有纽约州的阿尔弗雷德·伊利，他自己在里士满的监禁经历让他对囚犯们心生同情。但如今，格林豪夫人的所有朋友都被禁止探访。孤独中，她开始灰心丧气。“石墙”杰克逊在谢南多厄河谷立下的赫赫战功让她重新燃起希望；但杰克逊并没有来这里解放囚犯。几天后，伍德突然通知格林豪夫人：她将立即动身前往弗吉尼亚。几乎没有时间收拾行装，卫队长领着她走遍监狱，跟狱友们一一告别。在外面，一支卫队全副武装列队完毕。除此之外，还有一支骑马卫队，一支特别护卫队，一个骑兵中尉和六个骑兵，“穿着全套制服，手里拿着佩剑和卡宾枪”。格林豪夫人觉察到了自己所受到的关注，认为这“完全是一次军事展示”。事后想来，她补充道：“那个叫巴克斯利的女人和莫里斯夫人同时被送走了。”

老国会大厦的门打开了。女士们来到大街上。一时间，由于担心扬基佬欺诈，格林豪夫人犹豫起来。她问护卫队长：他得到的命令是不是要把自己送到一座北方监狱去。护卫队长告诉她——用他的名誉担保——他们要去门罗要塞。他的回答打消了格林豪夫人的疑虑，她上了马车。在华盛顿火车站，士兵们不让一群南方同情者靠近，在巴尔的摩，情况要好一些。同行的伍德允许女士们在她们过夜的吉尔摩尔公馆接待朋友。《纽约先驱报》上刊登了一则报道说，她们举行了“一场正规的招待会”，迪克斯将军的一位副官对此愤怒地予以否认。

巴尔的摩的分离主义者热烈地欢迎女士们，当她们登上老岬角码头的一艘船的时候，这些人挥舞着手帕，大声喊道：“上帝保佑你们！”迪克斯将军乘坐同一艘船，前往门罗要塞接管指挥权，他上船的时候没有多少人注意。他们夜里起航，第二天的大部分时间都在海上。海上的枯燥乏味，被颇有绅士风度的船长缓解，他给女士们举办了一场午餐会，有冰镇香槟。在门罗要塞的大炮下，格林豪夫人举起手中的酒杯，祝戴维斯总统健康长寿，祝南部邦联事业成功。她说，在场的所有人都一饮而尽。护卫队长谨慎地避开了。

终于踏上了这片“神圣的土地”，格林豪夫人急匆匆地下了船，小罗斯紧跟在后面，一面很大的南方军战旗藏在她的披肩下面。她已经摆脱了扬基佬的暴政，安全地来到她为之效力的南部邦联。有一件事想必令人恼怒：在战时的猜疑氛围中，有半数里士满人坚持认为她是联邦军间谍。那些了解马纳萨斯南方军指挥部秘密的人很快挺身而出，为她辩护。她骄傲地记录了杰斐逊·戴维斯的亲切问候，在她抵达之后的那天晚上，戴维斯拜访了她。“不过对你来说，”戴维斯说，“根本不存在奔牛溪之战。”

正是在 7 月末，当老国会大厦被闷热、恶臭和臭虫笼罩的时候，另一个女间谍来到了这座监狱。贝尔·博伊德像罗斯·格林豪一样目中无人，一样富有戏剧性；但她年轻、强硬、不事修饰，她津津有味地扮演着南方女英雄的角色。她是老国会大厦的宠儿。

贝尔·博伊德

贝尔在“石墙”杰克逊突袭谢南多厄河谷那个时期一举成名。她的家在马丁斯堡，对于她的活动来说是一个很方便的基地。关于她卖弄风情和娴于马术的传说在她本人之前便传到了华盛顿。人人都听说，她诱惑联邦军官的本事增强了杰克逊的优势，有些人把联邦军在弗兰特罗亚尔战败的功劳记在她的名下。贝尔并不漂亮。她有一张成熟的、轮廓分明的脸蛋，明眸皓齿，顾盼生辉。但她只有 19 岁，苗条的身材优雅动人；活泼的个性，连同“快乐无忧、大胆鲁莽的做派”，都有着非凡的魅力。

监狱长伍德热忱地接待了贝尔，把她领到一个俯临 A 街的二楼房间里，墙上胡乱涂写着先前在这个房间住过的人的名字，其中包括莫里斯夫人。当她被问及有什么要求的时候，贝尔要了一张摇椅和一个火炉，她发现火炉很喜气，即便是在盛夏。她很快就有机会显示她的本色。伍德领来的一个侦探建议她做忠诚宣誓。贝尔大大奚落了这个侦探一番，并命令他离开。通过敞开的房门，传来了其他房间的欢呼声，在整个走廊里回荡。当房间里只剩下她一个人的时候，一个白色的小东西落在她的脚下。那是一张便条，裹在一个很小的坚果壳里，上面画着南部邦联的国旗，是一个英国囚犯从走廊那边扔过来的。贝尔扔回了她的答复。那天夜里，透过房间的窗户，望着斯瓦姆普德尔区的棚屋，以及远处被月光镀上银色的田野，她在监狱里感觉到了一种幸福。

除了锻炼之外，贝尔什么也不缺。每一顿饭她都享受了花样繁多的美味佳肴，都是华盛顿的分离主义者提供的，由一个逃亡黑奴端到她的房间，伍德把这个黑人分派给她充当仆人。多斯特少校第一次拜访贝尔，发现她一边在读《哈珀斯杂志》(*Harper's*)，一边吃着桃子。“她说她可以一直待在这里，只要斯坦顿受得了一直关着她。同伴有这么多，而要做的事却这么少。而且，这是一个绝佳的机会，让她可以温习文学，准备嫁衣。”

在这段时间，贝尔与一个南方军指挥官私订了终身；据一篇报道说，她的未婚夫是一个英俊潇洒的狱友：麦克威中尉。但她的婚约丝毫也没有让其他爱慕者气馁。从她的房间四面八方的墙壁上，从天花板上，传来了用刀子在灰泥上挖洞的声音。阵雨般地扔过来的便条和信物把她给淹没了，而麦克威中尉的情书包裹在一颗子弹里，滚过她的门槛。当贝尔坐在走廊里的时候（在夜里，有时候允许她这样做），南方军的军官们便纷纷挤在各自的门口。在楼梯上，三楼的囚犯——政治犯和弗雷德里克斯堡的人质，他们无人看守——伸长脖子，扭打一团，为的是一睹芳容。

贝尔喜欢唱歌，常常用一场晚间音乐会款待这伙人。她最喜欢的歌曲是《马里兰，我的马里兰》，她总是用十分哀婉的情绪来表达这首歌曲。在最后一节，当贝尔用银铃般的嗓音唱出“欢呼吧！她一脚踢开了北方的渣滓”时，哀婉转变为狂喜。一阵男声合唱提供了深沉而热情的伴奏。卫兵会停止在走廊里踱步，命令她保持安静。贝尔答道：“我偏不。”然后再次吟唱那攻击性的诗行。为了让这个重要乐句更加生动，她会抓起一把扫帚，清扫地板上卫兵刚刚踩踏过的部分。

这个 19 岁的姑娘每次去谢南多厄河谷的军营附近游逛，都会招来恶毒的闲言碎语。她的贞洁引发了激烈的争论。据说，在老国会大厦，她言谈放肆，穿着一件露出脖子和手臂的衣服。她喜欢从窗口大声辱骂路过的士兵，当他们用“粗俗的玩笑和娼妓的黑话”回敬她，或者大喊“闭嘴，你这该死的母狗，否则我一枪崩掉你”时，她也毫不退缩。然而，在囚犯当中，她赢得的不仅是爱慕，还有深深的尊敬。星期天早晨，当她来到院子里聆听依据杰斐逊·戴维斯的理解宣讲上帝福音的时候，南方的骑士们便会表现出他们最优雅的举止。来自艾奥瓦州迪比克市的白胡子编辑丹尼斯·马奥尼先生——因为他编辑的报纸发表反政府言论而被监禁在老国会大厦——对贝尔的出场留下了深刻的印象。她衣服的胸前缝着一面很小的南部邦联国旗，当她昂首阔步走向她的位置的时候，“那种优雅和尊贵，就连女王都可能要妒忌”。她优雅地朝叛军战俘们伸出一只手，后者在她热烈的眼神注视下脱帽肃立，而站在一旁的北方政治犯则一脸羡慕地看着。

贝尔在老国会大厦红了一个月，然后，她也被送去了南方。当伍德把这个消息告诉她的时候，她高兴得尖叫起来。她身上藏着两个金马刀结，那是给杰克逊和约瑟夫·约翰斯顿的。她温柔地向她的仰慕者告别。老先生马奥尼写道：“老国会大厦里的绅士眼睁睁地看着她离去，每个人都情绪激动，不能自已。”人们凑了一笔钱给她买礼物；不久之后，在里士满的一幢寄宿公寓里，一个南方军指挥官交给贝尔一个黄金和珐琅打造的挂表和饰链，镶嵌着很多钻石，是她的狱友们表达喜爱和尊敬的信物。

华盛顿没有看到贝尔最后的结局，她在第二年回到了卡罗尔监狱。在此期间，一个来自弗吉尼亚州福基尔县的漂亮姑娘是老国会大厦吸引人们眼球的唯一女囚。路易莎·P. 巴克纳小姐的监禁短暂而平静。这一事件之所以引人注目，是因为她是邮政部长的侄女。

巴克纳小姐与她母亲和一个名叫巴克·贝利的牧师一起，从弗吉尼亚驱车来购物。蒙哥马利·布莱尔借给他的这帮亲戚500美元，在华盛顿购买食品杂货及其他必需品。这伙人都有很好的担保，带着一包通行证和推荐信，包括总统的一张便条；但斯坦顿手下的侦探头目拉法耶特·C. 贝克可不是个趋炎附势之徒，他下令严密监视布莱尔的小姨子和侄女。在得知她们探访了三家药房、购买了600盎司奎宁之后，一个黑人仆役来报告：巴克纳小姐用一些油绸衬里的长袋子给自己做了一条裙子。

贝克一直等到这伙人动身回去才着手行动。这时，他拜访了蒙哥马利·布莱尔，后者不耐烦地听取了他的指控，并宣称他的亲戚们就像侦探本人一样忠诚。他们在尚蒂利附近被追上，贝克去了费尔法克斯县府，亲自搜查了巴克纳小姐的裙子。裙子里塞满了奎宁，还在马车的一节假车身中找出了大量违禁药品。特区军事长官的通行证上签着多斯特少校的名字，一点钟的时候，多斯特被从床上叫了起来，要他向斯坦顿解释让奎宁通过军队阵线的问题。面临着可耻的撤职，这位年轻的宪兵司令把这天夜里剩下的时间都用来搜索他办公室里的文件架。最后，布莱尔的推荐信被翻出来了。多斯特被证明是清白的。根据斯坦顿的命令，奎宁、马、马车及食品杂货统统被联邦政府没收。

巴克纳小姐在监狱里逗留了很短一段时间之后悄然被释放了，留下了巴克·贝利接受更长时间的惩罚。但奎宁女士的传说在华盛顿并没有很快被人们遗忘。斯坦顿先生的铁腕转向了所有联邦之敌。它甚至威胁到一个漂亮姑娘，她有个姨父在内阁。

第 9 章　两位文官与哈勒克将军

每天早晨，在战争部的接待室里，斯坦顿先生都要拿出一个小时来接待公众。他快步从门里出来，站在一个高高的写字台后面，写字台到他肩膀的高度。他像一个急躁易怒的小学老师一样，用他那双锐利的大眼睛，从钢架眼镜后面飞快地扫视等候在那里的请愿者。他只有一个小时的时间——不能再多了。他估摸了一下人群的数量，分配能够花在每个人身上的时间。“他会把左臂靠在写字台上，扶一下他的眼镜，等待有人走上前来陈述自己的事由——他是一个脾气暴躁的小个子，看上去好像睡眠不足，对你的急迫诉求他根本无动于衷。”

接待室里很安静。人们只用短促的低语互相交谈。职员和传令兵们蹑手蹑脚地走动。门口站着宪兵队的一个红头发骑兵，他清楚地知道，大多数请求者都是在浪费时间。政客、承包商、求职者和军队指挥官都必须用简洁的措辞提出他们的要求，而且要让整个房间都能听见。这套接待来访者的程序在华盛顿是个新鲜事物。根本没有机会温文尔雅、循循善诱、发挥影响力。那些声称跟他有交情或得到过他垂青的人，斯坦顿先生一个也不认识，他觉得，承认这些必会让政府付出代价。对每个人，他都会用低沉而柔和的声音突然作出裁决，于是，排队的人便往前移动一位。

形形色色的人站在那里等待战争部长给他们这片刻的时间——贪得无厌的人、野心勃勃的人、病员、伤兵、被撤职的军官、那些被指控不忠诚的人的朋友、随军牧师、妓女、哭哭啼啼的妻子，以及步履蹒跚的老父亲。斯坦顿先生并不总是按先来后到的顺序接待他们，有时候也会心血来潮，突然挑中队伍中一人让他出列。但是，无论贫富，不管老少，不允许任何人耽搁队列的行进。对于那些结结巴巴的请求，斯坦顿专横独断的回答就像一把大锤一样猛砸下来。到这个小时结束的时候，接待室里已经空空如也。

战争部长成了华盛顿最被人痛恨的人。嚣张而好斗，对于自己激起的敌意，他引以为荣。在那些每天早晨向他求情的人看来，他想必是严厉冷酷、毫不留情的权威的化身。他有着浑圆的身躯和粗短的四肢，看上去就像一个强有力的侏儒。他有着黝黑而斑驳的肤色；哮喘的症状加剧了他脸上的怒容。他那光洁无须的上唇显露出厚实而富有弹性的弓形，再往下，是浓密的络腮胡子，就像一副假胡子挂在他的大耳朵上。斯坦顿给混乱的战争部——尚未支付的账单，骗人的合同，无所事事的军官，官方信息的泄漏，以及严重不足的兵力、装备和供应——带来了干劲十足的活力。接连好几天，他几乎没有离开自己的办公桌，直到午夜还在披阅重要文件，黎明时分便趴在文件上睡着了。早晨，他妻子会过来抓他回家，但很少成功。一周两次，战争部的一位信差在他的办公室里给他修刮上唇。他很少回复私人信件。他从不休假，几乎不怎么关注社交生活，不喜欢看戏。他允许自己外出的唯一场合是去中心集市，为自己的餐桌购买供应品。每一次，都由他的机要秘书和从前的律师助理 A. E. H. 约翰逊把现金交到他的手里，这些钱取自他的薪水。斯坦顿的身上从不带钱，也没有怀表。无论是金钱，还是时间，都不是为他这样的人而存在，他的整个生活成了一场圣战，是为了打败叛国和腐败这对孪

埃德温 · M. 斯坦顿

生的丑恶。

斯坦顿以极大的效率，不仅打击侵吞公款和装病逃差，而且还抵制人类怜悯之心的诉求。傲慢的态度和专横的压制是他赖以维持生存的粮食。然而，这样的粮食不管多么有营养，总是会留下它的苦味。斯坦顿实际上并非像他看上去的那么铁板一块。当他在接待公众之后回到办公室的时候，他常常会洗一把脸，给他的络腮胡子洒上一些香水，他对人群所散发的气味有一种过分挑剔的厌恶。有一次，接待结束后，他的鼻子严重出血，以至于医生叫人拿来碎冰块给他止血。他那双锐利的眼睛里有一种忧郁。来自俄亥俄州的众议员里德尔写道：这双眼睛“总是向我传达出某种我无法完全理解的神秘信息”。一位朋友在战争部长的办公室里与他晤谈之后出乎意料地又折回来，他发现，斯坦顿正趴在书桌上，泣不成声。

斯坦顿是个情感丰富的人，但不善表达。在他还是俄亥俄州斯托本维尔一个年轻律师的时候，他就不可救药地爱上了他的妻子玛丽。他们的第一个孩子去世了，一年后，斯坦顿挖出了这孩子的遗体，把骨灰放在一个金属盒里，这只盒子他一直放在自己的房间里。后来，当玛丽也去世的时候，他因为悲痛而变得歇斯底里。他坚持要让玛丽在棺材里打扮得像七年前当新娘时一样，女裁缝不得不几次修改寿衣。在难以释怀的悲痛中，他把玛丽的结婚戒指以及他送给她的其他小饰品扔进了棺材。孩子的骨灰盒也与母亲一起被埋葬了。斯坦顿悲痛欲绝，白天在房间各处游荡，夜里躺在床上呜咽啜泣，用玛丽的睡帽和睡袍作枕头。

最后，斯坦顿又娶了现在的妻子埃伦，一个秀丽端庄的女人，闪光的头发披在耳旁，眉毛像一对翅膀，在那双乌黑、沉思、大眼睑的眼睛上翘起。“一个漂亮的妻子，”约翰·海写道，“像大理石一样洁白、冰冷而安静，罕见的微笑似乎让她痛苦。”第二任斯坦顿夫人常常穿着一袭绸衣，有精美的蕾丝花边衣领，胸前戴着蝴蝶结。当小詹姆斯在 1862 年夏天去世的时候，再没有听说父亲把骨灰盒珍藏在自己房间的故事。这一时期，有种激情在斯坦顿心里燃烧，对叛国者的痛恨，冷酷无情的权力所带来的兴奋，以及对麦克莱伦将军的深恶痛绝，这一切所产生的巨大力量压倒了他心底的柔情。

上任后不久，斯坦顿接管了军用电报系统，这套系统一直集中在波托马克军团的司令部里。在麦克莱伦短暂离开华盛顿的那段时期，设备和记录被强行搬到战争部，报务员安顿在二楼的藏书室里。麦克莱伦手下负责电报的副官托马斯·T. 埃克特上尉依然是这间办公室的头儿，并成了斯坦顿最信任的助手之一。

政府的电报审查权此前由国务院控制，如今也转给了战争部。对电讯稿的监视在战争爆发几天之后便建立起来了，很多人都对此不满，但也没什么改善。通到南方的电报线，在谣言、恐慌和误差的嗡嗡声中，传达的信息反倒对敌军有利。众议院司法委员会（其目的就是要对电报审查制度展开一次调查）的报告声称：“审查官在履行自己的职责时明显既缺乏细心，也缺乏判断力。”重要的消息漏掉了，而一些用华盛顿报纸上的段落拼凑而成的电讯却遭到压制，而这些信息其实早已传播开了。让记者们义愤填膺的是，他们的报道常常被大刀阔斧地删减成了一堆不知所云的废话。沿着国家大酒店一段光线昏暗的楼梯拾级而上，在一个很小的房间里，审查官派头十足地坐在那里，身边是一堆软芯铅笔、粗钢笔、黑墨水、剪刀和胶水瓶。记者们得经常去威士忌酒店或坎特伯雷音乐厅，找出这个大权在握的家伙，为的是让他签字批准下午见报的电讯稿。

斯坦顿任命美国电报公司的总裁 E. S. 桑德福为电报的军事监督官，并对玩忽职守的审查规定了逮捕和监禁的惩罚。华盛顿的报纸已经领教过战争部长的严厉，当时，他下令逮捕《星期日晨报》（*Sunday Morning Chronicle*）——它是华盛顿一流的周报，很快就发展成了全国最重要的日报之一——的编辑，因为这份报纸发表了军队行动的信息。这位编辑表达了他的懊悔，并解释说，这份报纸很晚才付印，而且未经他的监督，于是，逮捕令被暂缓执行。《星期日晨报》的出版商是一位著名的民主党人，也是本届政府的支持者：约翰・W. 福尼上校，他还是《费城报》（*The Philadelphia Press*）的老板，从前是众议院的职员，最近被推选为参议院的秘书。

在新的管理制度下，审查更加严格，但并不比国务院管理得更聪明。斯坦顿对战事消息的压制、扭曲和拖延让记者们感到绝望。联邦各地都在焦急不安地等候最新的军事报道。这场战争极大地推动了报纸的销售和发行，正如所有外国观察者所注意到的那样，美国人总是过分痴迷于读报纸。仅《纽约先驱报》就有 63 个战地记者。报纸在军营里也有很大的发行量，因为北方产生了一批批读者大军。在波托马克军团驻扎其周边地区期间，华盛顿邮局几乎被送往军队的成吨的报纸和信件给淹没了。报童甚至去战场上卖报，在弗吉尼亚半岛上的一次遭遇战之后，若因维莱亲王吃惊地发现，一些伤兵挣扎着爬起来购买最新的纽约报纸。

军事信息按照斯坦顿的意愿发布给政府官员和将军们，还有公众。只有总统有权接触到电讯。总统官邸没有电报机，林肯养成了去战争部获取消息的习惯。白天或者夜里，他总是穿过树木茂盛的草坪，通过十字转门，顺着小路，走向第 17 街上那幢小砖楼的侧门。所有电报，包括总统自己的，都用炭笔抄写在黄色的薄绵纸上。一份直接交给斯坦顿。约翰逊少校按照日期给这些薄纸归档，用当时人们用来晾衣服的弹簧夹子把它们夹在一起，放进敞开的盒子里。另一份放进斯坦顿办公室隔壁房间那张密码桌的抽屉里，电报在那里解码。林肯就是在这里审查电报，有时候与年轻的报务员厮混在一起，讲故事，或者在他们干活的时候站在他们身后看着。有几个晚上，他静静地躺在斯坦顿办公室的长沙发上。由于共同的责任和精神压力，这两个律师之间一开始并不被看好的泛泛之交发展成了一种亲密的关系。总统敬佩斯坦顿，依赖斯坦顿。而战争部长则以他自己那种桀骜不驯的方式，效忠并敬重林肯。

波托马克军团向马纳萨斯进军之后，总统发布了一份战争令，赢得了斯坦顿和他的新盟友——共和党激进派——的赞同。麦克莱伦没能赶在南方军撤退之前采取行动，而联邦军原本能够轻而易举地挥师前进，发起一次远征，结果却没捞到任何好处，这一切让林肯的耐心消耗殆尽。他把麦克莱伦从军队总司令的位置上撤了下来，没有提名继任者。各军区指挥官奉命向斯坦顿报告，斯坦顿立即查封了战争部大楼一些房间的文件，这些房间原本是麦克莱伦担任总司令时的司令部。

这份战争令在发布之后的那天早晨登上了《国民通讯员报》。在费尔法克斯，麦克莱伦不是通过官方渠道，而是从他的一位副官那里得知了这个消息，这位副官负责阅读公开发布的消息，并发电报给他。尽管他对那些在他背后"迫害"他的"恶棍们"感到愤怒，但他还是写了一封信给总统，这封信堪称爱国克己的典范。他的态度是一个品格高尚的人应对私仇时可能采取的态度。他已经顽强地着手实施自己的计划：让自己和手下的军队远离华盛顿这个"邪恶的渊薮"，并把他的战役带到约克河与詹姆斯河之间弗吉尼亚半岛上那些地图绘制得很不准确的地带。他未能顾及下面这个事实：他精心构想的战略受制于别人的监督，而监督者不仅缺乏经验，而且怀有敌意。

联席作战委员会决定去一趟马纳萨斯镇。弗吉尼亚乡村因为遭到毁坏的树木、烧焦的废墟和标识粗糙的坟墓，而变得丑陋不堪。撤退的南方军所丢弃的垃圾散落路旁。栅栏被拆毁了；麦田被踏为平地，盖满了叛军士兵的棚屋。然而，这次远足并非乏善可陈。事实上，它远比两位委员本杰明·韦德和撒迦利亚·钱德勒去年夏天的那次外出更加惬意。当马车在 3 月份苍白的阳光下徐徐前行的时候，波托马克军团的白色帐篷闪现在松树之间。骑兵部队正在驰行。伴着军乐的声音，士兵们在开阔地里操练，而其他人则在赛跑或玩球，倒也自得其乐。来自印第安纳州的众议员朱利安说，整个冬天，他们都被关在国会大厦的地下室里举行漫长的听证会，对他们这些人来说，这趟旅行“令人心旷神怡”。森特维尔和马纳萨斯想必更加令人兴奋，因为它们

劫后的奔牛溪战场

给委员会的成员们提供了高度道德化的快感，在证明一种强烈敌意的合理性的过程中，可以得到这样的快感。对木制假炮的检查证明了他们怀疑麦克莱伦将军的诚实是有道理的。正如朱利安委婉地表明的那样："无论如何，可以肯定的是，他的心思并没有用在工作上。"

这个地方既已重新被联邦军所占领，联席委员会的先生们不是唯一对探访战场有好奇心的人。华盛顿车马出租行的老板和出租马车车夫从旅行者那里割获了丰厚的收成。一趟星期六短途旅行车队开通运行，两段行程要走上三天，负责的车夫都是曾经被叛军抓去当战俘的人，他们因此有资格充当向导。收藏纪念品成为一种时尚。战争纪念品在市场上热销，激励了一些旅行者的商业动机。在费尔法克斯，县政府大楼无人理会，大门洞开，陈年的文件散落一地，游客拿走了这些文件，其中有些文件可以追溯到乔治三世统治时期。在战场上，不容易找到战利品，因为每一样东西都被联邦军士兵捡走了。在奔牛溪附近，南方军竖起了一块大理石碑，以纪念在这场战斗中阵亡的巴托将军；北方的文物破坏者们忙着把这块大理石板切割成碎片，作为纪念品带回家。子弹盒、帆布背包、《圣经》、马蹄铁、步枪子弹和铁片都被人们抢救出来。时不时地，勤奋不懈的搜寻者会得到奖赏：一个剑鞘，一把变形的马刀，或者一根弯曲的枪管。他们把搜集来的宝贝装在马车座位底下，得意洋洋返回华盛顿。可惜，这种快乐很短暂。政府的财产容易遭到查扣，每一天，在火车站，宪兵队都要从市民身上搜走 10 至 100 件刀剑、步枪和随身武器。4 月底，马纳萨斯观光热突然降温，原因是有传闻说，有三个骑马的平民被叛军骑兵给抓去了。据说游击队依然在这一地区活动，观光旅行被禁止了。

老式砖石建筑小城亚历山大是观光客们的另一个圣地。在马歇尔旅馆（年轻的埃尔斯沃思就是在这里被枪杀的），搜寻纪念品的人从楼梯脚下的墙壁上撕下墙纸，用他们随身带的小刀子割下上校牺牲地周围的木工制品，楼梯、扶手及邻近的门和门框都未能幸免。3月，有一支规模很大的船队在波托马克河聚集，打破了亚历山大港的平静。仓库关闭了；对于这个分离主义者的小城来说，码头被挤得水泄不通是一种少见的情景，数不清的纵帆船和双桅船沿着河岸一字排开，或者跟在突突冒烟的小拖船后面从一个码头到另一个码头，很多船的甲板上还装配了安顿马匹的畜栏。一些大型蒸汽船把甲板打造成了水上的聚居区，这些房子都被漆成了白色，被长廊所环绕。

在亚历山大港居民的怒视中，波托马克军团各师列队下船，在这座小港城附近的荒凉山丘上安营扎寨。他们的将军发表的演说回荡在他们的耳边，很难让他们相信这是一个叛国者的演说：

> 行动到来的那一刻，我知道，我可以相信你们能够拯救我们的国家……我注视着你们，就像一个父亲注视着他的孩子们，你们也知道，你们的将军从内心深处爱你们……我要求你们作出巨大的、英雄般的努力……我们将一起分享所有这一切；当这场令人悲哀的战争结束时，我们将打道回府，各回各家，并觉得，我们所能要求的最高荣耀，莫过于一个骄傲的自我意识：我们属于波托马克军团。

日日夜夜，在亚历山大和华盛顿的码头上，数量巨大的物资、马匹、骡子、马车、重型大炮、干草捆、浮桥和电报设备被装载到船上。波托马克河两岸挤满了观众看着一支大军的上船。一个接一个团，士兵们迈着整齐的步伐登船；当巨大的桨轮旋转起来、蒸汽船向南驶去的时候，河岸上一张张脸变得凝重起来。这支大军一直像一面厚重的盾牌，挡在华盛顿的胸前。当它向马纳萨斯进发的时候，它依然挡在华盛顿与敌军之间。如今，它要沿波托马克河顺水而下，消失得无影无踪，尽管它新修的防御工事都还在，但首都顿时觉得失去了保护。

“梅里麦克”号的出现，使得沿水路向里士满进军有点不顺。詹姆斯河已经对联邦的船只关上了大门。根本无法肯定，莫尼特号能不能对付南部邦联这艘庞大的装甲船，人们带着深深的忧虑等待它从诺福克重新出现。门罗要塞成了麦克莱伦在弗吉尼亚半岛展开军事行动的一个很不牢靠的基地——然而，它是联邦政府赖以坚持的基地——海军部派出了一支舰队去保护联邦的运输，并阻止“梅里麦克”号进入约克河水域。

总统和斯坦顿先生如今致力于经营战争的事务。这两个文官毫无军事经验，他们觉得需要专业人士的建议，于是他们求助于一个健康状况糟糕的退休陆军指挥官——伊桑·艾伦·希契科克，他祖父是独立战争时期的英雄，而且他取的就是祖父的名字。这个胡子刮得干干净净的老军人，言行举止爽快而直率，有 50 年光荣服役的记录，但他的主要兴趣并不是军事。他之所以去西点军校念书，是因为家庭的一些朋友认为军人生涯对伊桑·艾伦的孙子很适合。他是一个哲学学者，一个虔诚的泛神论者，喜欢形而上学研究，写过大量论述炼金术及其他深奥主题的著作。他坚信很多写作者把他们要表达的真正意义包裹在象征主义的外衣里。在大量艰苦的研究之后，他在但丁和莎士比亚的作品及福音书中发现了普通读者觉

伊桑·艾伦·希契科克

察不到的神秘哲学。

斯坦顿先生与希契科克的第一次面谈是在这位退伍老兵的床边。抵达华盛顿之后，一次严重的鼻出血让他不得不卧床休息。战争部长建议他以顾问的身份为国效力——用自己的经验提供帮助。这一职责听上去并不费力，希契科克最终决定接受民兵少将的任命。几天之后，斯坦顿突然问他愿不愿意接管波托马克军团的指挥权。这位体弱多病的神秘学研究者大吃一惊，立即拒绝了。“唉——这到底是怎么了？”他怀着不安的心情在日记中写道，“我不想要指挥权，我也不想要军区……总的来说，我很不舒服。我甚至担心斯坦顿部长并不知道他自己想要什么。”

有一样东西是斯坦顿想要的，他也非常清楚地知道自己想要它。关上房门，他悄悄地说出了一些“最为惊人的事实”，大多是关于麦克莱伦将军的无能。希契科克听完“觉得极其恶心”。他同样有大难临头的恐惧。他写道：“现在，我一点也不奇怪，部长为什么提出让我指挥波托马克军团。”斯坦顿所透露的这些令人恶心的事实，其具体细节他并没有记录下来；但斯坦顿隐约提到了杰斐逊·戴维斯的影响，毫不掩饰他的担心：麦克莱伦可能不愿意做任何“估计会给南部邦联的事业带来很大损害”的事情。

说到政治对军队事务的干预，麦克莱伦从自己被削减的兵权中有强烈的感受。正当他即将出发的时候，他得知，布兰克师被转给了弗里蒙特将军。这个忠诚可靠（即便有些污点）的共和党人如今又有机会在这场战争中为自己赢得荣誉。专门为他创设了一个新军区：弗吉尼亚西部山地军区。自这个忠诚于联邦的地区被南方军放弃之后，就已经作出了安排：弗里蒙特将着手组织一次军事行动，越过茫茫群山，进入田纳西东部。他在共和党内部有很多支持者。总统在通知麦克莱伦说要减少他 1 万兵力的时候，他写到了“压力”。

当麦克莱伦得到消息说他将被剥夺掉整整一个军时，他已经在战场上，他原本指望靠这个军侧翼包抄约克镇。对首都的政治家们来说，保卫华盛顿是头等重要的大事，所有军事战略问题都相形见绌；最近谢南多厄河谷发生的一些事情更加剧了他们的焦虑。麦克莱伦打算把班克斯军安插在华盛顿与敌军之间。这支部队的主力将驻扎在马纳萨斯镇，有步兵卫队和骑兵小分队驻守周边地区。铁路修复后，从亚历山大港通到马纳萨斯镇，再从那里到谢南多厄河谷，从而给联邦军带来有利的通信联络，这在奔牛溪之战中被证明对南方军十分有用。这是一个很不错的计划，可是，在麦克莱伦启程之前，它被托马斯·J. 杰克逊将军（人们已经开始用“石墙”这个绰号来称呼他）给彻底打乱了，杰克逊的叛军部队被留在了谢南多厄河谷。尽管这支部队被击退了，但蓝岭那边震天动地的战斗声吓坏了华盛顿。麦克莱伦被迫把班克斯留在了谢南多厄河谷，没有多余的兵力增援马纳萨斯，只有几个无足轻重的小分队在那里守卫。

总统反复要求，应当留下足够的兵力，确保华盛顿的安全。至于军队的人数和性质，则说得很含糊，并没有通过一份明确的协定把这些问题定下来；但麦克莱伦的军长们在走马上任之后立即开了一个会，要求足够的守军驻守弗吉尼亚一侧的要塞（约 12 000 人），占领特区一侧的要塞（约 3 000 人），以及一支 25 000 人的掩护部队。这个总数并没有大大超过麦克莱伦本人去年秋天估计的 35 000 人。然而，麦克莱伦的宏愿是要完善一支上战场的大军，因此他忽视了华盛顿的要求。对于华盛顿的忧虑，他根本不感兴趣，他觉得这些都是非军事人员的忧虑。作为一个军事专家，他完全有把握：进军里士满便是首都最好的防御。林肯先生的部长们发现，麦克莱伦从不担心南方军进攻华盛顿，除非他自己碰巧也在华盛顿。他用防御工事把这座城市围了起来，却未提供足够的炮兵来操作大炮。在准备进军的过程中，他从驻扎在那里的受过训练的军队中抽走了一个又一个团。

然而，麦克莱伦依然相信，华盛顿的指挥权是至关重要的。曼斯菲尔德已经去指挥弗吉尼亚军区，集中在门罗要塞。一个军事化的华盛顿特区被建立起来了，将由一位特区军事长官指挥，麦克莱伦建议由他的朋友富兰克林将军出任这一职位。富兰克林是一位很有能力的指挥官，他深得麦克莱伦的信任，会全力与他合作。然而，政治上的考量决定了另外一个人选，他就是富有的、有影响力的共和党人詹姆斯·S. 沃兹沃思。对这一人选，麦克莱伦提出了一条反对的理由，而这个理由是一个无法克服的障碍：他不是一个受过专业训练的军人。从战争爆发起，沃兹沃思就一直以他的爱国精神而著称。他 53 岁，依然清瘦而活跃。雪白的头发和络腮胡子框住了他那张英俊的瘦脸，他总是佩着一把古老的雕刻马刀，当年，他的祖父在独立革命战争中就曾佩着这把马刀。他给自己新的军旅生涯带来了活力、荣誉和勇气。他拥有庄园，对政治很感兴趣，在很多方面类似于 1861 年之前在华盛顿占支配地位的南方种植园主。不过有一个明显的差别，沃兹沃思是一个狂热的废奴主义者，对首都那些拥有奴隶的人毫不同情。从走马上任的那一刻起，他就表现出对麦克莱伦强烈的不信任——麦克莱伦认为：斯坦顿鼓励沃兹沃思的这种对立。另一方面，多斯特少校从沃兹沃思和他的参谋团队身上看出来了：几个月来，这个纽约人与麦克莱伦之间一直存在恶感，因为沃兹沃思在正式场合和私下交谈中都表达了自己支持进军弗吉尼亚。

沃兹沃思的新职责包括指挥驻扎在首都城内及周围的所有军队，他立即骑马出城，视察军队。在麦克莱伦启程南下的 10 天前，特区军事长官便向斯坦顿先生报告：军队“已经足够了”。但是，麦克莱伦发出的一封迟到的信件——他始终没有对自己打算留下的军队作出说明，直到他登上了蒸汽船，准备启程——改变了沃兹沃思的看法，他愤怒地提出抗议：首都勉强只有19 000名士兵，其中很多人完全没有受过训练。斯坦顿最糟糕的怀疑被证实了。希契科克将军和副官长洛伦佐·托马斯一致同意：兵力不足。战争部的另外几位将军都摇了摇头，表示同意。本杰明·韦德的委员会自检查马纳萨斯的木制假炮以来便一直渴望明确表达他们的不满，这个时候，他们便提出了强烈的抗议。麦克道尔军共有35 000人，此时尚未启程，斯坦顿根据总统的指示发布了一项命令，把这个军从波托马克军团拆分出来，留下来保卫华盛顿。

如果麦克莱伦更明智一点，而且少一点傲慢自大，可能早就预料到了这个结果。但他没有预料到。他的计划被打乱了，他愤怒地提出抗议：对于围攻约克镇来说，这支部队是必不可少的。战争部只认识到，麦克莱伦依然有一支超过10万人的大军。有些规模更小的军队（而且装备要差得多）一直在赢得重要的胜利，而且，斯坦顿后来在一份感谢联邦军赢得胜利的命令中强调了这个事实。具体说来，西部所有军事行动的胜利都要归功于指挥密西西比军区的亨利·W. 哈勒克将军，从阿勒格尼山脉到落基山脉之间的地区被统一在密西西比军区；阿肯色州豌豆岭的英勇战斗要归功于塞缪尔·R. 柯蒂斯将军、弗朗茨·西格尔将军和他们的部队，他们在那里赢得了一场决定性的胜利；在匹兹堡码头击退叛军要归功于尤利西斯·S. 格兰特将军、唐卡洛斯·比尔将军和他们的部队；攻占密西西比10号岛的军事行动中所表现出来的勇气和技巧要归功于约翰·波普将军和他手下的官兵。这份功劳簿上，明显缺少麦克莱伦将军和他手下的官兵，他们开始病倒在约克镇前的沼泽地里。

斯坦顿在上述命令中对匹兹堡码头击退敌军表示了感谢，这里面暗含讽刺。这场战斗在北方多被称作“血腥夏伊洛”。两天战斗所导致的大规模杀戮，让一个对长长的伤亡名单毫无准备的国家惊骇莫名。在第一天，联邦军被击退了；据说，格兰特被打了个措手不及，一下子惊呆了，幸亏比尔将军率领的援军及时赶到，这才使他免遭灾难性的惨败。谢尔曼从这场遭遇战中脱颖而出，格兰特不再作为多纳尔森要塞的英雄而受到人们的欢呼。夏伊洛的消息激怒了整个国家，格兰特在媒体上和国会里被指责为无能。第二次，总统留下了一个人们强烈要求撤职的将军，从而损害了自己的声望。有来自哈勒克的报告说，格兰特总是喝得醉醺醺的，他玩忽职守、拒不服从。林肯坐在他办公室的壁炉前，脚放在大理石壁炉架上，听着宾夕法尼亚州共和党人麦克卢尔恳求他，为对自己公平起见，必须立即解除格兰特的指挥权。“我不能饶了这个人，让他继续战斗。”林肯最后对麦克卢尔说。

总统发表了一份声明，建议人民在公众礼拜的场所为陆军和海军的胜利感谢上帝，马里兰州的圣公会主教支持这一提议，向他手下的牧师写了一封信。在华盛顿的教堂里，这个建议并没有受到普遍的欢迎。在首都圣公会教徒当中，分离主义者为数众多，他们对感恩祷告的问题反应强烈。几周之前，主教就已发布了专门的祈祷词，供他的牧师们使用，“尤其是为了本城和本地区从封锁和围攻的恐怖中解放出来”，而赞美和颂扬主的名字。耶稣升天教堂的平克尼博士，三一教堂的西勒先生，以及海军造船厂基督堂的莫塞尔先生，都对支持联邦的教友深感愤慨，他们全都省略了这篇祈祷词。在耶稣升天教堂，事情闹得很僵，以至于宪兵司令下令关闭了这座教堂，受到围攻的教众被迫散去。三一教堂的教区会议被分为两派，一派吵吵嚷嚷要切断西勒先生与教堂的联系。在总统的声明发表之后，西勒冒险为西部的胜利而举行了感恩祷告，却漏掉了提及封锁和围攻特区的内容。然而，称颂联邦的胜利对他的部分会众来说太过分了，当他念着这篇祈祷词的时候，几个愤怒的分离主义者“趾高气扬”拂袖而去。

耶稣显灵教堂的霍尔博士遵从了主教的指示，并告诉他的会众，他已经敦促他的上司，在没有协商的情况下再也不要撰写任何形式的祈祷词。最后，他“委婉地暗示，忠诚是我们所有人的绝对责任”。

约翰·海写道：“光荣的消息乘着四面八方的风（南风除外）而来。……在约克镇，小拿破仑浑身颤抖地坐在一小群人面前，他既害怕打，又不敢跑。斯坦顿对此有一种恶魔般的感觉。”

斯坦顿的感觉像恶魔般，这个说法让人摸不着头脑。3月下旬，他派人叫来作战委员会，向这些和他颇有共鸣的人指控麦克莱伦将军的错误，并指出，在他手下的指挥官当中有一些叛国者，其中八个人在发现马纳萨斯的木制假炮时就应该被撤职。4月中旬的一个星期天，又召开了一次会议，斯坦顿先生让参议员威尔逊和费森登、众议员史蒂文斯和布莱尔参加了这次会议。小弗兰克·布莱尔被任命为众议院军事委员会的主席。他是个高个子，样子很像军人，有着淡红色

波托马克军团在约克镇的营地

的头发和浓密的胡子，战争之初，他在为联邦保全密苏里州这件事情上扮演了一个主要角色。他发现，在斯坦顿的激进派领袖会议上，自己面对的是一帮怀有敌意的人。年迈的撒迪厄斯·史蒂文斯是一个骨瘦如柴的、幽灵般的人物，戴着深棕色的假发，拖着他那双畸形脚，总是出言不逊，他对斯坦顿说："除了在座的各位，内阁中没有一个人适合自己的工作。"费森登赞赏这个说法，所有人都狡黠地看了弗兰克一眼，观察他的反应，因为这句话让他哥哥蒙哥马利躺着中枪。撒迪厄斯·史蒂文斯继续说道，他已经烦透了听那帮该死的共和党懦夫谈论宪法。他支持剥夺叛乱分子的所有权利，彻底改造他们，永远结束叛国。斯坦顿让史蒂文斯相信，这正是他从一开始就奉行的政策。除了布莱尔这个圈外人之外，这些激进分子你唱我和，晤谈甚欢，他们谴责军队中抓捕奴隶的行为，反对麦克莱伦拒绝听取黑人带来的信息。本杰明·韦德说，麦克莱伦依然是国王，这个国家距离积极有力的战争政策还有很长的路要走。

在斯坦顿与激进派秘密开会的同时，他的意见倾向广为人知。一些同情麦克莱伦及其小集团的民主党报纸成功地利用了战争部长的敌意。有人暗示，华盛顿的干扰危及了约克镇的行动。还有一些谣言说，斯坦顿会辞职；有些报纸则暗示，希契科克将接替他的位置。不久之后，斯坦顿第一次变得对希契科克"有点不耐烦"。战争部长对军队指挥官的霸道早已臭名昭著。他那低沉而悦耳的声音能够让白发苍苍的将军们安静下来，并在他的面前瑟瑟发抖。但希契科克的祖父是泰孔德洛加的战斗英雄，他来到华盛顿不是为了受辱。当斯坦顿开始对他粗鲁无礼地说话，他便坐下来写辞职书。像往常一样，当人们公然反抗斯坦顿，他又会退让了。"如果你提交那张纸，"他对希契科克大声喊道，"你就会毁了我。"他责备自己，为自己的坏脾气而懊悔，以自己的重大责任为借口。最后，希契科克烧了辞职书，但斯坦顿远远没有满足。尽管希契科克被视为战争部的顾问，但斯坦顿和林肯都不理睬他的建议。渐渐地，他对自己与白宫和战争部提出的战略有关联感到耻辱。最后，他获准休一次长假，那年夏天回到了“与世隔绝的思考与宁静”中。

对林肯来说，麦克莱伦这次军事行动能否成功，是一件越来越至关重要的事。为了奴隶的立即解放，激进派强烈要求采取更激烈的战争措施。随着他的党派四分五裂，他的威望岌岌可危，林肯极其需要一场大胜仗来为波托马克军团辩护。老百姓也表现得非常急躁——这是希望和信任引发的急躁。斯坦顿下令停止征兵——可能是因为经济问题。这个举措，加上西部的胜利和波托马克军团的名声，产生了一种乐观情绪，以及这样一个信念：战争到仲夏时节便会结束。4 月末，从墨西哥湾传来了一场大胜仗的消息。南方的主要商业港口新奥尔良向海军少将戴维·G. 法拉格特指挥的进攻舰队投降。法拉格特是个南方人，出生于田纳西州，他妻子是弗吉尼亚人，战争爆发时他在诺福克执行任务，被分离主义势力所包围。法拉格特从 10 岁开始出海就一直在联邦的旗帜下为国效力，时间像斯科特将军一样长。当他第一次有机会让自己扬名立万的时候，已经是一个 60 多岁的老兵。海军中校戴维·D. 波特率领一支炮艇舰队参加了这次远征。波特尽管是个北方人，但他与华盛顿的分离派政治家们关系不错，他是吉迪恩·韦尔斯在 1861 年春天抱着怀疑态度看待的那帮海军指挥官之一。攻占新奥尔良让法拉格特和波特名声大噪，全国各地再次回响起对木质船的赞美声。

联邦的事业在 1862 年春天胜利前进，其唯一的不足是波托马克军团在约克镇前的耽搁。南方军的主力部队有时间赶到弗吉尼亚半岛，麦克莱伦不得不面对一支相当有实力的部队。对他那颗被激怒的头脑来说，身后的敌人似乎不那么可怕。另外三位联邦部队的将军在弗吉尼亚作战，他们不受麦克莱伦的控制，只对战争部长负责：弗里蒙特，坐镇山地军区；麦克道尔，他的军已转变为一个独立单位，即拉帕汉诺克军区；班克斯，专门为他创立了谢南多厄军区。当麦克莱伦反复思考自己的错误时，他觉得，“废奴主义者及其他恶棍”正在出于私愤要牺牲波托马克军团；他的电报不停地要求更多的人手和更多的枪炮。富兰克林师已经脱离了麦克道尔的指挥，被派到弗吉尼亚半岛。还没等援兵登岸，还没等麦克莱伦开始炮击，约克镇便落入了联邦军之手。这个过程并不陌生。让麦克莱伦大吃一惊的是，约瑟夫·约翰斯顿竟然撤出了约克镇。

人们欣喜地得知，波托马克军团终于有动静了。在威廉斯堡打了一场血腥的遭遇战之后，它继续向前推进。联邦军的炮艇和运输船沿约克河溯流而上，满载着饲料、供应和弹药驶向麦克莱伦的基地：位于帕门基的白屋码头。这支大军缓慢而谨慎地在泥泞中向前爬行。还要两周时间，它才在奇克哈默尼河畔的沼泽地里安营扎寨，距离里士满 11 英里。部队的健康状况据说还不错。一些善于思考的人可能会停下来琢磨这样一条消息：每天要给军队分发两批威士忌和奎宁。

来自门罗要塞的蒸汽船抵达第 6 街码头。一些船带来了从里士满的监狱里获得假释的人——这些幸运的人总算回家了。他们向星条旗欢呼致敬，高唱着爱国歌曲，列队走向士兵休养所，那是建在火车站的一家餐厅。另外一些蒸汽船带来了一些更安静的人，他们来自约克镇的战地医院。大多数伤兵被带到北方的各大城市去了。这些都是患上了露营热病、伤寒和肺结核的士兵。码头上，在他们的担架周围，一些亲戚朋友在来回走动，还有一些好奇的陌生人，以及叫卖鸡蛋和水果的小贩，渴望从他们的迫切需要中赚点小钱。

在希林顿书店，从奔牛溪弄到的南部邦联的银行券依然在出售，一门来自森特维尔的木制假炮被陈列在宾夕法尼亚大道和第 15 街拐角处的哈马克餐馆楼下。首都并不缺乏新的胜利纪念品，这些看得见摸得着的纪念品赋予一些大事件以真实感，并让普通人能够更形象地理解它们。在宾夕法尼亚大道上胡德先生的珠宝店里，展示着一个南方上尉在威廉斯堡穿过的钢马甲的一部分。带有讽刺意味的是它被称作防弹马甲——可以清楚地看到一颗致命的子弹在上面打出的那个洞。一个名叫约翰·E. 麦凯的水兵卖掉了一些破碎的木片和铁片，换了不少钱，竟然大肆请客，招待同船的水兵，结果被关进了禁闭室。这些垃圾有独特的魔力，因为它们是那艘曾经令人闻风丧胆的"梅里麦克"号残存下来的。叛军放弃了诺福克，那艘装甲船没有港口停泊，被他们自己炸毁了。

联邦军炮艇从汉普顿锚地的僵局中被解放了出来，沿詹姆斯河溯流而上。只有奇克哈默尼河和南方军部队挡在波托马克军团与里士满之间。在拉帕汉诺克河畔，弗雷德里克斯堡对面，麦克道尔正在等待增援麦克莱伦的命令。通过推演军事地图上画出的战线，似乎里士满的陷落在劫难逃。但在联邦军的计划里，也有一个薄弱之处——联邦的首都。它令人担心，它被赋予了深远的象征意义，它只有两位文官充当最高统帅。

"石墙"杰克逊

在谢南多厄河谷，"石墙"杰克逊率领的叛军是首都周边地区唯一的敌军部队；不过，以斯坦顿对麦克莱伦的评价，他很担心，尽管波托马克军团直逼里士满，但没准南方军会因此放开手脚进军华盛顿。4 月，他做了一个小小的试验。不顾沃兹沃思的反对，他坚持假设首都遭到了进攻，命令城内部队在链桥和高架渠集合。命令发出大约 3 个小时之后，总共集结了 4 000 人，有的人带的弹药很不够，有些人根本没带弹药。

战争部得知，杰克逊得到了大量的援兵。他的行动因为神秘莫测而更加令人恐慌。关于他的行踪和意图，有很多互相矛盾的传闻。在谢南多厄河谷以西的弗里蒙特报告，杰克逊正在威胁他的部队的一部分——实际上，联邦军遭到了攻击，并被赶回来了。麦克道尔听说，预计杰克逊可能出现在他的正前方。斯坦顿确信，不管杰克逊可能在什么地方，他都在向首都进军的路上。战争部长写信给班克斯说："如今，华盛顿是唯一值得全力以赴的目标。"仔细研究他的报告之后，斯坦顿得出一个结论：杰克逊正在从谢南多厄河谷向南方撤退。斯坦顿从班克斯的麾下派出一个师，让它赶紧增援麦克道尔，后者已经得到命令，要他与麦克莱伦会合，攻打里士满。有麦克道尔的部队挡在华盛顿与南方军之间，战争部的战略似乎已经完美无缺了。看来——正如斯坦顿一贯看法的那样——将军们的老本行，两个律师也能够轻松掌握。只留给班克斯将军一个师保卫谢南多厄河谷，这让班克斯将军非常担心。

在试图智胜杰克逊的过程中，斯坦顿先生的所有推论都是错的。杰克逊将军并没有向南移动。他们用煎锅的手柄塞住他们的枪筒，这支衣衫褴褛的部队像狐狸一样迅速而轻盈地移动。杰克逊是一个黑胡子长老会苦行者，他的帆布背包里塞进了一些柠檬和三本书——《圣经》《韦伯斯特词典》和拿破仑的《兵法》(*Maxims of War*)。他有着狂热的灵魂，从心底里痛恨扬基佬，是个勇猛无畏、才华横溢的军人。杰克逊以联邦军做梦也想不到的速度，从谢南多厄河谷以西的崇山峻岭中原路返回，横扫了弗兰特罗亚尔。5 月 24 日星期六早晨，总统和战争部长高高兴兴地送别了麦克道尔的军队，回到办公室，电报设备噼噼啪啪地发出了一连串警报的点划码。星期天早晨传来了班克斯在温彻斯特被击溃的消息。尽管杰克逊在安息日[①]就连一封信都不会去寄，但他并没有让严守安息日的顾虑妨碍战斗。坐在马鞍上，他常常抬头面向上帝（上帝也痛恨扬基佬），祈求在战斗行动中给予指引。联邦军兵力的分散对杰克逊有利，不过在这件事情上，与其说是上帝插手，倒不如说是那两个业余军事爱好者——斯坦顿和林肯——帮了大忙。

有叛军在身后紧追不舍，班克斯手下唯一的一个师越过波托马克河上游狼狈而逃。关于“石墙”杰克逊的下落，再也没有任何秘密可言。他就在首都伸手可及的范围之内。华盛顿和巴尔的摩能够抽调出来的每一个士兵都匆忙奔赴哈珀斯费里；斯坦顿——沃兹沃思说，他就像个老太太一样神经兮兮——打电报向北方各州求援。报童们的尖声叫喊“华盛顿危在旦夕”响遍联邦的各大城市。据传闻，整个南方军正在向波托马克河进发。在参议员和众议员们对自己将沦为战俘的恐惧中，一些民兵团和地方志愿军匆忙驰援。

他们的到来纯粹是白费力气。杰克逊并没有试图越过波托马克河。当首都得知叛军正迅速向谢南多厄河谷撤退时，警报也就解除了。“大恐慌”结束了，不过杰克逊已经实现了他的目标——麦克道尔对里士满的进逼立即暂停了。军事战略被迫服从于政府对首都的担心。麦克道尔像麦克莱伦一样提出了强烈反对，但他的一个师奉命去了华盛顿，另一个师去了谢南多厄河谷。再也用不着面对麦克道尔的大军——这支大军可能使里士满的形势出现逆转——杰克逊成功地把它驱散了。北方一度固执地认为：他的大胆突袭把他领进了一个陷

①　安息日：宗教（犹太教等）上指星期六。——译者注

阱，他的大军可能会被派来拦截它的部队给消灭。但是在斯特拉斯堡，杰克逊从联邦军部队之间溜过去了，实现了成功的撤退，并在克罗斯基斯和共和港打赢了两场胜仗，然后在里士满城前与大部队会合。

在此期间，从麦克莱伦驻扎在奇克哈默尼河两岸的部队传来了费尔奥克斯的血腥消息。北方的报纸为联邦军的一次伟大胜利而欢呼，但伤亡的故事漫长而令人悲伤。在威拉德酒店的休息室里，撒迦利亚·钱德勒喝得醉醺醺的——司法部长贝茨写道："这是他最近不知不觉染上的一个坏习惯"——在人群的面前大骂麦克莱伦，称他是一个骗子、胆小鬼。尽管激进派怒不可遏，但国民们并没有失去信心。联邦军打了一场硬仗，一场漂亮仗。这场战斗之后，据说，叛军"在一种像奔牛溪之战一样的恐慌中"撤退了。约瑟夫·约翰斯顿受了重伤。波托马克军团距离里士满只有 5 英里。胜利带来的兴奋激励了人们的勇气，北方人民毅然面对伤亡和耽搁，期盼着南部邦联首都的陷落。

给麦克莱伦派出了更多的军队——麦克道尔军的又一个精锐师，以及来自门罗要塞的 10 个精锐团，还有很多新招募的民兵团——6 月变得很漫长，但弗吉尼亚半岛上寂静无声。在华盛顿，有谣言说里士满已经被占领，杰斐逊·戴维斯自杀身亡。唯一可靠的消息是医院的船带来的，它们卸下一船船发烧的士兵，他们来自奇克哈默尼河畔的沼泽地。几批来自首都的游客探访了位于帕门基的白屋码头。麦克莱伦接待了西华德国务卿、韦尔斯部长、贝茨部长、达尔格伦海军中校、弗雷德里克·西华德夫人、戈尔兹伯勒将军的夫人和女儿及其他女士们，他们乘坐蒸汽船"巴尔的摩城号"进行一趟愉快的游览，陪伴他们同行的有伙食包办人沃姆利和他的助手们。麦克莱伦将军让救护车载着他们绕营地一周视察，战地医院的一位护士写信给家里，谈到了女士们的探访，“穿着绸缎，洒着香水，戴着蕾丝花边小羊皮手套”。然而，6 月的下旬，迎接了几批政治家之后，麦克莱伦禁止一帮众议员探访他的前线。他们回去之后便散布了一个传闻，对将军和他的工作说了一些坏话。华盛顿因为下述谣言而群情激昂：弗吉尼亚半岛有一场激战，因为麦克莱伦而出现了糟糕的逆转。对于这个传闻，《星晚报》没有像往常那样追踪到分离主义者授意，而是追踪到了国会大厦的一位雇员，他是从国会议员那里听到这个传闻。在《星晚报》看来，这个恶意中伤的传闻“是一些用公款旅游的捣乱者抱着报复心理杜撰出来的，他们在最近探访弗吉尼亚半岛的时候试图穿过麦克莱伦将军的前线，结果被将军理所当然地拒绝了”。

仅仅几天之后，终于从里士满周边地区传来战斗的厮杀声。在大炮的呼啸声中，回响起一些昏昏欲睡的、饱受热病折磨的小地方的名字。报纸的大字标题中血淋淋写着梅卡尼克斯维尔、盖恩斯米尔、塞维奇基地、白橡树沼泽这些地名；人们试图从那些含糊的、经过审查的报道中猜测，究竟是怎样的新一轮进逼里士满的军事行动，导致了这一连串的遭遇战。紧接着是寂静无声的三天。当来自马尔文山的消息打破悬念的时候，人们得知，波托马克军团的基地已经从帕门基迁到詹姆斯河畔的哈里森码头，再也没有任何怀疑：麦克莱伦的行动是一次撤退。媒体徒劳地坚持认为：“七天战役”是联邦军胜利，向詹姆斯河战线移动是执行最高明的战略。在他们的巨幅作战地图上标出这些地方，北方的人民便可以清楚地看出，哈里森码头距离里士满将近 25 英里；终于，在经历了几次拖延耽搁和可怕的人员伤亡之后依然残存下来的强烈希望破灭了，失望像传染病一样在整个国家蔓延。

在这场战争的第二个夏天，联邦再次面对灭顶之灾。征兵在 4 月份被斯坦顿停止了，在 6 月份又重新开始。但是，弗吉尼亚半岛的失败让政府深感震惊，不再满足于一支50万人的大军，于是发出新的号召，征募必要的军队。在七天战役胜负难定期间，政府间接地向国民提到了征兵的必要性。西华德先生私下里安排北方各州的州长要求总统发出征兵号召，为了顺应这个授意而为的要求，林肯先生请求征募35万人。国民忠诚地响应了这一号召，即使不是那么热情。为了吸引新兵，提出了现金奖励，各州和地方当局纷纷凑钱增加津贴。

在针对麦克莱伦的个人战斗中，斯坦顿早就成功地赢得了蔡斯的充分合作。在某种程度上，他影响了所有内阁成员，使他们都反对麦克莱伦将军，韦尔斯评论道："即使没有斯坦顿对他的敌意，他自己的缺点就够受的了。"然而，战争部长对麦克莱伦本人做过多次忠诚表白，在七天战役之后，他给将军写过一些过分恭维的信，极力表明自己的友爱和忠诚。他写道，没有一个朋友比他对麦克莱伦更忠实；他的心里总是想着将军，他会不惜任何牺牲帮助他。当马西将军从哈里森码头来到首都的时候，斯坦顿邀请他去自己的私人办公室，把自己的手放在他的膝盖上，向他保证（作为自己渴望为麦克莱伦效劳的一个证据）：他"愿意赤身裸体躺在排水沟里，让他在我的身体上站几个小时"。

如果他真的希望消除麦克莱伦的怨恨，那斯坦顿看错了人。在将军的眼里，他是"最卑鄙的人"，"最彻头彻尾的无赖"，以及"最堕落的伪君子和恶棍"。麦克莱伦写信给妻子说："我认为（我并不希望无礼），假如他生活在耶稣那个时代，犹大将依然是门徒当中受人尊敬的一员，斯坦顿那种冠冕堂皇的背叛和无耻将会让犹大在虔诚的恐惧中举起他的双臂。"

在他痛斥斯坦顿的同时，麦克莱伦对"华盛顿那群猎狗"中其余的人同样恼火。在他堂皇的自我辩解中，以及在他对迫害的想象中，他变得几乎失去理性，恐怖的七天战役把他逼到了情绪崩溃的边缘。在盖恩斯米尔战斗之后，他发给斯坦顿一封焦虑不安的电报，把自己的失败归咎于政府，因为政府没有支援他。“就算我现在保全了这支军队，”他最后写道，“我要清楚明白地告诉你们，我并不把这归功于你们或华盛顿的任何其他人。你们已经尽最大努力要牺牲这支军队。”麦克莱伦知道，这些话都是不可原谅的——他歇斯底里地挥鞭乱打，不计后果。然而，巧的是斯坦顿并没有读到这份指控。电报落入桑德福上校之手，他看后大惊失色，于是擅自删除了这些句子，就这样躲过了斯坦顿的审查。

当心烦意乱的总统同斯坦顿一起来到哈里森码头的时候，这很难让他消除对麦克莱伦精神状态的担心。处在危急的情势中，将军仍有空关心政治。他写了一封长信，建议林肯先生恪尽职守——尤其是要避免发表任何反对奴隶制的声明——并且厚着脸皮把这封信交到了总统手里，总统读了信，并说对他感激不尽。

波托马克军团打得英勇顽强。在费尔奥克斯和盖恩斯米尔的烈火中，麦克莱伦锻造了他的武器。东部的士兵从未像西部的联邦军那样受到过大胜仗的激励，但他们在失败中依然不屈不挠；在他们撤退的那个焦头烂额的一周的最后，他们在马尔文山的山坡上击退了敌人。他们已经不是 3 月底从华盛顿启航时的那些身强体壮、漂亮时髦的小伙子了。在七天战役的惨重伤亡之前，各旅都已经损兵折将，造成部队伤亡的，不仅有战斗，而且还有疾病。另一方面，麦克莱伦在作战期间常常得到增援，而且还在接受新的部队。他组建了两个新军：第五军和第六军，而且获得了同意，任命他的两个朋友菲兹－约翰·波特和富兰克林为指挥官。在遭受所有这些损失之后，麦克莱伦手下依然有 86 000 多人在服役。他强烈要求再增加 10 万人。他的大部队被围困在一个危险的、有害健康的地区，挤在詹姆斯河边，处在联邦军

麦克莱伦的参谋们在弗吉尼亚半岛

炮艇的庇护之下。6月的太阳就像另一个敌人，火辣辣地照射着哈里森码头拥挤的兵营。

正当人们在酒吧间和酒店大堂里窃窃私语说到内阁围绕军队问题而展开的争论时，军队的少将们聚集到了首都。他们的出现似乎是某种不祥之兆。《星晚报》评论道："他们来到这里可不只是为了游山玩水。"

华盛顿见到了两位西部的将军：弗朗茨·西格尔和卢·华莱士，西格尔是豌豆岭之战的英雄，受到人们的欢呼致敬。他是个德裔移民，一个干净利索、表情忧郁的男人，长着稀稀拉拉的胡子。在北方庞大的德裔人口当中，"我跟西格尔一起战斗"成了一句战斗口号；在威拉德酒店向他大献殷勤的人群当中，他的德裔同胞最为活跃。印第安纳人则向卢·华莱士大献殷勤，华莱士是印第安纳州的一个律师、政治家和墨西哥战争的退伍老兵，在多纳尔森要塞和夏伊洛指挥作战。在一篇热情洋溢的演说中，华莱士呼吁征召黑人士兵、没收叛乱分子的个人财产。

丹尼尔·西克尔斯将军来到华盛顿，对记者们讲述了纽约人的精锐旅在弗吉尼亚半岛的战役中被打得七零八落。马西和安德鲁·波特都宣称，七天战役是联邦军的一连串胜利。英俊潇洒的约瑟夫·胡克讲述了一个完全不同的故事。菲尔·卡尼也是如此，他来到华盛顿的时候，他那顶斜戴着的法式平顶军帽上佩戴着“卡尼[①] 补丁”——他那个师的鲜红色的标志。在沃兹沃思的司令部里，一些大报的记者听胡克和卡尼讲述了联邦军在弗吉尼亚半岛遭受惨败的故事。一个频繁造访的人是波兰流亡者古罗夫斯基伯爵，他在日记中写下了他对共和党温和派的憎恶，西华德就是其中之一，尽管古罗夫斯基作为翻译受雇于国务院。伯爵衣衫褴褛、心怀恶意，他总是偷偷地溜进来，一只眼睛在绿色的护目镜后面不怀好意斜睨着。他敬佩胡克和卡尼，还有海因策尔曼和埃德温·萨姆纳——他认为，假如不是因为“麦克拿破仑”的无能，这些人及其他指挥官肯定会打胜仗。像北方的其他地方一样，华盛顿也分成了两派，一派支持斯坦顿，另一派支持麦克莱伦。沃兹沃思设在格温老宅的办公室是斯坦顿支持者的一个小小的中心。然而，在 6 月份，战争部长剥夺了沃兹沃思很大一部分兵力。驻守防御工事的军队被交给一个刚刚从西部调来的西点人、S. D. 斯特吉斯将军指挥。沃兹沃思保留了特区军事长官的职位，但他手下的兵力被减少为一个旅，组成了宪兵队，大约 3 000 人。

---

① 卡尼（Kearny, Stephen Watts, 1794 ～ 1848）：美国少将。曾指挥西部兵团参加美墨战争。——译者注

伯恩赛德少将那伟岸的身影和漂亮的胡子出现在宾夕法尼亚大道上。七天战役之后，他奉命率领自己的大部分兵力去增援麦克莱伦。伯恩赛德因为他那次远征的胜利而赢得了很大的声望，那次远征让联邦军控制了北卡罗来纳的内海岸；他屡次三番拜访战争部成了人们猜测的主题。事实上，有人提出让他指挥波托马克军团，他断然拒绝了。他是一个简单、诚实、谦虚而忠诚的人。华盛顿的阴谋诡计让他痛苦。麦克莱伦是他的老朋友，也是好朋友。在寄往哈里森码头的一封信中，他悲伤地写道："亲爱的麦克，我真的不知道你有这么多死对头。"

在华盛顿的众多将军当中，最引人注目的是一个年轻的西部人，有一张自负、削长的脸，一个朝上翘的鼻子和僵硬的长方形胡子。他就是约翰·波普少将，因为在密西西比州的胜利而声名鹊起。6月下旬，他被召来指挥新近组建的弗吉尼亚军团，这个军团由弗里蒙特、班克斯和麦克道尔的部队合并而成，还包括斯特吉斯在华盛顿指挥的军队。弗里蒙特拒绝在波普手下效力，波普曾是他的下级。弗里蒙特在弗吉尼亚西部或谢南多厄河谷都没有赢得什么荣誉，他的军旅生涯的结束也没有多少人表示遗憾。弗朗茨·西格尔被任命为弗吉尼亚军团中弗里蒙特军的指挥官，受到这支德裔军队的热烈欢迎。麦克莱伦从前那些神气的民兵团处境很可怜——人数大为减少，被长途行军给弄得筋疲力尽，衣衫褴褛，装备糟糕，因为劫掠弗吉尼亚地区而士

约翰·波普

气低落。他们当中大多数人被编入了两个很小的旅，由卡尔·舒尔茨指挥，他刚刚从西班牙仓促回国，接受旅长的任命。

波普立即着手把他的大部分兵力集中在蓝岭与马纳萨斯镇之间，他们在那里能够迎击来自里士满的进攻，而且紧挨着谢南多厄河谷。除了德裔士兵之外，还有一些快解散的旅，以及被打垮了的骑兵和拉大炮的马队。然而，到 7 月中旬，弗吉尼亚军团已经处在很好的状态，可以采取行动，波普发布了命令，把他的战线进一步向南推进。在华盛顿，有人预期，他们的逐步推进会在里士满周边地区牵制相当的叛军兵力，减轻麦克莱伦的压力。

在他的军队向前推进的同时，波普将军在总统的要求下，依然留在华盛顿。他经常出席白宫的活动。除了他最近的胜利所带来的分量之外，他还有一个背景：他跟林肯的关系很好，在伊利诺伊州的时候，林肯就跟他的父亲很熟，并在这个年轻人的陪伴下从斯普林菲尔德来到华盛顿。约翰·波普擅长讲故事，而林肯喜欢听故事。缄默和谦逊不属于这个 10 号岛战斗英雄的性格。在正规军中他的军官兄弟们那里，他被称作“一个夸夸其谈的人”。蒙哥马利·布莱尔后来对林肯说，波普是个“吹牛皮、说谎话的家伙”，不应该把指挥弗吉尼亚军团的重任托付给他。而他的父亲波普法官，正如吉迪恩·韦尔斯听布莱尔喋喋不休地唠叨的那样，“是一个骗子，溜须拍马的小人；波普父子全都是这样的货色”。总统“承认波普的缺点，但他说，一个撒谎者完全有可能是一个英勇善战的指挥官”。林肯还认为波普“非常狡猾”——与杰克逊的突袭相关的一系列事件想必让总统懂得了这一品质在军事谋略中的价值。

这个多嘴多舌的西部人让共和党激进派深感满意。他在一次宴会上对蔡斯先生说，奴隶制必须消亡，接着又补充道，波托马克军团的指挥官应该换人。他毫不客气地批评了麦克莱伦在弗吉尼亚半岛的军事行动，并赞成积极有力地把这场战争进行到底，他发布了一些命令，对弗吉尼亚的非战斗人员产生了严重影响。波普在华盛顿受到人们的欢呼喝彩，但他几乎还不了解他指挥的部队。弗吉尼亚军团需要得到团结、激励并灌输新的热情。它的三个军的唯一共通点，就是毫无成果的战斗所带来的精疲力竭。士兵们都觉得，他们在谢南多厄河谷几乎没有被派上用场，完全被忽视了，而他们的失败使得他们对批评十分敏感。有人把他们跟人人称赞的西部士兵相比较，这种比较让他们很恼火。一个西部来的将军，只有凭借巧妙圆滑的手段，才能赢得他们的信任。依然待在华盛顿的波普对他的部队发表了一篇致辞，称赞西部的士兵，“在那里，我们总是看到敌军的后背”。他愚蠢地宣称，胜利和荣誉就在前面，而失败和耻辱藏在后面。这个以自我为中心的家伙对别人的感受缺乏想象力，波普预期，他的致辞将会在他的士兵们的身上创造出一种“欢欣鼓舞的精神”。而这篇致辞的效果，是让他成为被人憎恶和嘲弄的目标，不仅对弗吉尼亚军团是这样，而且对所有东部士兵都是如此。波托马克军团鄙视他，认为他是个喜欢嘲弄人的门外汉，并嘲笑他吹嘘自己的司令部大权在握（这一自吹之词被认为出自波普之口）。

6月下旬，总统让全国人民大吃一惊，他闪电般地去了一趟西点，退休的斯科特将军生活在那里。这趟旅行的目的秘而不宣，林肯只是幽默地提到了斯坦顿“绷紧的缰绳”，并声称，此行跟“任命或撤销这个国家的任何一位将军”没有任何关系。国民的好奇心并没有得到满足。不管总统与斯科特将军之间发生了什么，到7月，有一点已经清楚了：林肯先生满足于由文官来指挥这场战争。在弗吉尼亚，问题变得极其危急。联邦有两支大军：麦克莱伦的军团和波普的军团，可它们并不能形成一个接合点，因为敌军的全部兵力位于它们之间。必须找到一个解决办法；需要智库，需要专家的军事判断。从远离首都、造就英雄的西部，总统又召来了一位将军：密西西比军区的指挥官亨利·W. 哈勒克。他任命格兰特接替了哈勒克在西部的位置，而哈勒克被提名为联邦军的总司令。

亨利·W. 哈勒克

从哈勒克的外表怎么也看不出他是个英雄。他的身材和衣着没有丝毫军人派头。美国将军的流行做法是让他们外套上胸前一两颗纽扣随意地解开——当弗里蒙特坐下来拍照的时候，腰围线上方六个纽扣孔有四个是空的。哈勒克则扣得严严实实，从他的双下巴直到他的大肚皮，但他的样子看上去无精打采，而不是干净利索。他弯腰曲背，走路时双手放在背后，或插进裤口袋里。在他那张阴沉的脸的后面，看不出有什么积极主动的东西，脸上有一双大大的、凸出的、“忙碌的”眼睛。哈勒克光秃秃的前额因为他的下级将领们赢得的胜利而笼罩着光环。有一次，当他指挥军事行动——蜗牛般地向密西西比州的科林斯进军——他手下的士兵们挖苦地把他称作“老脑筋”。哈勒克没有领导能力。他是一个学究和官僚，擅长调动和指挥由文件和事实组成的千军万马。

8 月 6 日，一场战争动员大会在国会大厦东翼的正前方举行。5 点钟的时候，公园里聚集了一群翘首期盼的人，面对着挤满了女士的柱廊和覆盖着国旗的讲台，总统、内阁、华盛顿市政委员会及其他显要人物占据着那个讲台。在他们头顶的上方，是一个煤气灯喷嘴组成的拱门，拱顶上有一颗燃烧的星星，放射着光焰，徒劳地与日光争辉。市长理查德·沃勒克（《星晚报》老板的兄弟）主持会议，人们闹哄哄地迎候总统的到来。在一篇简短的、非正式的演说中，对于广为传播的斯坦顿与麦克莱伦之间的争执，林肯没把它当回事。那是一篇政治家的演说，给这场战争的管理涂上了一层和谐与合作的虚饰表面。总统说，"就其本性的自私利己而言"，麦克莱伦一定希望胜利，并补充道："我也希望他胜利……"

在探访波托马克军团之后，哈勒克建议，从军事上讲，有必要把麦克莱伦的部队与波普的部队在某个地点集中起来，这个地点应能掩护华盛顿，同时又可对里士满展开军事行动。在林肯公开说出他希望麦克莱伦赢得胜利的三天之前，他就知道，弗吉尼亚半岛的战役已经打下了失败的最后印记，而且，从约克镇到马尔文山，一路上鲜血与热病的踪迹，根本就是毫无目的地留下的。

第10章 败军之将

在警报和动乱中，华盛顿作为一个社群坚持了它的生活。即便在杰克逊突袭期间，很多人依然在平静地忙着各自的事情。《星晚报》说，恐慌几乎完全局限于废奴主义者。弗伦奇少校（总统任命他为公共房产管理局局长）愉快地度过了这段时间，夜里玩玩牌，或者看看院子里的喷泉。在他看来，杰克逊在谢南多厄河谷毫发无损地从联邦军的围追堵截中脱身而去，一点也不奇怪。像其他华盛顿人一样，弗伦奇也越来越怀疑新闻报道，不管是好消息还是坏消息。他写道，他几乎不相信梅里麦克号被炸毁了，直到他得到了“这艘装甲舰上的一块经过鉴定的碎片”——当时他曾怀疑，这块碎片是不是来自他自己的木箱子。

当波托马克军团在弗吉尼亚半岛忙着交战的时候，华盛顿从另外一些方面（而不只是杰克逊的突袭所带来的恐慌）感觉到了这场战争。鲱鱼的价格是一个令人恼怒的信号——每对 50 至 75 美分，因为叛军的大炮吓跑了渔民，损坏了他们的围网。投机使得黄金和白银退出了流通，人们带着轻飘飘的钱去购物，装在口袋里没有叮当作响的声音——那是蔡斯部长的绿背美钞，以及几乎所有人的小额纸币。来自北方城市的小额纸币价值很不稳定，导致了很多的不便甚至痛苦。

因为，即便是最好的纸钞也很难兑换，除非大打折扣，或者当大部分纸钞都被用光的时候。市场拒绝找兑价值低于 60 美分的买卖。国会针对滥发小额纸币进行了立法，创造了一个更糟糕的交换媒介：涂有胶水的、容易破损的邮票，蔡斯立即用邮币取而代之——邮票的复制品，印在很小的厚纸片上，没有胶水。在这种纸片发行之前的那段时期，华盛顿对邮票嗤之以鼻，尽可能使用小额纸币。

跟去年夏天比起来，这座城市已不受军人管制，但他们还是太多，这里没法得到安宁。孩子们跟在军乐队和各团的后面游逛，粗心大意的军官让他们骑在自己的马上，导致了很多意外发生。来自弗吉尼亚半岛的伤兵痛苦地被运抵码头，被俘的杰克逊的军乐队穿着灰胡桃色、咖啡色、黄色和灰褐色的服装列队走向老国会大厦。国会已经插手哥伦比亚特区的事务，正在解放特区的奴隶。战争扰乱了这座城市的安宁，带来了盗马贼、骗子和妓女。它让兄弟反目成仇，为了各自不同的派别而争吵不休；但更加危险的争论并不是很多。在华盛顿，人们并没有像其他北方城市那样怀着极其痛苦的心情浏览报纸上的伤亡名单。特区第 1 团和第 2 团驻守在首都的周边地区，它们的人数并不多。正是特区招募的士兵们的抱怨，使得他们获得了——既不是私下的，也不是通过国会立法——地方给的金钱报酬，而这种报酬在其他地方是惯例；与此同时，为救济他们的家人而募集的捐款同样不足。招募新兵的困难被归因于此，即缺乏爱国主义的慷慨，还被归因于战时首都的劳动力需求，以及很多身强体壮的人被联邦政府雇为职员。

国会大厦周边的氛围，因为激进共和党人的愤怒而变得火药味十足。总统给予麦克莱伦的支持，加上他在奴隶制问题上的保守路线，导致了共和党内部的一次危机。像那些正在撤离一座被宣告有罪的城市的人们一样，国会议员们在 7 月份纷纷离去。本杰明 · 韦德说，这个国家正在走向地狱。很多人相信，国会是最后一次在华盛顿开会了。但外部仍然是一片欣欣向荣的迹象。为了城市的自来水供应，高架渠上的工程重新开工。国会为改善本地的条件拿出了大笔的拨款：完善财政部大楼的西翼，50 万美元；给战争部和海军部的大楼增加一层，各 2 万美元；平整和改造司法广场，4 000 美元；给国会大厦原有部分涂刷外墙，8 000 美元；从地下室拆除面包房并修复面包房所造成的损害，8 000 美元。国会大厦挤满了石匠、砖匠、油漆匠和劳工。为北柱廊三角墙制作的雕塑集中在东翼前面——猎手、印第安人、麦束、希望之锚等等。克拉克·米尔斯已经完成了青铜巨像“武装自由女神”的浇铸，一块块部件被运到现场，堆放在一个临时搭建的平台上，直至穹顶准备就绪。

街轨的修建稳定了民心。工人们挖开宾夕法尼亚大道的地面，闪闪发光的轨道如今把这条布满车辙的街道一分为二。两辆漂亮的有轨马车交付使用。一辆是白色基调的很大的敞篷夏日旅行车。另一辆定

长桥

时客车更加富丽堂皇，装饰着丝绸天鹅绒，彩绘玻璃的窗户，挂着漂亮的锦缎窗帘，红色的玻璃灯悬挂在车外。就连国会议员也很高兴亲自体验一趟，市民们则急不可耐地享受街轨公司提供的免费介绍旅行。铁轨一路铺设到了乔治敦，有两条分支通向火车站和海军造船厂。但当这条线刚刚开通的时候，它只从国会大厦延伸到国务院。第一辆车沿宾夕法尼亚大道行驶，几乎挤得水泄不通，不得不在车前增加一匹马，才能拐过财政部大楼前的弯道。

服务还不到位。车很少，而且很拥挤，女士们的衬裙所占据的空间大得不成比例。售票员经常把疲惫不堪的人们从座位上赶起来，“给女士们腾出点空间”。当支线开通的时候，这套运输系统的神秘性导致了一些混乱和不满；即使在有过数周的乘车经验之后，依然有一些人很不适应，他们总是认为，他们应该站在路边，示意有轨马车过来，捎上他们。

国会休会之后，这座城市几乎完全陷入了夏天的倦怠中。生意萧条，随军小贩和商人准备追随弗吉尼亚军团的足迹。女士们从最近被联邦军占领的弗吉尼亚来到华盛顿，走亲访友，顺便买点东西。房租跌去了一半。《纽约先驱报》说，几座要塞躺在山顶上晒太阳，看上去昏昏欲睡。有记者觉得需要“石墙”杰克逊，领着5万人马，才能唤醒华盛顿。

7月下旬，华盛顿的所有事务都暂停了，这是为了向死去的前总统马丁·范布伦表示敬意。首都没有为叛乱分子约翰·泰勒的去世致哀；却鸣枪降旗纪念范布伦——一个筋疲力尽的人，一个用古怪方式联合起来的国家的纪念品。这座城市披着黑纱，开始感觉到焦虑。在国会大厦举行战争动员大会就是一个令人心烦意乱的信号。三天后，传来了联邦军失败的消息，这一回不是在遥远的弗吉尼亚半岛，而就在库尔佩珀的南边。取代约瑟夫·约翰斯顿指挥南方军的罗伯特·E.

李派杰克逊来阻挡弗吉尼亚军团的前进。班克斯草率地攻打屠宰山（也称雪松山），上帝把胜利赐予杰克逊的部队，这支部队在数量上占压倒性优势。华盛顿爆发了战争集会，到处都是招贴画和演说，号召人们参加民兵。在威拉德酒店等候征兵的人非常多，以至于餐厅里只好雇用黑人工作。一个委员会急切地募集资金，以帮助士兵的家人。各部门的职员在组织地方志愿兵团。

总统号召各州征募民兵的命令是一个强力刺激，不仅刺激了首都，而且引发北方各地身强体壮的人的紧张。有很多人为逃避征兵而远走他乡，以至于旅行受到了限制。斯瓦姆普德尔地区的外国出生居民大量北逃，不久之后，华盛顿火车站的卫队开始把他们往回赶。

到 8 月中旬，华盛顿已经完全醒过来了。门罗要塞的报纸记者们发电报说，一些满载军队的运输船正沿着詹姆斯河顺流而下。屠宰山的失败突然间似乎是一个不祥之兆。随着波托马克军团撤出弗吉尼亚半岛，李的军队开始大规模地向北进发，在进军拉皮丹河之后，退守拉帕汉诺克河。

在两位国会议员范·瓦尔·肯伯格和戴文的率领下，纽约第 107 团到达首都。他们两个人在本届国会闭会之前就离开了，去他们的选民当中招募志愿兵，该团是根据总统 7 月份的号召第一个抵达华盛顿的民兵组织。紧随其后的，是来自纽约、宾夕法尼亚、马萨诸塞、康涅狄格、缅因、新罕布什尔、新泽西的新兵团。在七天战役带来的失望和沮丧中，激发人们的爱国热情并不是件容易事。这些人都不是满怀热情地踊跃参军，需要现金津贴的激励，他们才肯为国效力；他们唱着新歌："我们来了，亚伯拉罕老爹，又有了 30 万人马。"再一次，士兵们川流不息地走过华盛顿火车站。一切是那么熟悉，他们无精打采的身影走过大街小巷。他们的指挥官在酒店的酒吧间里占据了原来的位置。他们跨过波托马克河上的大桥，新来的人便占据了他们的位置，然后又轮到他们被派过河去——源源不断的新兵列队进入弗吉尼亚。这一切让人想起战争的早期，但又不一样。那种傲慢的自信随着漂亮的民兵制服一起消失不见了。再也没有壮观的阅兵典礼和军乐队。团级乐队被废止了，只留下军团乐队和旅乐队。康复的伤病员成了军队的厨子、服务员和信差。宪兵司令宣布，那些出入名声不好的酒吧和餐馆的康复伤病员很适合这样的差事。战争部长发布命令，撤销所有的休假。联邦需要人手。形势紧迫，不得不把没有受过训练的部队派到弗吉尼亚去。

在成群结队的军人当中，有一位脸色白皙的将领毫不惹眼地走动着。他的肩章上有一颗星，他那笔直的军人身姿预示着在西点军校接受过专业训练；但并没有指挥权在等着他。查尔斯·P. 斯通在联邦监狱里待了九个月之后，回到了这座他曾经保卫的城市。他是突然被释放的，没有经过审判，也没有任何解释；他甚至还没有看过对他的起诉书的副本。他想要洗刷自己的罪名，恢复清白，再一次为他的国家而战斗，并带着这个强烈的愿望一头扎进了华盛顿的兴奋和专注中，但没有一个人倾听他要求公正的微弱声音——副官署对他的逮捕一无所知；哈勒克将军从未听说过这个案子；总统用一个听上去像笑话的借口来敷衍他。没有记录表明，他曾试图去见斯坦顿先生。

首都在祈祷波托马克军团的到来。它的恐惧并非夸大其词。波普手下那支新组建的小股部队一直在忙着与杰克逊之间持续不断的小规模冲突。班克斯军在屠宰山被打得溃不成军，而且，波普认为西格尔是一个不可靠的指挥官。弗吉尼亚军团的骑兵几乎毫无用处，因为过度劳累和喂养糟糕的马匹早已筋疲力尽。掉队成了一个严重问题，对波普来说，在战场上解决这个问题是不可能的。

从华盛顿的防御中抽调了多个团增援波普。斯特吉斯奉命去了前线，而波托马克军团的总工程师巴纳德将军则被调来指挥防御工事。从弗吉尼亚半岛匆忙赶回来的巴纳德发现，卫戍部队的兵力不到 6 000 人，其中 2 000 人奉命跟随斯特吉斯一起出发，还有 2 000 人差不多要准备退伍了。巴纳德能够得到大量的新兵来填补他们的位置，但他们没有一个人会操作枪炮。

波托马克军团和伯恩赛德所指挥的几个师已经开始在亚历山大港和阿奎亚河登陆。没有马车、大炮，也没有足够的弹药，他们奉哈勒克之命与波普会合。军指挥官菲兹－约翰·波特和海因策尔曼向波普负责，还有一些在弗吉尼亚半岛扬名立万的师级指挥官——胡克、卡尼、米德，以及约翰·F. 雷诺兹，此人是一位骁勇善战的将领，率领宾夕法尼亚州预备役部队。就领导能力和装备而言，这些援军的质量都是第一流；但无论是军官还是士兵，都不信任那个自我吹嘘的西部人，他们发现自己的军队突然被归到他的麾下。所以波普拥有的只是一大堆凑在一起的士兵，而正在向前推进的罗伯特·E. 李的大军，则是一支被信任和忠诚团结在一起的军事力量，并且充满了胜利的信心。

波普不是军事天才。他没能智胜杰克逊。他的耳朵不够敏锐，听不到朗斯特里特的军队前进的脚步声。不过，尽管他喜欢吹牛，但他勇猛无畏、精力充沛，而且，他尽了最大的努力来执行哈勒克将军的命令。迟至 8 月 25 日，他还相信，哈勒克打算亲自指挥这支大军。在接下来的那场激烈战斗中，李亲自披挂上阵。而哈勒克依然留在他在战争部的办公桌旁，抽着雪茄，按摩着他的双肘。

1862 年 8 月，“老脑筋”并没有赢得作为一个兵法大师的荣誉。他坐在战争部的那把扶手椅里，只是一位急躁易怒的官僚。哈勒克憎恶华盛顿——他写信给妻子说：它是一个“政治地狱”——并表现出一种任性的逃避责任。他总是发出含糊不清的命令，忽视回复急迫的电报。波普请求他提供关于他的计划和援兵的信息，但白费力气。8

月 26 日，他发电报给波普说："你只要想想我必须发出数量庞大的电报，那么你说，能不能指望我告诉你关于其他部队行动的任何细节，就算我知道这些细节。"在 8 月末那些日子里，士兵们在流血，英雄主义精神被耗费，而哈勒克却把四分之三以上的时间用在了招募新兵和解决西部的问题上。

在接待陆续到来的民兵团这件事情上，华盛顿表现出了它的进步，懂得了如何应付一场战争。在火车站附近的两幢大楼"士兵旅舍"和"士兵休养所"里，民兵们吃得好，住得也好，有精力维护治安，开赴前线。军列驶近首都的时候，军需部就得到通知，马上开始烧火做饭。士兵们刚一抵达，便可以吃上热腾腾的饭。如果他们需要立即动身上战场，便会在他们吃饭的同时为每个人准备一天的口粮。俄亥俄第 23 团的陆军中校卢瑟福 · B. 海斯发现，与华盛顿军事问题有关的所有安排都很完美。他所率领的团是奉命从弗吉尼亚西部来保卫首都的一个师的组成部分，几个月以来一直在荒野里战斗，华盛顿对海斯上校来说是一个意外的发现。在他的团，有一个冷面的小个子，名叫威廉 · 麦金利，是一个军需官，海斯将为他谋得晋升。

亚历山大（马歇尔旅馆）

亚历山大港挤满了来自弗吉尼亚半岛的船只，这个场景在战时并不很惹眼。街道上到处都是闲逛的士兵、醉酒和骚乱。一个很有能力的人坐镇小火车站，他就是军队的铁路长官赫尔曼·豪普特。他的首要职责就是给波普的军队运送供应品，遇到了很多困难。弗吉尼亚军团的牲口由于缺乏饲料而在重轭下喘息，78 节满载粮食的车皮停在马里兰大道的轨道上。亚历山大的轨道上乱七八糟地停满了另外一些满载各种供应品的车皮。它们数量太大，军需官没法卸载。很多驶往前线的列车都没有返回，豪普特面临着运力的严重不足。

斯特吉斯将军插手列车的控制权，让运输服务支撑了一阵。当豪普特告诉他，自己将推迟对波普的增援时，斯特吉斯厉声说："老子不会照顾约翰·波普一坨鸟粪！"波托马克军团的将军们吵吵闹闹，争论不休，发出互相矛盾的命令，每个人都期望自己的部队得到优先权。所有人都想坐火车去，宁愿留在军营也不愿行军。没有专门的部门能够给豪普特提供部队的到达、营地的位置以及他们的优先权等信息。他夜以继日地工作，不知用什么办法保持数千人的队伍走向前线——或者说，他相信他们去的地方是前线，因为波普的军队的确切下落并不确定，哈勒克让铁路长官负责确定援军的目的地。

8 月 26 日，也就是海斯怀着敬佩的心情打量华盛顿的那天，哈勒克怒气冲冲地拒绝承担责任，而来自波普司令部的电报线毫无音信。第二天，从马纳萨斯镇通往亚历山大港的大路挤满了逃难者。妇人小孩挤在大车里涌进这座砖石小城，汗涔涔的黑人艰难地穿过漫天尘土。人们纷纷传说叛军的骑兵队发动了一次突袭，占领了马纳萨斯枢纽站那些巨大的军事仓库。在他们的身后，升起了焚烧仓库和货运列车的滚滚浓烟。桥梁被摧毁了，铁路被掀翻了。

当麦克莱伦在亚历山大河边的一块场地上安营扎寨的时候，他不再是七天战役结束时那个失去理性的人。处在一个难受而反常的位置上，他平静而自制。他强烈反对把他的部队撤出弗吉尼亚半岛，恳求允许他从哈里森码头向里士满进发。哈勒克再三告诉他，他将获得波托马克军团和弗吉尼亚军团的指挥权，关于这一任命的谣言依然在华盛顿持续不断地传播。可是，关于自己的身份，麦克莱伦无法得到明确的信息。分派给他的是一个参谋官的职责。讽刺的是，其中一项职责是要把他的部分兵力交给另一位将军——而且是他并不信任的一位将军，他的通信被切断了，他的位置无人知道。

麦克莱伦坚持不懈地工作。毫无疑问，保卫华盛顿是一项比增援波普更合意的任务。在向总统提出两个选项——要么打通与波普之间的通信，要么保卫首都——的时候，他用了一个颇能透露内情的说法："让波普摆脱自己的困境。"很难揣测麦克莱伦心中暗藏的愿望，连他自己也因品德高尚而不承认这个愿望。而且，他本性中的偏好是防御战。他驻扎在华盛顿周边地区，他害怕敌人进攻那里驻兵不足的防御工事。波托马克军团的一个军留在了门罗要塞，但麦克莱伦在亚历山大港有两个军。富兰克林军在他之前就抵达了那里。萨姆纳军被迅速从阿奎亚河调了过来。8 月 28 日，整个城市在颤抖。可以听到从弗吉尼亚方向传来大炮那低沉的回声。很多人逃往马里兰。整整一夜，战争部发来的电报把麦克莱伦给淹没了，有一个谣言让人们惶惶不安，说的是罗伯特 · E. 李领着 15 000 人正在向链桥进发。第二天，哈勒克同意了麦克莱伦的建议：让萨姆纳保护防御工事，尤其是链桥。对富兰克林军的安排很棘手。哈勒克想摆脱运送军队上前线的差事，他告诉麦克莱伦："按照你认为最好的方式去指挥。"由于富兰克林军缺乏马车、骑兵和大炮，因此，麦克莱伦认为最好的方式不是向马纳萨斯推进，敌军大规模地集结在那里。但是，一些不大友好的眼睛正从首都盯着他。人人都知道富兰克林是麦克莱伦的爱将之一，拖延被认为是敌视波普的证据。哈勒克的命令改变了语气。大街小巷里那些担惊受怕的人在窃窃私语，抱怨富兰克林不肯迅速前进。8 月 29 日，也就是富兰克林军缓慢而沉重地朝着阿纳达尔行进了 9 英里的那一天，从马纳萨斯方向传来的隆隆炮声告诉华盛顿，波普在遭遇杰克逊的时候后退了。

傍晚，战争部接到了波普发来的一份电报——这是四天里的第一份电报。第二天下午，另一份电报（这天清晨发出的）宣布：联邦军依然在阵地上坚守。8 月 30 日这个闷热潮湿的星期六，大炮的隆隆声让空气为之颤抖。《星晚报》说，当一阵清风从西南方向吹来凉爽的时候，它也带来了刺鼻的火药味。在亚历山大港，麦克莱伦听到了战斗的喧嚣声。他的所有部队都去了前线。萨姆纳军姗姗来迟，奉哈勒克之命去了战场。麦克莱伦甚至派出了自己的骑兵护卫队和军营卫队。在波托马克河边的战场上，这位波托马克军团司令的身边只留下了他的副官和不到 100 名士兵。

麦克莱伦被公开羞辱了，但他的死对头们并不满足。他们指控他无能、怯懦和叛国，因为他从弗吉尼亚半岛来得太慢，并拒绝对波普施以援手。蔡斯随身带了一份抗议信，向总统宣读了它，他和斯坦顿打算让其他内阁成员在上面签字。这封信列举了麦克莱伦的违规行为，要求立即把他从军队开除；但蔡斯真正的意见是：将军应该被枪毙。

下午，焦躁不安的人群聚集在张贴在财政部大楼上的一份公告周围，上面宣布了一次巨大胜利。公告称，有 1 万联邦军死伤，他们正躺在奔牛溪的老战场上，医护人员将在 5 点钟集合，去帮助他们。类似的通告奉斯坦顿的命令被张贴在各大酒店里，并刊登在下午的报纸上，与此同时，电报向北方各大城市发出了战争部的呼吁。波托马克军团的军医部门在撤出弗吉尼亚半岛的时候瓦解了，在驰援波普的混乱中，救护车及几乎所有医疗手术器材都被丢下了。事到临头才发现，没有为照料和运输数量庞大的伤员做好充分准备。

5 点钟的时候，一群人聚集在马里兰大道上的铁路车站。铁轨和桥梁被仓促修复了，但列车远在费尔法克斯，而军事补给和军队都急需列车。在豪普特的强烈抗议之后，才向华盛顿派出了没有座位的货运列车。车厢里挤满了人，一直挤到车门口，有些人索性坐到车顶上，车内容纳不了 1 000 人。有几个女人在男护士当中拼命往前挤，但总体上那是一群硬汉。护士们带了些烈性酒给伤兵。当列车到达亚历山大港的时候，他们当中有一半人喝醉了。

与此同时，从 F 街和第 15 街拐角处的军医署，到威拉德酒店，街上挤满了志愿护理人员，都背着食品和药物，等待从财政部出发的救护车。他们当中只有四分之一的人能够挤上姗姗来迟的第一趟车，其余的人不耐烦地继续等待。更多的救护车出现了。人群蜂拥向前，争抢位子。拥挤的人群中，除了医生和护士，还有很多人并不打算坐这趟车去前线。在落日的温暖余晖中，好奇的市民（男女老少都有），想探访战场的国会议员，观光的军官，以及从医院里来的康复中的伤病员，全都涌到长桥上；很多众所周知的叛国者抓住这个难得的机会，大摇大摆地穿过了部队的阵线。

所有救护车都走了后，剩下来的人便改乘马车或骑马，少数人索性徒步出发。但还是有一些人吵吵嚷嚷地要求运输工具。军医署长又招来了一群“情绪高涨的护士”。与此同时，军需部开始急需运货马车。但是不知道华盛顿的运货马车出了什么状况，无论是富兰克林，还是萨姆纳，都没有办法弄到一辆马车。在铁路服务中断期间，有些马车去给波普运送供应品和弹药了。麦克莱伦说，大部分马车被用于华盛顿守备部队的供应。大概，马车队组织的瓦解只不过是普遍混乱的一个方面。宪兵司令被召来解决运输问题，为了完成这一使命，一个骑兵团和两个步兵团被分散到华盛顿与乔治敦之间。骑兵们拔出马刀，对着出租马车的车夫，强迫车上的乘客下来。刚刚抵达这座城市的外地人只得带着自己的行李茫然无助地站在大街上，身着晚装的女士们拖着她们的蕾丝花边和丝带，从宾夕法尼亚大道的尘土中走过。

到了晚上 9 点钟，格温公馆宪兵司令办公室的门口“挤满了各种交通工具和怒气冲冲的车夫”。出租马车的车夫们不仅得不到车费，还被迫在漫漫长夜里驱车于毫无把握的道路上，不知道会有什么意外发生。士兵们把军需品堆放在座位上，一支骑兵分队跟着车队，维持秩序。有些车夫在路上假装肚子疼，骑兵们只好“用马刀迫使他们挺直身子”。

午夜时分，宪兵司令多斯特接到了命令，要他在早晨 6 点之前准备一个车队运输军需物资。宪兵队从有轨马车公司弄来马匹，给它们套上废弃的公共马车。在宾夕法尼亚大道与第 20 街交汇处的西城市场，小贩们愤愤不平地用独轮手推车推着锅碗瓢盆和货物，而他们的马车和车夫都在士兵的监护下离去。宪兵队横扫了各个车马出租行、私人马厩和出租马车站。星期天拂晓时分，华盛顿的空气里充斥着万分不情愿的爱国者们的叫骂声，他们赶着“公共马车、出租马车、集市棚车、老式家用马车、干草车、轻便马车、四轮马车、双轮单座马车、双座四轮轿式马车和轻便两轮马车”，去军需署载货。

清晨传来了一个令人震惊的消息：奔牛溪大捷的报告是假的。首都一觉醒来，大街上流传着惨败的谣言。有人说，军队撤退到了森特维尔，还有人说，南方军已经到了曼森山，正准备炮轰华盛顿城。7 点钟过后，一辆救护车在骑兵的护卫下过了长桥，吱吱嘎嘎地向威拉德酒店驶去。它立即被人群围住了。政治家兼外交官申克将军（他指挥西格尔军的一个师）躺在车里。他坐了起来，一个瞪大眼睛盯着看的绅士喊道：“怎么啦，将军，你受伤了吗？”“是的，”申克说，一边露出他那条胡乱缠着绷带的手臂，“他们也打伤了我。”他的话隐约被旁边看热闹的人听见了，于是他们依据各自听到的版本，奔走相告；很快，整个华盛顿都知道了，申克将军说：“我们的军队被打得落花流水。”大量的人赶紧撤离这座城市。在老国会大厦，囚犯们兴高采烈地听着前一天被俘的几个囚犯讲故事，弗雷德里克斯堡的人质“几乎处在狂喜中”。总统把约翰·海从他的卧室里叫来了——“好吧，约翰，我们再一次挨揍了，我很担心。”

军人和老百姓都在街上到处乱转，华盛顿的这一天看上去不像是礼拜日。疲惫不堪的掉队士兵，以及从弗吉尼亚逃出来的黑人，让街道更加拥挤。乌云密布，潮湿的空气里有一种紧张的寂静。唯一的声音出自救护马车，运送来自森特维尔的伤员。人员伤亡导致的骚动使得早期到达的伤员没能住进医院，他们被送到了市政厅，那里为他们提供了帆布床和毛毯。

星期六夜里，波普给哈勒克发电报报告，部队已经撤到森特维尔，但接下来又补充道，士兵们情绪高涨，一切都很顺利。这些就是哈勒克在星期天早晨掌握的所有信息。麦克莱伦的消息更灵通一些。由于悬而未决的状态让他无法忍受，于是他把自己的一位德裔副官派去了前线——“一个头脑冷静的老兵”，名叫哈默斯坦。天亮之前，哈默斯坦带回了联邦军战败的消息——“麦克道尔军和西格尔军被打垮了”，海因策尔曼军和菲兹－约翰·波特军“遭受了重创，但秩序良好”。麦克莱伦是一个想象力丰富的人。他的头脑里马上出现那一幕幕场景：溃不成军的军队，被丢弃的枪炮，沮丧的掉队士兵；失败的战场上死伤的士兵。他打电报告诉华盛顿：在森特维尔镇与亚历山大港之间的大路上，有 2 万名掉队的士兵来自波普的军队；接到这份电报的时候，蔡斯说，这是一个“无耻的假消息，为了无耻的目的而发出的”。

麦克莱伦希望，在萨姆纳和富兰克林的支援下，军队能够顶住；可是根据哈默斯坦的报告，他并不认为华盛顿能够抵挡叛军的进攻。他写信给妻子说：“如果我能悄悄地溜到华盛顿去，我会把你的银器寄给你。”大桥上的通行再次受到严格管制，他不想为了获准进入首都这种小事而去求战争部。在“痛苦和羞辱”中，他请求允许与他的士兵们一起待在战场上，即便不让他指挥他们；但哈勒克发来电报说，这需要跟总统商量。无所作为对麦克莱伦来说成了一种折磨，而且哈默斯坦告诉他，他的士兵们需要他。星期天夜里，他看到了一份根据斯坦顿的指示发表的命令声称：他指挥的部队只包括波托马克军团中没有派去增援波普的那部分。除了留在门罗要塞的军队之外，剩下的如今全都派出去了。麦克莱伦终于明白：他指挥不了一兵一卒了。

毕竟，麦克莱伦并非一定要为了家事而偷偷地溜回华盛顿。波普发来的另一份电报星期天下午放在了哈勒克的办公桌上。电报询问道：“我想知道，假如这支军队被消灭了，你是不是觉得华盛顿就安全了？”哈勒克什么也没说。他已经崩溃了。他的神经再也绷不住了，伤痕累累的华盛顿，如今又加上了一位官僚的崩溃。那天夜里，他“彻底地筋疲力尽”，发电报请求麦克莱伦施以援手。

第二天早晨，麦克莱伦匆忙赶赴首都。他说，哈勒克请求他负责华盛顿的防御和守备部队，实际上由巴纳德指挥。麦克莱伦力劝哈勒克去前线，最终成功地说服他派一位参谋官去调查。同时，他建议让弗吉尼亚军团退守华盛顿的各个要塞。这正是波普本人所建议的策略，哈勒克发出了命令。波普的电报不再说他的部队斗志昂扬，反而开始暗示：军官当中缺乏斗志。稍后，他报告，敌军已经挡在他和华盛顿之间。这场战斗将是拼死一战，他希望哈勒克做好一切准备，积极保卫华盛顿的防御工事。

星期一早晨，乌云密布，早班列车带来了一群生气勃勃、满怀期待、乐于奉献的人，他们是全国各地的医学从业者、教授、大学生和护士，为响应战争部请求救助伤员的号召而来。没有一个人想到他们——此时此刻，在越来越强烈的惊恐中，没有一个人准备想到他们。那些乘坐救护车队去前方的护士是不幸的，他们下车的地方是已经被胜利的南方军占领的战场，一队叛军骑兵打断了他们对伤兵的照料，59 个护士被俘。那些坐火车去的人则根本没有到达战场。在通风不良的运货车厢里站了整整一夜之后，星期天早晨，他们被丢在了费尔法克斯火车站的泥泞中。在那里，负责指挥的军官下令逮捕所有饮酒过量的人。这些来自北方的爱国者发现，志愿护士不仅多余，而且名声很不好。战争部已经命令沃兹沃思将军安排卫兵把守大桥和码头，把“醉酒的护士”赶回去。

在俄亥俄第 23 团驻守的厄普顿山，卢瑟福·B. 海斯上校写信给妻子说，他能够看到四座要塞、很多营地和漂亮的住宅；站在更高处，国会大厦的白色穹顶清晰可见。隔着很远的距离能听到大炮的声音，部队、军用马车和救护车川流不息，信差们往来疾驰。从弗吉尼亚西部小规模冲突中脱身，投入到这场“令人自豪、场面壮观的光荣之战”中，确实令人快慰。士兵们不知道战斗的结果。海斯看到很多伤员，一些战俘，以及几个获得假释的人。他写道“有人认为我们获胜，也有人不这么看。我认为，到目前为止打了个平手”。

尽管战壕里的人依然抱有希望，但华盛顿城却深陷于绝望中。很多男性护士被他们的经历给弄糊涂了，受到了惊吓，他们带回了一些可怕的故事。波托马克军团拒绝战斗，麦克莱伦和他手下的指挥官们——特别是菲兹－约翰·波特和富兰克林——故意导致波普将军吃败仗。有谣言疯传说麦克道尔犯下了叛国罪，西格尔在战场上开枪打死了他。联邦军被彻底击溃。溃退的幸存者在恐慌中逃往华盛顿。他们好几天没吃饭，饥饿驱使他们比身后紧追不舍的南方军跑得更快。首都的陷落已经确定无疑。

掉队的士兵蹒跚着走过长桥，帽子不见了，鞋子跑丢了，衣服破烂不堪。士兵们沉迷于威士忌的慰藉，以至于华盛顿不得不关闭所有

撤退的联邦军（第二次奔牛溪之战）

喝酒的地方。宪兵队并没有减缓人们的紧张兴奋，他们在宾夕法尼亚大道上来回疾驰，仿佛李的部队已经兵临城下。从前线回来的出租马车被集中起来，转变成了补给车队。公共马车赶紧奔赴码头和火车站，运送伤员去医院。

星期一将近日落时分，从费尔法克斯县府附近的尚蒂利传来一阵大炮的轰鸣声，似乎威胁要立即入侵华盛顿。炮声混杂隆隆的雷声，闪电劈开天空，大雨倾盆而下。人行道和十字路口都被洪水淹没了。行人，包括几乎所有身处室外的人不得不一一蹚过齐膝的浑水。这个暴雨夜过后，星期二又在天清气爽中开始了。当总统和哈勒克沿着大风清扫过的广场，来到 H 街麦克莱伦的家里，他正在吃早饭。哈勒克的副官带回了和哈默斯坦一样的故事。军队遭受重创，通往华盛顿的公路挤满了掉队的士兵。林肯作出了一个重要决定。他要求麦克莱伦接管这座城市以及从前线撤退回来的部队的指挥权。

像另外一些人一样，总统也相信，麦克莱伦想让波普吃败仗。对于派富兰克林军增援的拖延对总统产生了影响，“让波普自己摆脱困境”这句话一直在他脑海里折磨着他。约翰·海得到了这样的印象：林肯认为麦克莱伦“有点疯狂”。在决定恢复他的指挥权这件事情上，总统有他的政治考量。麦克莱伦将军的目标一直得到了拉帮结派、心怀不满的民主党人的支持。他与本届政府的主要反对者结成了紧密的同盟，并开始被视为反对党的领袖，在征兵及其他战争措施上，总统要依靠他们的支持。而且，在这个危急时刻，没有其他人可供选择。要么选择麦克莱伦，要么就是混乱。“波托马克军团中，没有一个人能够像他那样守卫这些防御工事，塑造这些部队。”

战争部长正神经紧张地忙着为华盛顿的陷落做准备。为防止武器弹药落入敌人之手，他下令把兵工厂里储存的物资运往纽约。在斯坦顿的办公室里，一些重要文件被集中打包，能够由人徒步携带，或者放在马背上。星期二早晨，一些炮艇在波托马克河抛锚。蒸汽船“沃楚塞特号”正在驶往海军造船厂——麦克莱伦说，这艘船准备把总统和内阁运送到一个安全的地方——无论何时何地，林肯都不像是一个打算在恐惧中逃之夭夭的人。他指示，政府部门的职员和公共房产管理局中的雇员都应该组织起来，参加战斗，为他们提供武器和弹药；他将面对一次巨大考验——内阁会议。

西华德不在城里。有人推测，他希望避免与预先安排的麦克莱伦的撤职有任何干系，尽管他长期以来支持麦克莱伦将军，但他还是在人们的劝诱下默许了撤职的安排。内阁成员一致同意，面对这样众口一词的局面，斯坦顿声音颤抖地宣布，总统让麦克莱伦接管指挥权，这个消息就像扔下一颗炸弹，一下子炸开了。斯坦顿气冲冲地坐了下来——他一直期待一次军法审判。蔡斯大喊，恢复麦克莱伦的指挥权“相当于把华盛顿交给叛军”。对这两者，总统的态度是仁慈的，甚至是充满友爱的。他说，作为一个战地将军，麦克莱伦是失败的，但是，他赢得了士兵的信任。军队正“连滚带爬地进入华盛顿”，有些事情必须要做。他平静但有力地告诉斯坦顿，这一命令是他自己下达的，而且，他会为此对国民负责。蒙哥马利·布莱尔说，斯坦顿和蔡斯宁愿首都陷落也不愿麦克莱伦复职。

正当麦克莱伦将军仓促准备上前线的时候，他接到了一个信息：只有到军队接近防御工事的时候，他才能接管指挥权。那天下午，他领着几个副官和一支很小的骑兵卫队，骑马出城，去了曼森山。麦克道尔军的一些步兵开始陆陆续续地到来，麦克莱伦让士兵们停住，并命令他们各就各位。很快，一个骑兵团出现了，波普与麦克道尔以及他们的参谋官（像麦克莱伦冷嘲热讽地描述的那样）“夹在中间”。他写道：“我从未见过比这看上去更加无助的司令部。”据麦克莱伦自己的记述，他傲慢地准许两位将军回到华盛顿，并说，他自己将亲赴炮火阵地，隔着老远的距离就能听到炮声。当夜幕降临，炮声停止了。麦克莱伦继续骑马前行，远远越过了防御工事，军官们都在防御工事里和衣而睡，通信兵的信号灯在所有高地上闪烁。在星光之下一条黑乎乎的公路上，他遇到了菲兹－约翰·波特军的第一支部队，这支部队刚刚经历了一场恶战，伤亡惨重。他们的欢呼声唤醒了后方的人，整个队列从头至尾回荡着人们的喊叫声：“小麦克”在这里。

东部的士兵们至今尚未尝试过击退敌人的滋味。他们顽强地发动了一场漫长而损失惨重的战斗——一场注定要失败的战斗。在华盛顿防御工事里分派给他们的位置上，他们满怀怨恨地等待着，渴望在一位他们能够信赖的将军的指挥下再打一仗。萨姆纳和富兰克林指挥的新部队中有种愤慨情绪，他们出发得太晚，没有赶上参加这场战斗——他们是波托马克军团辉煌的第二军和第六军经验丰富的老兵，共有 2 万人。优秀的老军人埃德温·萨姆纳在听到麦克莱伦说他的军团目前的状况并不适合打仗时，被激怒了。后来，他告诉本杰明·韦德的委员会，如果他得到了命令及时前进，他绝对会以自己的全部兵力投入到第二次奔牛溪之战中。富兰克林的一些士兵就站在沃伦顿公路旁，嘲弄正在撤退的弗吉尼亚军团，取笑通往里士满的新路线。然而，第六军依然渴望投入战斗，被推迟进军弄得不知所措。一夜之间，这些部队全都从森特维尔回到了亚历山大港——而当他们去增援波普的时候，这趟行军用去了两天多时间。

从森特维尔到华盛顿，公路和桥梁都被运送伤兵的救护车和马车堵塞了。在数英里被雨水湿透的战场上，到处都是战死的联邦军士兵。佩戴着鲜红色“卡尼补丁”的军官们在他们外套的袖子上戴了一个黑箍，给他们的军旗和军鼓盖上了黑纱。在一面休战旗下，一些穿着灰色制服的人抬着他们那位瘦小而勇敢的将军的遗体，走向联邦军的阵线，这位将军是在骑马冲出一群叛军的包围时被子弹打中了臀部。独臂将军菲尔·卡尼再也不会骑马投入激战了，他的缰绳依然咬在他的牙齿里；但他的名声保住了，在第二次奔牛溪之战的战场上，不止一个人玷污了自己的好名声。

波普在东部的短暂经历结束了，这位 10 号岛的英雄不再是一个英雄。没有一个人记得他曾英勇战斗过，而只记得，他吹过牛皮、吃过败仗。他被降职调到一个边境军区，离开的时候非常愤怒，把自己的失败归咎于麦克莱伦和那些嘲笑他的军官们。

英俊、能干而专横的菲兹－约翰·波特是这次战役的替罪羊。对他的指控最为严重，整个 9 月份，他的服役将笼罩在军法审判和开除军籍的阴影中。许多年以后，那些日子所带来的愤怒才有所减弱，波特的名声才被还以清白。约翰·海写道：“波特是波托马克军团中最杰出的军人，被他对麦克莱伦的热爱给毁了。”

菲兹-约翰·波特

说到麦克道尔的忠于职守，波普赞不绝口。但这位认真踏实的军官，总是记不住别人的名字和面孔，总是用“漠不关心的粗鲁态度”对手下的士兵说话，作为指挥官又一次倒霉背运。他的失败太多了。他的士兵再也不愿意在他手下打仗。各种诽谤劈头盖脸地砸向他，范围从叛国到酗酒，他试图洗刷自己的清白，要求军事法庭展开调查。法庭宣布麦克道尔无罪，但他再也没有得到战场上的指挥权。

联邦军指挥官的无能是一件令人丢脸的事，内阁成员都为之摇头叹气。韦尔斯把他们的办事拖拉归因于西点军校的训练，那里灌输的是防守策略；他完全忽视了李和杰克逊也是西点出身，并宣称：“这所学校依然在涌现办事低效、干劲十足、有勇无谋的战地指挥官。”蒙哥马利·布莱尔把将军们的失败归咎于斯坦顿，并说：他不应该屈从于狭隘的偏见和个人好恶，而应该不拘一格降人才，设法找出优秀的指挥官——“应该掘地三尺，挖出这些宝石。”

东部士兵以及军官的名声彻底给毁了。经验丰富的老兵变得越来越稀少，不仅仅因为死伤和被俘，而且还因为一种可怕的“传染病”：开小差。疲劳、饥饿和失去信心让成千上万的士兵士气低落。在亚历山大的公路上，他们在混乱中像洪水一样后退，扑通倒地便睡，全然不在乎撤退的步兵、骑兵、大炮和马车的喧哗和骚动。他们点燃的大火照亮了整个乡村。过了桥，他们蜂拥着进入首都，聚集在低档酒店里，每一条大街上都有成群结队的士兵，酒醉醺醺，踉踉跄跄，大呼小叫。数以百计擅离职守的军官在华盛顿的酒店及其他公共场所被“一网打尽……就像纽约的警察有时候不得不去高档舞厅抓人一样”。华盛顿这座城市目睹了这些游手好闲的懒鬼和逃避责任的军官，并相信他们代表了联邦军队。这次撤退的后果并没有很快被人们遗忘。这么多民兵组织土崩瓦解，这么多士兵身患重病，疲惫不堪，无法履行职责，以至于不得不在亚历山大港为他们建了一个康复营地。那是一个巨大的、令人不快的垃圾堆，专门收容军队中不称职的人，整个战争期间，它对联邦军的管理层来说都是一个耻辱；但对它的需要始终存在，它保留了下来。

每一天都沉闷无聊，新来的志愿兵在火车站列队集合。有一天早晨，士兵休养所招待了 7 000 多人用餐。“我们来了，亚伯拉罕老爹。”他们给这座不满而绝望的城市带来了笨拙地扛在肩上的步枪，以及从未见识过战争的、毫无经验的稚嫩脸庞。

联邦的事业似乎从未像现在这样毫无希望。在华盛顿人看来，李将军的胜利大军所面对的，只是一支由醉醺醺的掉队者所组成的部队，和一大批毫无经验的新兵蛋子。但首都并没有忘记 1861 年的夏天，尽管人们承认老兵们士气低落，但还是有很多人寄希望于麦克莱伦在 H 街的那幢房子。弗吉尼亚军团已不复存在。所有部队——波普的、伯恩赛德的以及新来的志愿兵——都被并入了波托马克军团。麦克莱伦再一次出城，视察防御工事和营地，他再一次沿着宾夕法尼亚大道骑马疾驰，他的参谋团队紧随其后。只有很少的改变。法国的王子们回欧洲去了。一位在弗吉尼亚半岛得到任命的副官能够像麦克莱伦一样骑马疾驰——他是一个行事鲁莽的长头发小伙子，名叫卡斯特。

一个多星期以来，伤兵们陆续回到华盛顿，乘坐火车、小船以及各种各样的交通工具。宪兵队征用了一些私人马车，往来于码头、火车站和医院之间。让国务院大惊失色的是，普鲁士公使格罗尔特男爵的马车也被无礼地征用了，他被扔在了大街上；为了防止出现外交纠纷，弗雷德里克·西华德赶忙从沃兹沃思那里为所有外交公使争取到了保护。还有一次，一位骑兵把总统的车给拦住了。惊恐的警官及时骑马赶到，这才救下了总统的四轮大马车。林肯说，这位士兵是在履行自己的职责。

宪兵队成了宾夕法尼亚大道上令人闻风丧胆的妖怪。当出租马车进站停靠时，威拉德酒店里一位爱开玩笑的先生压低声音说：宪兵司令正要找出租马车车夫。眨眼之间，两排马车迅速滚动起来，“在咒骂声中”朝着岛区的方向绝尘而去。惊慌迅速蔓延到了柯克伍德酒店、布朗酒店和国家大酒店等出租马车车站，很快，宾夕法尼亚大道上的出租马车全都不见了踪影，就像战斗打响的那天夜里一样。

在军队过去之后，走来了一大批非战斗人员，包括随军小贩、生意人、劳工及其他随军平民。这些陌生人兴高采烈地来到华盛顿，仿佛旗开得胜一般。志愿医生和护士也源源不断到来，他们在城里的总数很快超过 500 人。他们试图让联邦政府支付他们的花销，结果白费力气，其中大多数人愤愤不平地打道回府了，但也有人留了下来，希望能找到机会去照料伤员。一时间，华盛顿人满为患，拥挤不堪，以至于在偏僻小街上走动就像在宾夕法尼亚大道上一样费力。面包师们对这样庞大的需求措手不及，供应不出足够的面包来。

与此同时，李将军的部队似乎撤走了。有传闻说，它正渡过波托马克河上游。总统一直急于找到敌人，并打败他们，9 月 3 日，他命令哈勒克立即为积极的军事行动组织一支军队。哈勒克向麦克莱伦传达了这一命令。

那个星期，麦克莱伦完成的事情很像一个奇迹。在营地和防御工事里，被打垮的各旅似乎被魔法般地重新组织起来了。这是一个军人的聚合体。当麦克莱伦谈及它的时候，它指的是一支军队。它的组织并不完美，它的服装、弹药和供应全处在很糟糕的状况。从来没有哪个指挥官比他更有借口说，自己的人还没有做好打仗的准备，但这一次，麦克莱伦终于能够把自己对完美（而不是可行性）的渴望搁置一旁。他在星期二接管了指挥权。星期四，他下令他的军队向北挺进。星期五，军队出发了。

游手好闲的人并没有被完全从街道上清理掉，当波托马克军团沿着宾夕法尼亚大道阔步前进的时候，人们依然在喋喋不休地谈论军队的士气消沉，对此大摇其头。华盛顿已经见识过威武之师：身强体壮的小伙子，美国式的个人主义者，操练潇洒，装备精良。他们作为老兵回来了。每一个兵力有所减少的旅，都有它的钢铁纵队，由骁勇善战的士兵组成。他们都有家和家人的牵挂，都迅速发展出了小小的个人野心，他们学会了克制他们身上最强大的传统习惯，无条件地服从于专横的命令。征战沙场和餐风宿露让他们遍体鳞伤，再加上他们洗得发白的单薄制服，以及他们肮脏、破碎的旗帜，使他们看上去很难派上什么用场。他们的衣领因为在奇克哈默尼河畔流下的汗水而蔫成一团，他们的护胫和绑腿被乱扔在弗吉尼亚半岛，从梅卡尼克斯维尔直到马尔文山。士兵们行军的时候只穿着衬衣或蓝色罩衫，敞开衣领，卷起裤腿，塞进灰色的毛袜里。戴着各式各样破旧的无檐帽、草帽、棕榈叶帽，以及褐色、黑色和污渍斑斑的白色羊毛帽。军官的马饰不再闪亮。镶金的肩带早已失去光泽，或者被普通金属所取代，深红色的腰带已经褪色，或者不见踪影。它是一支衣衫褴褛、饱经风霜的军队，让人行道上的市民看得目瞪口呆。部队并没有从白宫经过，而是拐进了 H 街，当他们从麦克莱伦的房子旁经过的时候，他们劲头十足地向将军欢呼致敬。

在每一条大路上，长长的队伍迈步经过，新老混杂，他们走过第 7 街、第 14 街，走过卡洛拉马，走过乔治敦。一反平常的顺序，士兵们脚步沉重地走过大桥，从弗吉尼亚进入华盛顿。这是一支防守军，不是一支侵略军。它正在向北行进。

西华德愉快的心情变得黯淡起来。“海先生，人变老有何用处？”他问道。“关于这世间的人和事，你倒是学到了一点东西，可到你用上它的时候却为时已晚。我到现在才发现，军人的妒忌是怎么回事。”星期五那天，像往常一样，下午晚些时候，当处理完他那些“唠唠叨叨、争讼不休的外国邮件”之后，他便驱车出城，在坦纳利镇附近的路旁停了下来，注视着路过的部队。在队列的最前头，走来一些身强体壮的士兵，眼睛直视着道路的前方，时不时地有军官认出路旁这个满头银发的老人，向他欢呼致敬，但并没有放缓他们的步伐。接着出现了一些小分队，他们懒洋洋地、步伐参差不齐地朝前走着，时不时有一小群人停下来交谈或休息。在他们后面，踉踉跄跄地走来了一群掉队者，包括上了年纪的偷懒者，处在康复期的伤病员，一瘸一拐的新兵蛋子。他们甚至懒得装出有点秩序的样子。在他们的后面，有些鬼鬼祟祟的身影一掠而过，迅速爬过沟渠，躲进田地里，或者小心翼翼地离开队伍，向附近的农舍走去。最后，响起了宪兵队清晰而稳健的脚步声，逮住掉队者和开小差者。西华德先生评论道：“走在最前面的士兵是国家的依靠，赢得胜利要靠他们。而后面的那些士兵，只有在发薪水的日子才出现。”

麦克莱伦被明确告知：他的指挥权仅限于保卫华盛顿的部队。有人再次提出让伯恩赛德发挥更积极的作用，接管指挥权，他又一次拒绝了。波托马克军团正在群龙无首的情况下向李的军队进发。麦克莱伦准备追随他的士兵。哈勒克说，总统叫麦克莱伦接管战场上的指挥权。林肯却说，那是哈勒克的责任。没有下达书面命令，而且，麦克莱伦证实，他根本没有接到任何指示。他认为，在首都那种群情激奋状态下，如果他的军队吃了败仗，他很可能要被处以死刑。麦克莱伦坚定而迅速地作出了决定，但他天性中的某种幼稚促使他以一件无礼之举让自己出了丑。他像一个绅士离开一座热情款待自己的城市那样，在自己的三张拜帖上写下了几个大写字母：P. P. C. —— “Pour Prendre Congé”[①]。星期日那天，在参谋和私人卫队的陪伴下，他骑马去了白宫、战争部和西华德的住处，各留下了一张拜帖。

那天傍晚，正当韦尔斯先生与他的儿子埃德加一起散步的时候，他注意到了宾夕法尼亚大道上的一队骑兵，他们的坐骑似乎比平常更好一些。埃德加告诉他（年轻人的眼睛更尖一些），那不是一队骑兵，而是麦克莱伦将军和他的参谋们。当他们从身边疾驰而过的时候，海军部长举起手，行了一个军礼。麦克莱伦将军勒住了马，骑到人行道上向他告别。韦尔斯询问他要去哪里。麦克莱伦说，他要去指挥部队向前挺进。“很好，”韦尔斯部长说，“将军，‘向前进’如今是个流行词，国家期待你前进。”麦克莱伦说，这正是他的意图。“那么祝你成功，将军，全心全意地祝你成功。”韦尔斯先生说。就这样，联邦政府总算有一个代表盲打误撞地祝他一路顺风。

随着军队及其指挥官的离去，内阁成员、参议员和政府各部门的首脑从一间办公室跑到另一间办公室，散布这样的传闻：波托马克军团中对本届政府的敌意十分猖獗。这些故事并非无稽之谈。麦克莱伦手下那些目空一切的西点人公开嘲笑本届政府和波普将军，自吹要把共和党人从华盛顿清理出去，并让军队掌权。一天夜里，在哈里森码

① 意思为临别致谢。——译者注

头，伯恩赛德走进一圈围着篝火的人，直言不讳地说："我不知道你们这些家伙把这次谈话称作什么，但我称之为不折不扣的叛国，上帝作证！"华盛顿也称之为不折不扣的叛国。参议员亨利·威尔逊信誓旦旦地向吉迪恩·韦尔斯保证：某些将军当中有一场造反的阴谋——他已经从麦克莱伦参谋部的一位成员那里获得了重要情报。韦尔斯想到，威尔逊"天性多疑，而且感情用事"；作为军事委员会的主席，他受到了斯坦顿的影响。一些最明事理的人得出的结论是：这些威胁只不过是气话和营地的闲谈，但一些更容易激动的政治家则为军事独裁的威胁感到不寒而栗。麦克莱伦耀武扬威地骑马进入了弗雷德里克镇，那是一座联邦小城，人们朝他抛洒鲜花，用小小的国旗装饰丹尼尔·韦伯斯特的马笼头。军队充满了自信和活力，就连蔡斯也承认，考虑到军队的状况，撤麦克莱伦的职可能很危险。

麦克莱伦率领他的军队缓慢向前，并请求哈勒克增援他。他想要华盛顿所有的部队，班克斯将军留在那里指挥防御。麦克莱伦说，就算首都被占领，它的陷落在重要性上也比不上波托马克军团的溃败。李将军派出了一支大部队围攻哈珀斯费里。麦克莱伦并没有去给哈珀斯费里的守军解围，不久之后，他们投降了。他也没有抓住机会去进攻李将军兵力有所减少的部队。在令人沮丧的消沉中，华盛顿等待着来自马里兰州的军事冲突。就连分离主义者也高兴不起来，因为，当叛军部队到达的时候，马里兰并没有像他们天真预期的那样揭竿而起。

曼斯菲尔德将军进城来拜访蔡斯先生，觉得自己很委屈。斯科特对他不好，用麦克道尔取代了他，而在门罗要塞，他在伍尔将军手下同样不好过，伍尔不喜欢他。如今他被召到华盛顿的一个军事法庭。曼斯菲尔德已经须发皆白，但他渴望为国效力。蔡斯被他的故事打动，发现自己很希望这位严谨、愤懑的老兵更年轻一些。毕竟，曼斯菲尔德有他的办法，在他与蔡斯谈话一个礼拜后，曼斯菲尔德被派去了马里兰，负责指挥班克斯从前的军队第 12 军。两天后，在给部队鼓劲打气的时候，曼斯菲尔德受了致命伤，倒下了。

9 月 15 日，华盛顿得到了南山胜利的消息，南山是蓝岭的一个支脉，李将军的部队集结在那里。各大酒店、政府大楼和散步场所挤满了喜气洋洋的联邦主义者，“麦克莱伦这只股票的行情普遍看涨”。夜里，一大群人聚集在《星晚报》社的公告栏前。有一个人说，他希望这个消息能够得到证实，因为“麦克莱伦并不比波普更可信”，话音刚落，两个看热闹的人把他狠揍了一顿。其中一个袭击者是爱尔兰人，他说：“听了那个消息之后，谁再说麦克莱伦一句坏话，他就活该下地狱。”

两天后，安提塔姆河畔的夏普斯堡爆发了激烈的战斗。在 9 月的金色空气中，两军在那里交战了 14 个小时，天色向晚，南北双方共

麦克莱伦在安提塔姆的司令部

有 20 000 名死伤者躺在狭窄的乡村小路上、成熟的玉米地里和结满果实的果园里。麦克莱伦宣布大获全胜——称得上“一件艺术杰作”；李将军则称之为一场不分胜负的战斗。联邦军的损失稍重一些。但是，身穿灰色制服的队伍潮水般地从马里兰退去了，北方欣喜若狂。

李的军队逃入了弗吉尼亚。麦克莱伦并没有紧追不舍。他对战斗的渴望在安提塔姆河的鲜血中被熄灭了。他已经学会了打进攻战，但他不能追击和消灭敌人。南山战斗之后，他接到了一份电报，署名温菲尔德·斯科特，上面写着：“打得好，亲爱的将军！再赢两场，事情就定局了。”但是，麦克莱伦能够设法做到的，充其量是再赢一场。

麦克莱伦与政府之间的裂痕更深了。他的党羽不仅包括爱国的民主党成员，而且还包括和平鼓吹者、对本届政府不满的牢骚满腹者和分离主义的同情者。有人说他是 1864 年总统竞选中民主党提名的候选人。据说总统那个月发表的奴隶解放宣言在麦克莱伦的士兵当中引起了极大的不满。有传闻说，他之所以没有追击敌人，是因为：这场“游戏”不是要消灭叛军并结束战争，而是为了达成一个妥协的解决办法，能够维持奴隶制。听到这个传闻后总统顺藤摸瓜，追踪到了一位少校，此人是麦克莱伦一位参谋的兄弟，总统亲自讯问了他，并开除了他的军籍，以儆效尤。

一天清晨，在探访麦克莱伦的营地时，林肯登上一座小山，从山顶上，他可以看到白色的帐篷在初升的朝阳下绵延数英里。“你知道那是什么？”他问陪在身边的一位朋友。“那是波托马克军团。”那位先生说，表情有些惊讶。“人们都这样称呼它，”林肯说，“但那是天大的误会，它只是麦克莱伦的保镖。”

回到华盛顿，总统向麦克莱伦发出命令，要求他跨过波托马克河，向敌人开战，或者把他们赶回南方。麦克莱伦没有服从命令。时髦的叛军指挥官杰布·斯图尔特将军领着他的骑兵，绕着波托马克军团骑马疾驰，跑了整整一圈——这种表示轻蔑的壮举，他在弗吉尼亚半岛已经表演过了。他突袭到了宾夕法尼亚州，在钱伯斯堡，劫掠了大量的物资、马匹和牲畜。

华盛顿的人都去马戏团看戏，其主要吸引力是P. T. 巴纳姆的那些著名小矮人。大拇指汤姆是城里最受人夸奖的将军。纳特将军在白宫受到了接待，并为内阁的绅士们唱了一首《哥伦比亚，大海的瑰宝》。当打猎爱好者涌入沼泽地时，波托马克河畔响起了枪声。军事占领使得去年有了一个安静的打猎季，沼泽地里有大量的食米鸟、乌鸫、蓝翅鸟和姬鹬。

美好的秋日已经远去。首都变得焦躁不安，期盼着李将军的部队被赶出谢南多厄河谷。内阁会议上大家都很少说话，笼罩在沮丧的阴云中。时不时地，斯坦顿发出刺耳的讥笑声，但大多数时候他默不作声地陷入沉思。有麦克莱伦当权，他觉得自己的重要性和影响力已经一去不复返，他甚至威胁要辞职。

六个星期以来，波托马克军团一直待在马里兰按兵不动。老百姓因为急躁和不满而牢骚满腹，储备物资减少了，志愿服务滞后了。各州的投票箱给出了对本届政府不利的裁决。总统再三恳求、劝说、命令麦克莱伦前进。麦克莱伦却说，军队还没有做好准备。有一点倒是真的，他的士兵们急需鞋子、毛毯、衣服、马匹和营地设施——李将军的部队也一样，尽管没有这么急迫。麦克莱伦的心情混合了骄傲、阴郁、忧思和怨恨。他自视为国家的拯救者，应该免受干扰。他用了大量的时间与军需部围绕补给问题争吵不休，而在9月份他痛下决心的那个阶段，他却能够忘掉这些补给问题。

终于，他让自己的军队跨过了波托马克河。到达蓝岭以东之后，再缓慢地向沃伦顿进发。罗伯特·E. 李此时正在温彻斯特。通往里士满的大路朝联邦军洞开。一个由爱国女士们组成的委员会拜访了总统，吃惊于“他含蓄内敛的样子和略显蹒跚的步态”。他机械地与她们一一握手。林肯告诉她们：他给不了她们任何鼓励。人民即将面临巨大的痛苦，对此，他们毫无准备。军队没有意识到：他们正在进行的，是一场必须打出结果的可怕战争。

李将军率领他的部队翻越了蓝岭，占领了库尔佩珀县府，挡在了波托马克军团和里士满之间。对林肯先生来说，这是一个决定性的因素。11 月 7 日，斯坦顿的心腹知己、助理副官长凯瑟尼斯·P. 白金汉将军乘坐专列沿奥兰治和亚历山大铁路开始了一趟旅行。他并没有直接去麦克莱伦的司令部，而是穿过一场猛烈的暴风雪，去了伯恩赛德的营地。毕竟，伯恩赛德是战争部能够挖出来的唯一一块宝石。这已经是第三次了，波托马克军团的指挥权摆在了他的面前——这一次是以哈勒克的命令的形式。在焦虑不安中，伯恩赛德犹豫了。在他的居所外面，11 月的狂风卷起大片的雪花。在白茫茫的暮色中，他很不情愿地作出了服从命令的决定，与白金汉一起骑马去了麦克莱伦的帐篷。在麦克莱伦阅读那份解除其指挥权的命令时，两位军官站在一旁注视着。当着他们的面，麦克莱伦没有作出任何表示。当他们离去之后，他写信给妻子说：“为我们可怜的国家扼腕长叹！”

在这支一蹶不振、愁眉苦脸的大军中，最不幸的人是它的新任指挥官。麦克莱伦同情他。他认为——他后来是这样说的——他这位老朋友的能力，充其量只能指挥一个团。对于自己能力上的欠缺，伯恩赛德丝毫也不怀疑。他是一个诚实的人，他打算告诉其他军官：他并不适合这个位置。

麦克莱伦宣称，军队中有一些头脑发热的人支持他拒绝服从命令，他们想挥师华盛顿，占领政府。然而，哪怕只要他一句话，革命就会爆发，他也决不说这句话。此后几天里，他留在了自己的司令部里，作出各种安排，以此帮助伯恩赛德。然后，他告别了自己的部队，平静地离去。他奉命去特伦顿待命。自1776年那个寒风刺骨的早晨乔治·华盛顿从特拉华进军特伦顿、俘获了1 000名黑森人以来，特伦顿周围就一直没有任何军事行动。斯坦顿并不是个爱笑的人，但是，当他仔细思考那份命令的时候，他想必在咧嘴而笑，那完美的上唇曲线尽情舒展开来，越过了浓密的胡须。

第11章 “伤兵大军”

9月底的一天早晨，华盛顿三个最有派头的人聚集在精神病院里。萨蒙·P.蔡斯有着一个政治家的庄严相，肩负了一项特殊的使命来到这里，这一使命把慈善与他渴望实现的政治抱负巧妙地结合在一起。他带着华盛顿的著名美女、他的漂亮女儿凯特，驱车经过阿纳卡斯蒂亚河。这个22岁的姑娘热衷于政治生活中的阴谋诡计，与她父亲一样做梦都想接替笨手笨脚的林肯一家，入住白宫。她那金色的小脑袋，那身优雅的打扮，以及傲慢的举止，更加适合白宫的客厅和舞厅，而不是饱受病痛折磨者的床边。不过，在这个9月早晨，她十分得体地挎着一个装满桃子和葡萄的篮子，去探访一个值得她照料的病人——胡克少将，很多人相信，胡克很快就会接替麦克莱伦指挥波托马克军团。

在辞去正规军职务之前，胡克曾在墨西哥服役，立下过赫赫战功。但在1861年春天，他在首都受到的接待并不是很热情。在第一次奔牛溪之战之后，他拜访了总统，并告诉他：跟奔牛溪战场上任何一个联邦军指挥官比起来，自己是一个更优秀的将领。胡克提出让自己担任旅长，这个要求足以给林肯留下深刻的印象。在威廉斯堡战斗中，他为自己赢得了“英勇善战的乔”这个绰号，打那以后，

约瑟夫·胡克

他在波托马克军团的所有战斗中都扮演了一个英勇的角色。他身材高大，像雕像一般，有一颗高贵的头颅，金发碧眼——“适合给战神当模特儿。”一位报社记者这样写道。诚然，他的容易激动、心直口快远近闻名，有人私下里嘀咕，说他太喜欢喝酒，不应该把指挥一支军队的重任托付给他。然而，他勇敢大胆，坦率可爱的言行举止，为他赢得了很多赞赏。他肤色红润，一双湛蓝的眼睛充满活力。他有一种迷人的方式说服别人同意他自己的满腔热情的看法。对两位重要的来访者——财政部长和他的女儿，胡克开诚布公，利用这个最好的时机把麦克莱伦将军贬低了一番。他信誓旦旦地向他们保证，如果他本人在弗吉尼亚半岛指挥作战，肯定会拿下里士满。在马里兰战役中，他曾率领第一军，他痛心疾首地确定：他过早撤离安提塔姆战场，导致联邦军未能获得一次大规模的胜利。那天早晨他大概高估了自己的魅力。胡克将军躺在精神病院的长榻上，财政部长在一旁审慎地评估他，意识到自己心中的疑虑。不过整体来说，对于指挥这支军队，胡克依然是一个不错的选择。他看上去像一个伟大的将军，而且没有政治野心。蔡斯所代表的利益集团肯定会支持胡克。

将军在安提塔姆被打伤了脚，但心智并未受到损害，1862 年秋天，他选择这个寄宿处，似乎没什么不妥之处。很多级别更低的军人也住在这里。华盛顿一直是个军营，如今转变成了一座医院——波托马克军团庞大的后方医院。一簇簇白色的建筑和帐篷改变了这座城市及周围丘陵的外貌。1861 年秋天毁于大火的 E 街医院被新建的长方形大帐篷形状的司法广场医院所取代。位于新泽西大道和 I 街拐角处的斯坦顿医院则是另一座现代医院，在它对面的明尼苏达街上，道格拉斯、布雷肯里奇和赖斯从前的宅邸如今构成了道格拉斯医院。林肯医院和埃默里医院是在国会大厦东边平地上建起来的。在史密森学会附近，敞开的运河排水沟旁边，排列着兵工厂广场医院那些干净整洁、互相平行的棚屋，从马里兰大道可以很方便地到达火车站和码头。在远处的高地上，长长的一排排单层建筑刷得雪白，被棚屋和帐篷所环绕，像巨大的花朵在华盛顿柔和的光线里绽放。在第 7 街公路和第 14 街公路，有几个这样的大型医院群落被改造成了兵营。传染病病人被隔离在卡洛拉马庄园的隔离医院。海伍德医院坐落于科科伦农场，距离军人之家不远。哥伦比亚医院在子午线山上，其名字取自曾经占据其中心建筑的那所大学。在纽约第 7 团曾经驻扎的子午线山顶上，杂乱地排列着芒特普莱森特医院崭新的大帐篷。

如果一个外地人在华盛顿城周围闲逛，他可以利用那些低矮、灰白的医院作为地标来认路。不过，只要观察得更仔细一些，还可以认出更多的标志。在华盛顿，在乔治敦和亚历山大港，到处都是伤病员，躺在酒店和仓库里，在私宅、学校和兄弟会的旅舍里。在 1862 年独立日那天，你会注意到，教堂里并没有敲响钟声，因为伤病员就躺在大钟的下面。教堂的征用始于 6 月，当时，沃兹沃思将军手下的一位军官拜访了三一教堂、耶稣升天教堂和耶稣显灵教堂的教区长。《星晚报》认为，对忠诚于联邦的信徒来说，这三座教堂占用起来麻烦最少。很快，同情联邦的教堂会众争相把他们的教堂提供给战争部使用。地毯、坐垫和赞美诗集给收了起来。木匠们用垫地板的小块木料把教堂长椅覆盖了，布道坛及其他家具被堆到了地下室里。自来水总管被接了进来，为建在地下室的厨房或仓促搭建的杂屋提供自来水。不久之后，出现了一车车的家具、药品和器皿。联邦的国旗升起来了。病区护士长、护士、护理员、厨师和服务员陆续抵达。救护车开始停在教堂的门口。最后来的是外科医生，带着他们的刀子、锯和肮脏的小棉球。

自去年以来，专利局大楼就被用作医院。1 000 多张病床被放置在第二层和环绕大厅的走廊里。夜里，在煤气灯的强光中，那是十分奇特的一景。像某种新式的恐怖展览，一张张蜡黄的脸躺在一排排闪闪发光的玻璃柜之间，玻璃柜里装满了珍奇之物、外国礼品和发明模型。护士们的高跟鞋在大理石地板上发出咔嗒声，到处弥漫着腐败和死亡的气息。

然而，当波普指挥的战役中的伤员进来的时候，已经没有足够的空间容纳他们了。乔治敦大学被改造成了一家医院，H 街叛军同情者科科伦先生的宅邸也是如此。最后，人们发现，有必要临时征用国会大厦，于是，2 000 张帆布床被放置在了参众两院的会议大厅、走廊和圆形中央大厅里。

从一开始，很多华盛顿居民就对城里这些饱受伤痛折磨的陌生人表现出了同情。各种救助协会踊跃为士兵们奔走忙碌，并筹钱购买相关的设施用品，好让他们过得舒适一些。早期民兵团的病号和第一次奔牛溪之战中被打垮的掉队者都得到了仁慈的对待。一些同情南方事业的女士们也与她们的北方姐妹一起，为伤员缝制包扎伤口的绒布。当首都的医院成倍增加的时候，前来照料伤兵、馈赠礼品的探访者也随之成倍增加。不过这些帮助并非总受欢迎。医院的大门洞开，不仅针对伤病员的亲戚朋友和救助组织的代表，也针对愿意造访的任何陌生人。于是，有人拿不合适的食物给伤病员吃，还有人用一些不着边际的问题让他们烦不胜烦，就连病入膏肓的人，也没有保护他们免遭鲁莽者和好事者的打扰。随意分发礼品导致了很多不公平。有些人只给自己所喜欢的州的士兵送礼物。还有人选择让深受喜爱的宠儿饱尝美味佳肴，而旁边的人完全被忽视了。当受伤的战俘被从弗吉尼亚半岛送到华盛顿以后，一些充满敌意的分离主义女士便成了最令人讨厌的人。让医生和护士深感愤怒的是，她们漫步穿过病区，对联邦士兵的病床冷眼相向，却用鲜花、水果和衣物淹没了叛军伤兵。

市民们持续不断的探访，起到了将这些医院的缺陷广而告之的作用。老酒店、校舍、教堂和公共建筑的缺点，即使在最粗心大意的探访者看来也是触目惊心。翻修的营房光线阴暗、通风糟糕，通常缺乏市政设施，而它们的场地——尤其是骑兵营房的场地——肮脏不堪。而且，医院管理有太多不足，没有受过训练的专业人员可供利用。凡是仓促拼凑而成的医院，某些外科医生的粗心大意和能力不足就不可避免，很多厨师和服务员贪污腐败，几乎所有护士都是外行。没有给患者提供合适的衣服。食物粗糙，而且常常分量不足。死者没有像样的葬礼，他们的薄板棺材被装上马车，快速运往军人之家的墓地，草草掩埋。在司法广场医院（它的管理臭名昭著），死者赤裸的尸体被放在一块空地上，就在这个人口稠密地区的众目睽睽之下准备下葬。华盛顿的这些医院几乎刚刚开张，腐败就成为丑闻，被一些富有公益精神的市民揭露和谴责。到 1862 年秋天，为调查腐败问题，组建了一个地方救助协会。随军牧师也聚集在基督教青年会的房间里，抗议下葬的方式。联邦政府与丧事承办人签订了合同，由后者提供寿衣、棺材、运输工具、工作团队和车夫，并负责挖掘和填埋墓穴，每个死去的士兵总共才花费 4.99 美元，这充分暴露了葬礼的马虎潦草。

尽管那些经过科学设计的大帐篷在专家看来只是部分成功的试验，尽管至少有两个大帐篷（分别搭建在司法广场和兵工厂广场）状况糟糕，但这些干净整洁、通风良好的建筑依然得到了公众的赞赏。

然而，任何人都预料不到，他们这些漂亮的手术室会被下一代人视为是令人发指的地方。它们都被擦洗过，没有什么不好的气味，而且有自来水。硕大的桃花心木箱子装着医疗器具，厚重的中心手术台覆盖着刚刚擦洗过的橡胶布。但是，人们还不懂得无菌处理法。外科医生挽起袖子，把手术刀在他的靴底轻擦一下，手术便开始了。他那双四处摸索的手没有戴手套，把感染深深带进了划破的组织中。如果有一块用来擦伤口的海绵碰巧掉到地上，就把它放在水中挤压一下，立即派上用场；手术最后所产生的血和脓，在任何情况下都只是草草地清洗一下。在穿针引线准备缝合伤口的时候，习惯做法是先用口水把丝线弄湿，然后用手指把它捻一下。冷水是包扎伤口最有效的敷药，溃烂的伤口被反复用冷水浸湿，以缓解灼痛。有时候用蜡把伤口覆盖住，或者用涂了药膏的绒布包扎，这些绒布是一些爱国的妇女和儿童用他们没有经过消毒处理的双手刮擦棉布而制成的。亚麻子粉调制的药膏或弄湿的面包被认为有助于脓的流出，因为所有伤口都应该化脓。在华盛顿引以为豪的这些光鲜亮丽、刷得雪白的大帐篷里，败血症、破伤风、继发性出血和坏疽屡见不鲜，那些装满松木棺材颠簸着驶向墓地的灵车，通常也是拜它们所赐。

然而，对于伤兵来说，尤其对于数量庞大的病员来说，在经历了痛苦和忽略的漫长谵妄之后，华盛顿的这些医院似乎还算舒适的避风港。在他们的血肉之躯里，有榴霰弹或葡萄弹留下的伤口，弹片留下的划口，或者散开的米尼式子弹留下的干净利落的孔洞。他们在前线常要遭受野蛮的截肢，因为，在战争初期，战地医生总是残忍地砍掉受伤的手和腿，让它们堆在血淋淋的手术台周围，足有一人高。在伤兵到达医院之前，传染病通常已经提前到了。

忍饥挨饿、口干舌燥、无人照料的伤兵们终于到达了一个有吃有喝、有水洗澡、有人照料的地方。他们能够安静地躺在床上，而不是躺在运货马车的地板、船的甲板或颠簸摇晃的救护车的搁板上。在华盛顿，他们终于可以在吗啡和鸦片酊中陷入昏迷，在氯仿和乙醚中获得深度的遗忘。

公路旅行是最痛苦的运输方式。联邦军的救护车是一项人道的革新，它们在这场战争之前从未使用过。在战争爆发的两年前，卫生署心血来潮，决定顺应欧洲的现代观念：提供专门为运送伤病员而设计的马车。这个设计得到了极大的支持，因为它十分轻便，打算只让两匹马来拉，它由一个正方形的车厢组成，装在只有一对轮子的轮轴上。这个倾斜得有些荒唐的装置，作为游乐马车对于郊游的军官们来说倒是颇为合意，但对于更实际的目的它却没什么用处。这种两轮救护车像两轮轻便马车一样不结实，稍微用力一拉就开裂了，它们摇摇晃晃的摆动让伤病员无法忍受。人人都认为它们没法使用，但订购的数量如此之多，以至于很久以后，它们才被彻底取代。笨重的四轮救护车需要四匹马来拉，这是能够设想出来的最舒适的救护车。当伤员

战地救护车

由陆路运输的时候，只有最严重的病例才能在四轮救护车上占得一席之地。那些刚刚做过截肢手术的人，脸部被打烂的人，或者铅弹留在胸部或腹部里的人，享有这么一点点奢侈也十分可怜，当他们在弗吉尼亚崎岖不平的大路上疾驰的时候，身体上下颠簸，左右摇晃，不是互相碰撞，就是撞向马车的两侧。

铁路旅行更仁慈、更短暂一些，如果列车没有被转入侧轨等待或晚点的话。不过，每当这样的意外发生时，伤病员就要受苦了。他们紧挨着挤在货车车厢的地板上，有时铺着褥垫，有时铺着稻草，有时候躺在光秃秃的木板上。车厢里黑咕隆咚，臭不可闻。在平板货车敞开的平台上，伤病员暴露在灼人的阳光下，或者任由风吹雨打。在马里兰大道火车站（从弗吉尼亚过长桥的列车终点站），常常要等候救护车，等待过程漫长而乏味。在 1862 年 6 月一个星期六的夜晚，出人意料地来了 400 个伤病员，他们来自弗兰特罗亚尔，由于谢南多厄河谷混乱的医疗服务已经受够了苦。没有救护车来接他们，也没有医院的官员出现。在试图找军医署长未果之后，负责的医生也丢下他们，自个儿吃饭睡觉去了。伤病员们陷入困境的消息唤醒了附近的居民，他们披衣下床，带着热饮料、食品、烈性酒和新鲜绷带，匆忙赶往火车站。主恩教堂、赖兰小教堂和波托马克会堂的大门被打开了，伤员们被抬了进去，得到了照料。第二天早晨，主恩教堂的会众来做礼拜，看到躺在长椅垫子上的那些人以后，便纷纷散去，拿来了新鲜的食物和饮料。这是疏于职守的一个特殊实例，导致那位医生被开除军籍，但延误和管理不当还是持续不断地发生。第 7 区的市民屡次来到马里兰大道火车站出手相救，因为他们的慷慨和慈悲而赢得了很高的声望。

通过船运，就像通过火车一样，岛区接受了来自弗吉尼亚的残兵败将。整个 6 月份，医院的船只源源不断地从弗吉尼亚半岛运来伤兵。7 月，来自七天战役的伤员像潮水一般涌入。人们聚集在第 6 街和第 7 街的码头，看着伤病员从船上抬下来，装进救护车里。夜里，看热闹的旁观者少一些。在闪闪烁烁的火把光中，卫生委员会的工人们在棚屋的周围不停地走动，屋内的大锅里，咖啡和牛肉汤在冒着热气。守夜人用嘶哑的声音大声喊着：“蒸汽船就要到了！”透过朦胧的薄雾，隐约出现了一艘白色大船那头重脚轻的形状。静悄悄地，就像一艘鬼船，它靠向了码头。船上没有灯光，栏杆旁不见人影，没有因为到达或问候而引起的骚动。乘客们躺在甲板上、船舱和酒吧间里，甚至躺在楼梯上和过道里。换班工人们手里的蜡烛光摇摇曳曳，照亮了一双双恳求的眼睛，因为这些可怜的家伙生怕自己被踩着。把他们运到救护车里的工作安安静静地进行。很少有人呻吟。时不时地，有人在自己被抬起来时发出尖叫。但大部分乘客就像那些躺在船头、脸被盖住的同伴一样安静。这艘鬼船继续移动，为另一艘船让路。整夜，救护车不停地吱吱嘎嘎驶向远处的山丘。

当伤兵终于躺在一张安静的病床上时，他常常会睁开眼睛，注视着一个陌生的幽灵——那是一个女人的身影。弗洛伦斯·南丁格尔小姐在克里米亚战争中树立的榜样，让医院里女看护的存在显得十分适宜得体。1861 年 6 月，马萨诸塞州的多萝西娅·L. 迪克斯小姐被任命为女护士主管。

多萝西娅·L. 迪克斯

多年以来，迪克斯小姐由于一个引人注目的原因而广为人知，她是一个从事公共工作的女士。她毕生致力于救助疯人、穷人和囚犯。她揭露了济贫院和监狱里，尤其是对精神病人的治疗中惨无人道的内幕，这些揭露导致了一系列的改革，撼动了立法，拓展了国民的社会意识。她所实现的这一切，并未牺牲一个女人羞怯和优雅的特质。她的身体极其柔弱，她敏感的内心也是如此。用她的传记作者的话说，她渴望成为“一个温柔祈求的声音”；亲临调查使她不得不目睹污秽和堕落，她不敢正视这些，就像不敢正视政治家的粗俗一样，而她不得不通过这些来开展她的工作。这位弱不禁风的圣女在她的自我惩罚中，有某种令人敬畏的东西。她轻声细语，声音甜美，对于她纤长脖子上那颗温柔脑袋来说，发髻似乎太过沉重。但她的嘴和下巴透着坚定，那双蓝灰色的眼睛因为神圣的愤怒而睁大。她作为一个人道主义者名扬全国。美国各地的铁路公司都给她寄去了乘车券。快递公司免费投递她寄给监狱、医院和精神病院的包裹。她的声望最终给女护士的形象抹上了令人尊敬的光环。在她被任命为女护士主管的消息传出之后，应聘护士的申请书像潮水一般涌入华盛顿，很多年轻女性千里迢迢奔赴华盛顿提供服务。

然而这些申请者当中，大多数人遭到了严肃的拒绝。1861 年，迪克斯小姐将近 60 岁。她认为，所有 30 岁以下的人都没有资格从事护理工作。她向宪兵司令（他接待了大量要求入伍的女士）提出要求，只有那些情愿给一个卧病在床的成年男人翻身、能做最低贱工作的人，才可以被派到她这里来。她说，这将大大减少申请者的队伍。容貌姣好不如年轻体壮更受青睐，迪克斯小姐对纤纤细腰有一种憎恶。有个性情温和的女人说，如果想赢得主管的批准，申请者必须“朴素得几乎厌恶穿着打扮”。毫无疑问，医院的病区没有衬裙的容身之地。护士们穿着直筒裙，在她们看来，那样子可笑的“棱角分明”，有“中世纪的遗风”。可是，一些年轻貌美的女子倒是能够脱下衬裙，忘掉虚荣，在医院里认认真真做好工作；相比之下，迪克斯小姐手下很多上了年纪的丑八怪却玷污了她们所从事的服务。

早在 1861 年 6 月，当人们在为一场即将到来的战争做准备的时候，迪克斯小姐就要求成立一个组织。在她漫长的公共服务生涯中，她始终是独自一人工作，缺乏行政管理的才能。如今她虽年事已高，却情绪高昂，坚定不屈。抱着事必躬亲的决心，很快就卷入了细节的迷宫里。她亲自面试所有申请者，给她们分派岗位，走访医院，调解争端，找出弊端，加上监督供应品的分配。她的权力给界定得很不清晰，并且因此与军医产生冲突。军医中大多数人不赞成把女护士引入军队医院。有人认为，女人在厨房、被服室或洗衣房里可能有一席之地，还有人只愿意使用仁爱修女会中那些身穿黑色长袍、训练有素的修女，她们不会蜚短流长，不会大惊小怪，也不会写信告诉家人患者受到虐待，医生喝酒或挪用医院的物资等负面信息。

在那个时代，男人还不习惯让女人来插手他们的工作。虔诚而固执的迪克斯小姐，像个复仇天使一样横扫整个病区，很快就被医生们所痛恨。在那些种类繁多、并不系统化的职责压力之下，她变得过度紧张，失去自制，卷入纷争。在这些纷争中，她常常站在正确的立场上，但她从未表现出宽容和圆通。有些争端拖得格外漫长。亚历山大港府邸医院负责的军医决定，她手下的护士一个也不要。迪克斯小姐给府邸医院分派了一个女护士，指示她无论发生什么都不要抱怨。医院通知这位护士：那里没有她的房间。迪克斯小姐吩咐她在那里留下来，不管把她安排在什么地方。这位恭顺的护士白天不屈不挠地照顾伤员，夜里便睡在病床之间的地板上，直到医院接受了她的存在。她的意志异乎寻常地坚韧。

整个战争期间，迪克斯小姐一直坚守在岗位上，没有一次休假。很多医生不理睬她，自行选择他们的护士，他们得到了军医署长的支持，后者命令他们“管理并指导”他们所负责的病员的护理工作。护士从未被组织化。一部分护士继续向迪克斯小姐报告，另一部分护士则向各自的军医报告。有些人无偿提供服务，没有任何报酬，而有些人则接受了每月 12 美元的政府津贴和食物。有一些女人是各州的代表处和救助协会派来的，而其中一些来医院探望伤员的妻子和姐妹们也留了下来，照料伤员。没有受过训练，也没有任何纪律，她们全都在医院里漂着，尽她们最大的努力学习新职责。她们因为男性护工的虚弱（他们全是处在康复期的士兵，常常虚弱得帮不了任何忙）而承担了过于繁重的劳动。女性们在进入新的活动领域时表现出了勇气和主动性，但她们大多数人起不了多大作用。愚蠢的多愁善感者和不能胜任者被清理了出去。很多人病倒了，只有少数英勇的女性能够在艰苦的工作和糟糕的食物中坚持下来，逐渐赢得了军医和病区护士长的好感。

在视察医院的时候，迪克斯小姐那双老姑娘的眼睛紧盯着各处，坚持要求完美，然而在这些仓促设计出来的医院里，任何地方都看不到完美二字。在战争爆发时，美国陆军根本不存在普通医院。建筑物、护士、伤病员厨房、衣服，以及随时可用的药品供应，一概没有。整个系统必须在战争进行当中创造出来。就像战争部的其他部门一样，军医署也牢牢控制在一些资历甚深的人手里。军医署那些白发苍苍的长官跟不上欧洲军队在伤病员护理工作上所作的改进。军医署长因为与军需部（它对医院的食品供应拥有管辖权）和军需官（他负责救护车及医院的建筑和设备）之间的复杂关系而被搞得混乱不堪。正规军的小规模医疗团队主要由上了年纪的人组成，不适合从事实际工作。有必要招募数以千计的医生，这些在技艺和训练上程度各不相同的医学从业者，在腰部系一根绿色腰带，便摇身一变，成了军医。此外，大量职业医生——所谓的“合同军医”——作为非现役军官使用，负责管理医院的病区。他们报酬很低，也没有晋升的激励，除了极少数例外，这些合同军医是一个效率低下、不守纪律的群体。军医总队主要由学生组成，他们志愿充当裹伤员和助手。药剂师、职员和仓库保管员的职责由那些作为服务员而应征入伍的人来履行。

1861 年春天，与军队组织有关的每一件事情都处在混乱中，妇女救助协会在全国各地的每一个城镇和乡村认真专注地展开工作。在通往华盛顿的铁路上，她们的衣物和食品箱高高地堆在货运列车中。列车转入侧轨，给运送军队和军事物资的列车让路，这些列车经常出现发霉变质的蛋糕、破碎的玻璃和沾满发酵糊状物的衣服。即使没有丢弃它们，早期发送的供应品通常也是不合适的。身在前线的士兵们很快就不得不接受一双双充满爱意的手为他们准备的奢侈装备，闷热而笨重的遮阳布覆盖了每一个营地和每一条行军路线。甚至在得知遮阳布是好心办坏事的一个突出例证之前，妇女们就开始意识到，应当先搞清楚士兵们究竟需要什么，以此来指导她们一时冲动的慷慨之举。

在纽约市，一个深受欢迎的一神派牧师亨利·贝洛斯博士建议，这样的信息应该亲自到华盛顿去找，战争开始后的第二个月，在三位医生的陪同下，他亲自去了一趟首都。尽管他们的使命来自女士们的推动，但这几位先生对军队舒适用品的关注只是第二位的。克里米亚战争期间疾病所导致的骇人听闻的伤亡，给他们留下了深刻印象，他们一致认为，美国应该受益于英国在付出如此可怕代价之后所获得的经验。他们想组建一个科学委员会，有权在军营内部强制推行卫生规章。然而在与军医署这个陈旧过时的机构接触之后，他们这一希望很快就破灭了。这几个爱管闲事的平民遭到了冷遇，被逃避和拖延搞得灰心丧气。但他们也都是声望卓著的绅士，而且坚持不懈，最后，军医署万分不情愿地批准了他们的要求，让他们充当一个咨询团体。

联邦卫生委员会的主席一职便落到了贝洛斯博士身上，他把自

弗雷德里克·劳·奥姆斯特德

己的口才和热情投入到了一项艰巨的任务上：为该委员会的工作筹集经费。主要的行政职责由协会的秘书长在华盛顿总部履行，不久后，为了填充这一职位，一个弱不禁风的小个子男人拄着拐杖来到了首都。战前，弗雷德里克·劳·奥姆斯特德曾在南方各地云游，写过一些书，描述那里的社会和经济状况，这些在自由州很少有人理解。关于奴隶制，很多北方人最早的知识就来自《穷乡僻壤之旅》（*A Journey in the Back Country*）和《沿海蓄奴州之旅》（*A Journey in the Seaboard Slave States*）这两本书中生动而宽容的文字。奥姆斯特德主要的兴趣是农事和园艺。他从事的是一个不同寻常的行业：景观设计，他是纽约中央公园的设计师和项目主管，这个工程在美国还很新奇：要设计一个大游乐场供老百姓使用。事实证明，奥姆斯特德是一个能干的公仆，面对来自腐败政治家们的抵制打压，他仍然坚持不懈地开发了这座公园。他的健康状况由于紧张的工作而受到了严重损害，有一次，在视察工程的时候，他从马背上摔了下来，一条腿严重骨折。他为了爱国职责而休假，然而，等待他的却仍是两年的艰辛劳苦，没有任何休息。1861 年 7 月，他与一位能力出众的医生一起，共同承担了巡查华盛顿周边地区 20 座军营的工作。那一年，仆人们常常发现，在他们着手收拾早餐桌的时候，他依然在伏案工作。1862 年春天，他去了弗吉尼亚半岛，不知疲倦地投身于工作当中。他消瘦而坚定的面孔，连同他瘦弱的身材和凌乱的胡须，燃烧着耀眼的神圣火焰，与点亮迪克斯小姐脸庞的火焰是一样的。而且奥姆斯特德有组织天才，在卫生委员会其他绅士的支持下，他把卫生委员会发展成了一个庞大而有力的机构，为士兵救死扶伤。

他们拿出了建造新的帐篷医院的计划，他们印行了一些专著，让系着绿色腰带的医学从业者了解痢疾、疟疾和性病的治疗方法。他们让联邦政府注意到了军营卫生设施的必要性。他们提供的一桶桶马铃薯和洋葱使部队中的坏血病大为减少。他们装备了医院的船只，并为它们提供了人手；后来，他们又建造了医院列车，带有摇摇晃晃的担架、厨房和医务室。

然而，尽管做了所有这些了不起的工作，但如果不是因为其活动的次要方面——供应品的分配，普通公众恐怕仍然对它所知甚少。女士们完全凭借她们爱国善行的力量，彻底征服了贝洛斯博士、奥姆斯特德先生及其同事们的成见。在每一个地方，战争都在把女人带出与世隔绝的家庭生活。那些胆小羞怯的人变得像狮子一样大胆；那些弱不禁风的人敢于从沙发深处一跃而起。让男人大吃一惊的是，她们能够起草章程和法规，能够在委员会中任职和主持会议，甚至能够筹集和管理资金。源源不断的物资，从联邦各地数以千计的救助协会流向卫生委员会。大笔捐赠极大地增强了委员会的力量，它建立了一些巨大的仓库，并有效地管理它们。它为医院和军营组织了救援服务，创办了它自己的餐饮店。它训练了代理人，负责委员会的供应品装运，跟随每一支部队移动。委员会的名字（源自对预防卫生学的兴趣）成了一个家喻户晓的词。发送给部队的东西什么都有，从葡萄酒到法兰绒短裤，都是用“卫生用品”这个名称发送出去的。

当最早一批志愿兵走出华盛顿火车站的时候，各团都有大量生病的人和筋疲力尽的人。除非他们病入膏肓，否则在联邦政府提供的少数床位中，或在各团建立的临时医院里，他们根本找不到容身之地，很多人只好躺在车厢里和街道上，倚赖过路人心血来潮的仁慈施舍。在第一次奔牛溪之战溃败之后，这些无家可归者的数量大量增长，为了给他们提供食物和庇护所，联邦政府把火车站附近一家老糖厂的部分建筑物分配给了卫生委员会。这是该委员会一个新工作领域的开端。从国会大厦北街的糖厂开始，发展出了那个被称作士兵休养所的招待所。它是一组框架结构的建筑，被一道尖桩篱栅给围了起来，入口处的天棚上印有卫生委员会的名字。阳光明媚的日子，在建筑物之间，可以看见脸色苍白的士兵们懒洋洋地靠着墙壁，四仰八叉地躺在那里休息，或者坐在木质椅子上闭目养神。这是华盛顿建立的五个寄宿处的第一个，除此之外亚历山大港还有两个——一个在火车站，另一个在康复营旁边，被士兵们称作“受苦营”。它们给码头和火车站上的伤兵提供食物，给他们的母亲和老婆、孩子提供膳宿，照料已经出院、处在康复期的伤病员。整个战争期间，卫生委员会在不同的地方开办了 40 个类似的招待所。

刚开始，没有人敢吹嘘在华盛顿任何种类的供应品都充足。军医们的每一种必需品都严重缺乏，以至于卫生委员会要补足联邦政府的医院物资，还要雇用护士、裹伤员、洗衣女工和剃头匠，直到军医署有时间恰当地履行职责。卫生条件糟糕的营地里出现了很多痢疾、腹泻和伤寒的病例。由于经常接受不适合服役的人——那些长期患有疝气或肺结核的人，病员名单变得越来越长。乡村少年对麻疹、腮腺炎和天花这些流行病很少有抵抗力，这些流行病曾在战争的第一个夏季大规模爆发，而秋天华盛顿又遭受了疟疾的横行。

随着时间的推移，战争部的其他部门也积极行动起来，尽管存在欺诈和混乱，但军队总算设法获得了食物、衣服和武器。军医署依然在打瞌睡。即使是对军营里的日常医疗工作，也没有给予有效的考量。尽管天花肆虐，那年秋天政府依然缺乏疫苗，然而卫生委员会却给 2 万多人接种了疫苗。人们预期，1861 年秋天华盛顿附近将会爆发一场战斗，但军医署拒绝为此做准备，并告诉提出抗议的卫生委员会，在战斗爆发之后，有足够的时间订购医疗用品。9 月里当少量伤兵在一场小规模冲突之后被送到首都的时候，军医署不得不请求委员会提供绒布和绑带。迟至 11 月，首都依然没有大规模储备医疗物资。如果在博尔斯布拉夫战斗之后，南方军紧接着对波托马克军团发起一场大规模军事行动的话，照料伤兵就根本不可能了。

被迫继续从事联邦政府的法定工作让奥姆斯特德先生及卫生委员会的其他成员深感愤慨，他们一致认为，军医署应当改革。这些绅士们都成了干劲十足的议会游说者，1862 年春天，他们协助准备的医疗法案由国会通过——对于防止在这个季节历次战役中的伤兵惨遭疏忽来说，这个法案来得太晚了。

该法案的条款中有这样一个规定：应当根据能力而不是资历来任命军医署长。现任署长克莱门特 · A. 芬利博士是于 1861 年走马上任，他是一个老派绅士，彬彬有礼，循规蹈矩。年轻的时候，他被认为是陆军中最帅气的人，如今依然仪表堂堂，双颊红润，蓄着白色的短发和漂亮的胡子。虽然芬利博士被迫作出让步，但他仍然反对由女护士来照料伤兵。在费城，他有一个老处女侄女，名叫玛莎，在尝试着写小说。有生之年，他将看到玛莎 · 芬利以她的小说《埃尔西 · 丁思莫尔》（*Elsie Dinsmore*）而一举成名。

围绕约翰 · 尼尔博士的任命，斯坦顿先生与芬利之间有过一次激烈的争吵，尼尔是费城的一位名医，军医署长芬利让他负责费城的军医院。战争部收到了一封攻击尼尔的信，并把它交给了芬利，而芬利又把它转交给自己的朋友。尼尔对诋毁他的人提起了诽谤诉讼，斯坦顿的报复立即落在了军需署长的身上。斯坦顿打发芬利博士去了波士顿，让他待在千里之外，直到老先生请求退休。

有段时间，卫生委员会极力主张任命威廉·亚历山大·哈蒙德博士为军医署长，哈蒙德是一个助理军医，因其在组织医院和卫生所中的杰出贡献而引起了关注。芬利辞职之后，支持哈蒙德的医生们递交的请愿书把总统给淹没了，1862年4月末，哈蒙德被任命为军医署长。

哈蒙德是个大块头，肤色黝黑，孔武有力。他那张脸厚实而透着聪明，下半部分被浓密的胡子所覆盖。他的声音洪亮而充满阳刚之气。他的言行举止很有权威派头。他强壮的体格和鲜明的个性，使得他走进任何房间，其空间似乎都被他占领了。故而不难相信他会施行催眠术。

他只有34岁，但拥有胜任这一岗位的所有资质。他不仅有很高的专业声望，还有10年的陆军经历，并专门研究过现代医院的建设和管理。他给死气沉沉的军医署带来了生命力和想象力。然而，由于被他撤换的下级军官的对抗，他的工作也受到了阻碍。更严重的问题是他与斯坦顿之间迅速发展起来的敌意。哈蒙德博士是卫生委员会的选择，而不是战争部的选择。他积极的天性与斯坦顿的天性相冲突，由此导致的争论，打乱了哈蒙德的很多计划。尽管战争部长对军医署长的工作百般阻挠，但他发现，要摆脱军医署长也殊非易事。哈蒙德的影响很大，以至于不可能把他打发到波

威廉·亚历山大·哈蒙德

士顿去坐冷板凳，斯坦顿不得不等待时机。

哈蒙德做的一项改革是创建由军队医务部门控制的救护队，但遭到阻止。在战场上军需官行使救护车的管理权遇到很多困难。救护车的车夫不适合照料伤员，他们经常拒绝帮助伤员。军队没有受过训练的担架兵。在战争初期，这项职责由各团乐队的成员来履行，一些逃避责任的士兵作为替补，他们以帮助受伤的战友作为借口，目的是为了向后撤。为弥补这些臭名昭著的弊端，军需署长积极献计，但斯坦顿对此并不热心。在第二次奔牛溪之战之前，哈蒙德又竭力推进此事，但哈勒克反对任何改组。在那一时期，华盛顿大量储备了医院里所需要的物品——药品、麻醉剂、手术用品、质量很好的病床。各病区把康复期的伤病员清理了出去，他们被送去了北方城市，各带去了一个舒适的褥垫。30 英里之外，从星期六到星期三，将近 2 000 名伤兵躺在战场上，很多人死于饥饿和疏忽。食品的匮乏，部分原因是敌人俘获了哈蒙德派出的第一趟供应品车队，医疗物资也由于叛军的突袭而无法运到前线。森特维尔镇一片恐怖景象，大多数房子被挪用作医院，甚至有些军医就在大街上做手术。森特维尔没有氯仿，兴奋剂、止血带、夹板和敷料也严重不足。

哈蒙德控制不了这些战争灾祸，最让他愤怒的是，他无权把伤兵运到华盛顿。军医们对酒醉醺醺、抗命不从的救护车车夫深感绝望，他们偷窃毛毯和军需物资，他们的救护车里装着马饲料、军用水壶和私人行李。数以百计的救护车、公共马车和出租马车都只跑一趟，载着“脸色煞白的乘客”；可是，没有合适的组织让这些运输工具回到战场运走剩下的人。哈蒙德写信给战争部长，对这种可怕的混乱提出强烈抗议，并再次敦促组建救护队，并由医务部门指挥。他的信被退回了，附上了哈勒克的一段注释，重申了他不赞成这个建议，理由是：军车队已经太过庞大。

不过，波托马克军团已经发布了组建救护队的命令，刚好就是哈蒙德想要的那种救护队。七天战役之后，乔纳森·莱特曼博士担负起了作为波托马克军团新任医务主管的职责。他是个瘦小纤弱、沉默寡言的人，有一张学生般的诚挚脸庞。尽管他负责一支庞大军队的医务部门，但他的军衔只是少校，因为直到战争晚期，军医的军衔都低于其他部门的首领。有麦克莱伦将军的支持，这个文静的小个子男人开始着手改造波托马克军团的伤兵救助工作。他的工作几乎还没有开始，就在波普指挥的战役期间被灾难性地中断了。

在安提塔姆，卫生委员会第一次发展出了它的战地救援体系。军队医务部门的改革并没有使得平民在缓解伤员痛苦上提供的帮助显得多余。直到战争结束，卫生委员会始终在前线、医院和军营里艰苦劳作。另一个团体，美国基督徒委员会，也带着供应品去了安提塔姆前线。这个组织是基督教青年会的一个派生物，1861 年秋天根据文森特·科利尔的建议在纽约市创立，科利尔是个虔诚的艺术家，作为纽约基督教青年会的代表，他在第一次奔牛溪之战之后去了华盛顿，向士兵们分发《圣经》、小册子和赞美诗集。这个协会与海陆军的随军牧师密切合作，科利尔把自己称为他们的“主内兄弟”。这些基督徒代表在营地举行宗教仪式，在医院跪在垂死者的身边祈祷。然而，除了精神帮助之外，他们也给伤兵带来了物质的支持，尤其在这场战争的后期，当战地救助组织充分发展、各个宗教派别的妇女筹集到了大笔经费的时候，基督徒委员会在为联邦军提供食物、衣服和医疗物资上做出了令人瞩目的贡献。

还没等这两大组织设法抵达前线，一个小女子便孤身一人抢在了它们的前面——克拉拉·巴顿小姐，她单枪匹马，强行突破了官方的红线和军事限制。1861 年 4 月的一天夜里，当她在华盛顿火车站挺身而出、用手帕给马萨诸塞第 6 团的伤兵包扎伤口的时候，她长

克拉拉·巴顿

期默默无闻、无人赏识的生活从此发生了转折。第二天，她在参议院大厅把一顿盛宴摆在了马萨诸塞士兵们的面前。通过她，士兵们拿到了很多不起眼的生活必需品——针、线、纽扣、毛巾、手帕和药膏。站在副总统的办公桌旁，面向他们所有人，她给他们朗读来自家乡的消息，不知通过什么办法，在国会大厦与世隔绝的那些日子里，她竟然弄到了一份两天前发行的《伍斯特观察报》(*Worcester Spy*)。士兵们注视着这位一本正经、神情紧张的 40 岁小个子女士，她有棕色的眼睛和头发，一个凸出的鼻子和一张阔大的嘴巴。巴顿小姐在性情气质上与迪克斯小姐有很多相似之处。她也胆小羞怯、容易兴奋、任性固执，但是，不像来自马萨诸塞州的那位老姑娘，她没有全国性的声望，也没有从事过公共服务的背景。她早先在学校教书，后来改行到专利局担任职员，年薪 1 400 美元。一个女人被联邦政府雇用是一件不同寻常的事，尤其是薪水还跟男人一样，但巴顿小姐凭借她工整而漂亮的书法，完全胜任了这份工作。尽管她病态的敏感腼腆，因为害羞而吃够了苦头，甚至到神经崩溃，但从此之后，她踏上了成为一位雄辩而动人的公共演说家的漫长之旅。参议院大厅里的那些士兵只是她最早的听众。

第一次奔牛溪之战之后，她在《伍斯特观察报》上刊登广告，为伤病员募集供应品。大批的箱子从马萨诸塞州运到她这里后，她建立了自己的分配机构，但她并不满足于分发供应品的角色。在医院里，在码头上，她听到了很多令人伤心的故事，说的是伤兵们在抵达华盛顿之前无人过问。巴顿小姐开始到军医署长的办公室里纠缠不休，请求允许运送她的供应品去前线。她想方设法获得了哈蒙德的授权，后者要求助理军需部长丹尼尔·H. 拉克上校想尽一切办法，提供她所需要的一切便利手段，把供应品带给前线的伤病员。巴顿小姐的慷慨陈词让拉克上校为之动容。他安排了船和车队来运输供应品，帮助她弄到了五花八门的通行证，让她能够带着她的物资和一个女同伴，穿过华盛顿与弗雷德里克斯堡之间的军事战线。1862 年 8 月初，一个星期天的早晨，巴顿小姐穿着一条朴素的黑色印花裙和短上衣，爬上了一辆军用马车，放眼望去，华盛顿那些去教堂做礼拜的人尽收眼底，她在黑人车夫身旁落座，乘着政府的运输工具，驶往阿奎亚河畔的军营。几天后，她便在屠宰山的战场上照料班克斯军的伤员。

在第二次奔牛溪之战中，有很多平民百姓走出了首都，去前线照料伤员，但他们没有发挥什么作用，跟这些人比起来，克拉拉·巴顿是一个闪光的例外。有几个胆小的女人，在通过费尔法克斯车站附近时，像她一样耗去了这个周末的大量时间。一些脸色阴郁的男护士酒醉醺醺，他们是在这场战斗结束之后的那个星期天早晨到达这里的，在这个小火车站旁边的山坡上，他们可以找到大量出力效命的机会。一整天，一车车伤兵陆续从战场运到这里。男人们躺在树丛中的地面上，那里铺上了干草，被弄成了一张巨大的床。那天夜里，在薄雾与夜幕中，巴顿小姐领着一小队帮手，准备给这群人送食物。除了很多储藏盒子，她几乎没有任何器皿，当果酱瓶和果冻杯空了的时候，她便反复给它们盛满汤、咖啡或者在葡萄酒中浸泡过的面包。星期一运来了很多伤员，他们已经躺了三天，没吃任何东西。为了确保每个抬上车的人都能填饱肚子，克拉拉·巴顿亲自到车里给当天到达的人喂饭，从车轮爬到车闸。到傍晚的时候，她带来的供应品差不多耗尽了。而伤兵依然源源不断到来，她只好把剩下的全都搅在一起。在瓢泼大雨中，在电闪雷鸣中，在尚蒂利传来的隆隆炮声中，饥肠辘辘的伤兵们贪婪地吃着这种古怪的调制品——捣成碎屑的压缩饼干，与葡萄酒、威士忌、红糖和水混在一起。

有了这次经验教训，巴顿小姐为下一场战斗做好了全方位的准备。军需部分配给她一辆军用马车，由一连串活蹦乱跳的驴子拉着。她自己的随身物品包在一方手帕里，但马车里堆满了物资。她甚至很有预见性地带了一些灯笼，这样一来，军医们在夜里也可以工作。9 月中旬，在一支行进中的军队车队里，一个女人孤身一人，走遍了马里兰的山山水水，一路上她都在切面包片，再递给沿途掉队的士兵们。军队行进得很慢，夜里，当其他马车的车夫睡觉的时候，她继续赶路，到早晨，这位不屈不挠的女士已经赶上了炮兵部队，跟在大炮后面直奔安提塔姆河。

她因在安提塔姆战场上所做的工作而让军需部彻底折服。当波托马克军团在弗吉尼亚进军的时候，克拉拉·巴顿领着她自己的车队（有四辆满载物资的马车和一辆救护车），陪着第 9 军一起前进。她像对待绅士一样对待她的车夫们，他们都成了她忠实的仆人。这位羞怯腼腆的小个子女士克服了军队的规章制度和社会习俗。艰苦和危险赶走了她的焦虑和恐惧，在为国效力和自我牺牲的兴奋中，她欢欣鼓舞地奔往沃伦顿和弗雷德里克斯堡。

11 月，当麦克莱伦将军被撤职的消息传到华盛顿，并且人们开始信以为真的时候，街上和酒店大堂里出现了激烈的争论。有人认为，这样的改变早该发生——他们如今终于可以期待“在本世纪内的某个时间”结束这场战争。而一个看热闹的旁观者却反驳道：“当今这场战争将会迅猛‘结束’，以波普那样的方式。”而且，麦克莱伦将保持随时待命，以防万一发生第三次奔牛溪之战。第三个人宣称，伯恩赛德既谨慎，又有干劲，军队在他手里应该是安全的。第四个人说，根本无须提及伯恩赛德——胡克才是那个即将走上前台的人。又有一个人发表了这样的意见：胡克应该会干得不错。但一位消息灵通的绅士让他哑口无言，此人信誓旦旦地说：胡克的确勇敢而能干，但他既虚荣自负，又爱炫耀——事实上，就他那“自我表扬和缺乏职业素养地贬低上司的习惯而言”，他又是一个波普。有人打赌：如果胡克掌握指挥权，不出一个月，南方军将会出现在华盛顿城内。有人想押两个极端结果——要么南方军出现在首都，要么联邦军出现在里士满，因为胡克会“破釜沉舟，非成即败”。有谣传说，弗里蒙特将从罪有应得的湮没无闻中被拉出来，负责指挥波托马克军团。《星晚报》评论道，首都的分离主义者对最后一个传闻兴高采烈。

正在向前挺进的军队眼下在沃伦顿附近停了下来。胡克已经伤愈出院，去了前线；但首都和蔡斯小集团很快就得知：归根到底，伯恩赛德才是即将走上前台的那个人。不久之后，列车上开始出现来自沃

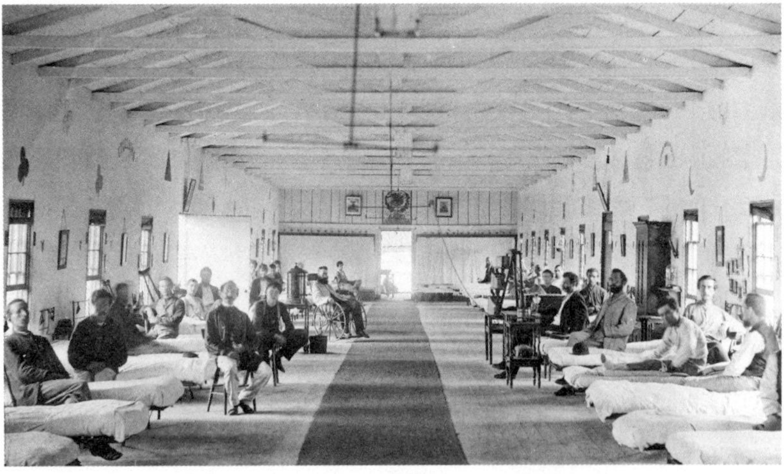

兵工厂广场医院内部

伦顿的伤病员，这是一次积极行动的预兆。军队正在向拉帕汉诺克河推进。11 月 18 日，《星晚报》确信：伯恩赛德将军已经过河，并在弗雷德里克斯堡建立了他的司令部，最迟将会于 10 天之内拿下里士满。然而到了 11 月 21 日，这份报纸承认：叛军依然占领着弗雷德里克斯堡，李将军的部队用战壕把这座城市围了个严严实实。25 日，《星晚报》又承认，叛军看来打算认认真真地抵抗联邦军，不让它渡过拉帕汉诺克河。

华盛顿正在叽叽喳喳地谈论亚历山大港附近“受苦营”的可怕状况——那是一个巨大而肮脏的垃圾箱，把军队的废弃物悉数收纳其中。随着寒冷冬天的到来，居高不下的死亡率成了一件引起公愤的事，卫生委员会带着医院用的帐篷和毛衣赶去救援。一个关于“石墙”杰克逊正在逼近的老生常谈的传闻，立即让胆小的居民紧张起来；不过，就大部分而言，虽说白天在逐渐变短，首都正在生气勃勃地忙着自己的事情。一船船干草、马铃薯、木材、煤和冰块堆满了码头，塞满了不断增加的仓库。各种运输工具持续不断来了又去，在华盛顿与阿奎亚河的军队供应基地之间往来穿梭。战争正在把岛区的居民区发展成一个繁忙而兴隆的街区。笑意盈盈的脸庞出现在南第 7 街各家各户的门口和窗前，当城市铁路公司的董事们正式开通至码头的新线路之后，孩子们大呼小叫地追着车厢奔跑。

沃兹沃思撤销了关闭喝酒场所的命令，兴高采烈的市民们称呼他为“一个令人愉快的开明绅士”，而不是“一个令人恐怖的妖怪”。欢乐回到了阴郁沉闷的酒店，戈蒂埃、沃姆利、哈马克和克洛茨喜气洋洋。女士们手忙脚乱地赶往医院，给士兵们的感恩节晚餐拎去了一篮篮美餐，而快递公司的马车装满了来自北方的火鸡和鸡肉。伤兵已经撤出了国会大厦。大厦内部得到了清理和翻修。老中央建筑新刷了白漆，闪闪发亮。“武装自由女神”雕像的旁边，围着一群孩子，为玩泥巴而争吵，一个吊架高高竖起，为的是把巨大的立柱提起来放进两翼的位置上。沿着粗糙不平的木质台阶拾级而上，回来的议员们却有些情绪反常。

波托马克军团的军官们被严令返回各自的部队，但城里依然到处都是佩戴肩章的人。一些大部队的指挥官为了保卫华盛顿而留了下来，由海因策尔曼将军指挥，他接替班克斯将军负责华盛顿的防御。参谋官数量庞大，粮秣官和军需官也是如此。还有假释的战俘、军事法庭的成员、康复中的伤病员和大量的军医。英俊潇洒的菲兹－约翰·波特也在城里，等待听取将毁掉他事业生涯的裁决。欧文·麦克道尔来到这里，在军事法庭上听取他提出的诽谤诉讼。查尔斯·P. 斯通由于坐牢而变得脸色苍白，他依然在到处奔走，寻求公正。

12 月 13 日星期六，来自弗雷德里克斯堡的种种谣言在一场大规模交战的传闻中达到了高潮。故事缓慢地展开。起初，《星晚报》再次声称，联邦军渡过了拉帕汉诺克河，占领了弗雷德里克斯堡。星期日，该报的一份号外透露，有一场近距离的生死之战，在这场战斗中，富兰克林将军指挥的部队迎战数量占优势的敌军。战争部没有发布任何消息。海军部长只听到谣传说，联邦军打得很漂亮，伯恩赛德及其他将军情绪高涨，斗志昂扬。这位精明的老扬基佬并不满足于这些安慰人心的含糊说法。韦尔斯在日记中写道："当我在战争部得不到任何清晰明确的消息时，我有我的忧虑……不利的消息遭到封锁，呈现给大家的，是一大堆小题大做和神秘兮兮的传闻，是文件和地图上的指指画画，以及深远而茫然的凝视。"

军事审查正在封锁弗雷德里克斯堡失败的消息，但实际上，战争部也没有得到关于战斗结果的报告。从清晨到深夜，总统一直紧张不安地坐在电报室里。伯恩赛德（他手下的每一位将军都反对他）想重新发起进攻。战争部的不确定一直持续到了星期二凌晨。

边境城市华盛顿有途径获得第一手信息。星期天夜里，一艘来自阿奎亚河的蒸汽船满载着军官和士兵到达了——他们都是这场战斗中受了轻伤的人，可以行走，还可以讲述伯恩赛德反复下令进攻弗雷德里克斯堡防御工事时那种毫无希望的勇气，及其随之而来的残酷杀戮。同一天傍晚，通讯记者亨利·维拉德从前线到达华盛顿。新闻审查官拒绝批准他发给《纽约论坛报》（维拉德当时代表这家报纸）的电讯。他通过信差乘坐夜班火车发出了这份电讯。但在消息得到证实之前，《纽约论坛报》不敢发表完整的报道，因为它讲述了军队的指挥失误和危险的形势。于是，维拉德的独家报道被浪费了。整个战争期间，一些关于坏消息的前期报道常常遭遇这样的命运。当维拉德写完报道的时候，他走进威拉德酒店，想吃点晚餐，遇上了亨利·威尔逊参议员。维拉德告诉威尔逊，伯恩赛德吃了败仗。威尔逊赶忙去了白宫。快 10 点钟的时候，威尔逊来到《纽约论坛报》的办公室，带维拉德去见总统。这位年轻的记者依然穿着他在战场上的那套肮脏着装，回答了林肯急切想知道的一些答案。他谈到，如果重新发起进攻的话，军队必定遭受惨败。总统苦笑着说：“我希望事情不至于那么

弗雷德里克斯堡（拉帕汉诺克河）

糟糕。”威尔逊参议员很高兴维拉德这么直言不讳，尽管他的报告并没有导致政府采取行动。维拉德也感到很自豪，因为他履行了自己的爱国职责。

星期一，据目击者的记述，华盛顿的报纸开始传播战败和伤亡惨重的传闻。星期二，整个联邦都意识到了：弗雷德里克斯堡之战是一个代价高昂的证据，证明了伯恩赛德不胜任更高指挥权。超过 12 000 名联邦军士兵死伤，波托马克军团连滚带爬地撤离了拉帕汉诺克河。

参议院正在开会，但人们没有心情讨论事务，于是宣布休会。共和党人召集了核心成员会议，除了批评民主党人之外，也对林肯及其内阁公开提出批评。在码头上，当寂静无声的白色运输船驶出波托马克河上的薄雾时，贸易的喧闹声停止了。一批接一批伤员被乱扔在码头上，就像腐败变质的货物。伤势较轻的首先到达，伤势严重的紧随其后，最后到达的是可怕的病例：大腿被截掉的和腹部受伤的。

黎明时分，在乔治敦那座风味不佳的老酒店临时设立的医院里，来自马萨诸塞州康科德县的路易莎·M. 奥尔科特小姐被雷鸣般的敲门声给吵醒了。“他们来了！他们来了！赶快，女士们——现在需要你们。”从窗户望出去，她看到 40 辆马车像集市大车一样在昏暗的街道上一字排开。那是她所渴望的时刻，在她作为军队护士的三天经历中。她对英雄主义和“恐怖”抱有一种浪漫情怀，在她严实的紧身胸衣之下，跳动着一颗渴望生活和自由的叛逆之心。可是，俯看着酒店门前的景象，那一刻，她突然希望自己还是安全地待在康科德县的家中。

在潮湿的走廊里，伤口散发出的气味混杂了厨房、盥洗室和马厩的气味。一些陆续到来的客人拄着粗糙的手工拐杖踉踉跄跄地走了进来，而另外一些人则被搀扶进来，或者用担架抬进来。他们靠墙坐着，或者躺在酒店大堂的地板上，直到登记手续完成，他们被分配了床位。穿过煤筐、水桶和茶壶，奥尔科特小姐费力地走到楼下，来到她在第一病区的岗位上。古老的标签“舞厅”被固定在门上。

这间病房里准备了 40 张床。大部分躺着伤兵，穿着他们肮脏的衣服。“围绕那个大炉子，聚集着一群我所见过的最阴郁的人——衣衫褴褛，憔悴不堪，脸色苍白，两腿是泥，血污的绷带自几天前缠上之后就再也没有碰过。很多人裹着毛毯，外套要么弄丢了，要么无法使用。所有人都是一副垂头丧气的样子，向外人宣告他们的失败，比任何关于伯恩赛德吃败仗的电报都更加清楚明白。”这就是路易莎·奥尔科特看到的场景，当时，一个护士起劲地把一个脸盆、一块海绵、一些毛巾和一块褐色的肥皂放到了她的手里。路易莎突然意识到，这是想让她给这些士兵擦洗。她惊得目瞪口呆，幸好她是一个天不怕地不怕的女人，经得起拿自己开玩笑。“我把我的顾虑淹没在洗手盆里，”她写道，“我果敢地抓起肥皂，装出一副公事公办的样子，擦拭我看到的第一个肮脏样本……”他是一个上了年纪的爱尔兰人，很快，他们俩都笑了。这之后，路易莎就以十分友善的态度给伤兵擦洗脸、脖子、耳朵、胸口、肩膀和脚。男性护工则把剩下的事情做完，最后把他们放到床上。

一盘盘面包、肉、汤和咖啡被端了进来，每一样东西都很充足。因为这家医院的女总管是一个充满母性慈爱的女人，食物从未短缺。当盘碟被收拾走的时候，敷药便开始了。奥尔科特协助的军医是一个专家。“他曾在克里米亚服役，对待那些伤残的躯体很像我对待破损的衣裳。他挽起袖子，拿出一个样子难看的针线盒，剪、锯、缝、补，带着一个技艺娴熟的外科裁缝那样的热情……”伤员们因为休息和食物而恢复了生气，他们开始交谈，但眼下，这间舞厅变得十分安静。截肢手术被推迟到第二天，当医生在那里探查和切割的时候，伤兵的额头上布满了汗珠，病床随着他们的剧痛而晃动。一两个爱尔兰

路易莎·M. 奥尔科特

人骂骂咧咧，或“祈求圣母站在他们身边”。但大部分时间里，只有医生低声要求绷带、器具或灰泥的声音打破屋内的寂静。

路易莎·奥尔科特一开始是作为小说家和诗人而为人所知。她没有接受过护士训练，这些人是她见过的第一批伤员，但她拥有迪克斯小姐所青睐的那些资质。她今年30岁，强壮而朴素——一个羞怯的大个子女人，有一双深色的眼睛，一码半长的褐色头发被扎成辫子拖在脑后。像其他缺乏经验的护士一样，她也喜欢流泪、修剪眉毛、唱催眠曲、把小花束放在枕头上。她既多愁善感，也快乐天真。在“颠三倒四的路易莎”身上，有某种滑稽好笑的东西，她总是揣着一瓶薰衣草香水，时不时地在自己身上洒一遍，因为她厌恶那些难闻的气味。她是忧郁的死对头。她开玩笑，聊闲话，玩游戏，背诵狄更斯的名篇。很快，她被提拔为夜班护士，在9点钟声敲响之后那孤独的几个小时里，她负责她的病区，此时，煤气灯被调得很暗，日班护士已经下班。

护理伤兵是奥尔科特小姐的一次大冒险。一整夜，她“就像一个大块头的小天使，戴着红色的羊毛头巾，守护着人之子的睡眠”。有时候，头顶上响起匆忙的脚步声。医生们从楼上走过，或者有人抬下一副担架，躺在担架上的人脸被盖住了。屋外，冰冷的月光洒在哨兵们那悄然无声的身影上。

在这个陌生的世界里，伤兵们依赖她，渴望得到她的帮助和安慰，路易莎觉得自己那颗慷慨善良的心因为对他们所有人的爱而不断扩大。当他们伤愈归队或转去康复营的时候，她甚至与有些人吻别——“这很好，为什么不呢？”她注意到那个约翰总是盯着她看，他那漂亮的眼睛里流露出心满意足的表情，约翰是个身材高大、样子高贵的铁匠，他的肺被打穿了一个洞。偶尔，当她收拾他床边的桌子时，她感觉到他在触碰她的罩衣。约翰去世的那天夜里，她坐在他的床边，紧紧抓着他的手。第二天早晨，守夜人帮助她掰开了僵硬的手指。

奥尔科特小姐一直抱着去前线的梦想。她完全可能有克拉拉·巴顿一样的经历，后者冒着敌人的炮火，穿过摇摇晃晃的浮桥，去了弗雷德里克斯堡，当她走下浮桥的时候，她的裙子上有一块被子弹打飞了。可是，1 月份，路易莎病倒了。夜复一夜，从过热的病区走到冷飕飕的大厅，让她患上了严重的咳嗽。路易莎习惯简朴的素食（布朗森·奥尔科特就是用这样的食物来养育他的孩子们），不适应军队里的油煎牛排。她到联邦酒店医院刚刚一个多月，他们就不得不叫来她的父亲。迪克斯小姐带来的礼物几乎把她淹没了：满满一篮葡萄酒、茶叶、药品和香水，还有一条毛毯和一个枕头，一把扇子和一本《圣经》。由于高烧不退，她的大冒险结束了，路易莎允许父亲把她带回到康科德县。在伤寒导致的极度兴奋中，她幻想着自己嫁给了一个粗壮结实、相貌英俊的西班牙人，他穿着黑色天鹅绒，有一双非常柔软的手。

弗雷德里克斯堡之战之后，伯恩赛德怀着痛苦的心情来到华盛顿。对于这次进攻的判断失误，他全都归咎于自己，然而责任却重重地砸在了本届政府的头上。很多人认为，伯恩赛德是个替罪羊，他之所以作出一副好汉做事好汉当的姿态来平息众怒，不过是为了保护政府。长期以来在华盛顿的那种缺乏信任的气氛，偷偷地蔓延到了全国各地。一个接一个州，1862 年的秋季选举都对共和党不利。新的灾难降临在本届政府的头上，不仅有外部入侵的恐惧，而且还担心联邦失去勇气。当媒体宣称西华德和蔡斯都已辞职的时候，内阁眼看着就要垮台。

最后，这场危机还是解除了，这两位声望卓著的内阁成员依然端坐在内阁会议上。凯莱布·B. 史密斯回了印第安纳老家，用内务部长的位置换取了巡回法庭法官的位置，但并没有引起太多关注。在离开华盛顿之前，史密斯夫人，“一位真正乐善好施的女士”，为医院里的伤兵们组织了一场圣诞晚宴。各病区里挂起了常青树，一长串救护车和马车满载着林肯夫人捐赠的供应品。

沮丧和痛苦的沉重负担让这个节日季变得沉闷乏味。唯一的娱乐是第 10 街福特图书馆的大火。大火在风雨欲来的天空熊熊燃烧，照亮了这座城市。一位先生声称，他借着火光在国会山上读报纸。斯坦顿为华盛顿提供了第一辆蒸汽消防车，加上一群经验丰富的消防队员，但这辆消防车在宾夕法尼亚大道和第 13 街拐角处陷在泥泞中不能动弹，剧院被烧为平地。对杰布·斯图尔特的骑兵发起一次突袭的担心在人们心头涌起，然后又随着旧的一年过去而烟消云散，人们闷闷不乐地喝下了 1863 年的蛋奶酒。

在总统的一份电报所带来的惊恐中，伯恩赛德再次来到华盛顿，这份电报告诫他：在没有通知联邦政府的情况下，他如无足够的理由最好不要下令展开任何军事行动。最近，波托马克军团的两个旅长得到了林肯的接见——一位是来自弗吉尼亚州的忠诚的陆军指挥官约翰·牛顿，他曾致力于华盛顿的防御工事，还有一位是来自纽约州的前国会议员约翰·科克伦斯。他们讲到了军队的士气低落，让总统不由得惊慌起来。林肯向伯恩赛德复述了他们的报告，但没有提到两位旅长的名字。伯恩赛德说，应该开除他们的军籍，哈勒克同意他的观点。他想再发动一次进攻，在这件事情上，他手下所有将军都反对他，他一口咬定，无论是斯坦顿，还是哈勒克，都不相信军队，也不相信国民，伯恩赛德准备辞职。就像麦克莱伦一样，波托马克军团的指挥权也让他失去了平衡，但伯恩赛德的执念与麦克莱伦不同，他不是拖延和责怪政府，而是打算不顾一切危险，让他的军队前进。在弗雷德里克斯堡，他不顾胡克的反对，命令胡克继续发起毫无作用、代价高昂的进攻。富兰克林得出的结论是：伯恩赛德正在丧失理智。

白宫的官方新年庆祝活动在严重而痛苦的困惑中举行。中午的时候，官方集会之后，大门洞开，公共招待会的混战开始了。在争斗当中，人群被允许进入官邸，非常考究的地毯被盖住了，以免沾上泥污。在蓝厅的混战当中，林肯安静地站在那里，但他的目光常常越过问候者的头顶，仿佛盯着远处的某个东西。当人群散去之后，他有一份宣言要签署。

总统试图劝说哈勒克去伯恩赛德设在拉帕汉诺克河畔法尔茅斯的司令部，并给出决定性的判断，可惜白费力气。林肯信中的语气让哈勒克很恼火，这封信暗示他没有履行自己的职责。他立即提出辞职。总统收回了这封信，没有作出任何决定。伯恩赛德返回了法尔茅斯，回到了他那支抗命不遵的军队身边。自弗雷德里克斯堡之战之后，士兵们对他们的指挥官失去了信心，认为他执行任何任务都注定要失败。

莫尼特号在挣扎，离开了哈特勒斯，顺水而下。从坎伯兰军团传来了田纳西州默弗里斯伯勒激战的消息。联邦军指挥官威廉·S. 罗斯克兰将军先前是陆军工程兵中尉，在西部的战斗中赢得了声望，他自称打赢了一场胜仗，并作为一个英雄而受到人们的欢呼致敬；但伤亡的故事让短暂的欢呼顿时哑口无言。被联邦军占领的加尔维斯敦港又被南方军夺回去了。很快，从密西西比传来了令人沮丧的消息：格兰特对维克斯堡的远征失败了。

麦克莱伦抵达华盛顿，在审理菲兹－约翰·波特申诉案的军事法庭面前作证。结果有大群的人跑来看他，以至于他很难从法庭走到他住的酒店。首都最流行的歌曲是《麦克莱伦再当头》。每当音乐厅里唱起这首歌的时候，听众当中每一个穿蓝制服的人都会站起来，三次三声欢呼一声吼。

波托马克军团每天都有200人开小差。很多人是因为丧失了斗志，以及对政府拖欠军饷的不满。还有一些开小差者属于新兵阶层，从一开始就没有任何斗志——他们是领取了津贴便开小差的人，他们入伍的时候就打算，在把州和地方政府发的大笔津贴揣进口袋之后，一有机会便跑路。面对所有的不满，伯恩赛德顽固地坚持他的既定计划：在弗雷德里克斯堡下游几英里处渡过拉帕汉诺克河。行军在一场滂沱大雨中开始了。军队（人、大炮和马车）陷在黏泥中动弹不得，当他们奋力返回军营的时候，伯恩赛德的声望也逐渐消失在国民的苦笑声中。焦虑之中，伯恩赛德再次去了华盛顿，口袋里揣着辞职报告。作为备选项，他还拟了一份命令：把他手下那些有敌对情绪的将军统统撤职。这是一份一网打尽的名单——胡克、富兰克林、牛顿、科克伦斯、鲍尔迪·史密斯、斯特吉斯等等。林肯接受了伯恩赛德的辞职。1月底，蔡斯小集团拿出了他们的办法，胡克被任命为波托马克军团的总司令。在伯恩赛德的批评者当中，胡克是嗓门最大的人之一，而且，他也发出了与政府作对的声音，谈到了军事独裁。

两位有能力的将军（军衔高于胡克）被解职了。华盛顿再也见不到优秀的老兵埃德温·萨姆纳。他死在了去接管密苏里军区指挥权的路上。麦克莱伦的朋友富兰克林（伯恩赛德指控他在弗雷德里克斯堡违抗命令）遭到了作战委员会的严厉斥责。等待几个月之后，富兰克林将会归队，去南方沿海，但他再也不会得到与其能力相称的指挥权。

就在金发碧眼的战神胡克骑着他的白马出城的同时，北方人的心情随着一位新英雄的崛起而再次高涨，这个身材高大、不修边幅、穿着一套灰色衣服的家伙开始在华盛顿的大街小巷以及医院病区里被人们所熟悉。他是弗雷德里克斯堡之战之后（就像波托马克军团每一次大战之后一样）那群心急火燎地奔赴华盛顿的人之一。他弟弟是纽约第 51 团的一位军官，在这次战斗中受了伤，他在打听弟弟的音信。去了一趟法尔茅斯之后，他又回来了，继续在华盛顿逗留，想给自己找一份差事。他的人生经历五花八门，尽管每件事情都做得不怎么成功。他做过木匠、画家和中学老师，还当过报社编辑和撰稿人。他出版了一本薄薄的 4 开本诗集，收录的都是一些非传统风格的诗歌，书名叫作《草叶集》（*Leaves of Grass*）。这本书卖得并不好，有人说它内容粗俗。

沃尔特·惠特曼

即使在首都这样一个鱼龙混杂的环境里，沃尔特·惠特曼也找不到与之相当的人物。他红彤彤的脸庞、浓密的胡子和宽边帽给了他颇具欺骗性的强壮而乡野的外貌，一个政治家因此对他说，他看上去像南方的一个老种植园主。惠特曼的家在布鲁克林，他热爱城市生活。尽管他粗壮结实，头发灰白，行动迟缓，眼睛浑浊，眼睑低垂，但他只有

43岁。一个朋友把他比作“伟大的技工、搬运工或水手，或者从事诸如此类劳作的气派堂皇的劳动者”。“气派堂皇”这个词暗寓着颂扬和美化，由此可以看出，这个类比并不能完全按照字面去理解。年轻的时候，惠特曼是个花花公子。他粗糙的衣着是精心选择的。他从不系领带，但他那件一尘不染的衬衫，连同敞开的衣领，与其说是无产阶级的，不如说是拜伦式的。这个牛高马大、口无遮拦的男人，他的身上有一种绝对的优雅。他看上去仿佛刚刚洗过澡。他外套的翻领上总是插着一枝鲜花或一根带叶的嫩枝。他的皮肤柔软而红润，就像女人的一样。

惠特曼身上揣着一些写给重要人物的信，但他发现，要想谋得一份职员的工作并不容易。在等消息的同时，他住在蔡斯公馆对面一幢公寓的一个破陋不堪的房间里，通过“卖文给报纸”，并每天在军需署长的办公室里干两个小时的抄写工作，挣点小钱。在第15街和F街的拐角上，那幢很大的五层楼房子旁边，脸色苍白、衣衫褴褛的士兵们总是在那里等待。军需署长的办公室在那幢建筑的顶楼，伤残士兵常常费力地走进来，由于长时间的爬楼而晕倒，不料惠特曼却发现，他们提交的文件上有些问题，他们领不到钱。惠特曼从靠窗的书桌上注视着他们，眼睁睁地看着他们失望而去，心灵也感受到刺痛。当他在华盛顿漫步的时候，那些容纳了成千上万伤兵的低矮的白色建筑给他留下了很深的印象，他开始探访医院，跟伤兵们交谈，送给他们一些小礼物。

当惠特曼写信给家人、朋友和报纸，讲述他在医院里的工作时，人们开始寄钱给他。他小心翼翼地分发这些钱，尽可能惠及更多的人。在星期天或工作日的某些下午，他缓慢而吃力地走遍整个病区。一个帆布背包重重地压在他的肩上，他那身廉价灰色套装的口袋鼓鼓囊囊。他给这个人一个橘子，给那个人一个苹果，或者少量的腌菜或薄荷糖。他带来了钢笔和铅笔，书写纸和信封。有时候，他会带来一大瓶果冻，用汤匙舀出来，逐一分给病区里的伤员。他并不鼓励吸食烟草，但他口袋里装着切好的烟草饼，少量地分发给那些烟瘾发作的伤兵。他常常留下一些钱，“崭新的 10 分和 5 分纸币”。病人渴望新鲜的牛奶，病区里到处都有人在卖；惠特曼认为，它们能提振伤员的精神，只需一点点现金。

他自己的生活也极端贫困，这一点反映在他微不足道的礼品上，但接受礼物的都是一些简朴的人——常常是一贫如洗的穷人。他们理解惠特曼，感激惠特曼。他把自己的礼物看作是跟士兵们交朋友的一种手段。一旦关系建立起来，他就与他们交谈，帮他们写家信，大声朗读，或者玩一种叫作“二十个问题”的游戏。在他和一些非常年轻的士兵之间，发展出了深厚而温柔的友谊。在心灵的礼物上，在爱、沟通和同情上，惠特曼是慷慨的。像一些情感丰富的女护士一样，惠特曼也热情地相信爱的治疗作用。他的手是温柔的。他红彤彤的脸庞亲切地俯向枕头上那些双颊凹陷的、孩子气的面容。有时候，他们贴得很紧。“在他那两片胡须拉碴的嘴唇上，留下了很多士兵的吻。”

医院外面，北风怒吼，雪花飞舞。在华盛顿，那是一个暴风雪的冬天。在亚历山大港与阿奎亚河之间，满载着军需物资的驳船和蒸汽船搁浅在波托马克河的泥潭里。首都的房子覆盖着皑皑白雪。男人和女人都裹上了专利防寒绑腿，有轨马车在撒上了盐的铁轨上费力地滑行。2 月下旬，积雪如此之厚，以至于有很多轻便马拉雪橇和筐式雪橇在宾夕法尼亚大道上疾驰，坐在雪橇里的人舒适地裹着水牛皮、狼皮、臭鼬皮或虎皮做成的皮袍。让车马出租行老板心满意足的是，一群群兴高采烈的单身男子也加入了这场运动会；两天来，闪闪发光的首都像任何一座北方城市一样，到处响起丁零当啷的铃声。冰雪融化，白茫茫的大地因为泥泞的沟壑而变得黑乎乎的。尽管操作新式扫雪机的逃亡黑奴们付出了艰苦的努力，但宾夕法尼亚大道依然像小街一样肮脏。俄国公使的马车陷在 I 街的一个洞里动弹不得，拼命抓住缰绳的马车夫，从车厢被拖入到了污泥中。赶车人骂骂咧咧，用鞭子抽打拉着军用马车的 6 头骡子。战时交通的嘈杂减弱了所有其他的声音。3 月份的时候，亚历山大港府邸医院的一位护士写道，只有在军用马车开始经过之前，她才能听到鸟鸣声。

对波托马克军团士气低落的忧虑渐次平息。胡克在恢复军队的斗志和信心上创造了奇迹。他审慎明智地施行处罚，准予休假和请假，增加了操练和战地演习，让士兵们时刻保持充满活力的良好状态。在明智的医务监督下，他们的健康状况非常不错。各职能部门被改组了。不同部队的骑兵单位合并为一支有效的战斗部队，由乔治·斯通曼少将指挥。为了明确掉队和劫掠的责任，为了激励士气，胡克采用了卡尼补丁的概念，给各军分配了独一无二的标识。其颜色（红、白、蓝）各师有所不同。这些标识被骄傲地画在各军的马车和救护车上，刻印在属于公共财产的所有物品上，缝在每一个官兵的帽子上。特别是，第二军的苜蓿叶，第六军的希腊十字架，将成为著名的英勇标识。

4 月初，胡克说他有“一支生龙活虎的军队”。他自诩地确信能够旗开得胜，重新振作起来的波托马克军团像他一样斗志昂扬。就在这个时候，他迎接了总统、林肯夫人和塔德的一次来访，陪同他们的有司法部长贝茨、华盛顿准州的 A. G. 亨利博士和诺亚·布鲁克斯，诺亚·布鲁克是《萨克拉门托联合报》（*Sacramento Union*）的记者，林肯在伊利诺伊州的时候就认识并喜欢这个年轻人。这伙人乘坐一艘很小的邮政快艇“卡里·马丁号”，在一场不合时宜的暴风雪中缓慢航行，驶抵阿奎亚河码头，那里曾经是一个悠闲的中转站，连接里士满、弗雷德里克斯堡和波托马克铁路，如今变成了军队的繁忙的供应基地，到处都是未经粉刷的仓库和办公室，挤满了士兵、劳工和逃亡黑奴，为它提供运输服务的，一部分是运输船和政府的蒸汽船组成的船队，另一部分是长长的货运列车。在法尔茅斯站，总统遇到一支骑兵护卫队和丹尼尔·巴特菲尔德少将，他曾经是纽约第 12 民兵团的上校，如今是胡克的参谋长。将近一个礼拜以来，总统一直住在胡克司令部的三顶医院帐篷里。林肯骑马走在骑兵队的前面，观看部队的阅兵，或探访医院的帐篷，受到极其热烈的欢迎。在他面前，波托马克军团列队经过，接受检阅：六个阵容严整的步兵军，队伍庞大、训练有素的骑兵军，以及预备役炮兵部队。第 1 军由宾夕法尼亚人约翰·F. 雷诺兹指挥，詹姆斯·S. 沃兹沃思是他手下的师指挥官之一。达赖厄斯·N. 库奇取代了萨姆纳担任第 2 军的指挥官。从前的政治家丹尼尔·西克尔斯指挥第 3 军。第 5 军由乔治·米德指挥，他在安提塔姆河与弗雷德里克斯堡表现出众，声名鹊起。富兰克林的第 6 军分配给了约翰·塞奇威克，他曾在弗吉尼亚半岛和安提塔姆河担任师长，并在后一场战役中受伤。奥利弗·O. 霍华德在费尔奥克斯战斗中失去了右臂，他率领第 11 军，大部分由德裔士兵组成，卡尔·舒尔茨指挥一个看上去英勇善战的师。指挥第 12 军的，最初是班克斯，后来是曼斯菲尔德（时间很短），如今是亨利·W. 斯洛克姆，他在第一次奔牛溪之战中身负重伤，是位久战沙场的老兵，从盖恩斯米尔到弗雷德里克斯堡，他几乎经历了每一个战场。

西华德邀请格罗尔特男爵、派珀伯爵、汉萨同盟公使施莱登先生及其他外交官陪他作一次短途旅行。他们带着披肩、小望远镜和地图，乘坐卡里·马丁号作了一次令人愉快的航行，去了阿奎亚河，观看了西克尔斯将军指挥的那个军的盛大阅兵。胡克大军在华盛顿享有盛名。整个国家都受到乐观媒体的激励，情绪高涨，满怀希望。尽管海军进攻萨姆特要塞未果令人失望，但人们信心十足地期待着一场军事胜利。军事工业欣欣向荣，商业生意兴旺。一个经济繁荣的民族满怀信心地投资于新发行的政府债券。

经济形势的好转，加上去年的败仗和漫长战争带来的疲倦，志愿服务的热情也慢慢减退。各州的民兵招募工作很不顺利。3 月初，国会通过了“征兵法案”，适用于年龄在 20 至 45 岁之间的人。不需要新的建制，而是补充现有的民兵组织，它们在战场上损兵折将。法案规定在必要的时候强制征兵，撤销了各州对征兵的控制权，把所有权力集中到联邦政府的手里。联邦被分为几个区，由各区的宪兵司令指挥，他们向宪兵总司令（战争部一个特殊部门的首脑）报告。国人害怕的强制征兵对富人没有影响。如果征召他们，他们逃避服役的方式要么是提供一个替身，要么掏 300 美元。当第一份征兵令在 5 月份下达的时候，这笔钱成了购买替身的价格，后者还能得到 100 美元的联邦债券，这笔钱支付给应征者和他们的替身，也支付给志愿兵。在 1863 年，身强体壮的人多的是，400 美元是一笔不小的数额。为了得到它，一些无足轻重的士兵纷纷挤进联邦军队，而敲诈勒索的中间人（他们做买卖人的生意）在北方各州成倍增加，生意兴隆。

4 月在潮水般的谣言中结束了，这个谣言说胡克将军已经渡过了拉帕汉诺克河。华盛顿喋喋不休地谈论着关于战斗的传闻，然而全都含糊不清，全都是非官方消息。在吉凶未卜的不确定中，在越来越严重的焦虑不安中，在担心要付出可怕代价才能换来胜利的恐惧中，5 月最初五天过去了。军用电报依然被捂得严严实实，媒体依然兴高采烈。战争部得到的信息也是半真半假。总统焦急地想知道事实。吉迪恩·韦尔斯从新闻记者和来自阿奎亚河的海军指挥官那里搜集了一些零零碎碎的消息。尽管有这样一个普遍印象，即联邦军打了一场大胜仗（即使代价高昂），但韦尔斯并不满足。“如果我们获胜，”他在日记中写道，“消息就会铺天盖地而来。”5 月 6 日星期三，海军部长读到了达尔格伦的儿子尤里克（他在胡克的参谋部效力）的一封信。他打电报告诉他的父亲：他“一切安好”；而且，这封电报发自法尔茅斯附近的司令部，在拉帕汉诺克河的北边。当韦尔斯询问的时候，斯坦顿说，他没有得到胡克已经撤过拉帕汉诺克河的信息。一个小时之后，参议员萨姆纳大踏步走进韦尔斯的房间，高举双手，大声喊道：“输了，输了，彻底输了！”在白宫的卧室里，总统站在那里，手里拿着一份巴特菲尔德发来的电报。他的脸色像贴在墙上的浅灰色纸的颜色。在钱瑟勒斯维尔，波托马克军团付出了可怕的代价，但这个代价并不是吃败仗。

国人听到了这个毁灭性的故事，又一个偶像轰然倒塌。胡克的部队两倍于李将军的部队，他们在弗雷德里克斯堡上游 30 英里的地方，雄赳赳、气昂昂、信心十足地跨过了拉帕汉诺克河，他领着四个军继续前进，跨过了拉皮丹河。迎面遇上了一支攻击性的敌军，胡克失去了推动力。他下令军队后撤，他手下那些干劲十足的军、师指挥官大吃一惊，士兵们顿时泄了气。5 月 2 日，“石墙”杰克逊向第 11 军发起进攻，德裔士兵们大惊失色、毫无准备，只好狼狈溃退。第二天早晨，胡克被一颗炮弹掀翻在地，不省人事，这颗炮弹打中了阳台上的一根柱子，他当时正靠在柱子上。那天的大败归因于这一意外事件的影响，但事实上，这场战斗早就输掉了。胡克似乎精神崩溃了。有人说，即使没有被掀翻在地，他看上去也一样糊涂无能；有人宣称，他总喝得酩酊大醉；而另一些人说，他已经戒了酒。塞奇威克军在弗雷德里克斯堡过了拉帕汉诺克河，占领了那座城市及高地，但没有得到增援，被李将军打败了。斯通曼的骑兵被派出去突袭李将军的通信设施，结果无功而返，好不容易才逃了回来，与拉帕汉诺克河北岸的军队会合。不久之后，斯通曼在华盛顿与宾夕法尼亚人 A. K. 麦克卢尔

基督徒委员会门前的伤兵

一起吃饭的时候，对胡克的失败作出他的解释：“他是我所见过的扑克牌玩得最好的人，但这话只适合初期阶段，每当到了他原本能得1 000分的时候，他就会丢牌。”

当这个关于无能和优柔寡断的故事流传开的时候，只有一个细节可能给北方人带来些许安慰。在钱瑟勒斯维尔，“石墙”杰克逊身负重伤。这场战斗一个礼拜之后，人们得知，他那阴森可怕的身影再也不会横刀立马，领着他那支衣衫褴褛的叛军部队冲锋陷阵了。

尽管这次战败所带来的灾难让国人感到震惊和沮丧，但并没有出现七天战役、第二次奔牛溪之战和弗雷德里克斯堡之战之后的那种悲观绝望。生意依然红火，工厂的轮子在飞转，股票交易所出现了疯狂的投机。最卑微的人也能通过穿上国家的制服，在自己的口袋里揣上一大笔津贴。北方人即使不能打赢这场战争，至少他们还可以利用这场战争赚钱。两年苦痛的日子让他们对成千上万的人员伤亡变得麻木不仁。刺耳笑声高于叹息和哭泣的声音。人们开始花钱，举行派对，宴请宾客，唱歌跳舞，及时行乐。

再一次，伤兵堵塞了华盛顿的码头，但很少有看热闹的人聚集在那里看运输船到达，日复一日，来自钱瑟勒斯维尔的伤兵源源不断地运到。如今，每一个仆倒在地的年轻躯体似乎就是联邦本身的形象，人们已经不愿意面对这令人悲伤、习以为常的场景。塞得满满的救护车成了街道上壮观游行队伍中单调乏味的一部分。伤兵的队列，连同他们空荡荡的袖子和裤腿，不再吸引人们的关注。就连死亡也成了寻常之事。曾几何时，年轻的埃尔斯沃思一个人阵亡便让首都陷入巨大的悲痛中。可如今，从高级军官的镶银红木棺材，到普通士兵的廉价松木板棺材，经营死人的生意就像经营其他任何兴隆的买卖一样。城里有这样一个街区，在那里，棺材制作者的锤子整天发出乒乒乓乓的敲击声，一堆堆倒放的长盒子在他们门外起起落落，就像衡量战斗激烈程度的温度计。首都经历了过多的痛苦，对血的恐惧就像伤口一样在每个人的内心深处跳动，然而，街道上人们的脸上是微笑。

春天里柔和的空气传来街头风琴师忧伤的旋律，宾夕法尼亚大道上，在尸体防腐的巨幅广告下，行人漫步在阳光里。繁忙的出租马车在四轮运货马车和军官们腾跃的战马当中穿梭。时髦的女士们坐在四轮大马车里，推销员大喊大叫地宣传专利肥皂的优点，望远镜和验肺机的所有者在大声招徕主顾。菠萝、橘子和西红柿堆成了五颜六色的金字塔，卖冰淇淋的小贩在树荫下摆摊叫卖，意大利人在便携式小炉旁边烤栗子。孩子们尖叫着争抢从色彩斑斓的巨大冰糖块上凿下的碎块，争抢那些在绳子上诱人地上下翻飞的人造虫子，而一些更机灵的孩子在大声叫卖傍晚发行的报纸，在十字路口抢着给路人擦拭沾满泥巴的鞋子。

宾夕法尼亚大道有一种世界性的气派。每一个民族似乎都可以在花里胡哨的人群中得到呈现。陆军军官的佩剑、饰带、装饰着羽毛的帽子和骑马的斗篷，海军军官的金色蕾丝花边，轻步兵的奇装异服，让华盛顿看上去像是在举行一场狂欢节，一场巨大而活泼的化装舞会。女士们春天的帽子荒诞怪异——过分地又高又窄，“悬挂着伸出的花束”。她们给这个季节披上了大量的红色，因为那是加里波第卫队衬衫的颜色，眼下依然流行。有一种色调被称作洋红，另一种更浅的红色被称作品红——温暖、明亮、搞笑的名字。那些笑意盈盈的女士都知道，它们都是战场的名字，外国士兵曾经在这些战场上为了某个含糊不清的事业而死去。但是，没有一个人用弗雷德里克斯堡来命名一种红色调，那些勾搭军官的堕落女人中，最愚蠢的也不敢穿用钱瑟勒斯维尔的名字命名的鲜红色衣服。

第 12 章　黑皮肤、黄皮肤和浅色皮肤

“1856 年秋天，我在尤蒂卡演出，那是纽约州一座名副其实的大城市。”总统用他那令人愉快、高亢的嗓音开始了朗诵。他在朗读阿蒂默斯·沃德寄给他的一本书。内阁成员（林肯让信差把他们召集到了白宫）静静地听着。

“一天，正当我以惯用的那种华丽风格描述我的那些野兽和大蛇时，让我震惊和憎恶的是，我看到一个高大魁梧的家伙走上台来，走向那只装着蜡像的笼子，这些蜡像都是《最后的晚餐》中的角色，他抓住了叛徒犹大，把他拖了出来，扔在地上。然后，他开始使劲揍他。”

自安提塔姆河畔响起隆隆炮声以来，已经过去了五天。这场战役被称为联邦军的一场大胜仗，但战争的结束依然遥遥无期。联邦军的伤亡超过了 12 000 人。对撤退的南方军没有进行有效的追击。内阁绅士们的内心在 1862 年 9 月那天被搅得很不平静，当时，他们坐在房间里，能够看到尚未完工的华盛顿纪念碑。

总统看上去正读得有滋有味。

他说：“你为什么把这个胆小鬼带到这里来？”他照着那个蜡人的头部又是一顿猛揍。

> 我说："你这笨蛋，那是个蜡人——代表假的'波斯特尔'。"
>
> 他说："对你而言，这样说当然不错，但我告诉你，老家伙，叛徒犹大只要在尤蒂卡露面，就要挨揍！"就这样，他把犹大的脑袋揍扁了。这个年轻人出身于尤蒂卡名门望族。我起诉了他，陪审团作出了三级纵火罪的裁决。

几位忧心忡忡的绅士看上去跟总统一样为这个故事而开怀。毕竟，这是他们早已习惯的幕间插曲。史密斯先生和布莱尔先生的面容松弛了下来。贝茨老先生始终谦恭有礼。西华德先生轻松地笑了笑，韦尔斯先生的脸上闪现出扬基佬的幽默。就连蔡斯先生那种可怕的庄严肃穆也不得不对搞笑顶礼致敬。唯一不愿拍马屁的是斯坦顿先生，他一点也不觉得可笑。

林肯先生沉湎于趣闻轶事并不总是让他在华盛顿如鱼得水。有人认为，在一些严肃的时刻开玩笑有损其职位的尊严。他那些故事所散发出来的粗俗气味有时候让保守的东部人吃不消。然而笑声总是伴随着这个忧郁的人。他那瘦得有些怪异的身材，以及哀伤、蜡黄的面孔，是悲剧的序曲。这张脸异常地表情丰富。那张忧郁的嘴巴出人意表地咧出一副滑稽的怪相，若有所思的眼睛灵光闪烁。一位观察者认为，他的笑声就像一匹野马的嘶鸣一样情绪饱满、中气十足。来自纽约或波士顿的绅士们可能要退避三舍，斯坦顿先生可能会压低声音，但很多人会跟着林肯一起开怀大笑。

总统经常利用他储备的那些风趣而家常的故事来说明一个观点，终结一场争论，或者把自己从直接答复的尴尬困境中拯救出来。但是，当他对内阁朗读阿蒂默斯·沃德写的这个故事时，并非因为他希望用寓言故事说话。他的选择透露出了那个时期美国人的幽默。这篇《尤蒂卡的暴行》纯粹是娱乐。

当他把那本书放到一旁的时候，他的声调开始变得更适合战争部长那张紧皱眉头的脸。“先生们，”他说，“正如你们所知道的那样，关于这场针对奴隶制的战争，我想了很多……”因为，实际上，他之所以把他的内阁部长们召集到这里来，为的是向他们宣读一篇意图非常严肃的东西，而他本人就是它的作者——一篇解放奴隶的军事宣言。

从一开始，将近 400 万奴隶就给这场同室操戈所带来的混乱投下了阴影。黑人就是让国家熊熊燃烧起来的那支火把。然而，奴隶制并不是北方人为之战斗的理由。在标语、演说和战斗口号中，这是一场拯救联邦的战争。

奴隶制与这场冲突的联系是如此紧密，以至于从一开始，就连北方人也对奴隶起义的前景感到不寒而栗。在那无声无息的数百万人身上，一种变化平静地发生了，没有暴力。消息在他们当中神秘而迅速地传播，就像在非洲丛林里一样。随着联邦军最早的行动，他们开始陆续进入军营。衰弱的老人来了，身材高大的小伙子和争先恐后的孩子们来了，怀抱里搂着婴儿的黑黝黝的女人也来了。他们屈指可数的财产被捆在褴褛的包裹里，他们的脸庞被灰尘和汗水弄得一塌糊涂，然而由于充满希望而闪烁着灿烂的光芒。因为不管标语、演说和战斗口号中说的是什么，这些皮肤黝黑的人都知道，那些身着蓝色制服的人，头顶上放射着光明，他们的旗帜上写着自由。

解放奴隶的使命并不是最初几支联邦军部队的目的。他们参军入伍并不是为了解除对黑人的不公，而且，就大部分人而言，他们都是带着迟疑甚或厌恶的态度看待他们的黑皮肤战友。尽管在有些团，废奴主义情绪很强烈，但大多数士兵，就像大多数北方居民一样，不愿意干涉奴隶制，他们已经习惯于容忍这一制度，视之为一个合法的（即便是令人厌恶的）既成事实。战地指挥官倾向以谨慎的态度对待奴隶拥有者，很多人甚至允许他们进入联邦军的阵线，去搜寻他们的特殊财产。

奴隶们奔赴国家的首都和联邦军的阵线，抱着这样一个信心十足的期望：自由在等待他们。过了波托马克河上的大桥，他们脚步沉重地进入了一座奴隶制根深蒂固的城市。华盛顿人习惯于轻松地对着报纸广告栏中寻找逃亡黑奴的小幅木刻画皱皱眉头，它们总是与寻找走失牲口的广告挤在一起。严厉的黑人法典源自古老的马里兰法令全书，是哥伦比亚特区的法令，从未被国会修改过。根据这部法律的规定，无主的逃亡奴隶可以卖掉，换取监禁他的时候产生的费用，特区早期有过一段绑架和售卖自由人的丑恶历史。虽说奴隶贸易早在1850年就被废除了，但地方法官和警察分享逃奴主人支付的酬金的做法让法院继续陷入堕落腐败之中。与此同时，尽可能拘捕逃亡黑奴也符合监狱看守的经济利益。离开家乡法定距离之外的奴隶很容易被投进监狱，即使他们没有逃走的打算。如果身上没带自由证书，任何黑人都有可能遭到逮捕。由于黑人的证词在跟白人对簿公堂时不被采纳，他的冤屈因此无法得到澄清。华盛顿的城市警察和特区宪兵司令的代理人几乎把他们的全部时间都用来追捕黑人，与此同时，非官方的奴隶搜捕者也被吸引到这个行当中来了，这种买卖无本万利。

黑人法典很早就得到了压制性城市法令的补充。针对一些孩子气的违规，如在住宅的附近放鞭炮，在运河里洗澡，在社团机构的范围内放风筝……规定了鞭刑的惩罚。对于由此而产生的警察实施的敲诈勒索而言，更严重的是这样一条规定：夜晚10点钟以后，如果发现黑人在街上，则可以把他们关起来，直到早晨，并处以高达10美元的罚金。1835年，一伙敌视黑人的暴徒在首都的街道上闹事，打这以后，两个种族之间的关系更加紧张。华盛顿依然记得一次黑人暴动所带来的恐惧，此事发生在约翰·布朗袭击之后。应该对这次恐慌负

一群逃亡黑奴

责的，与其说是为数甚少的奴隶——根据 1860 年代人口普查，华盛顿城内只有 1 800 个奴隶——不如说是自由黑人的责任，他们的人数超过 9 000，就像所有蓄奴社群一样，首都也带着恐惧和仇恨的态度看待这一阶层。他们当中不守规矩的少数人似乎证明了这样一个指控：他们对首都的安全是一个威胁。在北自由区的普拉瑟街和第 3 区黑人山这样一些瘟疫般的地方，醉酒和打架臭名昭著。华盛顿并不怎么区分黑人居民当中社会渣滓和勤劳肯干的黑人。实际上，后者反而引起了白人劳动者的妒忌和怨恨，因为他们的很多品质使得他们对整个社群来说很有用。尽管有种种限制，他们还是成群结队地来到华盛顿，因为这里有很多谋生的机会，他们可以做仆人、出租马车车夫、擦鞋匠、酒吧招待、侍者和厨子。有些黑人成功地经营了车马出租行和餐馆。他们当中的富人拥有财产并纳税。在星期天，这些富有的黑人披着艳丽的围巾，穿着绸缎马夹，手里拿着祈祷书，口袋里塞着手帕，拄着拐杖，打着阳伞，从背后看去是如此派头十足，以至于当他们转过身来的时候，你不免大吃一惊。《星晚报》说，在第 12 街长老会教堂（特区的黑人贵族在这座教堂做礼拜），你看到的女帽就像在华盛顿任何地方看到的一样漂亮。这座教堂自诩有著名的唱诗班，它的坐垫和地毯，它镶着金字的教堂长椅，铺着大理石的祭坛，以及漂亮的枝形吊灯，无不显示出其会众的繁荣兴旺。然而，即使是它最受尊敬的成员，未经市长的特许，都不得在自己家里举行集会。像黑人山那些粗暴的黑人一样，他们如果胆敢在夜里 10 点之后外出，也有可能遭到逮捕。就连黑人纳税人的孩子，政府也没有为他们提供公立学校。有一大批私立学校（有些由黑人教，有些由同情黑人的白人教）持续不断地挑战市民的偏见甚至是迫害。

1861 年春天，弗吉尼亚的农场劳工正是到这个地方来追寻自由。很多人是逃亡黑奴，还有一些人是被撤离的主人所抛弃。无论哪种情况，城市和乡村的警察都热衷于把他们扔进监狱。警察很快就跟联邦军士兵展开了可怕的竞争。一个从亚历山大港吉布森·皮奇先生那里逃出来的奴隶不幸在华盛顿遇到了他的主人，跑到宾夕法尼亚第 4 团去寻求保护，然后躲到了议会的集会厅里，卫兵用刺刀逼着他，不许他乱动；与此同时，皮奇先生上了一辆马车，把他抓到了。在阿纳卡斯蒂亚河大桥上，纽约第 71 团的士兵抓住了 3 个逃亡黑奴，把他们关在海军造船厂，直到马里兰州圣玛丽县的里德先生来认领他们。5 月份，监狱里总共关了 71 个逃亡黑奴，几乎全都是联邦军士兵逮住的。

另一方面，很多逃跑的奴隶本身作为仆人和劳工就很有价值，以至于被华盛顿周围的军营所收留。这种情况让总统十分为难。作为个人，林肯痛恨奴隶制，但作为最高行政长官，他已经庄严保证：这一制度将会得到保护；而且，他急于避免冒犯那些没有加入南部邦联的蓄奴州。在第一次奔牛溪之战之前，军队的一纸命令把奴隶赶出了军营，以及首都周围部队的阵线。

但这里有一个反常的情况。年轻的黑人身强体壮、乐于效力，而军队也需要劳工。5 月，本杰明・巴特勒将军穿着他那身镶金花边民兵制服在门罗要塞坐镇指挥，他把一些逃亡黑奴派去修筑他的防御工事，而不是让奴隶主把他们领回去为敌人从事类似的工作。这个观念中有一个简单的逻辑：叛军中的奴隶，就像他们的马匹和骡子一样，也是“战时禁运品”。这个术语的新奇用法正中北方的下怀，北方人在暗自窃笑的同时，大大地松了一口气。一个术语证明了一项政策的正当性。这个荒唐可笑的绰号被人们所接受，失去了它的怪异性，成了言论中的老生常谈，整个战争期间被用来描述那些从不忠诚于联邦的奴隶主那里逃出来的或者被他们抛弃的奴隶。

巴特勒的政策很快被赋予了法律的正当性。第一次奔牛溪之战的溃败在人们的脑海里依然记忆犹新，国会在《没收法案》中包含了这样一个规定：如果把奴隶用于叛乱的目的，奴隶主将丧失他们对奴隶的权利。在实际运用中，这一规定被扩展到包括不忠诚于联邦的奴隶拥有者的所有奴隶。华盛顿的“禁运品”因此被置于宪兵队的保护之下。他们寄宿在老国会大厦，身强体壮者被联邦政府雇佣，薪水很低。

然而，逃亡黑奴的问题并没有得到解决。《逃奴法案》依然留在了法令全书中，在法律上依然忠诚于联邦的马里兰州，那些被剥夺权利的奴隶主来到市政厅，大声宣布他们对联邦的忠诚。由巡回法院根据法律任命的三个代表按时坐在那里受理他们的控告。特区宪兵司令的办公室继续给他的代理人颁发逮捕证。那一年的秋冬季，华盛顿报纸的广告栏里依然刊登着逃亡奴隶的小幅画像，黑皮肤、黄皮肤和浅色皮肤的都有。他们几乎全都非常年轻。透过寥寥几行描述，可以看出他们不成熟的计划，以及他们冒险的仓促和兴奋。17 岁的简长得很漂亮，逃跑的时候穿着一件粉红色的裙子，戴着一顶招摇的黑色帽子。查尔斯自吹有一双新暖鞋，一身紫红色克尔赛绒呢套装。身材修长的戴夫·凯利穿着一身卡西奈特厚斜纹布套装离开了，满脸胡须的内德穿一件紫色夹克和白色裤子。麦迪逊·布斯穿着一件粗呢夹克，带走了一匹灰色大马。贝蒂和埃伦·诺拉·贝尔怀里抱着他们的孩子。男孩子托尼戴着黄色的防护手套，穿着一件缀有联邦军纽扣的夹克，有一张忧郁的脸，布满了被马踢的伤痕。口齿不清的罗伯特·巴特勒一只脚受了伤，走路一瘸一拐。阿尔弗雷德·达克特走路的步态很古怪，自己又回来了。看来，他们都有特殊的理由去首都。路易丝的丈夫在那里，保罗有已经获得自由的祖母在那里。刘易斯可能潜伏在岛区的附近，他从前的主人住在那里。塞缪尔·邦吉被怀疑沉湎于烈性酒，他在岛区和国会山都有朋友。埃德温·尼科尔斯的母亲是第 6 街上伯奇夫人的奴隶。

1861 年 12 月，当国会大厦为第 37 届国会重开而升起国旗的时候，激进的共和党人已经被总统撤销弗里蒙特在密苏里发布的解放奴隶宣言的行为给激怒了。在西部接替弗里蒙特的哈勒克禁止黑人进入他的阵线。有传闻说，一些将军以过于谦恭的态度对待奴隶主，并帮助他们找回他们的奴隶。在华盛顿，麦克莱伦大权在握，特区宪兵司令手下的警察仔细审查每一个路过的黑面孔。废奴主义政治家们不断累积起来的愤怒，在查尔斯·P. 斯通定罪之后的叫嚣声中得到了部分宣泄。

国会开会之后，一份总统令让麦克莱伦想起了《没收法案》。命令声称，一些在敌军中服役的奴隶经常被联邦军阵线所收纳。一旦进入华盛顿城，他们容易遭到警察的逮捕。他们处在联邦军的保护之下，那些逮捕他们的人也应该遭到士兵的逮捕。

这份命令发布那天，在参议院大厅里，政府的座位上响起了谴责奴隶制的声音。国会是特区的立法机关，用激进派那种情绪激昂的措辞来说，华盛顿阴郁地预见到了本城奴隶的解放。那一年整个冬天，就像外国入侵者铁蹄下的一个小小王国，这座城市一直闷闷不乐，感到刺痛和气愤。华盛顿市民，无论是忠诚于联邦的人，还是分离主义者，都不同意废除奴隶制。然而，很多新来的共和党人却被灌输了废奴主义信条。在众议院大厅里，就像在某些教堂里一样，每到礼拜日就有人宣讲反奴隶制的布道。《全国共和党人报》每天都在揭露黑人种族遭遇的不公。哈钦森一家在基督教青年会的会议室里以及首都的其他地方演唱旋律优美的反奴隶制歌曲。像亨利·沃德·比彻、霍勒斯·格里利和温德尔·菲利普斯这样一些受到围攻的黑人权利捍卫者，都是在史密森学会开讲“大众课程”的演说者。当温德尔·菲利普斯演讲的时候，听众当中有黑人。亨利教授很不情愿地同意使用演讲厅，因此在华盛顿遭到很多人的批评。他规定，每一次演讲的时候都应该宣布，史密森学会不对演讲者的陈述负责。这一声明对大批的北方听众来说成了一个笑话，他们每个星期聚集在这里，一听见每场演讲的开场白“我被要求……”，听众便报以带有讽刺意味的喝彩。

在参议院，县监狱为奴隶制问题提供了一个很方便的跳板。早在11月份，就有一些不速之客探访市政厅北边这座阴森可怕的监狱。侦探阿伦·平克顿去过那里，为的是起草一份给宪兵司令的报告。激进的共和党人、参议院特区委员会主席、来自艾奥瓦州的詹姆斯·W. 格里姆斯偷偷地进入了它潮湿的院落。这幢摇摇晃晃的老建筑长期以来一直是该社区的耻辱，它阴森黑暗、肮脏不堪、通风糟糕。它的高墙投下了古怪的阴影，人们因此把它称作“蓝狱”。许多年来，市政当局和特区大陪审团一直要求国会关注这个地方，但在立法机关没有引起什么大的兴趣。然而，1861年12月，这里突然挤满了名流要人，就

沃德·希尔·拉蒙

像一次展览会一样。

掌管这座监狱的，是总统的密友、特区警察局长沃德·希尔·拉蒙。在战争爆发后不久，拉蒙就被授予上校军衔，并离开了华盛顿几个月，为自己招兵买马。副警长乔治·W. 菲利普斯在他离开期间代行职权。在国会废除《逃奴法案》之前，很明显，警察局长的职责就是继续发布逮捕令，逮捕那些从忠于联邦的主人那里逃出来的奴隶。然而，在警察局长办公室的周围有一种支持奴隶制的气氛，这增强了激进参议员的愤怒。有一点没有逃过他们的注意：拉蒙本人是一个土生土长的弗吉尼亚人。人们怀疑菲利普斯同情奴隶制，而且，监狱长阿蒙·杜瓦尔向波特委员会指控他是一个分离主义者。拉蒙撤了杜瓦尔的职，因为他持续不断地与菲利普斯和他的朋友们作对。另一方面，有人声称，杜瓦尔本人就支持奴隶制。1863 年，107 个巡警的军衔被撤销了，理由是他们没有作忠诚宣誓，特区警察局只剩下 25 个成员获得了行动授权。

毫无疑问，蓝狱情况变得越来越糟糕。它的设计容量是 50 至 100 个囚犯。在 1861 年冬天，总共有 200 多人挤在散发着恶臭的牢房里。他们当中有窃贼、盗马贼和良心犯，还有一些是被怀疑不忠诚的桀骜不驯的士兵。对激进派来说，更值得关注的是据平克顿报告，有 60 个逃亡黑奴被拘押在那里。这些人当中有相当数量的“战时禁运品”，至少有一个人毫无疑问是自由人，他被监禁了六个月以上。

根据特区警察局长的命令，有些逃亡黑奴被释放了。参议院大厅里愤怒的吼声还是有道理的，但没有一个人被激进分子人道主义感情的爆发所欺骗。“华盛顿的奴隶围栏”是一个近在手边的挂钩，废奴主义演说可以挂在上面。在骚乱开始后不久，亨利·威尔逊参议员提交了一份在特区解放奴隶的议案。

拉蒙上校回到了特区警察局长的岗位上。这位身材高大、虚张声势的弗吉尼亚人痛恨废奴主义者，他没有心情温顺地接受挑战。当格里姆斯在参议院把县监狱比作法国的巴士底狱和威尼斯的地牢之后，很快就接到报告：未经特区警察局长的特许，任何人都不能进入蓝狱。拉蒙说，这一命令是司法部长在总统的要求下起草的。格里姆斯赶忙跑出去检验他所听到的这个传言是不是真的，可是监狱长把他拒之门外，让他那张胡须拉碴、官气十足的脸碰了一鼻子灰。他径直去了白宫，但没能见到总统。盛怒之下，他“蹦跳着回到了国会大厦”，他在大门洞开的参议院里公开表达了他的不满。对参议院尊严的冒犯点燃了这个高度易燃的机构。监狱方面给出的解释是最近在大量来访者涌入之后，从一些囚犯的身上找到了凿子和刀子，这样的解释平抚不了议员们的愤怒。国会通过了一项决议：拉蒙犯有蔑视议员权威之罪。有人强烈要求立即撤销“这个外国总督”的职务。

废奴主义者只不过是借助拉蒙这个靶子，他们真正要攻击的，是总统本人。林肯清楚地知道这一点。他喜爱并信任拉蒙，坚决拒绝撤换他，也不同意拉蒙本人为了帮总统摆脱困境而主动提出的辞职。然而，林肯很快发布了一份总统令，把监狱里剩下的逃亡黑奴清理了出去，并指示拉蒙再也不要接收逃亡黑奴。

参议院在对特区警察局长拉蒙的迫害上毫不心慈手软，对他提起了各项指控，从残暴无情和玩忽职守，到瓜分监狱收取的费用（这些是他职务津贴的一部分)。众议院一直保持着一副漠不关心的样子，袖手旁观等待了两年，这才同意立法削减拉蒙的权力和津贴，把县监狱和囚犯的监护权交给一位监狱长，并为法院提供了一个专职执法官。监护权的改变导致了一种古怪的情形。特区法院判决两个杀人犯绞刑，命令特区警察局长在 1864 年 4 月 1 日执行。与此同时，国会创立了监狱长这个职位，而拉蒙很高兴被解除了一项痛苦的职责，他宣称：自己对囚犯没有控制权，不能合法地处决他们。在指定的那天，蓝狱的院子里竖起了绞刑架，引来一群看热闹的人。然而最终，总统把这两个犯人的判决减刑为终身监禁，从而解决了这一困境。看热闹的人群起初把林肯的仁慈当作“愚人节的恶作剧”，最后，他们还是散去了，绞刑架放倒了。而另一个问题被提了出来：国会是不是在特区废除了死刑。

与共和党那些煽动者和狂热分子不同，林肯是作为一个政治家来看待奴隶制的问题。最重要的是，他想拯救联邦，在他的心目中，跟这个伟大的中心目标比起来，解放奴隶始终是次要的。多愁善感和报复之心都没有蒙蔽他的双眼，他能看到奴隶制的突然颠覆所必然带来的社会巨变。他再三表达了他的期望：忠于联邦的蓄奴州将会自愿采纳逐步解放奴隶的计划，并让奴隶主从联邦政府那里获得相应的补偿。

1862 年 3 月，伴随着热情洋溢的演讲，参议院接受了在哥伦比亚特区解放奴隶的议案。奴隶立即获得自由，但忠于联邦的奴隶主将得到一笔补偿，平均每个奴隶 300 美元。此外，国会还通过了一项修正案，为林肯先生很看重的一项计划拨款，具体内容是创建一个殖民地，将那些希望离开这个国家的已经获得自由的黑奴移民到那里去。他强烈坚持并试验过这项计划，但没有成功。

无论是给予一定的补偿，还是寄希望于部分黑人选择离开，都没有让首都市民的焦虑不安平静下来。在他们眼里，废奴主义者正竭力把特区变成一个“白人的人间地狱”。市政委员会通过了一项决议，敦促国会“提供……保护措施，防止这座城市演变成……自由黑人的收容所，在每一个美国人的社群里，他们都是不受欢迎的特殊群体”。《星晚报》义愤填膺地认为，那些价值不菲的奴隶，他们的主人会赶紧把他们藏到国会鞭长莫及的地方去。据一些同情共和党的观察者说，有大批黑人乘坐火车和马车逃往马里兰。巴尔的摩的奴隶围栏据说人满为患。毫无疑问，有少数奴隶主说服了他们的奴隶离开。宪兵司令说，有很多表面上顺从的奴隶，一有机会便逃得不见踪影。

解放奴隶的议案在参众两院获得了通过，并在 1862 年 4 月 16 日由总统签署生效。前市长贝雷特因为曾遭到逮捕并短时间地被监禁在拉法耶特要塞，政府试图给他一定的补偿，林肯提出在委员会给他一个职位，以补偿他由于解放自己的奴隶而遭受的损失，但贝雷特拒绝了这样的荣誉。5 月初，委员会源源不断地收到奴隶主的请愿书，与此同时，报纸上开始刊登一份份冗长的清单，上面详细列出了巴尔的摩一个奴隶商人验收和估价的奴隶。最后，整个特区大约有 1 000 人对 3 128 个奴隶提出了补偿申请。有少数申请——主要是一些上了年纪的女士提出的申请——其中的证据使得委员会的委员们觉得有理由拒给补偿款。总共有 111 个奴隶的补偿请求因为其主人的不忠诚或所有权存疑而遭到拒绝。在那些收到了补偿款的人当中，有一个自由的黑人，他因为自己购买的妻子以及他们所生育的 6 个孩子而申请补偿。这一事实，至少得到了《纽约论坛报》那位面色红润、眼珠突出的反奴隶制编辑霍勒斯 · 格里利的担保。

随着奴隶解放成为一个既成事实，国会便为特区的黑人孩子提供了在公立学校接受教育的机会。与此同时，首都正在准备上演大戏：市长和市议员的竞选。在这个自治市的微型竞技场上一决雌雄的竞争对手，与国家事务中民主党的两个分支，聚集起来支持联邦的“主战派民主党人”以及抨击本届政府、反对战争的“主和派民主党人”相一致。在华盛顿，忠诚于联邦的小集团被称作“铁杆联邦派”。这一派提名的市长候选人理查德·沃勒克先生是《星晚报》老板道格拉斯·沃勒克的弟弟。在之前的两次选举中，理查德·沃勒克败给的竞争对手都是贝雷特。在贝雷特遭到逮捕并被迫辞职的那个时期，沃勒克担任市政委员会的主席，并被市议会推选为市长，这是一个意料之外的任期。

对手是“联邦民主党”，据《星晚报》说，组成这派的人都是一些“每当分离主义者胜利的消息传到华盛顿的时候便容光焕发、兴高采烈的家伙”。它的支持者们指责“铁杆联邦派”与激进的共和党人结成了联盟。市长沃勒克本人则被攻击为彻头彻尾的废奴主义者。竞选期间，他不屑于反驳这一指控，但他的一位支持者驳斥了它，理由是：沃勒克拥有九个奴隶。

5月底，联邦民主党人在国会山举行了一次群众集会，有警察在现场警戒，同时有一队宪兵在街对面严阵以待。在一个覆盖着红、白、蓝三色的讲台后面，演说者“用强烈爱国的、拼命支持奴隶制的措辞”，对人群发表演讲。候选人詹姆斯·F. 哈利戴刚一出场，迎接他的是人们的怒吼：“该死的废奴主义者”，“把黑人送到马萨诸塞去接受教育”。市议会的议员威廉·马洛伊首先在感情上偏向于白人，他发表演说，向国会提出一个谦卑的请求：让民主党人自由。这次集会提出了很多动人的诉求，但它回避了这样一个事实：在这些问题上，华盛顿市民在国会面前没有发言权。其中更有说服力的是麦克纳哈尼先生的演说，他问道：一个父亲是否会投票支持让他可爱的孩子与黑人一起上学？联邦民主党人大声喊道：“不，上帝作证，不，上帝诅咒这样做，不。”这位演说者被兴奋冲昏了头脑，以至于提出了这样一个建议：如果男人们投票支持铁杆联邦派候选人，从而给他们的孩子带来这样的耻辱，他们的妻子应当把他们拒之门外。

在选举那天，也就是 6 月 2 日，选民们口袋里揣着他们忠诚于联邦的证明，根据最近的一项国会法案，如果受到盘问的话，他们必须拿出经过证明的忠诚宣誓。大多数餐馆关门大吉，在投票站，有少数喝醉酒的情形。然而，天色将晚的时候，有些餐馆的侧门被情绪沸腾的人踢开了。第 3 区因为一队覆盖着国旗的出租马车而变得活跃起来，车里坐满了大声欢唱的马里兰粗汉，两派的支持者都有。在第 4 区，几个远近闻名的选举破坏者被卸除了藏在身上的武器，包括一把猎刀、两把手枪和一根双头警棍。市区警察局的警察傲慢地穿着夏天的警服：海军蓝天鹅绒双排扣制服，头戴草帽，他们奉命去帮助一位遭到毒打的铁杆联邦派，并平定第 2 区的一场“混战”。其他地方也发生了零零星星的争斗，只有一场争斗接近于骚乱的规模。在市政厅附近，一群沃勒克的支持者被一个哈利戴的支持者彻底激怒了，一时间砖石横飞，在一队骑马宪兵的及时干涉下，才避免了大麻烦。必须承认，这一天总算“秩序井然地过去了”。

选举结果表明了首都人民对联邦的支持——理查德·沃勒克以 5 比 1 的得票比例当选为市长。不过，尽管特区人口有所增长，但总票数不到 5 000，这大大少于 1860 年登记选民的人数。《全国共和党人报》马上把这一事实归咎于对忠诚宣誓的要求，而《星晚报》指出，很多公民由于在军中服役（要么在联邦军中，要么在南方军中）而缺席。

那天夜里，在结果出来后，街上点起了巨大的篝火，铁杆联邦派的乐队兴高采烈地一路吹吹打打，去了市政厅，去了沃勒克在路易斯安那大道的住处。接下来几天夜里，市议会新当选的议员都受到支持者的致敬，志得意满的情绪盛行于忠诚于联邦的华盛顿人之间。分离主义的支持者尽管被打败了，但并没有沉默，斯瓦姆普德尔区因为不满而群情激昂。住在 H 街铁桥附近的玛丽·肖内西跑到邻居帕特里克·夸克的家里，跪了下来，祈求上帝降祸于他——让他的孩子生下来是瞎子，让他在炼狱里永世不得超生——因为他投票支持沃勒克先生。被激怒的夸克设法弄到了一份逮捕令。不久之后，两个军官拜访了肖内西夫人的家，并把她（衣衫不整、用绳子捆着）拧到了一个面包师的马车上，就这样，她被带到了治安法官那里，关进了监狱。她弟弟紧跟着也被关了进来，他曾挥舞着一支双管猎枪，扬言要杀死所有住在铁桥与第 7 街之间、投票支持铁杆联邦派的爱尔兰人。

尽管国会针对黑人的立法在特区制造了这么多骚乱，但它并没有给黑人的生活带来立竿见影的改变。就大部分而言，被解放的奴隶继续为他们的主人工作。他们并没有坚定果敢地主张他们新近获得的公民权利。在华盛顿城内，他们不被允许乘坐有轨马车，尽管不久之后为他们提供了贴有特殊标签的马车。这种歧视几乎成了萨姆纳参议员与街轨公司之间的私人问题，最终被废止了。国会要求为黑人儿童提供公立学校教育一年半之后，特区没有开办一所这样的学校。人们所预期的来自黑人财产税的收入和慈善捐款到头竹篮打水一场空，社区不想自己承担这笔费用。首都一些同情黑人的民众组建了自由人援助协会，在岛区和北自由区的一些破房子和教堂地下室里设立了一些学校，教师都是志愿者。夜班的学生从 10 岁到 16 岁不等，他们自带课本和照明灯。

在特区正式解放奴隶之前，国会就通过了一项战时条款，禁止联邦军部队抓奴隶。整个冬天，关于逃亡黑奴的处理，不同的将军发布了互相矛盾的命令，有些将军要求把黑人赶出他们的阵线，有些将军依然利用士兵来追捕黑奴，并交还给他们的主人。然而，越来越多的逃亡黑奴被军队所雇佣。1862 年春天的华盛顿，有证据表明，一年的战争软化了士兵们对逃亡黑奴的态度。

4 月初，有人试图逮捕黑人爱德华·萨姆，这导致第 7 街公路出现了疯狂的骚动，两个骑兵团——纽约第 7 团和宾夕法尼亚第 4 团——在那里安营扎寨。当时，两个县巡警从一辆出租马车里出来，抓住了萨姆，萨姆大声呼叫，宾夕法尼亚第 4 团的哨兵跑了过来，并拔出了他的马刀。很快，两个骑兵团的一些士兵把那辆出租马车团团围住了，有人大喊："吊死该死的绑架犯！""打死黑人捕手！"宾夕法尼亚第 4 骑兵团的上校救出了这两个巡警，并派一支卫队护送他们到了宪兵司令部，把他们带到了沃兹沃思将军的面前，得知他们没有逮捕证，将军下令把他们关进了禁闭室。

即使没有废奴主义倾向，人们也会反感逮捕萨姆的不公正行为，因为他是特立尼达岛的一个自由人。然而，在华盛顿北边的营地里，纽约第 76 团的士兵一直在收留来自马里兰的奴隶，并拒绝让特区警察局的巡警进入，即使他们有逮捕证。5 月，该团奉命去了前线。正当他们沿着第 7 街走向蒸汽船码头时，两个巡警抓住了两个逃亡奴隶，他们是其中一个巡警的仆人。随之而来的吵闹导致很多人纷纷从宾夕法尼亚大道跑了过来。有些士兵举起了他们的刺刀，威胁要朝人群开枪。军官恢复了秩序，在检查了这两个巡警的逮捕令之后，允许他们带走了那两个奴隶。另有七八个逃亡黑奴跟着愤怒的第 76 团去了码头。第二天早晨，一位副警长带着逮捕令和特区警察局长的命令来到军营，要带走剩余的逃亡黑奴，官兵们警告他：想让他们交出这些黑人，除非地狱里见。

发生在特区的解放并没有导致《逃奴法案》的废除。马里兰州蒙哥马利县和乔治亲王县数以百计焦躁不安的奴隶越过阿纳卡斯蒂亚河大桥涌入华盛顿，他们愤怒的主人继续去市政厅讨公道。马里兰州有很多人表示忧虑和不满，新当选的联邦派州长奥古斯塔斯·W. 布拉

在军队中干活的黑人

德福写了一份报告给司法部长贝茨，要求联邦政府禁止根据这部法律执行逮捕。国会里的激进分子和越来越多的军人都准备把奴隶主视为叛国者——这样一来就用不着归还他们的奴隶了。另一方面，巡回法庭的专员及其警长、特区警察局长拉蒙都倾向于接受马里兰人的忠诚声明，因此必须归还他们的奴隶。

在一个自由特区的背景中，每一次奴隶展示都显得格外醒目。黑人捕手再也不能拉着他们的俘虏招摇过市了。人群聚集在那里，有抗议和争执。《全国共和党人报》说，男男女女去户外散步的时候总是能目睹逃亡黑奴的遭遇，听到他们的尖叫，这是一种罪孽和耻辱。废奴主义者提出了这样一个法律观点：《逃奴法案》对特区不适用，只对各州适用。布鲁克林的约翰·迪安法官来到华盛顿，据说他被华盛顿一些富有而体面的市民所聘请想在法庭上检验这项法律。当他志愿给几个逃亡黑奴提供辩护之后，走出市政厅的时候，一群人心怀不轨地跟在他后面，摇头挥拳。有一个人说："我想把所有黑鬼塞进他们该死的喉咙里。"针对迪安法官提出的论点，巡回法庭的裁决全都支持严格执行这项法律。威尔逊参议员提交了一项议案，建议改组特区的司法系统——像每个人清楚理解的那样，让反对奴隶制的法官获得任命。

废奴主义者詹姆斯·S. 沃兹沃思被任命为特区军事长官，但这并没有平息冲突。随着波托马克军团启程前往弗吉尼亚半岛，特区的逃亡黑奴便归沃兹沃思负责，他同时还控制着宪兵队和军事监狱。他很快就把黑人从老国会大厦监狱转移到了附近达夫·格林街的房子里。为了避免过于拥挤，一些身强体壮的男人和女人被送到华盛顿及其他城市，提供私人服务。尽管有沃兹沃思的努力，但达夫·格林街的条件远远谈不上理想。它的频繁变动的居民，生活陷入可怕的贫困。这些黑人不久之前还是奴隶，不可能立即获得谋生的能力。他们不仅需要政府的监管，还需要慈善帮助。自由人援助协会给他们提供了衣服，派去了教师。城里的黑人教堂捐款救济他们。来自北方的传教士到他们当中开展布道。

到达首都之后，每个逃亡黑奴要就其主人的忠诚这个重要问题接受审查，在他拿出证据证明主人不忠诚于联邦之后，他就会得到一份文件，由沃兹沃思签署，被称作军事保护状。当军管法在特区宣布的时候，民事当局没有任何理由怀疑沃兹沃思信息灵通、大权在握。尽管达夫·格林街有老国会大厦卫队的一个小分队在巡逻，但拉蒙的巡警依然在这一地区徘徊。有一个逃亡黑奴，还没等特区军事长官有机会采取行动，就突然被人带走了，送到了马里兰州他主人那里。

对黑白混血姑娘阿莱西娅·林奇的逮捕，引发了民事管辖权和军事管辖权之间的冲突。有传闻说，她是沃兹沃思将军的厨子。不管怎么说吧，当巡警们抓到她的时候，她身上揣着将军的一份军事保护状。沃兹沃思不容分说地要求放人。当这一要求遭到拒绝的时候，他的副官领着一队宪兵去了监狱，夺过了钥匙，强行释放了阿莱西娅。监狱长和警长菲利普斯遭到逮捕，并被关禁闭；与此同时，两位律师赶到了现场，其中一位是马里兰州这个姑娘的主人聘请的律师，他们被关进了蓝狱。

那天深夜，这些消息传到了特区警察局长那里。在国会的压制之下，拉蒙的脾气并没有什么改观。当他发现总统不在城里的时候（当时他正在拉帕汉诺克河畔探访麦克莱伦的营地）他决定自己来解决此事。他下令警察集合，但是，也许是他们不愿意参与这场摩擦，也许是拉蒙太急躁，等不及了，拉蒙领着一个警官直奔蓝狱，解除了两个值勤士兵的武装，亲自“收复了这座监狱”。律师们被放了出来，而两个士兵被关了进去。

在光天化日之下，这出情节剧即便在主要参与者看来，想必也像是一出荒诞剧。双方都释放了他们的俘虏。这次交锋打了个平手——拉蒙得到了他的监狱，沃兹沃思得到了阿莱西娅·林奇。

据特区警察局长对这事的论述，他声称，林肯找到司法部长征求意见，贝茨先生决定，根据特区现有的情况，民事权威高于军事权威，沃兹沃思的行为是不明智的，不管他的意图多么友善。这位来自纽约西部的绅士虽受到了责难，他也绝没有屈服。监狱插曲过去没几天，据《国民通讯员报》报道，他派出一队士兵进入马里兰，要求归还一个奴隶。这个奴隶是蒙哥马利县一位深受尊敬的公民威廉·H.奥法特先生根据正当法律程序（无视军事保护状）找回去的。士兵们发现，这个奴隶已经被送到马里兰州某个地方去了，他们于是逮捕了奥法特先生，这位深受尊敬的公民作为政治犯被关押在老国会大厦，直到蒙哥马利·布莱尔先生设法把他救了出来。

同月，也就是 1862 年 5 月，南方军区发布了武力解放奴隶宣言。作出这一举动的，是林肯的老朋友大卫·亨特少将，他在西部效力一段时间之后，被调到南卡罗来纳、佐治亚和佛罗里达的沿海地区指挥部队，这些地区由于陆军和海军的几次成功远征而归于联邦的控制之下。南方军区实行了军管，白人居民都抛弃了他们的奴隶，逃之夭夭。成千上万的黑人由联邦政府和民间慈善机构来照顾，亨特遵行一个军事指挥官的权力，宣布了他们的自由。然而，在报纸上读到这份命令之后，总统公开宣布它无效，其平静的态度与他的一贯立场是一致的，而在废奴主义者看来，正是这一立场使得他和“奴隶猎手”拉蒙沆瀣一气。在亨特本人看来，林肯并没有表示不赞成，他们之间的友谊并没有受到这一事件的干扰。

与此同时，总统再次要求忠诚于联邦的蓄奴州采取逐步的、有补偿的解放奴隶的措施，“不撕裂或损害任何东西”。而他行动方针的保守也再一次遭到国会里激进派的强烈批评。总统签署了在各准州禁止奴隶制的法案，但是，当他强行修改第二次没收法案的时候，共和党领袖之间的紧张关系到了公开破裂的临界点。

在公开演说或文字作品中，总统没有透露出任何迹象。然而，在跟忠诚蓄奴州的代表进行了一次毫无希望的会谈之后，他决心已定。弗吉尼亚半岛形势的逆转和强大的政治压力迫使他采取行动，武力解放叛乱各州的奴隶。此举旨在争取在南方军中效力的黑人劳工，从而削弱南部邦联的力量。1862 年 7 月，林肯先生开始相信，这一战时措施是一个选项，否则，就只有放弃联邦了。他将想法对西华德和韦尔斯说了，当时，他们一起去参加斯坦顿的孩子詹姆斯的葬礼。一个礼拜之后，他与内阁讨论了这个问题。9 月，在安提塔姆战役之后，他发布了他的预备宣言：1863 年 1 月 1 日起，凡是反叛联邦政府的人，他们的奴隶将获得永远的自由。

大抵说来，国民对待这个宣言并不怎么热情。民主党人接下来在州选举中获胜，他们将此归功于人们对总统向激进派投降的抗议。另一方面，分离主义者依然对林肯先生的折中态度深感不满。而黑人则全心全意地支持林肯。从一开始，在黑人看来，他的名字就是解放的同义词。当人群聚集在白宫的时候，黑人就会疯狂地表露他们对总统的热爱，纵情喊叫，使劲挥舞着帽子。在长长的队列中，逃亡黑奴们艰难地走过尘土飞扬的大路，走向林肯所居住的城市。有人衣衫褴褛，有人穿着布满汗渍、在地里干活时穿的粗布衣服，有人穿着主人的旧衣服，倒也精致华丽。骑在父亲背上的黑人小孩，依偎在母亲怀里的黑皮肤的小亚伯拉罕·林肯们，他们的父母几乎像他们一样无助。

因为他们是一个原始的、孩子一般天真的民族，失去了奴隶制的依靠，漫无计划地漂泊。对于他们的命运卷入其中的政治复杂性，他们一无所知。他们根本没有考虑那些迫使总统勉强作出这个决定的废奴主义者。他们只知道，林肯是一个被上帝派来解放黑奴的奇迹创造者。他们简单的想象力有自成一体的力量。他们及其数百万同类，成群结队地涌向西部和南方的联邦军，或者在主人的种植园地等待，在一个民族的精神里留下他们信念的烙印。国会里的废奴主义者——韦德、史蒂文斯、钱德勒、威尔逊、洛夫乔伊，甚至还包括高傲的萨姆纳——几乎被他们给遗忘了。那个生活在美国传说中的林肯，是在奴隶的长久梦想中被打造成形的，他们一直梦想着有个仁慈的主人，给他的奴隶以自由。

7月，在达夫·格林街那些一大家挤在小小房间的人当中爆发了天花。病人被留在了那里，而其余的人则被转移到了北12街的军营里，那里从前是麦克莱伦龙骑兵团的驻地。马里兰州的逃亡黑奴都不被允许进入这个军营，拉蒙的巡警在周围巡逻。为了保护手下人，沃兹沃思的态度依然是家长式的、挑衅性的。他派人把两个县巡警当作绑架者给逮了起来。先是在 11 月，后是在 12 月，宪兵队执行了两次轰动一时的监狱解救黑人行动。民事当局和军事当局像从前一样水火不容，当沃兹沃思离开华盛顿，去指挥波托马克军团的一个师时，特区军事长官的职位便被交给了一个不那么鲁莽的纽约州西部人：约翰 · A. 马丁代尔将军。与此同时，达夫 · 格林街的窗户都装上了铁栅栏，整个街区变成了卡罗尔监狱。

在逃亡黑奴们拥挤不堪、极不舒适的营房里，他们很有耐心地等待大赦日的到来。在新年前夜，他们把小教堂挤得水泄不通。一位名叫桑顿的老人站起来作证。"那一天我彻夜哭喊。怎么回事，桑顿？明天我的孩子就要被卖掉，我再也见不到他，直至末日审判——再也没有那样的日子，再也没有那样的日子了！……再也没有人能卖你们的妻子和孩子了！"

随着时间流逝，人们的情绪越来越激动，默默的祈祷在午夜时分被警长所制止，热情的乞求和哈利路亚圣歌又响亮起来。少年和老者紧握着彼此的手，在疯狂的喜悦中舞蹈和喊叫。围绕着阴冷而黑暗的营地，他们游行、唱歌。很多人一直游行到了拂晓时分。

1863 年 1 月 1 日，太阳升起，天朗气清。总统睁开疲惫的双眼，迎来了一个重大的日子。自他发布预备宣言以来，共和党在各州选举中失败之后，紧接着是弗雷德里克斯堡的军事灾难。激进派参议员要求撤掉保守的西华德，几乎让他的内阁遭受灭顶之灾。他打算做的事情让温和派中一些最热情的支持者也疏远了他。那年冬天，在华盛顿，他似乎成了孤家寡人，几乎没有朋友。

激进派所痛恨的那个身材瘦长、性情温和的人，领着他那个身材瘦长、性情温和的儿子，挤过了聚集在白宫周围的新年来访者。威廉 · 西华德和弗雷德里克 · 西华德登上了通往总统办公室的楼梯。房间里有十来个人见证了《解放宣言》的签署，意识到这是一个历史性的时刻，总统用他酸疼的手指紧紧抓住了一支笔。他整个右臂由于经受了早晨接见群众的严酷考验而变得麻木了。他担心自己的手会发抖，但他还是稳稳地签下了他的名字。

一整天，当人们在华盛顿的客厅里围着一碗碗蛋奶酒纵情欢庆，北 12 街一堆堆的垃圾之间也回响着逃亡黑奴们的合唱。他们唱道："如今我是个自由人，耶稣基督让我获得了自由。"终于，人们说出了"自由"这个美妙无比的单词，就像巫师的咒语一样威力强大，难以言喻。夜里 7 点钟，一个敲钟人绕着营房兜圈子，召集人们去小教堂听人宣读总统的宣言。他们成群结队地走出了环绕着营地泥泞院子的小木屋。一个头发斑白的老黑人穿着一件军大衣，被大家称作"施洗者约翰"，领着他们祈祷。两盏灯悬挂在小教堂低矮的天花板上，椽

林肯在起草《解放宣言》

子上放了一两支蜡烛，把昏暗的光亮投射到他们黝黑而充满期待的脸上。警长尼古拉斯博士走了进来，给纯净无瑕的欢乐气氛抹上了阴影。他解释道，宣言并没有让所有奴隶都获得自由，它只是解放了各叛乱州及个别州叛乱地区的奴隶。在弗吉尼亚州（在场的听众有很多亲人在这个州），他一个县接一个县列举了宣告自由的地区。现场不时地发出欢乐的叫喊。“太好了，我就是来自那里！”还有一些人默不作声地坐在那里，痛苦而迷惘。

在城里，4 月之前就已经获得解放的黑人，以及数量更为庞大的自由人，在得到这个消息时并未流露出过度的兴奋，也很少出现欢天喜地的场面。对黑人种族来说，那是一个伟大的日子。但他们当中的智者依然满腹狐疑，不抱什么希望。白人的压迫已经教会他们懂得：自由可能只是一项空洞无物的权利。那年春天，在第 15 街长老会教堂里，詹姆斯·里德牧师站起身说：许多年前他就买到了他的自由，但他从来不觉得自己是自由的。

正是恐惧，让华盛顿的黑人保持安静。自特区宣布解放黑奴以来，一直有人表现出对他们的敌意。街头流浪儿不时地辱骂他们，甚至朝他们扔石头。总统的宣言增强了白人无赖的敌对情绪。据说有一场计划中的骚乱，对于这个传闻，人们忧心忡忡。1 月份，黑人聚集在国会大厦附近的伊斯雷尔教堂，策划一次大规模的群众集会，以纪念《解放宣言》的发表。忽然，一块石头重重砸向那幢建筑物的侧面，玻璃窗被砸碎了，恐慌开始蔓延。女人紧紧抓住披肩、斗篷和皮毛外套，匆匆逃向大门。一些人挤在窗户之间，紧贴着墙壁。另一些人站在那里，挑衅地挥舞着手里的拐杖。警察到达之后，过了很久才让秩序恢复。《星晚报》记者报道，他们拼命自卫。计划中的大规模集会并没有举行。

2 月的一个星期天傍晚，麦肯德里教堂的牧师发表了一篇布道词，文中粗心大意地用了“埃塞俄比亚”这个词。于是一部分会众便走出教堂，以示抗议。就连《圣经》中的这一隐喻也被当作与废奴主义有关联。很多出席礼拜仪式的士兵的行为举止，也很不守规矩。

去年夏天，国会已经授权总统指令雇佣黑人作为军队中的劳工，或从事陆军或海军中的其他任何服务，给他们定的薪水是一个月 6 美元，低于士兵们的薪水，并且规定，如果他们是叛乱分子的奴隶，他们和他们的家人将通过他们的服务赢得自由。根据这一规定，联邦军指挥官开始在南卡罗来纳和新奥尔良招募并训练黑人。《解放宣言》明确宣称，联邦的武装部队将会接纳叛乱分子的奴隶。1 月，斯坦顿授权马萨诸塞州州长招募两个黑人民兵团。人们普遍反感联邦政府的这一政策。在陆军中，军官和他们手下的士兵一样强烈憎恶黑人部队。不过，这一偏见在海军中并不存在，海军不受限制地招募黑人，薪水和津贴跟白人水兵是一样的。就整个国家而言，除了少数激进分子之外，人们都强烈反对武装黑人。众所周知，黑人在独立革命和 1812 年战争中都曾勇敢作战，然而，有人再三宣称并真诚地相信：他们既不愿意入伍，也不愿意打仗。就连林肯也在一定程度上抱持这样的观点。1862 年 9 月，他对一群来自芝加哥的反奴隶制牧师说：黑人究竟能发挥多大作用，他并无把握。他担心，如果把他们武装起来，不出几个星期，这些武器就会落入叛军之手。

1863 年 2 月，华盛顿城内的部队对黑人的敌意众所周知，他们在大街上追逐黑人，朝他们扔石头。一些康复伤病员在归队的时候把士兵休养所雇佣的逃亡黑奴痛揍了一顿。几天后，那些返回弗吉尼亚军营的康复伤病员攻击他们在马里兰大道上遇到的每一个黑人，不需要任何挑衅，看到一张黑面孔就足够了。而在华盛顿，在《解放宣言》的吸引下，川流不息的逃亡黑奴纷纷涌向首都、投奔自由，黑面孔似乎无处不在。北 12 街的营地拥挤不堪，以至于不得不在围墙外面搭起了帐篷。那里的天花医院也人满为患，人们开始听到抱怨，在边界街的墓地，死者被敷衍了事地草草掩埋。营地只容纳了一小部分纷纷涌入的黑人。1863 年 4 月，那里有 1 000 人入住，而有人估计，华盛顿的逃亡黑奴多达 10 000 人，这还不包括亚历山大港的 3 000 人。5 月，阿林顿高地建起了一个卫生条件更好的新营地，在军需部的监管下，这些黑人被雇佣，去耕种叛乱分子丢弃的科科伦要塞与长桥之间的农场。后来，政府组织了一些工场，逃亡黑奴在这些工场里成了熟练的铁匠、车匠、木匠、裁缝和鞋匠。阿林顿营地发展成了一个模范的“微型城市”：自由人村。它有住宅、商店、教堂、学校、医院和养老院，围绕着一个小公园排开。这个聚居区变得自给自足，在财政部有几千美元的存款。然而，绝大多数新来的难民还是要去城里寻找机会，正如城里的居民忧心忡忡预见到的那样，这座城市已经到处都是极度贫困的黑人聚居地。

1863 年初，威尔逊参议员向国会提交了改组特区司法的议案。尽管有 48 名本地律师签名反对这一议案，但它还是获得了通过。一个由 4 名法官组成的最高法院创立了，以取代古老的巡回法庭、特区法庭和刑事法庭。首席法官是来自俄亥俄州的戴维 · K. 卡特——吉迪恩 · 韦尔斯说他是“一个粗鲁、庸俗、意志坚定的人”。他的脸

阿林顿高地的自由人村

被天花所毁容，他说话有些结巴，但他的头脑灵活，作为一个共和党人，他有着良好的声望，曾在 1860 年的共和党大会上提名蔡斯先生作为总统候选人。然而，当《逃奴法案》对特区是否适用的问题在 5 月份提交到新成立的法庭面前时，激进派的自鸣得意戛然而止了。让法庭成员深感为难的是，他们没法达成一致；导火索是年轻逃亡黑奴安德鲁·霍尔，他面对的是一个意见不一的法庭。他被法庭给释放了，但是，当他的马里兰主人抓住他的衣领时，他又成为冲突的中心。而布鲁克林的迪安法官试图让他脱身。在人头攒动的法庭上，人们群情激昂，以至于不得不叫来警察，安德鲁被带到了第 4 区车站，为的是得到保护。没过多久，宪兵队把他转移到了逃亡黑奴的营地里。与此同时，法庭让从前的一位巡回法庭专员恢复了职位，而自己从奴隶制的问题中得以脱身。安德鲁的身份依然悬而未决，当国会允诺让所有当兵服役的黑人获得自由的时候，他通过应征入伍解决了这个问题。

重新任命的专员负责处理逃亡黑奴的案子，跟他在巡回法庭所做的事情完全一样。1863 年秋天，随着征兵站的开放，政府就每个奴隶支付给忠诚的奴隶主 300 美元，让奴隶当兵入伍为自己赢得自由，来自马里兰州的逃亡奴隶便逐渐减少了。1864 年 6 月，国会废除了《逃奴法案》，这个问题最终得以解决。

尽管有敌对和怀疑，尽管南部邦联威胁要报复，但联邦政府依然坚定地执行它的政策：组建黑人民兵团。1863 年春，副官长洛伦佐·托马斯被派往密西西比河谷，推进从奴隶当中征募新兵的工作，然后让他们开赴联邦军队前线。为国效力的黑人，并没有得到像白人一样的激励，他们没有津贴，黑人得到的薪水是每月 10 美元，没有衣服；白人每月 13 美元，外加衣服。有人对这样的歧视提出抗议，马萨诸塞第 54 团的黑人在一年多的时间里拒绝接受薪水。1864 年，国会在经过反复的讨论和争吵之后，通过了一项法案，规定所有在 1861 年 4 月 19 日之前获得自由的黑人士兵跟白人领同样的薪水和津贴。后来，司法部长让这一规定适用于所有黑人士兵。

到了钱瑟勒斯维尔战斗中的伤兵纷纷到来的那个时期，招募第一个特区黑人民兵团的工作正在华盛顿进行。这项工作进展很慢。很多身强体壮的逃亡黑奴已经被政府雇佣（作为劳工和车夫），可用数量大为减少。城里的黑人由于心存疑虑而裹足不前。黑人教堂里举行了一次又一次集会，白人和黑人演说者轮番上阵，试图激发人们的热情。在第一次集会上，马萨诸塞的士兵把守着教堂的大门和过道。在首都，一个黑人新兵不仅仅担心自己如果成为战俘会遭到南方军的报复，而且，他的白人战友，以及那些在大街上闲逛的分离主义恶棍，都是他近在眼前的危险。一位军官在一次黑人集会上说，任何一个敢在他面前侮辱黑人士兵的人，最好先给自己买一份人寿保险。他还提到了这样的传闻：有一个市区警察宣称会把一个黑人新兵打成筛子，就像对待一只疯狗一样。这场演说导致听众群情激昂，但让一个长期受压迫的种族应征入伍，它几乎没什么助益。

即使是那些敢于面对社会的敌意、在花名册上签下名字的人，其中很多在后来的几次集会上躲在角落里磨磨蹭蹭，不愿意上前表态。他们中有四五十个人不久后走上了前线，胸前佩戴着红、白、蓝三色徽章。他们似乎表现得很不错，尽管有来自路人的嘲讽——《星晚报》说，其中有些嘲讽来自他们的黑人同胞。尽管斯坦顿先生对黑人部队的热情众所周知，但他们没有指挥官，没有营房，没有制服，没有武器。战争部的工作十分拖拉，让人心灰意冷。

5 月的第三周，最早两个连（主要由逃亡黑奴组成）的花名册在国会山上伊斯雷尔教堂门外的一张桌子上填写完毕。在这群衣衫褴褛的农场工人当中，出现了一个格外醒目的身影，他就是 A. T. 奥古斯塔博士，华盛顿的一个黑人医生，斯坦顿先生让他当上了军医。看到他那身制服，最软弱的黑人也会为之激动，对新的命运充满信心，因为奥古斯塔博士的肩膀上佩戴着代表少校军衔的橡树叶肩章。次年冬天，他制造了一场骚动，当时，一辆有轨马车的售票员命令他坐在这辆马车的过道上，他拒绝这样做。对他的军衔所表现出来的无礼激怒了他，奥古斯塔博士选择了步行。他很晚才赶到军事法庭（他是庭审中的一位重要证人），他的发言在参议院大厅里激起了强烈的反响，参议院早已对有轨马车上的歧视感到愤怒。

这些等待入伍的逃亡黑奴们，被编成一个个班，在一片开阔地上操练。时间过得很慢。早晨就派人去请征兵官了，但一直没来。在那天夜里的集会上，有人向黑人信誓旦旦地保证：战争部对他们的态度非常友好，但再也没有人志愿挺身而出了。已经入伍的人夜里在教堂旁边安营扎寨。哨兵们装备着棍棒，在那块空地上巡逻，一群不同肤色的人驻足观望。

黑人士兵在操练

这两个连最后正式入伍，他们仓促地从华盛顿被带到了乔治敦对面的安纳鲁斯坦岛。在那里，在人们的视野之外，他们穿上了陆军的蓝色制服。他们的撤走对于白人征兵官来说是一件沮丧的事，因为征兵团想利用这些黑人新兵来激发热情、消除疑虑。这些军官不被允许探访安纳鲁斯坦岛，违者将遭到逮捕。其中有军官说，总统本人也不知道黑人士兵在哪里安营扎寨，他与林肯夫人一起坐着马车围绕华盛顿兜圈子，试图找到他们。没有人对战争部提出批评，但是有一些外部干涉。有个说法是：为了让特区公民被任命为黑人民兵团的指挥官，一场殊死搏斗将导致灾难。岛上与世隔绝，一旦黑人被武装起来，可能会出现种族骚乱和流血，因为平民和士兵在继续骚扰黑人。6 月初，一伙无法无天的暴徒袭击了逃亡黑奴营地，在马萨诸塞部队的一个小分队赶来保护他们之前，有几个黑人受了重伤。黑人士兵的被袭事件如此频繁，一个专门的军事法庭被任命来审理这些案子。

几天之后，一个黑人民兵连穿过华盛顿城接受检阅。他们身穿制服、全副武装、装备精良，吸引了一群好奇的人。一群小孩子和黑人的热情追随者紧跟在他们后面；一些人举着娱乐场所的广告横幅跟着他们的队伍亦步亦趋，吸引公众的注意。月底，五个黑人民兵连列队走过宾夕法尼亚大道，去参加祈祷集会，他们几乎全都是乌黑的皮肤——“名副其实的黑人”，《星晚报》这样评论道。他们的外表有某种令人生畏的东西。没有关于侮辱或骚扰的报道出现在媒体上。到那一时期，华盛顿人已经通过浏览关于密西西比州激战的新闻得知，在哈得孙要塞和米利肯斯本德，黑人民兵团打得英勇顽强，伤亡惨重。这些身穿蓝色制服、纪律严明、脸庞黝黑的军人开始被人们接受。

到 1863 年年中，首都有理由欢迎新的保卫者。在蓝岭的那边，响起了一阵不祥的隆隆声，比维克斯堡传来的遥远炮声更响亮，更凶险。袭击和小规模冲突起初被归因于叛军游击队，他们一直以小规模编队的形式在波托马克河对岸的联邦军阵线附近出没。但无数耸人听闻的谣言正沿着宾夕法尼亚大道不胫而走。具体细节五花八门，互相矛盾，但它们有一个不变的主题：李将军正在向北进军。

从里士满传来了叛军的呐喊："进军华盛顿！"悬而未决的紧张气氛像夏天的尘土一样沉闷，让联邦的首都感到窒息。在海军造船厂的一辆有轨马车上，乘客谈到了街上的路障；几个女士跑出来研究G街上翻起的一堆土，那里正在铺设新的人行道。杰布·斯图尔特的骑兵在附近危险地兜圈子。有一场激烈的骑兵遭遇战。受伤的官兵开始进入华盛顿。马纳萨斯的名字再一次响起，就像古老灾难的幽灵。

北边的华盛顿城同样满怀恐惧地朝波托马克河对岸观望。谢南多厄河谷被崇山峻岭所环绕，形成了一个巨大而富饶的走廊，通向马里兰的坎伯兰河谷和宾夕法尼亚。这条河从西南流向东北，侵略大军每前进一英里便离华盛顿更近一步。一旦进入马里兰，敌军就能够轻而易举地袭击首都的防御工事。

哈珀斯费里出现了一次恐慌。在波托马克河上游的某个地方，叛军部队过河进入了马里兰。恐慌在宾夕法尼亚蔓延。6月14日是首都的"谣言星期天"之一。有人说，胡克的军队正在保护华盛顿，还有人说，胡克正在撤退。对战争部的一次夜间拜访给海军部长留下了"痛苦的印象"。林肯平静地说，他的感觉非常糟糕。心神不定、大惊小怪的斯坦顿一言不发。哈勒克默不作声地坐在那里，正在抽他的雪茄。他跟胡克将军的关系很紧张。早在战争爆发之前，他们在加利福尼亚就相识并讨厌对方。但自胡克深得总司令的信任以来，那早已成为过去的事了。

星期一早晨，华盛顿出现了恐慌的骚动。据说叛军部队已经过了马里兰州的黑格斯敦，到了宾夕法尼亚州的钱伯斯堡。有谣言说蓝岭东边弗吉尼亚州的奥尔迪战斗打响了。那是一个闷热的日子，在酒吧里，人们放下手里一杯杯冰凉的威士忌宾治和冰雪利，阅读总统的宣言，这份宣言号召在六个月内，从马里兰、宾夕法尼亚、俄亥俄和新创立的州西弗吉尼亚（由阿勒格尼山脉以西忠诚于联邦的各县组成）招募 10 万民兵。这个礼拜在一些险恶传闻的阴影中过去了。宾夕法尼亚州州长和费城市市长正在请求援助。恐惧在哈里斯堡迅速蔓延。整个北方处在全城戒备的状态。各民兵团开始从纽约、新英格兰、俄亥俄、新泽西涌入宾夕法尼亚州。叛军正在大规模侵袭宾夕法尼亚。除了骑兵之外，波托马克军团很可能风流云散，化为乌有。从拉帕汉诺克河畔的医院里陆续运来的一船船伤病员让华盛顿意识到：联邦军已经失去了作战的能力。华盛顿的分离主义者扬言，胡克的司令部在费尔法克斯火车站。而李将军据说已经到达费尔法克斯县府。星期五，首都听说，马纳萨斯北边奥尔迪发生了一场激烈的骑兵遭遇战。

6 月 21 日星期天，华盛顿倾听着奔牛山方向传来沉闷的炮火声。炮声在 6 点钟的时候逐渐减弱了。救护车队驶过长桥，奔弗吉尼亚而去，每一天都有受伤的骑兵送进城内，他们当中有很多俄亥俄人。波托马克军团的骑兵如今由阿尔弗雷德·普来曾顿率领，在蓝岭的峡谷中，他们勇敢地迎战斯图尔特的骑兵。有人注意到，到目前为止，未见联邦军有一个掉队者一瘸一拐地进入华盛顿。叛军的战俘从山口给押到了。

胡克出人意料地出现在城里。在战争部与胡克商谈之后，总统显得忧心忡忡。报纸头条宣称：李将军的整个军队都投入了行动，眼下正在向哈里斯堡进军。华盛顿市民应征入伍的工作在紧张的氛围中开始了。南方军骑兵眼下就在马里兰，正四处抢夺马匹。据说，有些马车队就在首都的视野范围之内被抓去了，有人在乔治敦附近看到了一个叛军侦察队。6 月 28 日，蒙哥马利·布莱尔和他父亲在日落时分驱车驶过第 7 街，去他们在城里的住处，他们觉得继续留在马里兰州的银泉很不安全。100个随军小贩向海因策尔曼将军提出，他们自己组织一个华盛顿骑马巡逻队，接替骑兵的工作。首都的技工和劳工为保卫这座城市组成了一个连。军队正在进入马里兰，其中有很多人刚刚走出医院。一个由胡子拉碴、脸被晒得黝黑的年轻骑兵组成的退伍老兵团，佩着铿锵作响的马刀，骑马走过第14街，奔赴萨斯奎汉纳。威胁从弗吉尼亚一步步逼近，集中在北方。波托马克军团已经开拔，去迎接它。

政府突然发布通告：胡克被解除了指挥权，乔治·G. 米德将军取而代之。米德是一个并不出名的指挥官，长着一张冷峻的、军人的脸，将在这场迫在眉睫的战斗中率领联邦军队，而东部的生死存亡，在此一战。

马里兰州与宾夕法尼亚州边境的那些坚硬的灰色巨砾被一条边界线分成两半，在边界线的那边，联邦军骑兵闯过尘土飞扬的绿色山丘，四处搜寻敌军。终于，他们在一个舒适安逸的红砖小镇葛底斯堡的郊区发现了敌军。7月1日星期四早晨，战斗打响了，在星期六夜

葛底斯堡

里一场暴风雨横扫山脊之前，共有 16 万人，以步枪、石块、刺刀和英制新式远程大炮为武器，在麦地和桃园中厮杀。李将军的部队在数量上处于下风，且伤亡惨重，只好沿着黑格斯敦公路向西南方向撤退。在神学院的院子里，在卷心菜地里，以及在葛底斯堡山坡墓地的坟墓当中，波托马克军团的小伙子们神情饱满地躺在大雨中。第二次，他们击退了南方军的入侵。英勇的约翰·雷诺兹将军在第一天的战斗中阵亡了。他就出生在葛底斯堡附近。

三天时间里，华盛顿屏住呼吸，等待宾夕法尼亚州那块自由土地上雷霆激战和血腥杀戮的结果。7 月 3 日，从傍晚到深夜，鞭炮齐鸣、焰火漫天，预报了独立日庆祝活动的到来，4 日清晨，火药在华盛顿到处炸响。李将军的部队遭受重创的传闻给人们的兴奋激动浇上了油。10 点钟，位于宾夕法尼亚大道上的《星晚报》报社发布了新闻快报，宣告联邦军的胜利，整个城市一片欢腾，人人喜笑颜开，这样的景象多年未见。市民、志愿兵、1812 年战争的退伍老兵、共济会成员、市长和市议会的议员聚集在白宫南草坪上。宣读了《独立宣言》，有人开始发表演说，市长沃勒克分发了《星晚报》的新闻快报，上面印有来自米德军队的令人振奋的消息。火热的空气里回荡着欢呼喜悦，水兵乐队演奏了《星条旗》。

星期一，特区民兵团集合，响应总统的号召，但紧急情况已成为过去，他们获准解散。丹尼尔·西克尔斯躺在担架上被抬回了华盛顿，他的一条腿被打断了，在膝盖以上被截肢。他紧抱双臂躺在担架上，旁观者对他沉着镇静的面容感到惊讶。

第二天又传来消息，格兰特将军的部队 7 月 4 日攻陷了维克斯堡。两场胜仗让举国上下欣喜若狂。整个北方响起隆隆的礼炮声。家家户户张灯结彩，人们欢呼格兰特和他的得力干将谢尔曼的名字。由马萨诸塞第 34 团的乐队领头，数千人走向白宫，向总统致敬，随后又涌向 K 街斯坦顿的住处，涌向拉法耶特广场西华德的住处。

但是，最初的兴奋劲头过去，清醒的怀疑取而代之。在华盛顿，人们曾希望在洪水泛滥的波托马克河的帮助下，米德将军会一鼓作气，消灭李将军的部队。然而，在赢得了辉煌成功之后，米德似乎跟波托马克军团所有将军如出一辙，对过去延误战机的记忆在人们的脑海里萦绕不去。哈得孙要塞的攻克又让人们确信，整个密西西比河向联邦敞开了大门。但是，到了 7 月中旬，强制征兵遭到抵制，北方传来了惊惧不安的喧闹声。纽约被暴徒占领，他们纵火劫掠，杀戮无辜的黑人。在混乱和内讧的喧嚣中，北方得知，李将军的部队带着他们所有的大炮和他们劫掠的赃物，渡过了波托马克河。

有那么一瞬间，北方曾大胆期待过，叛乱的结束近在眼前。当海军部长缓慢地走过白宫草坪的时候，总统赶了上来。他们站在转门那儿交谈。韦尔斯先生绝对忘不了林肯当时的声音和脸色，总统说他很害怕，尽管如此，他还是预料到了李的逃走。“上帝啊，那可是波托马克军团最后的机会！”在失望所带来的痛苦中，总统叫了起来。“一定有什么地方存在不诚实……这意味着什么？西华德先生。万能的上帝啊，这意味着什么？”

林肯写信给米德将军说：“你坐失了良机。”但他并没有寄出这封信。面对延误战机的批评，这位认真负责的军人深感自责，以至于请求解除自己的指挥权。他的请求遭到了拒绝，但他在葛底斯堡的功绩却因为拖延战机而永远蒙上了阴影，它让人们痛苦地回想起麦克莱伦在安提塔姆战役之后的所作所为。

联邦尚没有得到拯救，它面临的威胁，不仅有南部邦联的军队，而且还有那些更隐蔽的敌人，他们正在国内散播不满的情绪。不过，尽管有同情南方的北方人，有和事佬及狭隘的党派分子，但人们对国家的信心日益增长。《解放宣言》越来越受欢迎。波托马克军团对本届政府的忠诚正在被唤醒。奴隶制与这场战争息息相关。它看上去就是导致国家分裂和生命财产损失的令人痛恨的根源。损兵折将的军队需要补充兵力——葛底斯堡之战的伤亡超过 23 000 人，面对这一需要，人们对招募黑人入伍的偏见也逐渐消失了。夏末，格兰特将军写信给总统，指出武装黑人，解放奴隶，是“迄今为止给予南部邦联最沉重的打击”。

一个不再抱幻想的民族，已经丧失了盲目乐观的能力；但它学会了坚持，学会了抱定冷酷无情、毫不动摇的决心。11 月，林肯先生去了葛底斯堡，在战场上那片巨大的坟地里发表了一篇简短有力的演说。到这个时刻，联邦已经下定决心，不管付出什么代价，白人和黑人并肩携手，他们必将赢得这场同室操戈之战。

第 13 章　安全的冬天

阿纳卡斯蒂亚河沿岸秋叶金黄，欢快的马车队驶过海军造船厂大桥。有一群热爱运动的人穿着马甲，还有一些衣着讲究、穿着铜扣制服的军官骑在马上。内政部长约翰·厄舍先生正驱车外出，特区警察局长拉蒙、市长沃勒克和年轻的约翰·海先生也是如此。到处都能看到女士们穿着秋天的装束：装饰繁复的裙子和圆锥形的海狸皮帽子，像枫叶一样闪烁着鲜红色。奇克莫加战斗是又一次代价惨重的失误。罗斯克兰将军被解除了指挥权。坎伯兰军团在奇克莫加遭到围攻，很可能饿得走投无路，举手投降，此外，军队在田纳西州的集结预示着一场更加激烈的战斗将要开始。但是，战争已经持续了很长时间；田纳西很遥远；而且，在 1863 年 10 月，华盛顿正在举行赛马。

到 2 点钟的时候，在精神病院附近新建的国家赛马场，看台上座无虚席。由于那些站着的观众都是来自附近军事哨位的士兵，木板围栏呈现出一片蓝色，一车车下来的观众把 10 英亩的场地挤得满满的。在裁判席的正前方，装着 1 000 美元的钱袋子吊在铁丝笼里晃晃悠悠。乐队演奏，钟声敲响，三匹参赛的马进了跑道：一匹乌黑的阉马巴特勒，一匹被称作王子的枣红色阉马，以及一匹枣红色母马哈特福德·贝尔。巴特勒是夺冠热门。它的名字实际上是“巴特勒将军”，但军衔在华盛顿的赛马场上引起了一些麻烦，因此把“将军”这个头衔给去掉了。士兵们占了围观人群很大一部分，他们最近热切地期望让一匹名叫“麦克莱伦将军”的马赢得比赛。

比赛五局三胜，第二声铃声响过，赛道给清理了一遍。一阵鼓声响起，几辆双轮轻便马车绕场一周。巴特勒赢了这一局。它的支持者用震耳欲聋的欢呼声庆祝它的胜利，但它看上去气喘吁吁，有人怀疑它的持久力。在第二局，王子轻快地跑在了前面，几乎在最后一段，巴特勒才奋力向前，领先一个马身的长度。哈特福德·贝尔退出了比赛，两匹阉马开始了精彩的第三局。王子稍微领先，但巴特勒很快超过了它，并拉开了相当一段距离。后来王子又追了上来，巴特勒输掉了这一局。让人群兴奋不已的是，王子赢了两个马身长度。

这匹夺冠热门的赔率应声而降。闲暇时它看上去似乎是一匹驽马，但巴特勒的支持者吵吵嚷嚷地表示他们有信心。它的马夫脱掉了自己的外套，他那穿着衬衫的干练样子引得人们一阵尖叫。第四局开始，两匹阉马并肩疾驰。突然间，巴特勒发起了一次猛冲。王子逐渐追上了它，又超过了它。在 12 杆的距离之内，两匹马优美地跑在一起。巴特勒率先进入决胜跑道。后来巴特勒稍稍疏忽了一下。它们同时接近裁判台。最后巴特勒向前猛冲，领先一个半颈长的距离到达目标。当巴特勒被牵上领奖台的时候，人群爆发出疯狂的欢呼。装着绿背纸钞的笼子被放了下来，巴特勒的马夫带着淡定的神情，把它们揣进了自己的口袋。

兴奋过去了。到了晚餐的时间，但过了很久，赛马场才人去场空。大路被车流堵死了，数以千计的人不得不坐下来等待。在傍晚清爽的空气里，眼前的一幕堪称一景：熙熙攘攘的车水马龙黑压压地从福克斯顿顺路而下，涌过大桥，最后蜿蜒穿过第 6 区。为了避免它们占据整个桥面，哨兵只让它们走右边，好留出空间让政府的车马通过，它们一直在向吉斯伯勒岬角的大骑兵站前进，永无休止地前进，甚至在一个礼拜的时间里马不停蹄。

这趟单调乏味的回家之旅，也有一件有趣的风波。一家深受欢迎的妓院老鸨莎拉·奥斯丁碰巧与一辆马车并排而行，车里坐着两个同行竞争对手范妮·李和范妮·丹尼斯。其中一个大声喊道，奥斯丁的马车里有个“大胖子”。奥斯丁太太叫来了警察，两个范妮被叫到一位法官面前，各被判处罚金 2.5 美元。

媒体谴责了两位军官的行为，他们乘一辆敞篷四轮大马车从赛马场返回，坐在车上搂着他们“漂亮温柔”的女伴接吻，被一个盛装游行的民兵团尽收眼底。这样的控诉一点也不新鲜。从一开始，《星晚报》就声讨军官和妓女当众调情。在第二次奔牛溪之战之后，这份报纸曾严厉谴责那些身穿制服的游手好闲之徒与“城里那些涂脂抹粉的荡妇打情骂俏”。但这些抗议毫无效果。1863 年，妓女就像军人本身一样，也成了华盛顿的一景。

营地里的美女

《星晚报》并非故作正经。它的报道中有一种老于世故的视而不见。它实在太老于世故了，不可能认为一支军队可以没有女人而存在。营妓是军事秀的组成部分，穿着军人制服东闲西荡的女孩也是如此。《星晚报》曾嘲笑一个“英俊的、胖乎乎的小个子轻步兵”，用软木炭给自己画上了八字胡和下巴上的尖胡须。特区的少女们注定要和志愿兵一起外出。麦克莱伦的部队在动身前往弗吉尼亚之前，很多人在华盛顿城做了父亲。有些孩子的妈妈有了结婚戒指，当然，也有一些人没有。其中很多女人把她们号啕啼哭的累赘留在了城里的门阶上。当纽约第 71 团去它在海军造船厂的老营房故地重游时，《星晚报》便开玩笑说，一些聪明的孩子认出了他们的父亲。该报引用一位贫穷老人的话嘲弄道：救济院里那些被抛弃的婴儿是“这场叛乱的自然后果”。

在那些虽然虔诚却注重实际的日子里，人们体谅有罪肉身的弱点，在恰当的约束之下，卖淫作为必要的恶而被人们所接受。《星晚报》习惯于以一种无赖男性的纵容态度对待妓女，用委婉的名称来调侃她们——塞浦路斯人、堕落天使、夏娃的女儿、g'hal[①]、快乐的雏鸭等等。就像华盛顿的其他男人一样，那些不负责任的志愿兵军官全然不顾体面，无视家庭伦理的约束。表现出赤裸裸的色欲，不仅是对军事纪律的破坏，对社会上的贞洁女子也是一种冒犯。对邪恶行为的纵容完全是男性的态度。那些从小贞洁观深植于心的女士们甚至可能不承认它的存在，对于她们堕落的姐妹，只有冷冰冰的无视。但是，到 1862 年，如果她们大胆走上宾夕法尼亚大道，她们到处都能遇到花枝招展的妓女，与军官们一起散步，或者懒洋洋地坐在他们的马车里；涂脂抹粉的女骑手，穿着骑马的服装，戴着色彩鲜艳、插着羽毛的帽子，与那些装有马刺、脚穿马靴的骑兵并肩疾驰；妓女们穿着绸缎和冒牌货，吵吵闹闹地走进餐馆；在剧院里，一些体面市民看戏时也目睹到不堪入目的场景。一位军官一手挽一个妓女，去观看吟游歌手坎

① g'hal：俚语，与 b'hoy 一起构成一对词汇（b'hoy 为男性，g'hal 为女性），流行于美国 1840 年代至南北战争时期，用以称呼生活于曼哈顿下城区粗陋的工人文化中的青年男女。——译者注

贝尔在共济会大厅的演出。《星晚报》评论道，有很多志愿兵军官，他们品格正派的妻子、姐妹、女儿、母亲以及恋人如果看到他们在首都不知羞耻地沉湎于这样一种与女性的滥交，一定会震惊。

在未婚男性占很大人口比例的华盛顿，卖淫活动一直以来就很频繁。《星晚报》估计，战争爆发之前，整个哥伦比亚特区的妓女不超过 500 人。然而在战争时期，就像士兵一样，“堕落天使”也从各州招募了新成员。在纽约、费城和巴尔的摩，甚至芝加哥和圣路易，一些雄心勃勃的鸨母关闭了她们的妓院，带领她们精挑细选的小姐，搭乘火车去华盛顿开拓市场。她们的涌入轰动一时，人数很容易被夸大。宪兵司令多斯特少校手里有一份妓院清单，并把它们置于监视之下，据他统计，1862 年，首都共有 450 家登记在册的妓院。1863 年，《星晚报》在经过调查之后，发表了一份客观严谨的报道，报道称城里大约有 5 000 个妓女，而在乔治敦和亚历山大港，大约是这个数字的一大半。这一估计也包括站街女，她们据说至少占总数的三分之一，而与已婚男子同居的女子不包括在内，她们常常是一些端庄娴静的小女子，被军官安排在他们自己的机构里，有时候冒充他们的妻子。

在北自由区那些道德败坏的山坡上，在岛区乱七八糟的破旧胡同里，白人和黑人开办了很多欢场。马车夫、劳工和落魄的志愿兵经常去黑人山、战斗巷和锡杯巷那里的简陋小屋，在空荡荡、脏兮兮的房间里，有时候甚至是有小孩的家庭住所里，寻欢作乐。士兵们的薪水常被“搜刮”殆尽，甚至只能抵押制服和毛毯来支付酒水钱。非法销售的“有毒”烈性威士忌导致打架、开枪、捅刀子和骚乱。士兵们被指控的大多数罪行都是在华盛顿的低级酒吧里犯下的。

警长韦布曾公开宣称，控制犯罪的主要障碍就在特区法庭里。他的报告在 1863 年 9 月末提交，当时，司法系统已经改组，特区最高法院已开庭审案 5 个多月。犯人很容易获得保释，案子一期接一期拖延。此外，特区没有足够的监狱。县监狱处在破败不堪的状态，一些有胆量的罪犯很容易凿开关押重罪犯的“铁笼”，用破布裹住他们的链子，逃之夭夭。所谓的囚犯工场实际上是救济院的组成部分，是一个慈善机构，囚犯们悠闲自在地在那里消磨时光。特区监狱坐落于岛区的兵工厂附近，被联邦政府接管，作为存放大炮和弹药的仓库。战争爆发之后，特区法庭宣判的罪犯被送到纽约州奥尔巴尼的监狱里服刑。少年犯被送到巴尔的摩的难民收容所。在审判期间，华盛顿没有合适的地方关押一个青少年抢劫团伙“四十大盗”的成员，或那些尾随在士兵身后的违法少年和不良少女。

在 1861 年市区警察局成立之后，违法犯罪在华盛顿甚嚣尘上，150 人的警察部队根本不可能遏制骚乱。宪兵队在警察部队组建期间充当了市区警察，如今继续把军事职责和民事职责集于一身。起初，警察与宪兵队之间有些摩擦。1861 年秋天，《星晚报》以“宪兵队在杜普雷兹太太的房子里安家”为标题，语含讽刺地报道了士兵们在大理石巷妓院里的胡作非为。一个警官曾报告，他在杜普雷兹妓院的床上发现了一名宪兵队军官，而他的小分队正在这一地区“胡闹”。违法者必须被立即清除，因为随之而来的违规之事未被宣扬，宪兵队才能成为违法者的恐怖。华盛顿欢迎军事保护，处置犯罪的专横方法被当作战时紧急措施的一个必要组成部分为人们所接受。1863 年，犯罪分子和流浪汉只要在首都露面，宪兵队就立即予以围捕。他们被戴上手铐，挂一个巨大的红色牌子，上书“扒手与窃贼”，在宾夕法尼亚大道上游行示众。在他们的后面，紧跟着笛鼓乐队，演奏《流氓进行曲》，后面再跟着一群嘲笑奚落的大人和孩子。这种中世纪的做法吸引了华盛顿市民的极大关注，但它没能减少犯罪。首都继续挤满了来自北方各地的底层民众。一个抢劫团伙在史密森学会的院子里建立了自己的司令部，扒手在每一次公共集会上都极其活跃；韦布警长宣称，赌场、非法酒吧和妓院"以一种可怕的速度剧增"。

夜复一夜，在小偷、恶棍和喧闹作乐的士兵当中，妓女把治安法庭装扮得花枝招展。卖淫指控都处理得很轻。很多案子被驳回了，另一些案子则判处一小笔罚金，然后放掉。有时候，姑娘们被关了整整一夜，如果她们醉酒和制造麻烦的话，就会被送去囚犯工场，为期甚短。只有极个别的，会被地方法官勒令出城，少数人被宪兵队送去了纽约。当妓院成倍增加的时候，警察和士兵便开始压制它们。这一套做法并没有起到威慑作用，特区土生土长的"赖特家族"的历史生动说明了这一点。一共有五位赖特：父亲、母亲和三个女儿，他们在首都每一个风味不佳的街区都把自己弄得臭名昭著，北自由区英格兰山上一条小巷就是用他们的名字命名。战争之初，父亲在与他的家人饮酒作乐几次之后应征入伍了，他的名字从警察的记录中消失了。母亲经营着那家"寄宿公寓"，凯特、安娜和玛蒂尔达在那里向士兵们卖弄风骚。对赖特一家来说，生活就是一连串肮脏的嬉闹玩乐。有一次，她们雇了一个风琴师和一只猴子，伴随着音乐的节奏翩翩起舞，直到吵闹声招来了警察，他们（猴子和所有人）被带到了地方法官的面前。这几个姐妹吵吵闹闹、肆无忌惮地亵渎神明，五次被送进囚犯工场。后来又被赶出岛区，被赶出英格兰山，被赶出北7街一座空荡荡的营房。接下来，她们越过了边境线，占据了克里夫波恩医院附近的一间棚屋。两群来访者——特区第2团的一些小伙子和宾夕法尼亚鹿尾旅的一伙人，为了争风吃醋大干一架，她们再次被逐了出去。1863年7月初，就在葛底斯堡响起隆隆炮声的时候，凯特、安娜和玛蒂尔达很不情愿地脱离了与18个士兵之间的一场混战。像往常一样，她们被逮捕了。秋天，她们回到了岛区，不可救药地在梨树巷的新住处重操旧业。

赖特一家和他们五花八门的同类构成了华盛顿堕落故事的全部，正派体面的人依然可以太平无事地睡他们的安稳觉。可是，北方一些野心勃勃的鸨母并不打算把她们的营业场所局限在肮脏不堪的环境中。她们喜欢有花园的漂亮豪宅，以及不显眼的砖结构小型寓所，正对绿树成荫的街道。除了高额的租金之外，她们还愿意支付战争期间华盛顿所要求的附加费，而代理人和房东对她们的“寄宿公寓”睁一只眼闭一只眼，这样的公寓很快就在城里各个街区遍地开花。宾夕法尼亚大道南侧的整个街区专门用于这种生意。大理石巷（莎拉·奥斯丁和朱莉亚·迪恩在这里经营着她们的高级娱乐场）位于宾夕法尼亚大道和密苏里大道之间，是一个很好的住宅区。第 1 区和第 2 区有很多妓院，这两个区分别在白宫和拉法耶特广场的东西两侧。第 12 街和第 13 街占了很大的份额，D 街和 E 街也是如此。第 2 区有整整一个街区被命名为胡克师。在第 13 街，有一家被称作俱乐部会所的大机构紧挨着第一浸信会教堂。在上帝的这块地盘上，密密麻麻地排列着嫖客的出租马车，一些粗俗下流的女人冲进冲出，礼拜天上教堂的人满脸惊愕，把这一切全都看在眼里。

首都市民把愤怒发泄在志愿兵军官的身上。通宵达旦，妓院的门前列着一排排鞍马。甚至当煤气灯在日光里渐次黯淡、本分的市民开始出门忙活的时候，疲惫不堪的勤务兵依然在那里等待。有一个街区，居民们威胁要给那些频繁出入“声名狼藉的肮脏场所”的军官开列一份名单，报告给他们的将军，或者寄给他们家乡的亲人。公共场所厚颜无耻的行为已经够恶劣；当它猖獗蔓延到了正派人家的门口更是令人无法忍受。纵情声色的声音划破夜空；有些下流的家伙搞错了地址，误入了正派女士的家，使她们承受了极大的侮辱。

在花费昂贵的娱乐场所，有奢华的家具陈设，年轻漂亮的女主人身穿绫罗绸缎。有一家时髦的娱乐场开设在大瀑布的一个避暑胜地，位于波托马克河上游12英里处，是职员们在事务清闲的时候常去的地方。然而，那些红色豪宅与廉价的下等酒吧有很多相似之处。在莎拉·奥斯丁公寓的厕所里，就像北自由区和岛区的很多厕所一样，经常有新生婴儿的尸体。威士忌非法销售。酒醉醺醺的男人愈发粗鲁和兴奋。手枪开火的声音在夜空里回荡，受到惊吓的姑娘们大呼小叫喊警察。有一个巡警在大理石巷被人用刀捅伤。

到1862年春天，《星晚报》的专栏因为报道警察和宪兵队“突袭”城里的妓院而显得生动活泼。士兵们熟悉的名字有：铁甲舰（也被称作莫尼特和邮局）、萨姆特要塞、美国陆军司令部、魔鬼之家、狼窝（伍尔夫太太开的①）、干草堆（海太太开的②）、海边小屋、蓝鹅、威尔顿太太的淑女闺阁、拉塞尔太太的烤箱。宪兵队的W. G. 雷福德中尉狂热地投身于自己的工作。在参军之前，他是个牧师。他并不强壮，他苦干了许多个夜晚才担任了不那么费力的工作：医院牧师。一些穿着蓝色军服——也有少数穿着细平布制服——的人，一听到雷福德小分队沉重的脚步声在楼下的街道上响起，便溜之大吉。他们匆忙穿起的制服，肩膀上常常有鹰和橡树叶的徽章。有时候他们成功逃脱了。没有逃掉的军官和士兵则被带到警察局。鸨母们迅速配合宪兵队，下令每一个房间把门敞开。多斯特少校写道：“欣然服从她们不得不服从的命令，这被她们看作是关乎个人名誉之事。”高级会所的姑娘们从未被拘留过。鸨母们掏出鼓鼓囊囊的钱包，啪地甩下她们的罚金。妓院被锁上了，对外宣称已被“捣毁”。正如宪兵司令和警长一清二楚的那样，它们只不过是搬走了。“捣毁”赌场，以及无照经营或没有遵守打烊时间的酒店也采用同样的办法。不过，应付这

① 在英语里，伍尔夫（Wolf）是狼的意思。——译者注

② 在英语里，海（Hay）是干草的意思。——译者注

两种状况，后者更见效些，因为搜查者没收了赌博用具，把威士忌倒进污水沟里，而鸨母们则只需收拾好她们的金银细软，她们可以花枝招展、毫发无损地去了新的地方。

在减少卖淫上，同样徒劳无功的是宪兵队的这样一项禁令：在出售啤酒的音乐沙龙里禁止雇佣“漂亮的女服务员”。这些众所周知的幽会场所虽被清理了，但姑娘们都去了宾夕法尼亚大道，让站街女的群体人数激增。第二次奔牛溪之战之后，她们站在街边向溃退的联邦军士兵打招呼。《星晚报》写道：“奎宁可能是南方军的急需，但古巴香胶肯定是我们的军队迫切需要的东西。”（古巴香胶是一种香脂，用于治疗黏膜感染。）

偶尔，华盛顿的妓女跟在前进部队的后面作过几次旅行，尤其是安提塔姆战役的时候。但她们空出来的位置很快就被填满了。只有

从财政部大楼看到的 F 街

一次出走给整个社群留下了一点印象——1863年初，一些妓女离去了，她们之所以声名狼藉，不仅因为她们缺乏贞洁，而且也因为她们同情南方。像圣公会教徒、出身名门的人和斯瓦姆普德尔区的爱尔兰裔居民一样，华盛顿的鸨母也有一部分强烈的分离主义者。她们常常怀着愉快的心情，驱车在街上兜风，醉醺醺地为杰斐逊·戴维斯欢呼，高唱《美丽的蓝旗》，大呼小叫，说“石墙”杰克逊即将把这座城市打入地狱。当联邦政府准备把南方女士从首都送到她们在里士满的朋友们那里时，600个申请人当中有70个是妓女。一大帮人被装在一艘蒸汽船上，在1月里一个寒冷的日子启程离开第6街码头。军官们通宵达旦地检查行李，把纺织品、鞋子、药品、大头针、针线拿出来，这些在遭到封锁的南部邦联都是急需的东西。在首都这些头脑顽固的夫人们中间，涂脂抹粉的妓女们四处走动，像她们当中最优秀的人一样热爱南方。萨姆特要塞、莫尼特、联邦陆军司令部、温柔的安妮·莱尔公寓、玛丽·霍尔公寓、海边小屋和大理石巷10号公寓，全都有她们的代表。一个来自莎拉·奥斯丁公寓的法裔克里奥尔姑娘恳求一位军官让她留下衣箱里的物品，并说，如果他去里士满，她会像朋友一样对待他。军官不为所动。小姐不得不两手空空离开，她带的很多小物品在南部邦联的首都很难弄到。新泽西第10团一个被激怒的班轰走了来访者，因为她们试图偷带一些信件去南方。启程那天，有人挥舞着手帕，有人在大声告别。这些妓女的仰慕者都聚集在一起，用热烈的掌声向她们致敬。“施比受更为有福[①]，”《星晚报》评论道，“华盛顿把这伙人的祝福送给了里士满”。

没有记录表明，这漂亮柔弱的70个人在抵达弗吉尼亚时受到过人们的盛情接待。推测起来，应该有朋友迎接她们，并继续重操旧

---

① 语出《新约·使徒行传》第20章第35节。——译者注

业。她们不是战俘，南部邦联的战俘交换事务官罗伯特·乌尔德多半从未见过她们。因为，几个月之后，在一群被交换的平民当中，仅仅来了两个不太体面的女人，就让这位从前的华盛顿地方检察官气得说不出话来。在一封信中，他恳求道："阁下，我把两个妓女送还给您。"他严词指责了联邦军战俘交换事务官，并用"神圣的感情""纯洁女性品格的圣洁"甚至还有"休战旗的纯洁性"这样一些说词来证明他的责备是有道理的。有一个庄严的声音提醒他记住南方人的荣誉法则："如果我不相信你是被人利用，我就有理由把此事看作是人身侮辱。"联邦事务官彻底被羞愧所压倒，他不可能阐明这样一个观点：一个女人在道德上可能是轻浮的，但依然坚定地追随南方。他顺从地把两个支持分离主义的妓女送回了华盛顿，监禁在老国会大厦。

当这伙南方女士乘船前往门罗要塞时，陪伴她们的并不是军人，而是拉法耶特·C. 贝克上校和他的密探们。贝克自接受任命以来接手过各种各样的差事。人们称他是一个骗子、说谎者和暴君，但没有人能指控他无所作为。贝克领着他庞大的间谍部队（据说多达 2 000 人）在全国各地追捕叛国者、战争投机商、伪币制造者、欺诈的承包人和领了入伍津贴便开小差的逃兵。此外，贝克还能挤出时间来承担华盛顿的警察职责。他查扣走私的药品、吗啡和奎宁，逮捕在医院里劫掠士兵财物的服务员和护士。国会大厦后面肮脏的排水沟里流淌着他的密探们倾倒的烈性酒。他冲进赌场和妓院，铁面无情地逮捕这些场所的客人和从业者。华盛顿对他心怀感激。贝克的方法虽是高压的，但首都的市民早已对违法犯罪者不耐烦了，因此对他的干劲交口称赞。

尽管对华盛顿的正派市民来说赌场是令人痛恨的，但它们通常并没有在本地区制造混乱。有些大赌场，知情者都守口如瓶，秘而不宣。在门口，要求进入赌场的人都要透过一扇栅格窗接受仔细的检查，之后才允许他进入“铺有地毯、装潢雅致的现代‘老虎’出没的丛林”。房间里灯火辉煌、帘帷华丽，墙上挂着“性感妖娆的油画”。自助柜台上放着玻璃细颈酒瓶和雪茄、香槟、雪利和红葡萄酒，可以随意畅饮。晚餐有去骨火鸡、火腿、鸡肉色拉及其他美味佳肴。由于所有点心都是免费的，一位谨慎小心的绅士可以选择在赌桌上输掉几个小钱，而享受一个晚上的娱乐。然而，有些志愿兵军官却眼睁睁地看着大笔现金——未必是他们自己的钱——在发牌荷官那纤长、白皙、戴着钻戒的手指下消失得不见踪影。军饷官和军需官的账目中经常出现不规范，军事当局因此通知贝克上校：必须关闭这些赌场。

然而，在打扫华盛顿这件事情上，贝克并不比警察和宪兵队更成功。绅士们继续在奢华的环境里“斗老虎”，把输钱带来的沮丧淹没在一杯杯凯歌香槟里。城里主要的憎恶对象妓女，在三支单独部队的围剿下，似乎依然繁荣兴旺。

1863 年秋天，特区最高法院加入了围剿妓院的战斗，大陪审团开始采信对妓院老鸨不利的证据。她们在特区很少被起诉。一个显著的例外是“狼窝”的老板娘伍尔夫太太，她去年春天坐在了法庭的被告席上，面纱裹得严严实实，双眼低垂，“看上去就像一个洗尽铅华、郁郁寡欢的寡妇”。尽管伍尔夫太太被判有罪，但她继续经营着她的新公寓“硬纸盒”，生意兴隆。在她的第二次审判中，她所受到的处罚——监禁一年，罚金 1 000 美元——是所有被起诉的鸨母中最重的。

大陪审团对那些名声不好的公寓撒下了一张恢恢法网，撼动了华盛顿整个底层社会。一些生意兴隆的娱乐场业主面临逮捕和审判的威胁，还有很重的罚金，并可能遭到监禁。韦布警长拿出了足以给他们定罪的材料。自觉很不光彩的证人不愿意出现在市政厅。军需部的一位雇员光顾了贝茨巷的一个黑人娱乐场，他为了“不让人认出来”，而戴了一副蓝色护目镜出庭作证。证据不断积累，一天内裁决了 20 宗起诉。警察被叫来帮助特区警察局长拉蒙和他的副手们送交逮捕令。在华盛顿，堕落并没有得到抑制，只不过从此之后，卖淫业的经营方式不再那么明目张胆。

随后的审判当中，只有一宗案子引起了很大的轰动，并被广为宣扬，H. C. 伯滕内特和莫德・罗伯茨因为在 D 街开设妓院而被共同起诉。那是一个远离总统公园的街区，伯滕内特让军官的荒唐行为走向了堕落和荒谬的最深层。尽管他的名字有五花八门的拼法，记录并不清楚，但他明显在很短的一段时期里担任过纽约一个团的中校。在被解职之后，他被任命为弗里蒙特的少校参谋，随后第二次被撤职。他依然经常被人们称作伯滕内特少校。在被告席上，他穿着一身便装制服，外套和马甲上缀有参谋纽扣。

莫德・罗伯茨是一个年轻漂亮的深褐色头发女孩，审判室挤满了男人，他们的目光饶有兴味地停在她的帽子上——那是一顶“有点让人兴奋的红色女帽”。除此之外，她穿着一身“素雅的、样子贞洁的黑色衣服”，加上纯白色的袖口和朴素的方格围巾，看上去俨然是一副仪态端庄的肖像。她美丽的黑色眼睛回眸一瞥，唤起了男性旁观者的同情，人们对莫德的态度，与其说是谴责，不如说是怜悯。

她的情人伯滕内特并没有这么好的待遇。他看上去优雅而谦恭，甚至有点令人尊敬。他稍稍有些秃顶，脸上透着聪明，一副黑框眼镜让他的样子看上去端庄威严。简言之，他是个老于世故的人，一个成熟而富有魅力的恶棍，能够在不知不觉之间赢得一个天真女孩的芳心，让她沦落风尘，一生蒙羞。早在审判开始之前，报纸便翻出了伯滕内特被开除军籍的故事，指控他掠夺政府，深深损害了华盛顿的利益。

妓女们鱼贯而入，走上证人席作证。某种程度上，她们描绘了一幅温情脉脉的图景：伯滕内特帮助她们铺油布、搭凉棚，帮着做饭，吃饭的时候坐在餐桌的首席，给“这一家人”夹菜。他对莫德的财务利益也很热心，以 8 分钱一份的价格卖杜松子鸡尾酒给顾客，为支付住宿费的事情与四个女房客吵架，并因为她们要第二份肉而找碴。另一些不那么家长里短的证词则证实了这位前少校与妓院经营管理之间的关联。被告的辩护律师是托马斯·H. 福特，曾在蔡斯的州长任期内担任俄亥俄州的副州长。他没有浪费力气为他的两位委托人作无罪辩护。他讲了几个关于伯滕内特的下流笑话，以莫德的涉世未深和那些诽谤她的证人的可耻品格作为辩护理由。伯滕内特向法庭提出抗议：媒体充当了审判他的法官和陪审团。

特区地方检察官爱德华·C. 卡林顿是弗吉尼亚人，墨西哥战争的退伍老兵，布坎南执政期间担任过民兵准将，1861 年被贝茨先生推荐担任现职。在那段时间，竞争对手埃德温·斯坦顿的主张得到了西华德的强烈支持，而贝茨强烈地感觉到，与卡林顿一起工作他更放得开手脚，因为卡林顿是一位温文尔雅的绅士，也是他的朋友。要不是这个原因，斯坦顿如今很可能就在为起诉伯滕内特和罗伯茨而慷慨陈词，而不是在战争部称王称霸了。卡林顿为控告不道德行为提供了一个很好的机会。他的眼睛紧盯着伯滕内特，“把这个奸夫和妓女情人的形象深深印在自己的脑海里”。偶尔，那位前少校的沉着镇静动摇了，他躲开了那锐利的目光。法庭里的人群完全被检察官的雄辩口才给征服了。当伯滕内特的同事们抽泣着讲述他的不道德行为的事时，陪审团席里有人拿出了手帕。陪审团只用了 10 分钟的时间便作出了有罪裁决，并建议宽恕莫德。法官让她交了 50 美元的罚金便把她放掉了，并希望她改邪归正。前少校被判处一个月的监禁和 500 美元罚金，如果不交罚金，将再加五个月的监禁。伯滕内特交不出罚金，不过，大约四个月之后，总统赦免了他。

在指导陪审团的时候，奥林法官对本城那些大肆宣扬这些诉讼的报纸给予了谴责。福尼先生的《每日纪事报》（*Daily Chronicle*）正在庆祝它的第一个生日，这份报纸为此感到很高兴，因为它曾拒绝为了发行量而迎合那些“病态的、不道德的读者”。另一方面，《星晚报》和《全国共和党人报》报道这宗案子时的那种态度被一位市民描述为“应该受到谴责的津津有味”。它们的销量想必使得《每日纪事报》对它们那些“被污染的专栏”耿耿于怀。当然，庄重威严的老报《国民通讯员报》完全没有关注整个事情。它很少屈尊关注华盛顿的消息，哪怕是体面正派的消息；在 1863 年 11 月的第一个礼拜里，它一门心思专注于对查尔斯顿的围攻，军队对马里兰州选举的干涉，以及坎伯兰军团（依然被围困在查塔努加）的形势。

战争的现状已经大为改观，环绕首都的防御工事构筑出了一段安全的距离。自葛底斯堡之战以来，华盛顿享受了一段免于忧惧的时光。弗吉尼亚有很多游击队出没，他们袭击孤立的警戒哨、偷盗马匹、捣毁铁路，并俘获政府和随军小贩的马车。去年春天，他们的领导人约翰 · S. 莫斯比少校完成了一项惊人的壮举：他在费尔法克斯县府偷偷越过联邦军的阵线，抓住了联邦军的一位准将，另外还有 100 名战俘及很多马匹。莫斯比是一个骨瘦如柴、尖酸刻薄、沉默寡言的骑兵，曾

约翰 · S. 莫斯比

给杰布·斯图尔特将军当过侦察兵，现在依然为他效命。莫斯比率领的骑兵队主要由弗吉尼亚人和南方军的逃兵组成，其中有些人穿着灰色制服，有些人则穿着联邦军的蓝色制服。在袭击间歇期间，他们分散开来，得到信号便集中，当他们脱下那身衬托他们英姿飒爽的骑马风采的制服时，他们看上去清白无辜的样子使他们很难被俘获。从华盛顿和联邦军士兵的观点看，游击队无异于拦路抢劫的强盗，纵容部下保留自己掠夺的赃物便证明了这一点。然而，南部邦联政府承认他们是游击骑兵队员，并领取跟骑兵一样的薪水。在费尔法克斯县，莫斯比的骑兵看上去似乎就像联邦军一样多，而且更加活跃。袭击贝利十字路口、曼森山和福尔斯彻奇的事件，让华盛顿时刻提心吊胆，生怕这些游击队员胆大妄为。

在葛底斯堡之战之后，李将军撤到了拉皮丹河对岸。在安安静静的三个月时间里，两支大军在华盛顿南边互相对峙。9月下旬，在奇克莫加战斗之后，战争部采取了前所未有的一步：缩减波托马克军团，以增强远离首都的一支军队。第11军和第12军由胡克将军率领，被派去增援坎伯兰军团。胡克在战斗前夕要求解除他的最高指挥权，这个一时冲动的要求是出于对哈勒克的怨恨。他依然想积极为国效力，而且，在他的请求没有得到回应时，他便去了华盛顿，在那里，他因为擅离职守、造访首都而遭到逮捕。尽管受到无礼对待，但胡克还是坚持请求在波托马克军团担任更低一级的职位，但他的任命遭到了米德的反对，他们之间的关系处得很糟。派出第11军和第12军为胡克提供了一个机会，让他能够得到一个恰当的职位。这支16 000人的部队仓促登上了火车，前往田纳西州那个危险的地点。斯坦顿的干劲十足和坚决果断战胜了哈勒克将军的无动于衷。关于这次行动的任何信息都不允许报纸宣传，华盛顿眼睁睁地看到了大部队的通过，听到了持续不断的马车队的轰隆声和哨子的尖啸声，终于懂得了正在发生什么，并强化了这样一个看法：田纳西将成为一次重要军事行动的现场。

10 月中旬，华盛顿听说离它最近的前线发生了一些激烈的小规模战斗，但是，李将军开始从侧翼包抄，米德的军队一路向森特维尔撤退。后卫是曾经在葛底斯堡英勇作战的第 2 军，由温菲尔德・斯科特・汉考克将军指挥。汉考克是宾夕法尼亚人，英俊潇洒，富有魅力，是陆军中最能干的将领之一。他在葛底斯堡身负重伤，第 2 军也被临时委托给来自纽约州的古弗尼尔・K. 沃伦将军指挥。沃伦是一个地形工程师，曾经为国家立下了汗马功劳：夺取了对于联邦军在葛底斯堡的阵地至为关键的小圆顶山。在布里斯托车站，这位肩章上佩戴着苜蓿叶的军人如今打败了李将军正在行进的纵队。李将军撤退到了拉帕汉诺克河阵线。人们对南方军的溃退深感满意，不过其中也夹杂着对米德过于谨慎的批评，因为他把军队撤到了森特维尔。华盛顿流传着这样一个谣言：塞奇威克将接管他的指挥权。

公众有一个这样的印象：波托马克军团注定无所作为，纽约州民兵部队的离去更强化了这一印象（他们放假去参加本州选举的投票）。然而，在 11 月的第一个周末，有消息说联邦军在塞奇威克的率领下成功地进攻了拉帕汉诺克火车站。在一个月的时间内，联邦军两次在弗吉尼亚遭遇敌军，并战而胜之，《星晚报》骄傲地把拉帕汉诺克火车站战斗称为这场战争中最重要的胜利之一。首都为波托马克军团的勇猛而欢呼喝彩，但其军事行动在城里激发起来的兴奋，远逊于四处劫掠的游击队的袭击。华盛顿舒舒服服地接受了一支大军的保护，这支大军在敌军与防御工事之间构成了一个缓冲带，在这些防御工事里，去年夏天的新兵如今都成了炮兵专家。就像北方其他地方一样，首都人在早晨拿到报纸的时候首先找到田纳西的新闻。乔治・H. 托马斯从罗斯克兰将军手里接管了坎伯兰军团的指挥权，托马斯是个能干的弗吉尼亚人，一直对联邦忠心耿耿。10月底，格兰特将军骑马进入了查塔努加。华盛顿就像一个很小的音乐厅，因为庞大的管弦乐队的离去而空荡荡的，虽然余音绕梁，但不再震耳欲聋。

在心烦意乱之后的短暂休息中，除了战争导致的嫖娼和犯罪率上升之外，首都还有很多别的烦心事。宪兵队在忙着拦截那些把烈性酒带给军队的女走私犯。一位受雇于第7街候船室的女侦探搜查了玛丽·韦尔什和凯瑟琳·哈特尼特，发现她们的腿上以一种《星晚报》羞于描述的方式绑着行军水壶。而这之前，“玛丽的乳房那不同寻常的尺寸”已经导致卫兵从她的紧身胸衣里扯出了两个大酒瓶子。士兵们都成了搜查专家，对任何有悖女性常态体形的可疑之处明察秋毫。一个“大而无当的裙撑”导致一个女人臀部的白铁容器被发现——这个容器由四个部分组成，每一部分装有1.25加仑“劣质威士忌”。

在华盛顿，一个必须严肃讨论的主题是强制征兵。有一位先生每天乘坐有轨马车去一趟乔治敦，他注意到，在他与同路乘客的交谈中，征兵的话题几乎取代了美元与合同。8月初，在市政厅的审判室里，一个被蒙住眼睛的人从轮盘里抽取名字。三分之一应征入伍的人是黑人。给总统理发和擦皮鞋的威廉·约翰逊名列其中，威拉德酒店“漂亮的领班侍者”乔治·华盛顿也是如此，另一个“温和敦厚、脸庞发亮的黑人”是约翰·海的亲信。一些同情南方的人发现自己在应征入伍的名单中，有些政府雇员被抽中了。战争部的一位职员在听说自己被征召入伍之后自杀了。这项工作的效率低得有些荒唐可笑。特区的名额是3 863个新兵。到10月，征兵部门设法招到了960人，其中675人是顶替者，富人花钱雇他们代替自己上战场。白人新兵被送去了安纳鲁斯坦岛的军营，而黑人新兵则去了河对岸逃亡黑奴农场的营地。

总的来说，强制征兵只给军队招募到了少数人。它的实际价值在于刺激自愿应征入伍，所有志愿兵都被记入征兵名额。政府津贴已经提高到三四百美元，各州、县、市提供的额外补贴经常是这个数额的两倍以上。华盛顿的一个委员会拼命想抵制在特区再次进行征兵，在那年冬天为新兵津贴而筹集资金，但市民们在捐款上并没有表现出慷慨大方。总统在秋季号召志愿参军，冬季再次发出号召，但在 1864 年 2 月 1 日，特区并没有分配名额，沃勒克市长写信给宪兵司令詹姆斯·B. 弗赖伊将军询问理由。弗赖伊的答复是：这是由于人口状况未定，以及人们对战争的态度存在分歧。这一解释使华盛顿的地位类似于肯塔基和密苏里这两个边境蓄奴州长期以来拥有的那种地位，让那些忠诚于联邦的居民痛心疾首。不久之后，整个特区的征兵名额（包括前几次号召参军时所缺少的数额）被定为 12 000 人以上。由于志愿参军和强制征兵的数目也包括在内，这个数字有所减少，但到 3 月 1 日，还差将近 5 000 人，不久之后，林肯又号召招募 20 万人。沃勒克持续不断地批评特区的征兵名额过大，并成功地使之基于 1860 年的人口普查数据，而不是基于战争时期华盛顿大为增长的人口数。

那年冬天，首都的烦恼在征兵代理和替身中介（他们很快就涌进了城里）的身上找到了宣泄的出口，而且，尽管有宪兵队的侦探在火车站警戒，依然有大量逃亡黑奴被人抢走，去填补北方各州的征兵名额。黑人被大笔的津贴所吸引，很乐意去北方。愤怒的特区把这种行为称作“绑架”。华盛顿的市民可能不喜欢让黑人接受教育，不喜欢在有轨马车上坐在他们旁边；但他们心里依然念念不忘他们的黑人兄弟，因为他们可以扛枪打仗。

开小差的人数大为增加，这是强制征兵显著的结果之一。替身就算不是专门领了津贴便开小差的人，也都是雇佣兵，对一场穷人的战争并不热心。他们开始在华盛顿下游乘坐小船、独木舟和木筏渡过波托马克河，逃离波托马克军团。其中很多人都得以逃脱，但有一些士兵遭到了逮捕，来自纽约、宾夕法尼亚、缅因、密歇根、马里兰、哥伦比亚特区的黑人和白人都包括在内。在大多数情况下，他们被送回他们各自的团，但在乔治敦的福雷斯特大楼，专门为逃兵建了一座监狱。第 14 街的斯通医院被保留给他们当中的伤病员。华盛顿开始在行刑日听到行刑队那阴森沉闷的枪声。特区宪兵司令接到了一封匿名信，威胁他如果再逮捕任何一个逃兵就要加害于他。有人试图烧毁他的房子，马厩实际上已经被点着了。

在战争的第三个秋冬季，有很多人对政府部门和私人企业中日益增长的劳工骚乱深感忧虑。华盛顿高昂的生活成本——据估计，一个五口之家每年的开支是 1 333 美元——逼迫职员们组成了一个协会，谋划移民巴尔的摩，与铁路公司签订了一份合同，由后者提供一趟销售长期往返车票的专列。私人企业提高了工资，政府部门没法与之相比，海军造船厂和兵工厂都出现了反对 10 小时工作制的抗议。突然之间，劳工隐约成为国家事务中的一个不安因素，这不仅仅是因为军队减少了劳动力的供应，而且还因为这一阶层已经变得自觉而苛求。财政部大楼扩建部分的总设计师威胁手下的工匠和劳工：除非他们服从削减一半午餐时间的新规定，否则就降低他们的薪水。将近 1 000 人放下了手里的工具，在禁酒大厅举行集会，推选了一个委员会，拿着一份请愿书去找蔡斯先生。财政部长彬彬有礼地听完了他们的申诉，然后告诉他们，为了获取一个部门首脑的意见，采用这种方式是异乎寻常的。他要求该委员会劝告劳工和工匠回去干活，并相信他会公正处理此事。那天下午，人们回到了财政部大楼的扩建部分，第二天早晨 7 点都到了工地上；但是，在得知半小时午餐时间的规定已经生效之后，他们再次停止了工作。尽管蔡斯先生不赞成把“罢工”作为胁迫政府部门的一种手段，但他还是告诉工人们推选的委员会：他

扩建中的财政部大楼

不能把他们当作罢工者来对待，大约四分之三的工人投票支持回去干活，中午他们用一个小时的时间等待他的决定。大约两周之后，财政部长撤销了总设计师的规定。他后来发表声明称：未来所有的罢工者都将被开除。

11 月，装订工们制造了一场恐慌，他们号召举行一次罢工，印制局的装订厂阴森森、空荡荡的。他们的薪水是一周 16 美元，每天工作 10 小时，他们提出的要求是：要么每天工作 8 小时，要么每周增加 2 美元，并允诺，他们 8 小时干的活跟 10 小时干的一样多，而且雇主可以省下煤气的开销。私营装订厂既同意更高的报酬，也同意更短的工时，不久之后，政府与工人协会达成了一项协议。在此期间，印制局的排字工暂时停止了工作，以支持装订工。这次罢工的召集，印刷协会方面没有采取任何行动，然而，它却采纳了工资率过低这项提议。

街轨公司的车夫也举行罢工，争取更高的薪水。他们的薪水最近刚从每天 1. 5 美元提高到了 1 美元 75 美分，但他们想要 3 美元，哪怕 2 美元也会心满意足。售票员和马夫顶替了他们的工作，有轨马车的运行并没有被严重中断。罢工者在第 7 街和宾夕法尼亚大道上安营扎寨，罢工委员会试图说服顶替者离开工作岗位，并充分表明了要求警察的干预，但是，在车夫举行的一次集会上，人们并不赞成胁迫，认为那是下策。街轨公司同意提高 25 美分。在海军造船厂和兵工厂，要求缩短工时的请愿得到了允许。斯坦顿命令各部门首脑对工资的合理增加额进行调查。韦尔斯任命了一个调查委员会，由一名现役军官和三名工人组成，那年春天，海军部给造船厂的木匠和技工增加了工资。另外一些部门的雇员，市区警察局的警察、砖匠、泥水匠、木匠和细木工，全都在冬春两季要求涨工资，而华盛顿中小学教师的微薄薪水也引发了骚动。

总的来说，人们对华盛顿劳工的委屈有一种同情的倾向，有人做了一些努力，试图使政府雇员的工时和薪水达到私人企业中普遍盛行的标准。在这次重新调整的过程中，女性劳动者就运气不佳了。女性劳动力的供应无穷无尽，她们没有级别、先例或基准可供比较。当克拉拉·巴顿获得一个与男人同等薪水的岗位时，在政府部门的女性职员当中几乎闻所未闻。随着时间的流逝，她们庞大的数量成了这场战争最显著的影响之一。仅“财政部女孩”就构成了一个相当庞大的群体。女人受雇于政府的印刷厂和装订厂，在海军造船厂和兵工厂制造子弹。她们的报酬通常远远低于她们所顶替的男人。“财政部女孩”的报酬相对较好：每月 50 美元，可是，多斯特少校评论道，这已经够少的了，一个普通房间要 20 美元，而 30 美元的伙食很难找到。1862 年，女性印刷装料工足够大胆，举行了一次罢工，要求把她们的薪水从每周 5 美元增加到每天 1 美元，这次罢工由于紧迫的工作压力而赢得了胜利。将近两年之后，当印制局的女工们再次罢工的时候，她们没能获得更高的薪水，而且，据《星晚报》称，有些人还发现，她们的岗位已经被别人填补了。很多女孩在其他城市的工厂和商店里挣一份微薄的薪水，在阁楼里趴在缝纫机上给士兵缝制军服，却是她们在印制局工作的姐妹们羡慕的对象。《星期日纪事报》（*The Sunday Chronicle*）在一篇颇有见地的社论中讨论了女性工资普遍盛行的低标准，并得出了这样一个结论：印制局的女工报酬还是过低。一个密切相关的问题是，一个女人是不是应该为她的日常劳作获得足以让她摆脱匮乏、免于耻辱的恰当报酬。《星期日纪事报》从不相信“所谓的‘罢工’总是蛮不讲理的、不公平的”。

自 8 月至 12 月，贝尔·博伊德回到了华盛顿，没有被首都过高的生活成本所困扰。她得到了卡罗尔监狱（附属于老国会大厦监狱）的一个最好的房间。这两座布局凌乱的监狱都人满为患。超过 2 000 名来自拉帕汉诺克车站的南方军战俘挤满了老国会大厦的每一个角落，他们站在院子里，“就像桶里的苹果一样紧紧挤在一起”。华盛顿已经不可能容纳大批的、人数越来越多的战俘，交换战俘的工作受阻于联邦政府与南方当局之间的激烈争论。战俘被尽快送到马里兰州了望角的大战俘营，以及俄亥俄州约翰逊岛的军官营。尽管到处都有军事法庭，但政治犯、走私犯、偷越封锁线者、违约承包人和联邦军违犯军纪者的案子都处理得很慢。贝尔的一位狱友是华盛顿的著名银行家威廉·T. 史密森先生。这是他第二次被指控通敌而遭到逮捕。军事法庭的诉讼记录并没有公布，但这位银行家被判处 5 年监禁，在卫队的护送下去了奥尔巴尼的监狱。

斯坦顿、沃森和贝克的铁腕统治并没有让首都人泯灭对南方的同情。600 位女士去了里士满，她们空出来的位置在 1863 年秋天又被填满了，填补者都是从前的首都居民，如今偷偷越过军事阵线回来了。华盛顿的生活成本固然很高，但里士满的条件越来越让人无法忍受。一些自1861年春天之后消失的面孔重新出现在大街上——半心半意的玩火者，已经对遭到封锁的南部邦联的艰难困苦感到厌倦。《星晚报》的大字标题写道："老鼠纷纷逃离沉船。"联邦军在葛底斯堡和维克斯堡的胜利削弱了他们的斗志，不过，当他们从卡罗尔监狱旁边经过的时候，他们还是会朝贝尔·博伊德的窗户点头、打手势。傍晚时分，每当她哀怨地吟唱"带我回到阳光明媚的南方"时，一些政府职员和寄宿公寓老板便会聚集在国会大厦公园的后面。在患上一次伤寒热之后，贝尔得到了马丁代尔将军的许可，每天傍晚可以在卫兵的看守下，到国会大厦公园散步半小时。那么多女士先生聚集在那里，就为了一睹芳容，在她经过时向她说几句同情话，以至于斯坦顿先生很快撤销了许可。

一天夜里，格罗弗剧院屋顶上升起的一面漂亮的新国旗被人扯下并被拿走了。这一事件在忠诚于联邦的居民当中激起了愤怒。在华盛顿，人们依然很少挂国旗，即便在打胜仗的时候，然而一面国旗的丢失便让全城的人感觉到了。《星期日纪事报》谴责街道的面貌不爱国，并极力主张：国旗应当每天都全天飘扬在联邦政府和特区的公共建筑上——在各政府部门，在宪兵司令的办公室和贝克上校的司令部，在每一个法院和公共场所。《纪事报》希望，这一榜样会传播到其他建筑物，传播到私人住宅和娱乐场所。这家报纸很高兴格罗弗经理立即又买了一面巨大的国旗，取代了被人偷走的那一面；而且，福特经理也承诺，他的剧院很快就会飘扬起星条旗。

剧院当然掏得起钱秀爱国主义。战争让剧院经理们都阔起来了。第9街上靠近宾夕法尼亚大道的杂耍戏院装饰着大量的国旗，它总是以一首国歌和一个爱国场景结束它的演出，观众当中的"蓝制服们"则大声欢呼。这个大礼堂就像一间仓库，墙壁上的灰泥抹得很粗糙，椽子裸露着。然而，它花费很高的代价翻修过，一个彩色光轮在入口上方旋转出千变万化的光彩。坎特伯雷大厅坐落于国家大酒店背后的老礼堂里，用它的大功率灰光灯照亮了路易斯安那大道。像杂耍戏院一样，它每天夜里也挤满了“士兵和粗汉，他们大声尖叫、发出嘘声、随处吐痰”。酒吧里销售 10 美分一杯的烈性酒，娱乐节目是一场大杂烩：穿着暴露的女士，黑人小丑，杂耍和柔术演员，下流笑话，滑稽戏，感伤歌曲，以及讽刺军队管理的小品，乱纷纷你方唱罢我登台。适合于妇女儿童的午场演出有时候在节假日上演，但在其他情况下，除非是一次狂欢，有家室的人并不经常光顾这些杂耍戏院。

战争爆发一年之后，由于两位剧院经理的进取和竞争，一向作风严谨的华盛顿拥有了数量空前的戏剧娱乐，这两位经理便是约翰 · T. 福特和伦纳德 · 格罗弗。福特是一位和蔼可亲的绅士，有很高的声望，在老家巴尔的摩市的时候他就是哈利迪街剧院的经理。他经常去华盛顿，他有两个兄弟在那里负责打理他的生意。战前，福特是巴尔的摩市议会的议长，还担任过两年市长。他还经营着里士满剧院，非常熟悉那座城市，在那里有一些关系密切的亲友。他对联邦的同情属于马里兰和哥伦比亚特区都盛行的激进民主党的变种。伦纳德 · 格罗弗说，福特的政治观点稍稍不同于他自己的观点，在表达这些观点上他们都很谨慎，但从记录上看，格罗弗给人留下了更忠诚于联邦的印象。他在纽约西部出生成长，与西华德先生保持着友好的关系。在战争爆发之后，他受雇于巴尔的摩的一家报社，来华盛顿之前，他在招募马里兰第 1 团和第 2 团的工作中扮演了一个积极进取的角色。

福特和格罗弗都是敏锐的年轻人，看准了从首都的戏剧生意中挣钱的机会。按照常规，他们组建了常住股份公司，为的是在特邀明星们一两周的签约期内（少数情况下期限更长一些）为他们提供服务。

一些广受欢迎的演员有权利参加义演，这作为他们的合同的一部分，但剧院经理也为他们自己举行一场年度义演。华盛顿已经巨大增长的人口很容易养活两家新剧院，再加上一些杂耍戏院，以及 C 街的老华盛顿剧院偶尔上演的优秀节目。福特的第一家剧院雅典娜剧院是第 10 街上的一座经过改造的浸信会教堂，位于 E 街和 F 街之间。格罗弗和他的合伙人 C. D. 赫斯经营着 E 街的一家新剧院，在第 13 街与第 14 街之间。它在海报上被称作格罗弗剧院，但有些人称之为国家剧院，因为它所在的地方就是老国家剧院的场地，老剧院在战争爆发几年之前被烧为平地。在这些高级娱乐场所，尽管在保留给女士的那些区域可以注意到得体的规矩礼仪，但它们的后座和长凳就像杂耍戏院一样，也被喧嚣吵闹的粗人所占据。《星期日纪事报》说，如果一位绅士被迫坐在后座的话，他需要一把雨伞和一件救生衣，以保护他不至于被烟液的洪流给淹没，这些烟液在他的脚下就像一片黄海一样流淌，裹挟着花生壳和栗子壳。有些粗俗的家伙对催人泪下的悲剧哈哈大笑，并冷嘲热讽，还有人在最后一场结束前急匆匆地冲出去，搅得旁人不得安宁。然而，由于明星都大名鼎鼎，节目都经过精心选择，无论哪家剧院都几乎座无虚席。

在雅典娜剧院毁于大火之后，福特毫不费力地从富有的华盛顿市民那里得到了财务支持，在原址上建起了另一座剧院；1863 年 8 月，这座“宏伟的戏剧神殿”在煤气灯的炫目光亮中开张了，首场演出的是场面壮观的戏剧《水仙王后》(*The Naiad Queen*)。有一幅漂亮的垂幕，装饰着莎士比亚的半身像和风景。当地人宣称，就通风设施、声音性能和视觉效果而言，这座剧院比全美国的任何一家剧院都要高级。它包含了带有水龙软管的消防栓，能容纳 2 400 人。入场券的票价分别是 25、50、75 美分。警官把守着大门，禁止浓妆艳抹的荡妇进入。

福特剧院的内部

福特已经知道，在华盛顿，对私人包厢的需求几乎比其他任何城市都要迫切；因为，尽管它们提供不了像正厅前座或中央楼座那样好的舞台视野，但它们对于戏剧招待集会来说却很时髦。福特在楼座或二楼前座的两端提供了很多包厢，外加建在舞台前缘两侧阶梯座位中的四个包厢。从观众的视角看，右手边上排阶梯座位的两个包厢被一道活动隔墙分开，使得它们能够合而为一，组成一个双包厢，供总统使用。两个包厢都贴上了暗红色的墙纸，铺了地毯，悬挂着诺丁汉蕾丝花边帷幕。10 月，林肯先生第一次来到这座新剧院，观看马吉·米切尔主演的《蟋蟀芳淑》(*Fanchon, the Cricket*)。双包厢装饰着国旗和鲜花，总统占据着一把装着软垫的摇椅，有一个雕刻的框架，这把摇椅是为接待室购买的一套漂亮家具的一件。两周后，当约翰·威尔克斯·布斯（著名演员家族中最年轻的一位）开始他在福特剧院的第一个演出季的时候，总统去看他的演出《铁石心肠》(*The Marble Heart*)，约翰·海宣称，这出戏“别的倒也没什么，就是有点闷”。

12 月，约翰·H. 哈克特在福特剧院演出一周。他是一个剧院老兵，很快就要退休，大批观众聚集到剧院里，来观看他在《亨利四世》(*Henry IV*) 和《温莎的风流娘儿们》(*The Merry Wives of Windsor*) 扮演的福斯塔夫。这是总统特别感兴趣的一个角色，去年，他在哈克特第一次访问华盛顿时看过哈克特的演出。林肯写信给哈克特，邀请他来白宫，在他首演之前的那个星期天，哈克特和总统在一起聊了一夜，讨论福斯塔夫。《纪事报》说，林肯先生接连四晚去福特剧院，当时哈克特正在演出。约翰·海在日记里记载了两个晚上。

伦纳德·格罗弗并没有被他的竞争对手打败，他重建并改良了他的剧院，增加了 1 000 个座位。它在 10 月重新开张，有一个明星团队露面，包括在华盛顿深受欢迎的 E. L. 达文波特和 J. W. 沃雷克。著名的悲剧演员夏洛特·库什曼，每当她来首都的时候，总是在西华德先生家里做客，她在一场义演中与达文波特和沃雷克联袂演出《麦克白夫人》(*Lady Macbeth*)，给卫生委员会募集了 2 000 美元。在热心观众当中，就有总统、林肯夫人和塔德。

当国会开幕带来大批冬季访客的时候，格罗弗剧院和福特剧院都开始了一个非常成功的演出季。政治家、承包商和钻营拍马之徒挤进了原本就繁忙热闹的酒店，那里已经挤满休假的军官和紧盯着军队行动的随军小贩。观光客成群结队而来，口袋里的钱花得一干二净。北方人的资本投资于特区的企业，华盛顿的商业像从前一样生意兴隆。政府订购床垫、铁床架、五金器具和炉子的合同让很多市民变得富裕起来。兼卖布料的裁缝、马具商、铁匠、文具商和酒店经营者也从这场战争中大发横财。星期六夜晚，宾夕法尼亚大道被灯火通明的商店和宾馆所照亮，寻欢作乐的人蜂拥而来。沿着街道，走过铜管乐队，广告牌闪闪发光，预告“波卡洪塔斯和韦布姐妹”“坎特伯雷之星永不落”等演出节目。一个小男孩站在第 10 街拐角处大声喊叫：“去福特剧院请往这儿走。”

在外国游客看来，华盛顿依然是一个稀奇古怪的地方。那年冬天，乔治·奥古斯塔斯·萨拉作为伦敦《每日电讯报》（*The Daily Telegraph*）的记者一直在观察它，对于这座联邦首都，他耗费了冗长啰唆、饱含轻蔑的浮夸之词，他把华盛顿称作“一出巨大的恶作剧”，“一个患脑积水的村庄”，以及“一个巨大的、爬行的、半生不熟的城市胚胎，就像一只躺在 7 月里的小河泥滩上的短吻鳄，懒洋洋地晒着 12 月的太阳”。但华盛顿居民在新一轮繁荣所带来的兴奋中，带着一种由衷的公民自豪感注视着华盛顿，对城市的未来充满信心。1861 年春天的那种怀疑情绪，随着大街上悠闲安逸的南方面貌而一起消失了。金钱的富足和对住房的需求抬高了房地产的价格。城里到处都在建造商店和住宅；海军造船厂的船坞停满了正在修理的船只；铁匠在挥锤锻打，木匠在锯和刨；大炮、榴弹炮、铜板、子弹、火帽、引信、火箭和弹药筒源源不断地被制造出来。华盛顿自来水厂巨大的主水库在举行仪式之后，正式开闸放水。一些公共建筑在战争进行当中仓促完工，它们倒伏的立柱和散落各处的装饰曾经令人想起古代遗迹的废墟。众议院大厅里铺上了崭新的地毯，从老大厅通向新大厅的走廊入口装上了一扇壮丽辉煌的青铜大门，上面描绘着哥伦布发现新大陆的历史场景。在参议院那一翼，画家正在绘制壁画，工人们在抬举大理石立柱，安放在柱廊里相应的位置上。大穹顶在它的骨架下逐步成形。

尽管有人批评总统，在战争急需资金和人手的时候仍然坚持国会大厦的工程，但他确信，它会带来积极的影响。他对一位来访者说：“如果人民看到国会大厦在继续施工，那就是一个信号，表明我们决心让联邦继续向前。”12 月，武装自由女神雕像升上穹顶的那一天，没人发表演说，也没有举行公共仪式。一个炮兵连驻扎在国会大厦东边，数千人聚集在那座荒凉的小山上。地面因为有轨马车的轨道而变得丑陋不堪，耀眼的白色翅膀从一堆乱七八糟的泥泞、垃圾、砖墙和工棚中间飞了起来。透过小望远镜，人群注视着很小的雕像在穹顶上移动，当滑轮转动，人们看到绷紧的钢丝绳，吊起晃晃悠悠的青铜头，连同它的鹰冠。不一会儿，它悬在了躯干的上方，随后安装到位，发出锤子轻轻敲击金属的声音。“武装自由女神”雕像在骨架笼子里雄伟地升起，倚靠着她的盾牌和她那把已经入鞘的剑。星条旗在她的头顶上迎风飘扬，欢呼声划破长空。炮兵点燃 35 响礼炮，代表每个州的礼炮一响，各要塞立即发出 35 次铿锵有力的声音作为回答。

总统发表了一份声明，建议把 11 月的最后一个星期四定为全国性的感恩节——新英格兰和北方各州长期以来就庆祝这个节日。农业大丰收给工业和贸易的繁荣锦上添花。那年秋天，华盛顿周围的乡村地区有一个格外罕见的丰收季。随着很多军营的撤走，农民们纷纷打道回府，继续耕田种地，这片土地由于有营地和畜栏的垃圾充当肥料而变得更加肥沃。此外，城里巨大的粪便储存免费提供给所有愿意拉走它们的人。漂亮的房子空无一人，树木被砍倒，废弃军营里的垃圾污染了风景，但田野从未像这样蓊郁葱茏，绿意盎然。

为了让它的感恩更加圆满，北方渴望听到联邦军正在行动的消息，在 11 月最后一个星期四之前，田纳西州有一场军事行动。格兰特的计划被坚定地制订了出来。当谢尔曼的军队赶来与他会师的时候，他向围攻查塔努加的叛军发起了进攻。全国各地的报童都在尖声叫喊，宣告前方的胜利。故事还在发展，胜利的凯歌在瞭望山、教士岭此起彼伏，汹涌澎湃。在华盛顿，在那个人们尚不习惯的节日那天，人们浏览着号外，上面宣布了如此及时的感恩理由。坎伯兰军团和田纳西军团的英勇表现让教堂、剧院、有轨马车里的每一个人都笑逐颜开。谢尔曼、托马斯和胡克是人们引以为傲的名字；尤其是格兰特的名字到处回荡着，就像查塔努加战场上军队那嘶哑喉咙的回声。

紧跟着这个令人愉快的消息之后，传来了波托马克军团已渡过拉皮丹河的消息。国民们期待着一场决定性的胜利，彻底击溃李将军已经元气大伤的部队，里士满从前的战斗口号再次响起，就像一个挑战，一声祈祷。但这一次，故事出现波折。正当黄金市场发神经似的剧烈波动的时候，战局逆转的谣言四起。媒体照老套路发布安慰人心的消息，坚持认为，米德只不过延误了战机，可能并没有出现灾难。事实上，根本没有战斗发生。联邦军打算袭击位于雷奔（Mine Run）的南方军阵地，不过发现那里的防御工事固若金汤之后，米德把他的部队撤到了拉帕汉诺克河南岸从前的营地。那不是一场灾难，而是一次惨败。

就连忠心耿耿的《星晚报》也并未试图掩饰这次失败。人们深感失望，对米德的尖刻指责随之而来。假如他哪怕是实现了一场局部胜利，他早期的延误战机也会被人们忘得一干二净。如今，所有这一切都被清晰地回想起来了。米德被指责为“又一个优柔寡断的将军”，又有谣传说他将被解除指挥权。

但是，在寻欢作乐的华盛顿，雷奔战斗的消息并没有给人们留下多么深的印象。当政府官员、华盛顿的暴发户和有钱的游客寻欢作乐的时候，那年冬天的社交季便有了各种各样的挥霍花招。城里有如此多的财富，以至于同一个晚上有几件大事发生，留出大量华丽的装束去点缀剧院的包厢。西华德先生在他的住处“老俱乐部会所”举办小规模的晚宴和盛大的招待会。斯凯勒·科尔法克斯——众议院那个肤色白皙、温文尔雅的小个子议长，绰号“微笑使者”——举办了一系列令人愉快的派对。众议员费尔南多·伍德也是如此，他是纽约市的前任市长，如今成了主和派民主党人的领袖。伍德身材瘦小，举止优雅，头发和胡子都染了色，在华盛顿是个新人，也是一个引人注目的角色。尽管他公开与分离主义者结成同盟，但他努力与本届政府保持一种秘密的关系，不放过任何机会讨好白宫。

凯特·蔡斯小姐与威廉·斯普拉格喜结连理，是那年冬天最重要的社交事件之一，拉开了这个辉煌灿烂的社交季的序幕。斯普拉格前不久还是罗得岛州的娃娃州长，如今是联邦参议员。凯特·蔡斯以她美丽和聪慧的天赋，在任何社交场合都会熠熠闪光，不过运气也帮助她在华盛顿的官方娱乐活动中赢得至高无上的地位。由于半残疾的西华德夫人很少来首都，财政部长的女儿便成了内阁中的第一夫人。威利的去世给白宫蒙上了阴影，因此没有社交集会跟蔡斯府邸举办的晚宴、招待会和舞会一争高下了。凯特的婚礼，就像一位公主的婚礼一样，耀眼的光芒无远弗届，远远超出了应邀出席仪式的名流圈。她星光灿烂的经历照亮了疲惫女工的房间。大街上很多不认识她、甚至不曾一窥她芳容的人都能想象她那大理石般白皙的皮肤，她那骄傲的眉毛，她那闪光的赭色头发；甚至还知道，她最喜欢的颜色是粉红色。简朴的生活被下面这样的描述所放大：她那身婚纱拖着长长的白色天鹅绒裙裾，蕾丝花边面纱通过一套钻石和珍珠（新郎的礼物）扣在她的前额上。

威廉·斯普拉格

表面来看，新郎大概并不十分配得上这个光彩照人的女孩。无论是他那毫不起眼的身材，还是他那和蔼的神情有些轻佻的面庞，都没有什么令人印象深刻的东西，但他的爱国让人们对他颇有好感。他戴着那顶装饰着黄色羽毛的帽子，跻身于最早前来保卫首都者的行列。他随罗得岛的军队一起参加了第一次奔牛溪之战，去了弗吉尼亚半岛。最重要的是，祖父的棉纺厂里源源不断地流出财富，帮他赢得了重要的地位。老吉迪恩·韦尔斯指出："很少有哪个年轻人拥有他那样的优势，而且凯特小姐拥有足以匹敌的天才和雄心。"在她可爱的外表之下，凯特的意志之核就像她父亲的一样坚硬。她的婚礼花掉了 4 000 美元，蔡斯先生债台高筑。斯普拉格参议员将会买下 E 街和第 6 街拐角处的那幢房子，他的老丈人将继续住在那里，并支付伙食费。

财政部长想当总统的野心是一个公开的秘密。《纽约先驱报》曾暗示过这样一种可能性："向来和善"的林肯夫人会允许蔡斯小姐在白宫东厅举办她的婚礼招待会，"考虑到某件事情的可能性，好让她有机会判断一下，这里的社交活动是不是适合她"。林肯夫人甚至没有出席婚礼，据说她依然处在悲痛中。总统拿着他那顶烟囱大礼帽，登上了马车。

天黑之后不久，华盛顿人便聚集在从马车踏板到蔡斯公馆门口之间铺着席子的那段路的两侧。那是一群美国人，宽容、粗鲁、好脾气。在 E 街，长长的马车队列缓慢地向前移动。名流要人陆续走下马车，内阁的绅士们，衣服上缀着金丝花边的外交官们，哈勒克、麦克道尔、斯通曼和申克等几位将军，威尔逊参议员，以及尊敬的西蒙·卡梅伦先生。蕾丝花边和缤纷的羽毛一路招摇着拥向入口，珠宝在马车灯的灯光下闪闪发亮。两位活力四射的大美人现身了，她们是年轻的麦克道尔小姐和巴西公使的女儿。街上的人还不满足，他们想见到总统。8 点 30 分，结婚典礼开始的时间，总统终于出现了，孤身一人，没有卫队。曾几何时，在首都的大街上，没几个人朝这个笨手笨脚地登上国家最高职位的草原律师看上一眼。如今，人们争先恐后，只为了一睹他那和善而丑陋的脸庞。在夹道排列的人群中间，他迈步走向那位对他满怀妒忌的内阁部长家的门口。这是一个疲惫不堪的人，被数不清的烦心事弄得焦头烂额，对国家生存的高昂代价深感厌恶；一个有太多事要做、有太多人要见的人，就在下个礼拜他还得赶去葛底斯堡发表一篇演说。

在悬挂着国旗的客厅里，新人宣读了结婚誓言，客人们喜气洋洋地蜂拥而上，把新娘和新郎团团围住。这样的场面，那些在大街上凑热闹的人是看不到的。窗户里镶嵌了巨大的镜子，反映并强化了室内的喜庆场面。但舞曲的旋律从房子里传了出来，此时，在身板挺直的绅士们旁边，裙幅鼓胀的女士们开始像行星一样旋转起来。在 E 街上，人们听到了《凯特·蔡斯婚礼进行曲》，那是为这场婚礼专门创作的。公馆随着欢声笑语和叮叮当当的碰杯声而颤抖，人们举杯庆贺，祝福这对新人永远幸福。威廉·斯普拉格夫人那美丽的嘴唇上挂着无精打采的笑意，信心十足地昂首走进新生活，殊不知其境遇之悲惨，就连印制局里最贫穷的姑娘和最疲惫的年老色衰的妓女也不会羡慕她。

12 月，华盛顿的社交界因为俄国海军军官们的到来而激动不安。俄罗斯派出了一支舰队，到美国海域过冬。联邦一直为英法两国的敌意感到难过，很高兴在欧洲找到一个强大的朋友，俄国军官们在每一个大港口都受到了盛情款待。访问华盛顿的军舰在亚历山大港附近抛了锚，一群大胡子水兵出现了，他们的帽子上印着稀奇古怪的文字，漫步走过节日的大街，让报童、士兵和戴着汤匙形女帽的美女们啧啧称奇。在商店的橱窗里，他们看着那些花里胡哨、价格昂贵的商品：大理石和瓷器装饰品，雪茄盒，拖鞋和吸烟帽，斗篷和观剧用的女式头巾，军事玩具和机械玩具，竹马，以及用珍珠做牙齿的玩偶，能够说话、唱歌，甚至走路，让一个处在战争中的国家首都欣喜不已。华盛顿的市场从未像这样丰富地供应松鸡、鹿肉、鲜牡蛎、鹌鹑、天鹅、多汁的食米鸟和 4 美元一只的嫩火鸡。

市政委员会拒绝同意市议会的决议，即由市政府出面盛情款待俄罗斯海军的客人，华盛顿的市民觉得蒙受了耻辱，俄国军官们受到了西华德先生、俄国公使斯托克尔男爵和韦尔斯先生的款待。韦尔斯举行了一场大型晚会，尽管有谣言说有人拒绝出席，不过所有使馆都派代表出席了。舰队司令和几个军官出席了贝亚德·泰勒所作的一场演讲，并与一群外交官一起，占据了格洛弗剧院那间挂着国旗的包厢。一些众议员携夫人隆重出席了一艘来访护卫舰上的午餐会，品尝了美味佳肴，灌了不少香槟和俄罗斯潘趣酒。步枪充当了蜡烛架，宴会桌上装饰着白宫园艺师约翰·瓦特提供的鲜花金字塔。每天都有一艘汽艇载着观光客从第 7 街码头出发，去参观俄罗斯舰队。

人们希望林肯先生能够为俄国军官们举办一场盛大舞会。但白宫唯一的款待是他们启程前夕举行的一场招待会。总统由于生病而没能出席招待外宾的任何社交活动。他从葛底斯堡回来的时候健康状况就很糟糕。起初，他被诊断患上了胆汁病，但当他准备把他的国会咨文提交给内阁讨论时，他才得知自己患的是一种轻度天花。面对白宫的召集，他的顾问们并没有退缩，这次召集是爱国主义的一个有力证明，因为天花是华盛顿的流行病，并非所有病例都是轻度的。恐慌在蔓延，而首都正在用蛋奶酒和宴会庆祝节日，商店和剧院里及社交集会上人头攒动。在有轨马车上，人们一看到有斑点的脸庞便慌里慌张，四散奔逃。很多病人被送进了卡洛拉马医院，但并没有系统性的隔离规划。神志不清的黑人跌跌撞撞地经过大街，死在门阶上和公共马车站里。来自西弗吉尼亚州的鲍登参议员死于天花，国会惊慌起来。有谣传说，众议院的一位记者探访了隔离医院，这个传闻在媒体旁听席里引发了极大的不安，以至于科尔法克斯议长要求此人离开。医生们提供了免费疫苗给那些没有能力购买或不愿意掏钱购买疫苗的人。作为一种预防措施，位于第 12 街那个废弃的逃亡黑奴营里的天花医院被付之一炬。

1864 年的新年，政府的马车队依然隆隆驶过大街，猪和牛在泥泞不堪的人行道上蹓蹓跶跶，死马躺在冬日的阳光下散发着恶臭。在医院的帆布床上，人们在极度的痛苦中死去。弃婴在小巷里哀号。征兵代理拐跑逃亡黑奴，开小差的逃兵偷偷地划水渡过波托马克河。盗用公款的承包商和军需官进了监狱。岛区发生抢劫和谋杀。大陪审团对妓院提起了新一轮的诉讼。身无分文的穷人饥寒交迫，报酬过低的工人节衣缩食。

然而，华盛顿的社交界却比从前更加兴高采烈地涌向舞会、堂会、宴会和招待会。在战争的第三年，有一种新的精神广泛盛行于这个国家。整个繁荣兴旺的北方都在狂欢，有人说是在疯狂地醉生梦死。在一些北方大城市，卫生博览会是巨大的娱乐中心，为战时救助筹集了数百万美元。华盛顿的女士们分成了两派，这里的卫生博览会在财务上并不成功。然而，专利局举行了一次盛大的博览会，为基督徒委员会和特区志愿兵的家庭筹集了 25 000 美元，为华盛顿提供了大规模消遣娱乐的一周。威廉·斯普拉格夫人结束了蜜月旅行，回到了华盛顿，比从前更奢侈地大宴宾客。很多分离主义同情者走出了与世隔绝的隐居生活，混迹于新的时尚界，它已经取代了老的时尚界。银行家里格斯在他富丽堂皇的豪宅里举办了一场豪华派对，从前这里接待的是南方贵族。“在今年冬天的华盛顿，欢乐变得像去年冬天的沮丧一样流行，”弗雷德里克·西华德写道，“……一年前，国务卿由于他举办宴会而被评价为‘冷酷无情’和‘不爱国’；如今，人们对他的唯一抱怨是：他不会跳舞。”

因为跳舞十分流行，女士们身着红色天鹅绒和紫色云纹绸，粉红色和绿色的丝绸，以及塔勒坦素色布，甩动她们瀑布似的卷发，投身于波尔卡和枪骑兵方块舞的迷宫中。除了私人派对之外，还有大型的专利局舞会和征兵基金会的舞会，以及威拉德酒店和国家大酒店规模庞大的跳舞会。整个人群都在舞池里。没有一个绅士懒洋洋地靠着护壁，没有一个老处女坐在长沙发上郁郁寡欢。无论老少媸妍，不管高矮胖瘦，女士们全都能找到舞伴。无论一本正经的政客，还是粗壮结实的将军，都像正在休假的满脸稚气的中尉一样活泼欢快地蹦蹦跳跳，而首都则以欢声笑语、曼妙舞曲和香槟酒木塞柔和的爆破声，庆祝内战的第三个冬天。

在管弦乐队的旋律声中，沉闷地响起了总统号召参军的声音，第二次征兵开始了。在蓝岭的顶峰上，积雪正在融化，变得越来越灰暗。决定性的时刻正一步步逼近，米德必须停止他在首都的城门前磨磨蹭蹭，率领他的部队向里士满进军，并结束这场战争。波托马克军团顺着拉帕汉诺克河沿岸的泥潭延伸，给了华盛顿一个安全的冬天。但一个人不可能紧抱双臂打赢一场战斗。在弗吉尼亚，联邦既需要一面盾牌，也需要一把利剑。春天的太阳用鲜血和死亡的预兆晒干了泥泞，而此时的华盛顿，笑语欢歌，打情骂俏，翩翩起舞，就像杂耍剧院门前那个五彩缤纷的转轮一样旋转不停。

第14章　总统夫人

随着新年的到来，林肯夫人也放下了心中沉重的悲痛。她戴着钻石和珍珠，头发上装饰着白色花环；穿着一身紫色、丁香色、白色和银色丝绸做的新衣服，搭配了漂亮的黑色蕾丝花边围巾。在大型公共招待会上，人们看到的是1861年春天第一次出现在白宫里的那个衣着华丽、态度和蔼的小个子女人，但三年的时间在玛丽·林肯的身上带来的变化，丝毫不亚于首都的变化。她达到了世俗成功的顶峰，却发现，痛苦、恐惧和仇恨也随之而来。她的情绪始终不稳定，开始感觉到恐慌和愤怒在她的血液里抽搐。突如其来的喧闹声会惊得她脸色煞白，手捂胸口。她夜里总是被幻觉惊醒。

玛丽·林肯

玛丽·林肯在野心获得满足的兴奋中来到了华盛顿。丈夫当选总统证明了她当初嫁给一个举止粗野、自学成才的律师是正确的。但这绝不是一桩幸福的婚姻。林肯先生不是一个热烈而浪漫的情人，只是个心不在焉的丈夫，即便和蔼可亲而富有耐心。

面对他那缺乏克制的情绪，尽管就他而言已谦恭有礼地一再退让，玛丽·林肯那充满本能的渴望仍常常耗费在了愤怒之中。林肯在斯普林菲尔德的一位合伙人赫恩登写道："天啊，林肯的家是怎样一个家啊！他妻子是怎样一个妻子啊！"

作为总统夫人，玛丽·林肯得到了另一种权力；但即便是高高在上所带来的最初的愉快享受中，她也遭遇了一些挫折。在斯普林菲尔德，作为帮助那些求官者的回报，她接受了一些礼物；有传闻说，围绕一枚钻石胸针引起的一次歇斯底里的爆发，导致林肯先生对一个职位的任命作出了让步。人们相信她有着巨大的政治影响力。她大概支持把公共房产管理局局长一职授予 W. S. 伍德，他曾经充当陪同人员，护送林肯一行从斯普林菲尔德到华盛顿。起初，是西华德先生把伍德推荐给总统，但在华盛顿社交界的闲言碎语里，伍德被说成是一个"与权势集团联系密切的人"。女士们对下面这个事实暗自窃笑：他"被撤职了，因为他不愿意把某些国宴的开支记入公共账目，而是记在'场地改造'的名目之下"。伍德有一次陪伴林肯夫人去纽约旅行，并委托她全权为白宫订购任意数量的昂贵壁纸。伍德很快就被可靠的华盛顿老共和党人弗伦奇少校所取代，弗伦奇已经在皮尔斯执政期间担任过这一职务。林肯夫人经常怂恿丈夫把一些低级职务给她家里的亲戚，但她无奈地得知，在职务（从邮政部长到内阁部长）分配上，她的愿望并不是至高无上的。她痛恨西华德和蔡斯，而且与斯坦顿不和。

在社交圈里，玛丽·林肯也不讨巧。作为共和党总统的妻子，她激起了首都一些分离主义女士的敌意；与此同时，作为一个南方女人，言行举止都带有土生土长的肯塔基风格，在北方女士当中显得格格不入。就算再机智再谦和，她也没办法避免批评。

外人理所当然地认为，亚伯拉罕·林肯的妻子将难以融入优雅的社交界。一些态度友善的共和党女士表示：她们可以随时提供建议和帮助。但玛丽·林肯很快就感觉到了其中暗含着对她的教养的责备，她从未原谅过她们。玛丽·林肯是在一群骄傲而好客的列克星敦的蓄奴贵族中长大成人。按照那个年头的标准，她受过良好的教育，略懂法语，写信时能够借助文绉绉的措辞。她的举止并不粗俗，相反很优雅；那是外省的行为方式，比那些四海为家，见过世面的人那种漫不经心、轻松随意的方式更加精巧。按照当时在南方依然盛行的习惯，她尊称绅士为“阁下”，时不时地在自己的谈话中穿插这个词，就像逗号一样。这种老式的言谈举止似乎有些做作，但绝不是没有教养。玛丽·林肯夸张做作的做派与华盛顿很多拒绝拜访她的夫人不相上下。她的继母在首都有一些亲戚。约翰·C. 布雷肯里奇和布莱尔兄弟都叫她玛丽表姐。

然而，华盛顿社交界的女士们不断嘲笑林肯夫人是一个令人难以容忍的粗俗之人。这种偏见一部分是因为她夸张招摇的穿着打扮，是她对密友的不当选择，以及她傲慢自大地认为她们构成了一个“宫廷”，还因为每当她丈夫哪怕礼节性地对其他女人谦恭有礼的时候，她也会立即表现出不悦。最重要的原因，源于其个性中的敏感，这种敏感常常是无意识的。她微笑的脸庞上有一种看上去“非常虚伪”的神情；平易近人的声音里有一种几近粗鲁的腔调。玛丽·林肯曾经是个很有魅力的姑娘，丰满圆润，一双蓝色的眼睛，充满活力。贪婪、妒忌和愤怒在一个 43 岁女人的脸上留下了印记。正如斯普林菲尔德人所知道的那样，每当她头痛发作的时候，她会彻底失控，找碴跟人吵架，辱骂仆人，像个骂街的泼妇一样高声尖叫，约翰·海把她称作“悍妇”。如果林肯夫人在蓝厅接待来访者的时候看上去似乎在扮演一个很不自然的角色，那并非因为闲言碎语所谓的她缺乏优雅的训练，而是因为她的情绪实在太不稳定，以至于训练有素的面具都掩盖不住。

就职典礼之后的那天早晨，四个制作女式外套的裁缝在白宫等待林肯夫人用完早餐。其中一个是黑人——从前是奴隶，别人叫她伊丽莎白·凯克利夫人，有人极力向林肯夫人推荐她。林肯夫人有一块鲜艳的玫瑰图案的云纹绸布料，她想用它做一件衣服，在总统官邸的第一场晚间招待会上穿。她与凯克利夫人作了约定：她并不富裕，如果这个黑白混血女裁缝工价便宜的话，她会有大量的机会介绍给她。只剩下四天时间，要完成裁剪、缝制、试穿、最后加工等过程，而凯克利夫人还有一份订单：给林肯夫人的表妹格里姆斯利夫人缝制一件蓝色波纹绸胸衣。星期五傍晚，凯克利夫人在招待会规定时间不久之前送来衣服，她发现林肯夫人怒气哼哼，大发脾气。她说，已经太晚了，根本没有时间穿衣下楼；但凯克利夫人机敏地说服了她。这位女裁缝给林肯夫人梳好头发，插上玫瑰花，再抚平和整理好那件鲜艳玫瑰图案的衣服和针绣花边装饰。林肯夫人十分高兴。凯克利夫人的言谈举止中有一种顺从和亲和。诚然，她是黑人，但林肯夫人这个肯塔基女人跟她在一起感到轻松自在。她常常充任林肯夫人的私人女仆，为她做了很多衣服，把晚礼服的紧身胸衣裁剪得刚好能显露坚挺的脖子和浑圆的双臂，巧妙地使鲜艳华丽的布料适合矮胖的体形。凯克利夫人成了总统夫人在华盛顿唯一的心腹密友。

尽管林肯夫人常常把怒火发泄在丈夫身上，但她是一个纵容的母亲。她生了四个儿子，其中第二个儿子——埃迪，用林肯朋友的名字取名为爱德华·贝克，生于博尔斯布拉夫——死的时候 11 岁，那是在一家人离开斯普林菲尔德之前。威利和塔德当时分别是 10 岁和将近 8 岁，都是天真活泼的少年，他们几乎没有因为做错事而挨打。林肯是一个溺爱孩子的父亲，对孩子们的过错毫不在意，为他们的吵闹和打扰而开心，并且随时准备与他们滚作一团摔跤打闹。威利长得漂亮，有一双蓝色的眼睛，因为直率而聪慧的举止，以及在学习上表现出来的聪明，深受父母宠爱。塔德因为缺唇，说话时像一个结结巴巴的婴儿，外人很难听懂。他们对塔德的爱，由于强烈的、带有保护意识的怜惜而变得更加温暖，无论是因为过于纵容，还是由于实际上的智力缺陷，塔德在白宫度过的四年时间里没有学会读书写字，他依然要保姆给他穿衣服。从外表上看，他并不愚蠢，倒是显得淘气很有冒险精神。他是个冒失、任性的捣蛋鬼，总问些失礼的问题，把他的鼓对准白宫职员和内阁部长们的耳朵猛敲。然而，他那鲁莽、暴躁的个性中有某种逗人的东西。他有一颗温柔的心灵，他那张古怪而柔和的小脸被一双“充满爱意的黑色眼睛”所照亮。白宫的所有雇员都是他的朋友。在威利去世之后，父母的爱都集中在塔德身上。母亲也深深

林肯一家

依恋罗伯特，多次去坎布里奇看望他，强烈反对他去当兵。

林肯夫人身上互相矛盾的特征立即成了人们批评的主题。她既贪婪，又疯狂地铺张挥霍。“各种关于她的传闻不胫而走，”年轻的查尔斯·弗朗西斯·亚当斯在出席华盛顿的一场时尚招待会之后，这样写道，“她想做正确的事，但不知道如何去做，她太软弱，自尊心太强，不可能去问别人；她试图基于节俭来打理白宫，为了这个目的，她打算解雇‘帮手’——她这样称呼仆人；据说，其中有些仆人已经离开了，因为‘他们必须与上流人士一起生活’……”公共房产管理局局长负责委派看门人、更夫、炉工和花匠，并给他们付工资，而白宫的其他雇员，包括一个马车夫和男仆，则由总统发工资。为了维持这座官邸，用在秘书们身上的支出每年大约 20 000 美元。林肯夫人所谓“基于节俭”的概念，就是要解雇一些职员，把他们的工资揣进自己的腰包。在她抵达华盛顿一年之后，她一直吵着要约翰·海把服务员的薪水支付给她。她多次与秘书们就喂养他们的马匹的问题发生争吵，这些马都养在总统的马厩里，她还派出了白宫的一位看门人斯塔克波尔就这个问题去找“无赖小人”约翰·海，毫不隐瞒地表明了她的看法：账目中存在欺诈。

林肯夫人并没有太多的零用钱，但很快人们就盛传她是个购物狂。就职典礼两个月之后，她带着格里姆斯利夫人去了一趟纽约，买了一套品红色的和金色的餐具，每一件餐具上都印有联邦的国徽。她还为蓝厅和绿厅选购了一些漂亮的花瓶和壁炉装饰，订购了一套共 700 块波希米亚刻花玻璃。这些都不过是着手大规模翻修白宫的先兆。白宫全部的优雅都集中在几个客厅里，这些客厅里的有些家具可以追溯到门罗时代，其古老的样式典雅堂皇；但即使在这些广受赞誉的房间，装饰也已陈旧。在就职典礼之前的那个会期，国会的习惯做法是拨出一笔专款用于重新布置总统官邸，根据总统的指示使用。林肯夫人有 20 000 美元供她自由支配，除了那些她认为应当由公共建筑局长付账的东西之外，她还尽情购买了一些昂贵的锦缎、蕾丝花边和壁纸，订购了一些从欧洲进口的地毯和布料。

在战争的第一个夏季，总统一家并没有仿效布坎南而搬到军人之家的农舍去住。整个 6 月和 7 月，甚至在 8 月最闷热的日子里，白宫都在继续举办招待会。拉塞尔先生写道："穿着灰色粗呢制服和钉鞋的列兵怯生生地站在大厅的门口思量着什么，屋里的灯光和镀金材料，大概还有几位穿着舞会装束的女士们的北非羽毛和华丽服饰，把他们给吓着了，直到其他伙计让他们确信：这里没什么可害怕的，他们这才投身于这场盛大的狂欢。"总统似乎心情不错，但林肯夫人被一大群女士团团围住，看上去不那么满意。

为拿破仑·热罗姆·波拿巴亲王举行的国宴是第一次奔牛溪之战那个夏季最重要的社交活动。亲王把克洛蒂尔德王妃留在了纽约港他的游艇上，来到华盛顿，想去看看联邦军和南方军的营地。尽管他与叔叔拿破仑一世有惊人的相似之处，但众所周知，亲王有非常前卫的政治理念，首都对他的到访感到兴奋愉悦。

在 8 月的那个星期六夜晚，当宴会举行的时候，一份非常成功的刊物《家庭杂志》(*Home Journal*) 的老板 N. P. 威利斯先生正在白宫的草坪上，与一群华盛顿人一起欣赏水兵乐队的户外音乐会。威利斯是一个有点纨绔习气的中年绅士，因为他在诗歌和散文上表现出来的优雅的文学风格而受到人们的赞赏，最近因为极力巴结林肯夫人而备受关注。尽管他否认自己有任何意图一窥这场盛大的招待会，但他的眼睛却始终紧盯着总统官邸。他得到的唯一回报是看到了总统，从膝盖到下巴，正在窗前读信，那里可以把南草坪尽收眼底。6 点 30 分的时候，威利斯先生开始想知道，"亚伯"能不能及时换下他的灰色外套去参加 7 点钟的晚宴。就在那个时刻，一位仆人走进了房间，用一块餐巾围住总统的脖子，迅速地给他刮胡子，然后在窗外抖了抖那块餐巾。林肯先生的长手臂不停地在脑袋周围摆来摆去。他停住了——“为的是消除妨碍。”威利斯先生猜测。不久之后，出现了一道白色亚麻布的闪光。在系领结的时候，总统的胳膊伸了出去。他穿上了他的黑色外套，威利斯先生对了一下表上的时间：刚好用了 22 分钟。

林肯夫人在她那件白丝绸衣服上面披了一块白色网纱，拖着长长的裙裾。宴会上还有一位女士，她就是格里姆斯利夫人，五个多月的时间里她一直待在白宫。她身穿一件橙红色薄纱衣服，装饰着花朵的图案，坐在总统的右手边。总统的左边是斯科特将军，而林肯夫人让拿破仑亲王和蔡斯部长分别坐在她的左右。莱昂勋爵、梅西耶先生、麦克莱伦将军、西华德父子也在场，还有一大帮副官、随员和秘书。当他们走进餐厅的时候，水兵乐队奏起了《马赛曲》，大概是以为，任何法国曲调都适合拿来向一位法国人表示敬意。据说，亲王态度和蔼地评论道：“Mais oui, ici je suis republicain.”①

就像很多尖刻而消极地批评别人品格的人一样，林肯夫人也缺乏判断一个人品格的能力。年轻的查尔斯·弗朗西斯·亚当斯听说“她曾找到一些报社记者和铁路公司的管理人员，把他们看作是寻求建议和指导的最佳人选”。拉塞尔先生注意到，她“允许一些在纽约任何正派体面的私人住宅里都不可能受到接待的人出入她的社交集会”。亨利·维拉德写道：“她允许一大批粗俗之徒接近自己，围绕在自己身边，这些人用厚颜无耻的阿谀奉承轻易操控了她。”阿谀奉承对林肯夫人很管用，但那些组成白宫小圈子的谄媚者并非全都是粗俗之徒。韦尔斯先生温文尔雅得几乎令人难以忍受。在一次招待会上，一

① 法语：是的，在这里我是个共和主义者。——译者注

位报社记者讽刺这位上了年纪的花花公子，说他外套后背上的一道皱褶表明他企图引领一种新的时尚。然而，他完全具备一个朝臣的资质。在《家庭杂志》的一篇文章中，他滔滔不绝地谈到林肯夫人“毫不矫揉造作的快乐”，并宣称“一个……最母性、最慈祥的女人的存在……赋予白宫以家的品格”。一位记者对他使用“母性”这个词提出质疑，韦尔斯先生巧妙地做了一番修正，他解释道：“总统夫人花样年华的顶点是在她‘三十至四十之际’，当时正处在她美丽正午最宁静的安憩中……”

林肯夫人的小圈子中，另一个举止优雅而声名狼藉的成员是亨利·威科夫，此人是詹姆斯·戈登·贝内特的《纽约先驱报》的秘密代表。威科夫是一个机敏、老于世故之人，继承了一大笔财富，足迹遍天下，无人不识君。据说，没有哪个美国人像威科夫骑士（人们通常这样称呼他，因为西班牙的伊丽莎白女王曾授予他一枚骑士勋章）那样认识这么多欧洲贵族。他与法国皇室家族的几位成员私交甚密。在出任美国驻伦敦公使期间，他为约瑟夫·波拿巴完成了一项使命：从巴黎给他带来了拿破仑一世的一些贵重物品，并得到了一只银质酒杯作为回报。路易·拿破仑被囚禁在阿姆要塞期间，威科夫去探望过他，路易后来授予他一枚荣誉军团十字勋章。帕默斯顿勋爵在会见威科夫的时候提出让他跟英国外交部建立联系，在为期一年的时间里，威科夫骑士充当了英国外交部在巴黎的秘密代理人。据威科夫自己说，他彻底引起了英国对自己的敌视。在他为英国外交部所做的工作结束之后不久，他发现自己陷入了一个小小的麻烦。他爱上了一位生活在伦敦的美国女人，并提出要跟她订婚。当她离开英国去意大利的时候，威科夫骑士追随而去，试图诱拐她，结果导致自己被关进了热那亚的一座地牢里。威科夫坚持认为，他所遭受的长期监禁——超过 15 个月——是英国施以影响强加给他的。

这就是《纽约先驱报》安插在白宫里的社交密探——一个华而不实的中年恶棍，除了声名亏欠之外，享受了生活的所有馈赠。维拉德把林肯夫人对他的赞赏归因于下面这个事实：她只熟悉西部的社交圈子，而帕默斯顿和路易·拿破仑的活动圈子更广泛。威科夫对林肯夫人的吸引力倒是不难理解，而他自己乐意从事一份卑微的职业（他并不需要这份报酬）就不那么容易理解了。另一方面，他的名声是如此不堪，总统夫人只要稍许谨慎一些，就不会与他密切交往。维拉德指出：

威科夫对自己的吸引力显得信心十足，确信自己能够迎合白宫女主人的虚荣心。我亲耳听到他恭维总统夫人的容貌和衣着，其方式是如此露骨讨好，以至于她原本应该感到脸红，并让这个无礼的家伙远离自己。她让威科夫作为她的管家（无论是一般意义上，还是特殊意义上），作为一个社交礼节、家政管理和个人需要（包括她的穿着打扮）等方面的指导者，一如既往地在她的沙龙里和驾车旅行中欢迎他的陪伴。

《纽约先驱报》在一些油腔滑调、废话连篇的专栏文章里对林肯夫人的社交生涯给予了半信半疑的恭维。有一篇报道说：

在首都，她突然被跻身于一大堆老派的时髦人物当中，在这些人看来，她的简朴是粗野的，她的诚恳是缺乏教养，他们很高兴照顾她、控制她。然而，总统夫人没有任何明显的努力，完全不理睬这些自封的指导者，轻松从容地担当起了社交领袖的职责，似乎天生就适合白宫女主人的位置。来到这座大都市不久之后，她便探访了一些最时髦的商店，而且，像欧仁妮皇后（她也是从平民阶层突然升上来的）一样，她在选择自己想要的布料以及缝制的款式上都表现出了相当优雅的品位，让纽约的所有时尚女士都不得不表示惊叹和赞美。回到华盛顿，总统夫人接见并招待了欧洲一些最优雅的外交官和最挑剔的朝臣，其态度之从容，举止之优雅，使得共和党人的简朴看上去几乎有一种帝王般的威严。她上个礼拜六举办的招待拿破仑亲王的国宴是完备、品位和友好的典范；总而言之，这位肯塔基姑娘，这位西部主妇，这位共和党王后，让欧洲的第一夫人们——杰出的维多利亚，忧郁的欧仁妮，以及才华横溢的伊莎贝拉——黯然失色，自愧不如。

8月份的时候，林肯夫人深感疲倦，于是去海边休假。《纽约先驱报》说："林肯夫人就这样给时尚界带来了一场爆炸，就像最后一颗彗星划过天空一样突然，一样绚烂，如今，她即将离开华盛顿一段时间，去长滩享受更纯净的空气和更健康的微风，在一场短暂的夏日战斗中实现新的胜利。让我们所有的社交精英都追随在她的身后。"

罗伯特·林肯

罗伯特·林肯与约翰·海一起陪伴母亲去度假胜地，对于一家哗众取宠的报纸的记者们来说，罗伯特·林肯被证明太温和、太安静。美女们"对于自己被介绍给林肯先生并与他一起跳舞和谈话感到激动不安”,《纽约先驱报》认为这是一种“古怪的迷恋”。

> 他每件事都做得很好，但总是避免做任何非同寻常的事。他从不说太多的话，从不跳与众不同的舞；他在任何方面都不古怪、过度或别出心裁……简言之，他只是罗伯特·林肯先生……他不做任何吸引人们关注的事情，他通过各种彬彬有礼的方式，表明自己多么讨厌那种阿谀奉承的赞美，尽管如此，赞美还是蜂拥而至……在长滩的所有行为当中，罗伯特先生在抽烟斗（这在大学生当中很时尚）和开怀大笑的时候更愉快。

日复一日,《纽约先驱报》连载了一个系列专栏，题为“林肯夫人的活动”。这个专栏致力于报道她在海边度假胜地的活动，而事实上，她在那里很少公开露面，似乎渴望与世隔绝和休息。然而,《纽约先驱报》上那些令人腻烦的段落并没有让她感到不快。10 月，她写信给贝内特，感谢他保护自己，抵御了其他报纸上不友好的评论。她解释道，她不想声名狼藉，她天性敏感，并且说她想欢迎他和贝内特夫人去华盛顿做客。

在入住白宫的第一年，林肯夫人在北方媒体上得到的个人宣传超过了总统，其中大多数是负面报道。几家共和党报纸把她当作恶意攻击的靶子。她因为干涉政治、挥霍浪费和她的肯塔基出身而受到攻击。有人对总统夫人的忠诚提出了诽谤性的指控。她被称作“三分之二支持奴隶制，另外三分之一支持分离主义”。有人指出，她有两个兄弟在叛军部队中，其中戴维·托德在里士满野蛮对待北方战俘。人们开始传播这样的谣言：她不仅潜意识里是个叛国者，而且，她还充当了密探，当她从总统那里得知联邦将军们的秘密时，便把这些秘密通报给南方当局。

作为一种自我保护措施，林肯夫人不再打开自己的邮件。每一封寄给她的信，哪怕是来自她的姐妹们的，都由二等助理秘书威廉·O.斯托达德来读，他还负责检查每一个包裹。他能够证明：其中没有任何叛国的内容。斯托达德是个有点古板的家伙，尼古拉和约翰·海都不喜欢他。他敬佩林肯夫人，对那些关于不忠诚的指控感到愤怒。他站在林肯夫人的起居室“红厅”的窗前，带着讽刺的意味思忖：这里想必就是她出卖联邦计划的现场了。“南部邦联的密探足够轻而易举地一路穿过联邦军的阵线，一个要塞接一个要塞，直至他们到达波托马克河下游更远的地方。长桥对他们关上了大门，乔治敦大桥也是如此，但他们夜里乘坐划艇或游泳渡过了波托马克河，就像那么多的鬼魂一样，穿过白宫草坪，把梯子架到这个窗口上，林肯夫人把计划递给他们。”

关于玛丽·林肯叛国通敌的传闻源源不断，足以导致作战委员会的参议员们聚集起来，秘密开会考量这些传闻。就在开会的那天早晨，他们大吃一惊：总统出现在委员会的会议室里。没有任何解释，他正式宣称：他十分肯定，关于他的任何一位家人叛国通敌的指控都是子虚乌有。惊愕而尴尬的参议员们放弃了这个议题。

在1861年12月举行的第一次冬季招待会上，林肯夫人穿着一身花绸锦缎衣服迎接她的敌人们，她的头被鲜花所环绕。她早早地开始了她的这场招待会，并让她的秘书斯托达德明白她乐意履行自己的职责，“尽管她那些满脸堆笑的客人把她批评得体无完肤”。焕然一新的总统官邸抚慰了她的骄傲。所有旧家具都被重新漆过，椅子和沙发铺上了凸花厚缎软垫，用丝束钉住背后的褶皱，“呈现出新式的外表”。东厅的改变是惊人的，厚实的天鹅绒墙纸按照巴黎的样式覆盖着墙壁，镶嵌着绯红、暗红和金色的图案。格拉斯哥制造的新地毯被巧妙地编织成了一整块，装饰图案有水果、花瓶里的鲜花、花环和花束。室内的帏帘是从瑞士进口的，饰有白色针织花边，上面是深红色的法国凸花厚缎，饰以厚重的金质缨穗和流苏，从厚重的镀金檐口上悬挂下来。

绿厅也经过彻底翻新；蓝厅有崭新的地毯和墙纸；在红厅，唯一为人熟悉的物品是华盛顿将军那幅老的肖像画。楼上，国宾室里贴着鲜艳的紫色墙纸，有金色的玫瑰树图案，而那张大床的床垫和顶篷都是紫色的花纹缎子，装饰着金色蕾丝花边。私人房间也陈设了一些时新家居，总统办公室里贴上了崭新的墙纸。《纽约先驱报》的记者发现，办公室里破旧的桌椅"摇摇晃晃，没法让人肃然起敬"，但他说："林肯先生毫无怨言。"唯一的新家具是那个挂作战地图的支架，政府的那帮业余战略家总是在它的面前郑重其事地研究复杂的难题。

总统对他妻子倾心购买的这些奢华物品的价格一无所知。他压根不知道，她利用自己的地位所获得的信用为购置服装而签下了大笔账单。然而，他已经注意到，她超额使用了国会为装修总统官邸而提供的拨款。在所有经费都花光之后，剩下一张大约 7 000 美元的账单，费城一位名叫卡里尔的装潢商要求支付。这笔费用大约有一半是为了购买漂亮的壁纸，卡里尔为此专程去了一趟巴黎，自己先掏钱买下了这些壁纸。仅东厅的壁纸就超过 800 美元。"总统房间"（大概是总统办公室）贴墙纸——包括刮墙和装饰镀金边框——超过 400 美元。

在听说了这张账单尚未支付之后，总统说，他会自己掏腰包。绝境之中，林肯夫人派人叫来了公共房产管理局局长弗伦奇少校。自他走马上任之后，他就有足够的机会了解林肯夫人对金钱的热爱，以及挥金如土的风格。此外，冬天社交季的开始使得他们之间有了"最亲近的交往"，因为他的职责就是在白宫招待会上把来访者引见给总统的妻子。弗伦奇是一个粗壮结实、性情暴躁的老绅士。他的嘴巴透着傲慢自大，花白的络腮胡子轻拂在胸前，很像卡通画中一个维多利亚时代的老爸。他密切注视着林肯夫人的一举一动，当她奉承他的时候他总是满腹狐疑地退缩，但他对这位共和党王后很有耐心。

当弗伦奇在那天早晨9点钟抵达白宫的时候，林肯夫人还没有起床，不过没多久，她便穿着晨衣出现了，泪眼婆娑地恳求他帮助自己摆脱麻烦，并保证将来一定规矩行事。她求他告诉总统“费用超支是稀松平常的事”。弗伦奇很热心地去了林肯先生的办公室，对总统说（没有提到林肯夫人）：卡里尔先生已经提交了一张超出国会拨款额度的账单，在申请这笔钱之前，他必须得到总统的批准。

弗伦奇后来写道，总统告诉他：“我绝不可能批准。我会先自己掏腰包支付这份账单，说美国总统为了把这幢该死的老房子装扮得花里胡哨而批准一张超出20 000美元拨款的账单，会让美国人民深感厌恶。”他问卡里尔是如何被雇佣的。弗伦奇少校宣称，他对此一无所知，但他想，大概是尼古拉先生雇佣的。总统猛拉铃绳，要求尼古拉到场。“这个名叫卡里尔的人是如何进入这幢房子的？”

“我不知道，先生。”谨慎的尼古拉说。

“谁雇用了他？”

“我想是林肯夫人。”

“知道了，”弗伦奇听到总统说，“林肯夫人，好吧，我想林肯夫人必须承担责任，就让她去承担吧，我发誓我不会承担！”

尼古拉去拿来了卡里尔的账单，林肯读了起来：“雅致、美观的地毯，2 500美元。”他接着说：“我倒是很想知道，一条价值2 500美元的地毯能铺在哪里。”弗伦奇少校斗胆说，大概是东厅。“不，”林肯说，“那里的地毯是10 000美元，一笔巨大的挥霍。”在这样一个时期，花一分钱都是错的，总统继续说道，“这幢房子的陈设已经够好了，比我们住过的任何一幢房子都要好……”他说，他已经被其他事情给淹没了，不可能事必躬亲。激动之下，林肯站起身绕室疾走，最后再次发誓：他不会批准这份账单。

在与总统的交谈中，弗伦奇矢口否认与这份账单有任何关系，但他其实并不像他暗示的那样毫不知情。他清楚地知道，他的前任 W. S. 伍德曾授权购买这些壁纸，而且，它可以用每年 6 000 美元的拨款来支付，这笔拨款是由公共房产管理局局长为维修总统官邸而支出。这笔钱被用于粉刷房子的外墙及其他必要的工作，弗伦奇不想承担伍德的过错。在就职的时候，他就告诉卡里尔，没有经费偿付他的账单，他还建议林肯夫人把更换壁纸的工作推迟到明年，但白费力气。最后，弗伦奇设法把壁纸的成本塞进了五花八门的民用支出。推测起来，那条“雅致、华丽的地毯”，以及林肯夫人在根本没有任何授权的情况下订购的银质刀叉，大概都是这样报账的。

弗伦奇私下里承认，林肯夫人是一个“奇人”，一个不拘小节的人，但他认为她是一个聪明的女人，他知道很多关于她的传闻都是假的。华盛顿很少有人像他那样公正对待她。她高高昂起那插满发饰的头，以一种满不在乎的样子面对诽谤和恶意，林肯夫人带着骄傲、甚至是有良好教养的缄默应对这个世界。她无法克制对炫耀的痴狂。在战争第一年冬天的严重破坏和深刻焦虑中，她为一次盛大的私人派对发出了 500 份请柬，这与社交传统背道而驰，因为在白宫，国宴是唯一有一份限制客人名单的大型社交活动，所有招待会都向一般公众开放。这项“新发明”在那些没有受到邀请的人当中激起了极大的愤慨，于是只好又发出了一些额外的请柬，以平息他们中某些人的愤怒。据说总统和蔼地评论道，他没有“留心通行证的事”。

不管是出于无知，还是出于蔑视，林肯夫人让她的敌人有了抨击她的绝佳理由。挥霍享乐与 1862 年 2 月华盛顿的氛围格格不入。废奴主义者强烈批评白宫的寻欢作乐，很多人拒绝出席。本杰明 · 韦德辞谢邀请的短柬据说措辞严厉。“总统和林肯夫人难道不知道有一场内战？如果他们不知道的话，韦德先生和韦德夫人是知道的，出于这个理由，他们拒绝参与饕餮盛宴和轻歌曼舞。”

《纽约先驱报》始终是总统夫人的一位阴险的朋友，它发表了一系列社论，为她辩护，使得原本就不合时宜的社交集会更加声名狼藉。据《纽约先驱报》说，林肯夫人举办盛大晚会有两个动机。一个动机是，她强烈地渴望向那些“目中无人的分离主义夫人们”（她们关上了自家的大门，拒绝出来）表明：在忠诚于联邦的首都居民当中，依然有时尚的社交聚会。另一个解释损害更大，《纽约先驱报》满腔热情地再三强调这个动机。林肯夫人试图通过限制客人，从而把那些“长头发、白外套、嚼烟草、乱吐痰的分离主义政治家从总统官邸清除出去”。《纽约先驱报》说：“林肯夫人对国会负责总统的饮食，

白宫招待会

把一份这样处理过的冰淇淋托付到这些香喷喷的爱国者那贪婪的手指里并不安全。”总统夫人因此被宣扬为故意冒犯大权在握、心怀报复的共和党激进派。

林肯为这次集会自掏腰包，但他的妻子并没有节省开支。她不满意本地的宴席承办人，于是请来了纽约的米勒德置办这次晚宴，米勒德提前几天带着一帮侍者、厨师和甜点高手来到了华盛顿。在那个不同寻常的夜晚，凯克利夫人给林肯夫人做好了头发，帮她穿好了低领白缎晚礼服，镶着黑色的蕾丝花边。在她的胸前和她的巴黎头饰之间，有一束束黑绉纱桃金娘，她唯一的装饰品是珍珠。12 月份，在英美之间开战的传闻中，阿尔伯特亲王去世了，林肯夫人为她的晚会采用了半丧服的装束，以示对维多利亚女王的尊敬，她邀请的客人当中就包括女王的代表莱昂勋爵。她长长的裙裾引来了丈夫的评论：“哟！咱们的小猫今晚有了一根长尾巴！”凯克利夫人还听到总统说，他认为那条尾巴如果更接近头部的话，它的样式会更好一些。

她与总统一起站在东厅正中间，客人们在门口呈递他们的名片，然后川流不息地走过装饰着鲜花的客厅，此时，林肯夫人享受着一种社交的胜利。她的晚会遭到了恶毒的攻击，但所有重要人物都来参加了。外交官们组成了一个耀眼的群体——莱昂勋爵、梅西耶先生、斯托克尔先生、冯·林堡先生、塔萨拉先生、派珀伯爵、贝尔蒂纳蒂骑士等。各种不同的语言在蓝厅里叽叽喳喳，用纯正法语与人交谈的麦克道尔将军在那里深受欧洲人的欢迎。

有内阁成员、参议员、众议员以及来自几乎每一个州的名流淑女。到场军官的军阶很少在师长以下。法国亲王们来了，费利克斯·萨尔姆－萨尔姆亲王也来了，他是一个普鲁士贵族和骑兵军官，在布兰克将军的参谋团队中效力。一些从总统和总统夫人面前经过的人的笑脸之下潜藏着敌意。麦克莱伦将军和夫人到场了，成了一些好奇的人所关注的中心。弗里蒙特领着他迷人的妻子杰西出席了，她曾猛烈地抨击总统不支持她丈夫在西部的灾难性统治。凯特·蔡斯小姐穿着颜色时尚的丝绸衣服，据说她因为在白宫招待会上大出风头而招致林肯夫人的敌意。

11点钟，在他们所有人面前，林肯夫人挽着总统的胳膊在东厅里绕了一圈。水兵乐队在门厅里演奏，不过，考虑到国家正在承受的磨难，跳舞被省略了，尽管在场的有很多年轻人，包括罗伯特·林肯。到了晚宴时间，出现了一个小闹剧，一个仆人把国宴厅的门给锁上了，却忘记了钥匙放在什么地方。有一个人喊道："我赞成向前推进。"另一个人说："向前方推进只不过受阻于指挥官的无能。"他在重复国会里最近的一次演说。正在人群中挣扎的麦克莱伦将军像其他人一样开怀大笑。

当钥匙终于找到的时候，兴高采烈的客人们蜂拥而入，林肯夫人有理由为这场晚宴的富丽堂皇感到骄傲。昂贵的葡萄酒和烈性酒任由人们开怀畅饮，巨大的日本酒碗装满了10加仑香槟潘趣酒。有将近一吨火鸡、鸭、鹿、野鸡、山鹑和火腿，餐桌上摆满了米勒德制作的别出心裁的糖果点心。奶油果仁糖做成的水中仙女高高举起一个喷泉。蜂箱上云集着栩栩如生的蜜蜂，里面装满了俄式奶油布丁。一个头盔上插着棉花糖做成的羽毛，稍稍暗示了战争。美国军舰"联邦"号上有40门大炮和整套船帆，由一些披着星条旗的小天使托举着。一张靠墙的桌子上放着用糖做成的皮肯斯要塞，被一群美味可口的鸟儿所环绕。2点钟的时候，宴会还在进行中，美中不足的是林肯夫人的两个孩子感冒了，威利的发烧令人担心。这天夜里，母亲和父亲频繁地跑到楼上，在孩子的床边俯下身来，凯克利夫人在那里照顾他。林肯脸色阴沉，焦虑不安，在跟弗里蒙特将军打招呼的时候他说到了威利的病。

这场发烧被诊断为受凉，后来恶化成了伤寒，两个礼拜的时间里，极度痛苦的父母眼睁睁地看着孩子的病情变得严重、危险、无望。母亲几乎没有离开他的身边，但她的敌人们却指责她冷酷无情，并说，就在这孩子奄奄一息的时候，房间里响起了她的盛大集会的音乐和欢笑声。回想起来，对那个胜利夜晚的记忆想必因为极大的痛苦而蒙上了阴影。从那以后，除了她无法回避的官方社交活动之外，林肯夫人再也没有举行过任何大型的娱乐活动。父母都为失去这个他们曾经引以为豪的蓝眼睛男孩而伤心欲绝。林肯多次因哀痛而失控，大放悲声。母亲则彻底倒下了，变得歇斯底里。数月之后，她都无法抑制悲痛的爆发。凯克利夫人说，她受不了看到威利的画像，再也没有走进过他去世的那个房间，也没有走进过绿厅，他的尸体就是在那里进行防腐处理的。有一次，凯克利夫人看到总统亲切地对妻子弯下身子，挽起她的胳臂，把她领到窗前，指着阿纳卡斯蒂亚河那边精神病院的城垛，说："老太太，你看到远处山顶上那幢巨大的白色建筑了吗？你要试着控制你的悲痛，否则你会疯掉，那样我们就不得不去那儿看你了。"

在威利生病期间，一些激进政治家对总统夫人的敌意突然上升到诽谤性的宣传。1861 年 12 月，在总统的咨文提交给国会之前，《纽约先驱报》就提前报道了它的部分内容，国会为此感到不安。而且，众议院司法委员会奉命调查"所谓的电报审查制度"。该委员会的主席是来自宾夕法尼亚州的约翰·希克曼，一个敏锐而老练的政治家，脱离了与民主党的联系，成了一个极端反奴隶制的共和党人，他明显对林肯不友好。希克曼传唤了威科夫骑士，威科夫承认，是他把相关文件交给了《纽约先驱报》，但拒绝透露自己的情报来源。希克曼愤怒地冲进了众议院，说服他的同僚们通过了一项决议案：逮捕威科夫。国会的警卫官把威科夫骑士带到了众议院的被告席上，回答藐视法庭的指控。威科夫依然守口如瓶。他告诉议长，他是“在发誓严守秘密的情况下”得到这些情报的，后来，他被投入了老国会大厦监狱。威科夫与林肯夫人的密切关系众所周知，人们普遍留下了这样一个印象：是林肯夫人把总统的咨文拿给威科夫看了，并允许他抄写其中的部分内容给《纽约先驱报》。

为被告提供辩护的是鼎鼎大名的律师丹尼尔·西克尔斯将军。据报社记者本杰明·珀利·普尔透露，他被带到了司法委员会的面前，与他从前的同事们展开了激烈的争论，以至于他自己也险些去老国会大厦监狱与威科夫作伴。人们普遍把逮捕这位名声不佳的朝臣看作是一个笑话，但是，监禁一位著名的民主党人（而且身着联邦的军服）却是一件严肃的事，到最后，司法委员会不得不克制自己。

在咨询了自己的辩护律师之后，威科夫作出了一份让人大吃一惊的供述。他坦白，向他提供情报的人是白宫首席园艺师约翰·瓦特。接下来轮到瓦特出现在司法委员会的面前，他讲述了一个在书房里偷看总统咨文的故事。他解释道，他非同寻常的记忆力能让他在第二天一字不差地向威科夫复述咨文的部分内容。

从这个耸人听闻的故事中，《纽约先驱报》榨干了它的每一滴新闻价值。面对所有证据，它否认自己与威科夫有任何干系，对他百般嘲弄，并无动于衷地声称，它预先知道总统咨文是“精明的推测”。《纽约先驱报》还嘲笑希克曼和“他的厨房委员会”，并理直气壮地宣称，这帮废奴主义者是在求助于“一次可耻的努力，试图瓦解总统的家庭关系，在他的家庭里播撒痛苦的种子”。在另一篇题为“废奴主义者通过家人攻击总统的邪恶因素”的社论中，它声称：“他们侵入了他的家庭的神圣隐私，试图通过可耻的含沙射影把毒药注入他的家庭关系中。”然而，不管众议院司法委员会的意图多么卑鄙，在侵犯隐私和传播丑闻这样的事情上，他们跟詹姆斯·戈登·贝内特比起来都只能算业余选手。在收到威科夫寄来的一封信之后，《纽约先驱报》暗示："一位夫人去监狱探访过他。"这份报纸进一步宣称，众议员希克曼在介绍瓦特的名字之后，曾失望地问道："那么，他终归不是总统的家庭成员？"

许多年后，本杰明·珀利·普尔写下了一段陈述，想必反映了希克曼调查那个时期报社记者当中的信息流通。"……林肯先生走访了国会大厦，恳求委员会中的共和党人不要让他丢脸，于是，瓦特那个令人难以置信的故事被接受了，威科夫被释放了。"

有几件事情结合起来，终结了威科夫作为《纽约先驱报》在白宫的密探的作用，他从华盛顿消失了，尽管没有从贝内特的团队中消失。与南部邦联密谋串通的微弱气味牢牢粘在了威科夫骑士的身上。在战争的第一个夏天，他恳求格林豪夫人帮助他去里士满，这样他就可以从那座城市寄回"一封和平信"——他让格林豪夫人相信，这一计划已经得到了西华德的批准。在他和司法委员会正面交锋不久之后，莫里斯夫人写信给南方军的托马斯·乔丹上校说："林肯夫人把你所看到的那份咨文给了威科夫，他们逮捕了他，想让他讲出这一切。"

约翰·瓦特是一个卑鄙的窃贼，许多年来通过虚报白宫庭园的支出账目而捞取私利。他在皮尔斯总统执政时期就被任命为白宫的首席园艺师，他对皮尔斯颇有影响，大概因为他是园艺家安德鲁·J. 唐宁的得意门生。在战争爆发近七年之前，当弗伦奇少校抓住瓦特伪造账单的时候，他不得不向上司通报此事，不仅通报给内政部长，而且通报给了皮尔斯本人。最后得出的结论是：瓦特因为在处理金钱上缺乏经验而出了差错。后来，弗伦奇得到了无可辩驳的证据，证明瓦特是个骗子和撒谎者，他把证据摆在了皮尔斯的面前，但并没有成功地让这个园艺师被解雇。整个布坎南执政时期，瓦特一直留在他的位置上，并成了一个特区民兵连的上尉。W. S. 伍德在担任公共房产管理局局长的短暂任期内发现并报告了瓦特私吞公款的行为，林肯夫人勃然大怒，写信给凯莱布·B. 史密斯部长说，这位园艺师在他所有的账目上都“精确无误”。她反过来对伍德怀恨在心，并告诉史密斯：伍德是最没有资格对任何一个人提起指控的人，他不是精神失常，就是酒醉醺醺。弗伦奇在第二次走马上任的时候，他发现，瓦特依然在白宫里舒舒服服地晒太阳，依然在为雇用马车及其他开支签账单。

在华盛顿的联邦主义者眼里，瓦特因为他作为分离主义同情者的名声而受到怀疑。1861 年夏天，几位证人（包括华盛顿邮局局长）在波特委员会面前作证，说他与叛国者有交往。第一次奔牛溪之战之后，传言他曾说过下面的话：南方绝不可能被征服，杰斐逊·戴维斯是美国最优秀、最勇敢的人，而联邦军是由社会渣滓和胆小鬼组成的。还有人针对白宫的三位服务人员向波特委员会提起了叛国指控。其中一位是性情温和的小个子爱尔兰人老爱德华，很多年来，他一直

白宫

在白宫的北门值班。尽管爱德华被认为是华盛顿的固定居民和知名人士，但关于他的姓氏一直存在混淆，因为他被人称作麦克马纳斯，在弗伦奇的工资清单上被记作伯克。他在 1865 年初引起了林肯夫人的不快，丢掉了看门人的差事，但弗伦奇直到那年 6 月才解除他的职务。

托马斯·伯恩斯和托马斯·斯塔克波尔同样被起诉到波特委员会的面前，他们分别是白宫主入口和总统办公室的门卫。伯恩斯在 1865 年 5 月被弗伦奇正式授予这个职位，那个时候他表面上充当管家，后来因为把白宫的大酒杯借给巴尔的摩的一个沙龙而受到弗伦奇的质询。他在这场战争的最后一个冬天被解职。

白宫雇员当中没有人因为叛国指控而受到折磨，但对瓦特的偏袒让波特深感震惊，他赶忙把指控这位园艺师的证据通报给总统。不久之后，瓦特在正规陆军中被授予中尉军衔。历史学家乔治·班克罗夫特听说“总统夫人希望一个欺骗政府的恶棍被任命为中尉”，而且，总统迫使不情愿的内阁赞成这一任命，告诉他们：“林肯夫人为此三夜跟他分开睡。”这个故事是华盛顿闲言碎语的典型，不符合林肯的说话习惯。还有人说，这位园艺师“被专门派去白宫服务，在那里主管烹饪”。林肯夫人解雇了管家，除了白宫庭园的工作之外，瓦特有一段时间似乎担任着这一职位。

1862 年 2 月，就在瓦特因为把总统咨文交给威科夫而公开承担责任不久前，他的陆军军衔被撤销了。那个月的月底，他的名字从弗伦奇少校的工资册上消失了；但他依然受雇于白宫。“瓦特的事将会有大麻烦，”约翰·海在次年 11 月写信给尼古拉说，“我想，老板已经开始怀疑他。我希望他遭雷劈。他让威廉和卡罗尔被解雇了，现在又瞪大眼睛找我的茬子，因为我不愿意让夫人动用我们的文具经费。他们一起去了纽约。”

1863 年夏天，瓦特成了纽约第 13 炮兵团的一名下士，尽管几个月之后《星晚报》说他依然在负责白宫的暖房。后来当瓦特试图敲诈总统的时候，他与总统夫人之间异常紧密的联盟大概就走向终结了。这个故事被掩盖起来了。约翰·海后来从艾萨克·牛顿那里听说到了，牛顿是一个矮胖的农场主，林肯任命他为新成立的农业局局长。牛顿是个呆头呆脑的老家伙。本杰明·珀利·普尔说，他曾经要求征用两个液压活塞，因为有人告诉他，它们是欧洲最好的羊①。但他诚实和善，对林肯夫人很恭敬，他告诉约翰·海，他在阻止一些“可怕的揭露”。当时，他得知瓦特卷入了一场阴谋，要从总统那里敲诈3 000美元，以交换他妻子的3封信。听闻此事，牛顿便派人请来了纽约的一位政治家西米恩·德雷珀。于是，根据约翰·海的记述，德雷珀“去第14街瓦特的暖房里找到他，对他说，他来这里是要带他去拉法耶特要塞，并像他一贯所做的那样，大声恐吓，骂骂咧咧……瓦特吓得双膝跪地，百般哀求，并交出了那几封信，瓦特的这场阴谋被挫败了，最后付了1 500美元，整件事情得以平息。”

玛丽·林肯性格中最古怪的方面是她缺乏防卫的意识。在半公共性质的总统官邸，缺乏安全和隐私，在犯罪猖獗的首都，这种情况在其他住处是不可想象的。没有警卫在客厅里值班，昂贵的家具陈设经常被那些在第一层随意走动的观光客偷走和损坏。服务人员经常擅离职守，尤其是在下班时间和星期天。在很多场合，人们在夜里漫步走进这幢房子，在各个房间里闲逛，有时候甚至跑到楼上，没有任何人来给他们指路。

总统的生命屡次受到威胁，这让政治家和军队指挥官们大为惊慌，他们对这些情形深感不安，于是敦促林肯先生组建一支士兵卫队；但在1861年后的一年半里，总统官邸周围方圆一箭之遥的范围

---

① 这是牛顿闹的笑话，因为ram（活塞）在英语里也有“公羊”的意思。——译者注

之内没有任何武装人员，此后，斯坦顿才让一个特区民兵班每天夜里藏在灌木丛中。

总统对自我保护漠不关心，无论是在家里，还是在外面。华盛顿市民对于天黑之后漫步灯光昏暗的街头总是小心谨慎。在斯普林菲尔德，晚饭之后外出办事或与朋友聊天是再自然不过的事，他在首都也没有改变自己的习惯。在大规模军事战役期间，他习惯很晚的时候去探访战争部。夜里和白天一样，他总是抄近路，通过白宫的十字转门，穿过树林茂密、灌木丛生的庭园。他常常带一个秘书或朋友前往，令人担心的是，总统那瘦长的身影，戴着一顶大礼帽，哪怕在黑暗中，也是一个很容易辨识的目标。林肯有时候在夜里独自走出白宫，去剧院作非正式拜访，在福特剧院或格罗弗剧院里坐下来，享受半个小时的消遣。

1862 年夏天，林肯一家搬到了军人之家那幢单独的小屋里，尽管总统的朋友们纷纷反对，他们考虑到情报部门关于暗杀密谋的报告。尤其让他们担心的是，林肯习惯在无人陪伴的情况下，甚至在夜幕降临之后，独自骑马沿着城市边界之外那条人迹罕至的大路，走上 3 英里。斯坦顿和拉蒙都极力劝他带一支卫队，但总统对这个想法一笑置之。8 月的一天夜里，他在夜色中慢吞吞地骑马前行，一阵步枪的声音和子弹的呼啸声让他大吃一惊。第二天早晨，在他的办公室里，林肯把此事当作一个笑话讲给拉蒙听，描述了他的马如何飞奔回家，并为自己丢了那顶价值 8 美元的大礼帽而惋惜不已。

另一个夏天的傍晚，当时林肯夫人正在纽约，一位侦探递交了一份报告，把拉蒙彻底给吓着了，他十分担心总统的安全。在搜遍华盛顿各个地方寻找林肯未果之后，拉蒙去找他的兄弟罗伯特（当时担任副警长），两个人迅速驱车出城，直奔军人之家。在大门附近，他们看见了一辆马车，有一个骑马的人随同，他们于是上前盘问，才发现那是斯坦顿带着他的一个传令兵。斯坦顿也接到了一份威胁性的报告，赶忙奔赴郊区的那间小屋，林肯还没有回来。拉蒙兄弟俩把斯坦顿给吓坏了，因为他误认为他们是刺客。

回到华盛顿的时候，拉蒙兄弟俩发现林肯正走过白宫草坪。斯坦顿的虚惊一场让他开怀大笑。但特区警察局长拉蒙坚持要求，在林肯夫人不在的这段时间，总统应该在白宫睡觉。不久之后，林肯总算被说服了，同意在他骑马或驱车去华盛顿郊外的时候接受卫兵的保护。

总统最早的骑兵卫队由随机小分队组成，每天从斯科特的“九百勇士”中抽调，那是纽约的一个民兵团，因为它自命不凡的名字以及它粗鲁、爱热闹的特征在华盛顿受到人们的嘲弄。后来，从一个民兵连抽调了一支卫队，明确分派给总统，陪伴在他身边一年多的时间。再后来，这支卫队被俄亥俄的一个骑兵中队“联邦轻骑兵卫队”所取代。

总统对骑兵卫队颇感厌烦，认为武力展示与一个民主国家的最高行政长官不相称，生怕自己表现出害怕危险。他向哈勒克将军抱怨，他和林肯夫人驱车外出的时候甚至“听不到自己说话的声音”，因为马刀和马刺老是发出叮叮当当的撞击声，并宣称自己更害怕被一个绿衣骑兵，而不是被一个潜伏的游击队员开枪打死。他屡次三番把卫队赶走，经常在夜里独自往返于白宫和军人之家之间。

大约在最早的骑兵卫队组建的同一时期，总统还屈服于朋友们的强烈要求：在军人之家安排一支步兵卫队。很短的一段时间里，一支正规军小分队被安排在那里值班，但他们很快就被宾夕法尼亚第150团的两个连所取代，该团是新近组建的，附属于大名鼎鼎的鹿尾旅，之所以叫这个名字，据说是因为士兵们的帽子上都佩戴着鹿尾。大概因为他们不那么喜欢招摇，这个步兵卫队远比骑兵卫队更能让总统接受。他越来越喜欢这些“鹿尾们”，尤其是K连，他与该连的上尉连长关系很好，以至于在秋天的一些夜晚，当林肯夫人不在家的时候，他甚至邀请这位上尉与自己同床而眠。当总统一家回到城里而白宫的卫队出现问题的时候，总统就特别要求 K 连继续值班。那位意气相投的上尉不久之后被调到另外的岗位上，但士兵们依然留在总统身边，直至战争结束。

1862 年秋天的晚些时候，“鹿尾们”在白宫南草坪上安营扎寨，有两个哨兵在总统官邸的东侧和西侧巡逻。然而，哨兵绝不是看门人。跟原先一样马虎的准入制度依然盛行。林肯没有保镖，不管是在散步的时候还是在家里。在战争爆发后的第三个冬天，有一段时间，一个骑兵卫队被布置在总统官邸的大门口，但总统“烦不胜烦，直至最后摆脱了它”。有连续不断的谣言说，总统有生命危险，那年春天，一个关于绑架密谋的传闻两次登上了《纽约论坛报》。据说，总统将被带到马里兰的港口城市波特塔巴科，再从那里渡过波托马克河，进入弗吉尼亚州。林肯从未严肃对待任何这样的谣言。他只有一次说到过担心来自某个人的伤害——那就是老波兰熊古罗夫斯基伯爵，他在咆哮怒吼的言行举止和写得很拙劣的日记中，把敌意表露无遗。

有些令人害怕的传闻可能对林肯夫人隐瞒了，但她对丈夫的夜间散步并非没有忧惧。一天夜里，总统带着诺亚・布鲁克斯去了战争部，“考虑到妻子忧心忡忡的恳求”，他拿了一根沉甸甸的手杖。凯克利夫人听到林肯夫人对总统说，他不应该独自外出，因为他的“周围到处都是危险”。

总统不止一位热心朋友忍不住认为，威利的死并不纯粹是一个悲剧。服丧中断了林肯夫人自命不凡的社交生涯，消除了抛头露面的机会。在两年的服丧期内，她主要通过探访医院来吸引公众的注意。她对生病和受伤的士兵表现出极大的仁慈，给他们带去水果和葡萄酒。南方人讽刺她是“扬基佬的护士”，但北方人看不出她的善行义举中有任何值得批评的东西。林肯夫人从未赢得人们的喜爱，但早先对她的敌意减弱了。在退隐生活中，她几乎被人们遗忘了。认识她的人寥寥无几。在官方社交界的女士们当中，只有吉迪恩·韦尔斯夫人与总统夫人相处融洽。此外，时间也磨平一切恩怨。她奢侈的衣着和粗俗的样子成了一个古老的故事，人们已经厌倦了重复那个“她是个把情报送给南方的密探”的谣言。

在表面平静的生活背后，玛丽·林肯大发脾气、伤心哭泣、密谋策划、购买昂贵的丧服。她选择了新的珠宝首饰，要求用最漂亮的麦秸和最薄的黑绉绸面纱做她的帽子，订购了一套套精美的衣领和内袖缝制她昂贵的黑绸衣服。“我让人给你现钱。”她在一份订单上这样意味深长地写道。她的信用已经开始受到质疑。

1862 年夏天，华盛顿人牢骚满腹，因为林肯夫人拒绝让水兵乐队在她移居军人之家期间在白宫举办音乐会。她对服丧的严格遵守妨碍了这座城市令人愉快的一个习俗，一年后，当举办音乐会的请求再次遭到拒绝的时候，有很多人表示不满，以至于吉迪恩·韦尔斯觉得有必要向总统提及此事。林肯夫人的拒绝依然坚决，最后双方达成妥协：让水兵乐队在拉法耶特广场一周举行两次音乐会。

威利去世 11 个月之后，白宫再次开始举办公共招待会，总统夫人披着厚重的黑纱，面对问候致意的陌生人群。冬天里她举办过一次小规模的私人招待会，招待“大拇指”汤姆将军和他的新娘。出席者包括一个经纪人、一个贴身男仆和一个法国女仆，这对侏儒夫妇新婚旅行期间在威拉德酒店做过短时间逗留。正是在这一场合，“大拇指”夫人与她的兄弟久别重逢，她兄弟是马萨诸塞第 40 团的一个士兵，当时在保卫华盛顿。在威拉德酒店的屋顶上，“大拇指”将军穿着一身黑色制服，一双黑漆皮鞋，戴着雪白的小羊皮手套，系着一根完美无瑕的领带，上面别着一根钻石领带夹针。“大拇指”夫人穿着华丽的白缎衣服，点缀着绿色的树叶，被康乃馨花瓣所环绕，钻石在她的手腕和胸前闪闪发光。内阁成员及其他名流要人去白宫会晤新郎和新娘。林肯先生接下来的一场招待会是一次“打击”（弗伦奇少校这样写道），而总统夫人则说：“我相信，这些人都期望来这里见到‘大拇指’汤姆和他的妻子。”

白宫蓝厅

尽管有人批评这位母亲的丧子之痛有些过度，但那是一种得到许可的、受人尊敬的悲痛。自始至终，只要一看到充满好奇和敌意的眼睛，她总是不得不掩饰一些南方亲戚带给她的悲痛。有时候，她会强烈否认自己感觉到了这种悲痛。她有一位亲兄弟、三位同父异母兄弟和三位姻兄弟加入了南方军。亚历山大在巴吞鲁日阵亡，塞缪尔·托德战死在夏伊洛。戴维由于残酷对待战俘而遭北方人所痛恨，并因在维克斯堡战斗中身负重伤而一蹶不振，苟延残喘。她的妹夫、年轻英俊的本杰明·哈丁·赫尔姆 1861 年春天曾探访白宫，拒绝了联邦军需官的职位，后来在奇克莫加战斗中战死。

死者对玛丽·林肯来说是真实的。威利去世之后的那个冬天，她在新年前夜领着她那位上了年纪的保护人艾萨克·牛顿驱车出城，去乔治敦拜访一位被人称作劳里夫人的招魂师。林肯夫人后来告诉布朗宁参议员，劳里夫人神奇地让威利显灵。她还询问了一些尘世的事情。灵魂告诉她，内阁成员全都是总统的敌人，必须把他们撤换才能获得成功。

总统夫人也请教过另外一些招魂师。在这件事情上，她并非孤家寡人。招魂术作为这场漫长消耗战的伴随物，在战争的第三个冬天盛行于首都。人们在黑暗中围桌并肩而坐，听钟鼓齐鸣和班卓琴的拨弦声。印第安人的老朋友比森神父在共济会大厅举行了一次公共集会，吸引人群来聆听他与迪安法官之间的交流，这位保护逃亡奴隶的布鲁克林律师最近死于肺炎。当比森神父宣读一位死去的黑人捎来的口信时，部分听众离席了，因为据这则口信透露，黑人占据了天堂里的主要席位。比森抱怨，共济会大厅的看门人遵照华盛顿的习俗把他们领入了楼座。然而，在迪安法官所传达的信息中，并没有什么有争议的问题。他的灵魂附体于比森神父——他在世时，神父和他只是最粗浅的泛泛之交——仅仅是为了告诉他：他在自己的葬礼上看到了他，另外一个世界上的事情比自己预期的更加令人舒适。在《星晚报》看来，这个信息“似乎表明，迪安法官性情气质中的务实精神稍稍退化了”。

然而，那些信奉招魂术的人缺乏批判性。招魂师在首都大发横财。有一个最成功的招魂师名叫科尔切斯特，是一个风度翩翩的年轻人，他自称是一位英国公爵的私生子。林肯夫人把他接进了自己的家里，满怀希望地聆听那些刮擦声和拍打声，据称，这些声音代表了来自威利的信息。不久之后，科尔切斯特给林肯夫人写了一封傲慢无礼的信，要求她帮自己从战争部弄到一张去纽约的通行证，并暗示，如果她拒绝的话，“他可能有一些令她不快的事情要说出来”。这次敲诈勒索的尝试被总统的朋友、报社记者诺亚·布鲁克斯给解决了。不久前，布鲁克斯抱着怀疑的态度出席了科尔切斯特的一次降神会，他在黑暗中站起身来，抓住了那只正在用一个铃铛敲打一面鼓的手。布鲁克斯叫人点亮灯，在划着火柴之前，那面鼓对着他的脑袋猛地一击。耀眼的煤气灯光下，人们看到额头流血的布鲁克斯牢牢抓住了科尔切斯特。林肯夫人发疯似的向布鲁克斯求助，布鲁克斯在白宫安排了与那位招魂师的会面，带着额头上尚未痊愈的伤口勇敢面对科尔切斯特，斥责他是一个骗子，并命令他离开华盛顿城，否则就把他关进老国会大厦监狱。科尔切斯特再也没找林肯夫人的麻烦，尽管布鲁克斯虚张声势的威胁并没把他吓跑而离开华盛顿，在这里，他迷人的个性和超自然力量的神奇展示继续吸引大量的人来参加他的降神会。

活着的人的世界延伸到了玛丽·林肯的心里，抚慰她那受到刺激的神经。1863 年夏天，当她乘坐她的四轮马车外出的时候，车夫的座位断裂了，把他甩到了地面上。受惊的马跑开了，林肯夫人跳出马车，撞伤了后脑勺。打那以后，她病了一段时间。后来，她的马车撞倒了一个小男孩，撞断了他的腿；她丈夫患上了天花，塔德染上了猩红热。她发疯似的担心罗伯特会参军入伍，那样一来，她可能也会失去他。夜里，她辗转难眠，感觉到有一个幽灵正在她的床上俯瞰着波托马克河。没有借助轻拍声和刮擦声，威利回来找他的母亲了。她能看到他，甜美地微笑，就在她的床脚头。有时候，她死去的孩子埃迪和他在一起；有时候是她最小的同父异母弟弟亚历山大，这个红头发小伙子身着灰色制服，死于巴吞鲁日的一场小规模战斗。

玛丽·林肯是如此言行古怪、担惊受怕，她丈夫十分庆幸她的异母妹妹艾米莉来白宫看望她。在伊利诺伊州，她有三个亲姐妹原本可以成为她的亲密伙伴，但她并不喜欢她们，就连尼尼安·爱德华兹夫人，她也总是百般挑剔，她曾长期在尼尼安家里逗留，也是在那里遇见并嫁给了林肯；弗朗西丝心怀妒忌，玛丽·林肯打了“一场硬仗”才为弗朗西丝的丈夫威廉·华莱士博士（威利取的就是他的名字）谋得了军需官的职位，但她并不感激；她痛恨 C. M. 史密斯夫人安的

“假舌”。比她小 18 岁的艾米莉是南方军将领本杰明·哈丁·赫尔姆的寡妻，没有机会卷入与总统夫人之间的恩怨纠纷。

艾米莉·赫尔姆带着她年幼的女儿从亚拉巴马州去肯塔基州她母亲的家，因为拒绝作忠诚宣誓而被挡在了门罗要塞。总统打电报给军事当局，让人把她送到华盛顿。在一个冬日，她带着一个年轻寡妇的孤独和悲伤慢吞吞地走进了白宫。国宾室里的帷幔那阴郁而肃穆的紫色让她倍感压抑，陌生人对她深沉的黑纱投去好奇的一瞥，让她不敢正视。女主人温柔体贴地接待了她。没有太多的言辞，她和玛丽·林肯手拉着手，相拥而泣。总统叫她“小妹”，当他拥抱她并说他希望她不要怨恨自己的时候，他也流下了眼泪。

对于一个简单而宽宏大量的人来说，让艾米莉·赫尔姆在家里做客似乎没有什么不当之处。生病而孤独的妻子很让他担心，他的判断大概受到了这种忧虑的影响。在将近一周的时间里，而且是在战争期间，总统在自己家里接待了敌人的一个热心支持者，并邀请她到军人之家去避暑。这位支持叛军的来访者称总统为“林肯哥哥”，这一事实加剧了她的存在对那些见到她的人的冒犯。泰德被他的小表妹给惹恼了，她在白宫的壁炉前大声叫喊“杰斐逊·戴维斯万岁”，而且，当泰德说自己的父亲是总统时，她还反驳他。尽管每当有人造访的时候艾米莉总是试着悄悄地走开，但他们有时候会要求见她，希望从她那里听到南部邦联的朋友的消息。其中就有来自纽约州的参议员艾拉·哈里斯，他是跟丹尼尔·西克尔斯将军一起来的，想打听约翰·C. 布雷肯里奇的情况，后者如今是南方军的一位将军。艾米莉·赫尔姆面对的，是一个共和党政治家和一个在葛底斯堡失去了一条腿的联邦军人。她没有关于布雷肯里奇的信息。对于有些关于南方的问题，她总是极力回避。哈里斯参议员很可能是把打听布雷肯里奇的情况当作一个借口，为的是仔细审视总统的这个小姨子，或者，艾米莉的丧服和她的沉默突然激起了他的愤恨。“我们在奇克莫加痛揍了叛军，”他大声叫道，“夫人，我听说，那帮恶棍就像受惊的兔子一样四散奔逃。”艾米莉・赫尔姆的回答把他气得说不出话来，她说：“那是你们在奔牛溪和马纳萨斯给他们树立的榜样。”林肯夫人试图改变话题，哈里斯却转而指责她。“罗伯特为什么没有参军？”总统夫人脸色煞白、紧咬嘴唇。她说，罗伯特一直急着要参军。错在她，因为她坚持让罗伯特留在大学里。

艾米莉・赫尔姆浑身颤抖、泪流满面，踉踉跄跄地走出了房间。总统感到不舒服，正躺在床上休息，但丹尼尔・西克尔斯拄着拐杖走上了楼梯，坚持要见他。艾米莉后来了解到，总统被西克尔斯怒气哼哼的描述给逗乐了，并告诉他：“那孩子的舌头从不饶人，托德家的人全都这样。”西克尔斯大声说：“你不该让这个叛乱分子留在你的家里。”

艾米莉・赫尔姆觉得自己逗留在白宫很尴尬，于是她拿着总统给她的通行证动身去肯塔基，无须作忠诚宣誓。她没有接受让她去军人之家度夏的邀请。林肯私下里想试着帮助她卖掉 600 捆棉花，但她不给公共丑闻以机会。

次年春天，林肯在媒体上遭到强烈的批评，因为他妻子的异母妹妹玛莎——亚拉巴马州克莱门特・怀特的夫人——拿着总统给她的通行证把一些商品带到了南方。总统坦白地向韦尔斯及其他人解释了此事，他说，怀特夫人曾多次造访，但他和林肯夫人都拒绝见她。他让人送了一张通行证给她，让她去南方，并拒绝允许她在未经检查的情况下携带行李箱。她曾在华盛顿的酒店里“谈论分离主义”，最后，林肯告诉她的一位调解人布鲁特斯・克莱，如果她不立即离开的话，他会送她去老国会大厦。

托德家族的传说是，玛莎・怀特在战争期间经常探访白宫，她仅仅为了自己使用而带了一点点奎宁到南方；但是，有一次，她蒙受了羞辱，一位联邦检查员发现了一把非常漂亮的剑和一套叛军制服，那是巴尔的摩的朋友在她不知情的情况下放进她的行李箱的，但她还是把它们运到了南方，并送给了李将军。

玛丽·林肯把她那张和蔼可亲的脸转向了艾米莉·赫尔姆。这个年轻的寡妇理解林肯的忧虑，林肯告诉她，玛丽的神经已经崩溃，她实在太紧张了，心理的和身体的健康都无法承受。艾米莉看到，只要一只铃铛敲响或一本书落地，玛丽都会惊跳起来，脸色煞白。当她突然走进房间，看到姐姐眼睛里的惊恐，她被吓坏了。当玛丽讲到威利的时候，那双蓝色的眼睛睁得很大，闪闪发光，她还讲到，威利说他很爱亚历山大姨父，大部分时间跟他待在一起。

在蓝厅里，玛丽·林肯会摆出十分客气的样子，微微地行屈膝礼，说“你好”，有时候对熟人说“很高兴见到你”，用她那白皙手指的指尖轻轻碰一下他们的手。她的下午接见总是济济一堂。一个暴风雨的日子，她为自己没有给弗伦奇少校放假而向他道歉，因为肯定不会有一个人来。弗伦奇在仆人的房间里“十分友好”地与她谈话，她“穿戴整齐”地坐在那里。仆人通报，萨姆纳参议员到了，林肯夫人和弗伦奇走进客厅接待他。他们坐在蓝厅的沙发上闲谈，总统走了进来，“尽量装出愉快和可笑的样子”。他们轻松自在，没有什么期待，直

林肯夫人

到老爱德华走进来告诉他们：大厅里挤满了人。当门打开的时候，来访者的人流几乎与新年招待会不相上下。有些人穿着旅行装束和乡村服装，士兵们的鞋子上沾满了泥，但也来了一些优雅得体的女士。联邦军的胜利使得白宫招待会变得时尚起来，1864 年，蓝厅里到处都是法式女帽，以及貂皮做的手笼和披肩。在大门口，两个蓬头垢面的骑兵在用他们的剑指挥马车队列。爱德华站在门廊里剥着坚果。

总统夫人也总是对弗伦奇少校提出各种要求，像一个孩子乞求玩乐，而弗伦奇则尽自己最大的能力去帮助她。1864 年 5 月，他写道："林肯夫人每天都在烦我，想要获得一笔拨款，为她和总统在军人之家装点一个新家，而我则反过来去烦财政委员会。如果可敬的老主席撒迪厄斯不是拿我开玩笑的话，我想我应该能得到这笔拨款。"

在脱下丧服之后，林肯夫人常常与总统一起去剧院看戏，尤其是上演歌剧的时候，因为她非常喜欢歌剧。她会邀请一帮朋友，派一个信差去订座位，要么是福特剧院那个巨大的上包厢，要么是格罗弗剧院的下包厢。在这样的场合，包厢前面将会悬挂国旗，这帮人进入的时候会有《向统帅致敬》这支曲子迎接他们。在这些短途旅行中，骑兵卫队很少陪护总统的马车。伦纳德·格罗弗讲过一天夜里发生的一次令人不快的插曲，当时，林肯夫妇在斯凯勒·科尔法克斯陪伴下走出剧院。格罗弗剧院紧挨着一些酒吧和乱七八糟的住宅，一些分离主义粗汉经常光顾这些地方，他们对本届政府的反感由于《解放宣言》的颁布而变本加厉。一群百般嘲弄的人聚集在总统马车的周围。格罗弗说，当林肯夫妇进入马车的时候，马车夫喝醉了酒，四仰八叉地躺倒在人行道上。人群发出威胁性的大呼小叫。车厢里只有一个独臂鼓手，格罗弗被吓着了。他亲自跳上马车，抓起缰绳，先驱车去了科尔法克斯的住处，然后去了白宫。总统和林肯夫人都感谢他帮了大忙。

格罗弗或许夸大了那群人的敌意，因为林肯夫人并没有被吓得不敢去剧院。凑满一个小包厢已经成了她主要的娱乐之一。表面上，她的生活有很多惬意的时刻。大型的国宴按时举行，人们恭维她的家具陈设很有品味。她对英俊潇洒的单身汉萨姆纳参议员有一种忸怩作态的欣赏，给了他大量的请柬、短笺和鲜花。让斯坦顿先生怒不可遏的是，她还对同情南方的费尔南多·伍德非常关心，每当伍德举办大型招待会的时候，他的住处便装饰着白宫暖房提供的鲜花。有一些安静的时刻，林肯夫妇乘坐马车外出，像任何彼此友善而挚爱的夫妇那样谈话，被经年的习惯和共同的悲痛拉紧在一起。

然而，玛丽·林肯发起脾气来是无法控制的，甚至会对她最喜欢的萨姆纳说一些尖酸刻薄的话，然后给他写一封可怜巴巴的道歉信。她对丈夫的大发脾气超出了一切礼仪和自尊的界限，在其他人面前她也无法控制自己的舌头。在参加专利局的那次博览会之后，她因为丈夫说了蠢话而拼命踢打他，让那位跟他们一起坐在马车里的伊利诺伊州人理查德·奥格尔斯比将军十分难堪。总统有点开玩笑地赞颂了女士们为战争救助所做的工作。丈夫仅仅提到女人就会让玛丽·林肯发疯。她的妒忌成了一种癫狂。1865 年春天，在一次探访军队的时候，她像个疯女人一样大哭大闹，不断辱骂奥德将军的妻子，直至把她骂得放声大哭，这一切仅仅因为奥德将军的妻子在马车里与总统并肩而坐。

自始至终，她纵情沉湎于她的购物狂欢中，那就像一剂治疗饱受折磨的神经的良药。她把一些旧东西储藏在数不清的衣箱和柜子里，甚至保存了她从斯普林菲尔德带来的很多过时的衣服和帽子。她买东西的赊账达到了惊人的数额——很多东西她不可能使用，也不想为它们付账。华盛顿的一位商人寄来了一份账单，那是她在四个月的时间里订购了 300 双手套。在 A. T. 斯图尔特的纽约百货商店里，她购买了毛皮、丝绸、花边和珠宝；耳环和别针 3 000 美元，一条围巾

5 000 美元。1864 年夏天，她告诉凯克利夫人，她一共欠下了 27 000 美元的债务。那位女裁缝问她，林肯先生是否觉察到了这笔欠账。林肯夫人回答："上帝保佑，他没觉察到。"在那一年总统竞选期间，因为担心她丈夫不能连任，她越来越歇斯底里地害怕暴露和破产。只要林肯还在总统的位置上，一些富有的共和党人就有可能被说服，为她的欠账掏腰包，以免本党陷入丑闻。她哭哭啼啼去找艾萨克・牛顿，一边恳求他帮助自己还债，一边"眼泪哗啦哗啦地流下了"。

她为第二任期的就职典礼置办衣服花去了 2 000 美元。她倚恃着她那古怪的极度傲慢，而此时乌云已经聚集起来，让她的头脑变得更黑暗，让她跌跌撞撞地走出白宫，让她成为一个病痛缠身、饱受折磨的女人，那双眼睛再也不会睁大并闪烁光芒，她在自己余生里因为担惊受怕而浑身颤抖。她将带着一箱箱旧垃圾和没有付钱的华美衣裳，被塞进车厢里，一路照顾她的，只有凯克利夫人和一个非常喜欢泰德的警察。

第15章　春天的流血

在蓝厅大门的附近，来访者队伍突然停止了前进。总统诚恳地紧握一位来访者的手，开始密切交谈。此人是一位个子矮小的军官，弯腰驼背，被晒得黝黑，淡褐色的胡须粗硬蓬乱，似乎没有引人注意的地方。看上去衣衫褴褛，像个失业的人，而且喝得太多。他肩章上的星已经失去了光泽。但是，蓝厅里突然骚动起来。每个人都开始凝视此人，他笨手笨脚地站在那里，仰视着总统。与此同时，不断抵达的客人在门廊外边挤作一团。这是格兰特将军和林肯先生的第一次会面。

西华德连忙赶来解围。他把将军介绍给了林肯先生，带他穿过人群，走进人头攒动的东厅，两边的人热切地看着他。格兰特的进入让这群文质彬彬的人变成了一群乌合之众。疯狂的欢呼声让水晶吊灯瑟瑟发抖，而女士们和先生们从四面八方涌向他。蕾丝花边被撕破了，衬裙被踩得稀烂。一些人害怕受到伤害，或者因为兴奋而变得疯狂，纷纷爬到椅子和桌子上。最后，格兰特将军被迫登上了一个深红色的沙发。他羞怯地站在沙发上，握住那一双双伸过来的手，他们渴望触碰到一个衣衫不整、满脸通红、受宠若惊的小个子军人身上所体现出来的胜利和荣耀——多纳尔森、维克斯堡、查塔努加[①]。

尤利西斯 · S. 格兰特

联邦军有一些古怪的英雄，但没有一个人像他那样，在战争爆发三年之后，如果要把获胜的希望寄托在某个人身上的话，最不可能的就是他了。格兰特是个沉默寡言的人，喜欢农事，之所以上了西点军校，是因为他那位刚愎自用的父亲为他做好了安排。他从未喜欢过军旅生涯。在墨西哥战争中，他担任军需官，他痛恨战争。正是在墨西哥，他开始酗酒。他不是一个寻欢作乐的好伙伴，只喜欢在郁郁寡合的孤独中喝闷酒。后来，在西部一个军事哨所那孤寂荒凉的生活中，这一习惯变得更加严重，直至危及军事纪律，他被迫退伍。格兰特发现自己成了一个身无分文的平民百姓。他手忙脚乱地做了一些尝试，先是在农事上，然后是在圣路易市经商。这位丢尽脸面的前军人正在迅速走下坡路，此时，他父亲在伊利诺伊州加利纳市的家族皮革店里为这个家族的失败者提供了一个容身之地，他高高兴兴地去了那里。当萨姆特要塞的陷落使联邦陷入内战的时候，他已经 39 岁了。

格兰特上尉（当时人们都这样称呼他）在招募加利纳志愿兵上提供了一些帮助，但并没有被选为加利纳民兵连的指挥官。他穿着平民百姓的衣服跟着士兵们去了斯普林菲尔德，在州首府得到了一个职员

① 这是南北战争后期任联邦军总司令的尤利西斯 · 辛普森 · 格兰特展开战役重创南方同盟军涉及的几座城市名。——译者注

的位置。在政府出钱让他接受了教育之后，格兰特觉得自己有责任主动提出去军中效力，他给华盛顿写了一封信，很不自信地暗示，他适合指挥一个团，但他的这封信没有得到回应。后来，他在伊利诺伊州得到了一个机会。起因是一个违抗军令的民兵团表现实在太糟糕，弄得他们的团长不得不辞职，于是格兰特取代了他的位置。他很快就把这个团管教得服服帖帖。他从前的邻居、众议员沃什伯恩帮他弄到了旅长的委任状。多纳尔森要塞的"无条件投降"使他成为一个举国皆知的人物。

人到中年，格兰特盲打误撞地发现了自己有一项伟大才能：坚韧而顽强地打硬仗的能力。他对原路折回有一种迷信般的反感。这在他的军事战役中未必是个优势，相反，它是联邦将军们身上一个新的缺点。在他发给多纳尔森要塞南方军指挥官的一份电报中，有这样一句话："我打算立即向你的防御工事进逼。"这是沿着历史长廊冷冷地发出回声的众多短语之一，表面上似乎没有赢得被人们所铭记的权利。但在 1862 年春天，它让一个国家变得异常兴奋。

夏伊洛惨败之后，要求将格兰特革职的叫嚷声被淹没在维克斯堡胜利的欢呼声中，查塔努加战斗使他成为联邦军中无可匹敌的军事领袖。当他还是一个无足轻重的小人物时，他的品格在任何方面都似乎没有什么引人注目之处，但是，一旦他功成名就，他的品格便立即被赋予了力量。他的普普通通看上去出奇地可靠。他是普通人的完美典型，而普通人都钦佩他、信任他。他的粗野并不是什么障碍。格兰特符合美国的传统。他有勇气、耐心和常识，这些都是一个年轻国家理解并尊重的品质。没有关于他的胡说八道。他没有架子，没有废话，也没有浮夸的言辞。事实上，无论通过言辞，还是纸笔，他都没有多少话要说。联邦已经厌倦了自吹自擂的允诺，喜欢他的沉默寡言。在 1864 年 3 月威拉德酒店的一次晚会上，沃什伯恩在介绍格兰特的时候说他是“一个行动重于言辞的人”。人们为这位不善言辞的军人欢呼喝彩。

格兰特奉战争部之令来到华盛顿。他此前从未踏足过首都，他讨厌并害怕这个地方，不打算在这里逗留。谢尔曼三番五次地对他谈到首都的阴谋诡计，及其政坛堕落的道德氛围。谢尔曼写信给他的朋友说：“看在上帝的分上，看在国家的分上，离开华盛顿吧。”格兰特并不需要这样的恳求来坚定自己的决心。在公共招待会和欢迎仪式上，他很难找到乐趣。他对铺着布鲁塞尔地毯的漂亮办公室没什么兴趣，宁愿要一顶墙式帐篷，一张窄床，一张粗糙的松木桌子放他的地图和文件。他习惯于独自制订作战计划，并对自己的计划守口如瓶。他像谢尔曼一样，以一个军人对政治干涉的恐惧，认为其他军人都受到了华盛顿的影响，包括麦克莱伦、波普和哈勒克。

在格兰特抵达之后的那天，他被正式授予中将军衔。这个军衔根据最近的一项国会法案而得以恢复，人们对这一法案有一个不言而喻的理解：它将被授予给格兰特。这在美国是一项很高的军事荣誉，因为这个国家在授予军衔上很吝啬，很少把三颗星佩在国家英雄们的肩章上。为了见证授衔仪式，格兰特带来了他的儿子弗里德，他是一个 14 岁的男孩，经历过维克斯堡之围。陪伴格兰特的，还有两个副官和哈勒克将军，1862 年，哈勒克就差没有把他赶出军队。总统和内阁的先生们济济一堂，在回应林肯先生的简短演说时，格兰特满脸痛苦、结结巴巴地念出了他在半张便签上用铅笔写下的几行字。窘迫中，他似乎认不出自己的笔迹；但这篇演说词完全是他自己的原创，其中提到了自己沉重的责任、高贵的联邦军队，以及神意的眷顾。他忘了说几句恭维波托马克军团的话，总统曾要求他这样做。

第二天，格兰特拜访了米德将军位于布兰迪火车站的司令部。回来之后，韦尔斯先生在内阁会议上对他仔细观察，发现他身上完全缺乏军人的风度和威严，但比先前的样子更有条理了一些。格兰特因为一个重大的决定而信心倍增。他完全改变了自己的计划，放弃了率领西部军队对亚特兰大发起进攻。总统告诉他，国家想让他去占领里士满。格兰特说，如果他有军队的话，就能够做到。在他顽固不化的内心里，他感觉到了抵制华盛顿政治压力的力量，他下定决心要与波托马克军团站在一起。在抵达首都的第三天早晨，他动身前往纳什维尔，切断他与自己从前所率领的军队之间的关系。就在他乘坐火车向西旅行的时候，让他指挥所有联邦军队的命令发布了。

格兰特的布兰迪火车站之行让华盛顿的公众大失所望，因为之前已经广为宣传，他将陪伴总统去格罗弗剧院，参加一场向他致敬的盛大演出，著名的悲剧演员埃德温·布斯在那里演出四周。格罗弗剧院里装饰着大量的国旗。他几次胜仗的名称——刻得非常精细——悬挂在包厢和二楼前排座位上，在舞台前方，拉着一道横幅，上面描绘着几个金色的大字“无条件投降”，装饰着国旗和鹰。在一个暴风雨之夜，布斯演出《理查三世》(*Richard III*)，观众一直挤到了大门口，甚至连站票也卖完了。总统、林肯夫人和西华德国务卿坐在悬挂着国旗的包厢里，但人们都是来看格兰特的。伦纳德·格罗弗走上舞台，向大家解释，这位军事首领不得不离开了本城，但明天晚上肯定会来观看布斯演出的《哈姆雷特》(*Hamlet*)。《每日纪事报》以为是格兰特打电报向格罗弗作出了这个保证，并报道，第二天夜里人们再次冲向剧院，不料再一度失望，因为格兰特已经启程去西部。林肯夫人为向他致敬而特意安排了一次晚宴，据说总统曾力劝他留下来。

温德尔大楼的第二层为这位总司令收拾好了两个房间，但他很少在那里度过，他的司令部被安排在和波托马克军团一起，远离军事电报的中心。他把军队司令部大量的具体事务交给了哈勒克将军，在格兰特晋升为总司令之后，哈勒克担任了总参谋长的职务。在 3 月底 4

月初，格兰特从战场去过四次华盛顿，都是来去匆匆，为的是参加白宫和战争部的会议。每一次都是代表团、招待会、表演和相互吹捧的场合。任何时候，只要他出门，人群就会尾随他。在他下榻的威拉德酒店的大厅里，人们热切地盯着他普普通通的脸庞，连同嘴上叼着的雪茄。不知情的陌生人做梦也想象不到，这个模样平常的人是将近 90 万大军的指挥官。然而，他已经学会了沉着镇静。他身上有一种平静而沉着的样子。战场上的士兵都熟悉了他那双冷峻的蓝色眼睛和无动于衷的表情。

在整个北方，格兰特被任命为总司令的消息给人们带来了积极的希望：这场战争很快就会赢得胜利。在 1864 年最初的几个月里，国民的斗志需要这个给人们带来活力的希望。一次试图占领佛罗里达内地的努力最终没有成功。在班克斯将军的指挥下，路易斯安那州红河上游的一次军事行动失败了，河里一场突如其来的降雨危及这次远征中协同作战的舰队。密西西比河畔的皮洛要塞被南方军占领了，南方军对黑人士兵和他们的白人指挥官的屠杀导致整个北方都在要求报复。关于联邦军战俘在南方遭受折磨的报告更加激发了人们对决定性的军事行动的渴望。

在政治的地平线上，乌云变得黑暗而沉重。那是选举年，当国民在战争期间卷入总统拉票的娱乐中的时候，华盛顿便处在骚动中。在众议院大厅里，同情南方的北方人大声要求总统换人并和平结束这场战争，要求承认南方各州的独立；一些北方公民因为他们发表的一些观点而被关进军事监狱，而这些观点却远不如一些议员们在国会大厦里大胆喊出的意见那么叛国。激烈的争论让人想起大肆鼓动脱离联邦的那些日子。旁听席上再次挤满了旁观者。有人提出动议，要驱逐某些更鲁莽的民主党激进分子，但在激烈的演说之后，这些动议演变为谴责决议。

尽管去年秋天各州的选举都支持共和党人，但反对依然是强有力的。同情南方的北方人要求和平的呼声在这个已经对战争感到厌倦的国家找到了同情的倾听者。一些参与劝阻参军、煽动抵制征兵的秘密团体集结了大量的成员。很多人惊慌地看待总统对战争权力的僭取。民主党人的巨大希望就在于共和党的内部分裂。强有力的激进派领袖尽管深知林肯在全国的声望，但他们还是强烈地反对他再次获得提名。事实已经证明总统对于他们来说太强大了。他完全按照自己的意愿解放了奴隶。最糟糕的是，他发表了大赦宣言，赦免那些原本应该作忠诚宣誓的叛乱分子。在接下来关键性的四年里，反奴隶制小集团想让一个自己人出任最高行政长官，一旦战争结束，他会执行报复性的计划：在南方各州废除奴隶制，镇压叛国者。在重建问题上，林肯的观点中充满了自我克制和对被征服者的宽容。对南方人，就像对自己的财政部长、虚伪的两面派蔡斯先生一样，他不可能抱有报复之心。

就连林肯也不能假装不知道他这位激进的内阁大臣觊觎总统宝座的野心了。在蔡斯心急火燎、断断续续地参加林肯的会议的同时，一份宣扬其主张的传单传播到了全国各地，最后登上了报纸。这场推动蔡斯获得提名的活动所得到的回应是一片沉默。各州的共和党的核心成员会议和代表大会都表达了对总统的忠诚。国会中的激进派政治家在血压不断上升的状态下解读这些征兆。共和党人和民主党人争相反对林肯，在总统办公室的接待室里，本党参议员一边等待总统的接见，一边公开抨击他。华盛顿的共和党人都参与了本党大会召开之前的那些暴风雨般的争吵——这次大会不叫共和党大会，而叫全国联合大会。来自哥伦比亚特区的代表是在吵吵闹闹的争论气氛中推选出来的。林肯的支持者坚持认为，华盛顿的代表自始至终见证了总统的爱国精神，应该坚定地站出来说话，但他们在 6 月初便自发地去参加在巴尔的摩举行的大会。

在混乱的形势当中，一位艺术家在白宫的国宴厅设立了一间工作室。来自纽约的肖像画家弗朗西斯・B. 卡彭特获准实施他的一项野心勃勃的计划：描绘最早宣读《解放宣言》时总统与内阁成员在一起的场面。铅笔、画笔和颜料胡乱堆在国宴厅的餐桌上，那里绷起了一幅巨大的画布以捕捉窗户里透进来的光线。在巨大的枝形吊灯的光亮中，卡彭特先生常常工作到黎明。

艺术家还获准自由出入会议室，那里将是他这幅画的背景。他总是在那里接连坐几个小时，画"附属物品"的素描稿，目不转睛地盯着总统的脸看。有时候，一个来访者想跟总统说几句私话，他会吞吞吐吐地朝着卡彭特的方向看。总统会亲切地大声说："哦，你用不着在意他，他只是一个画家。"

林肯对卡彭特的作品有一种天真的自豪感。他缺乏审美鉴赏力，但这是一幅他能够看懂的画。他发现画家也很对自己的脾气。卡彭特非常认真，缺乏幽默感，但他是一个和蔼可亲、体贴周到的家伙，对总统怀有一种崇拜式的赞赏。尽管他用一个大写字母 A 来拼写 art（艺术）这个词，但他主要关注的是艺术的道德作用。他还是一个坚持历史准确性的人：纸和笔，书和椅子，全都被描绘得一丝不苟；他甚至把一份《纽约论坛报》扔在了他的这幅画的一角。他试图向总统解释自己的艺术目标，但并没有引起林肯的注意。对林肯来说，这幅画是一个关键点，借此引发对《解放宣言》的回忆。卡彭特身上的道德家心态正沉湎于锁链断裂的嘎嘎声中。他意识到，这就是历史，是一件高贵的事情，他比一个更优秀的艺术家更加热切地倾听，并把自己听到的一切记录下来。

在艺术家的头脑里，除了总统就是内阁的先生们。凯莱布・B. 史密斯并没有出现在这一历史性场合的花名册上。他在印第安纳州去

内阁宣读《解放宣言》

世了。画上他那张脸是模糊的，但几乎不比他在华盛顿所扮演的角色更模糊。他的继任者约翰·厄舍先生想必觉得自己完全被忽略了，因为其他人都坐在那里为他们的肖像当模特，并匆匆忙忙去布拉迪照相馆拍照片。卡彭特先生很高兴与他们所有人会面，并忠实地描绘他们的谈话情景。他不可能不知道，他们当中存在严重的分歧，但他不允许客观事实来干扰主题的理想主义观念。总统顾问们的行动从未协调一致，如今更是处在一团乱麻的纠结情绪中。卡彭特为了子孙后代，在画布上让他们团结了起来，就像主日学校的孩子们围聚在老师的身边。老贝茨陷入了阴郁的沉思，西华德先生是一个古代独裁者的侧面像，画得很好。但喜欢惹麻烦的蒙哥马利·布莱尔看上去就像史密斯先生的幽灵一样默然顺从。对面的韦尔斯先生似乎紧盯着末日的幻象。斯坦顿先生一副慈眉善目的样子，颓丧地坐在那里，与此同时，在总统座椅的旁边，蔡斯先生像年代久远的岩石一样，岿然不动站在那里，随时准备为他的领袖慷慨赴死。

随着全国联合大会的临近，蔡斯几乎再也没有出现在内阁会议上。他的地位含糊不清，他与总统之间的关系也越来越紧张。他有很多烦恼。当黄金价格在疯狂的投机浪潮中迅速飙升的时候，他的绿背美钞贬值了。财政部成了人们批评的对象，这些批评不同于那些鼓吹健全货币的人所受到的责难。有传闻说到了欺诈性的运营，以及明显的管理不当。蔡斯觉得有必要展开一次调查，为此，他要求战争部把 L. C. 贝克上校派给他。当财政部官员纷纷被关进老国会大厦的时候，蔡斯想必后悔邀请侦探高手来洗白他的亚麻布衬衫。最耸人听闻的指控是某些财政部雇员与他们的女性职员之间的不道德关系。国会任命了一个调查委员会，其中包括不少共和党人，以确保多数派报告有利于财政部。贝克被指控用阴谋诡计对付他所点名的那些官员。然而，已经宣扬出去的事情不可能收回。在华盛顿屏住呼吸、等待来自弗吉尼亚的隆隆炮声的同时，酒吧间里的游手好闲之徒在讥笑财政部女孩们用来提高薪水的手段。人们普遍相信，财政部大楼扩建部分闪闪发光的墙壁——像蔡斯先生的私人生活一样洁白——庇护着一幢名声糟糕的政府大楼，在那里，一些漂亮女人一边喝着啤酒、吃着牡蛎大餐，一边苦干到早晨。

4 月初，格兰特将军签署了所有联邦军队同时进军的命令。主要的军事行动有两场，坎伯兰、田纳西和俄亥俄等军团统一在谢尔曼将军的指挥下，向佐治亚州乔 · 约翰斯顿将军的部队进军，以及波托马克军团在米德将军的指挥下，向李将军的部队进军。联邦军取得一场决定性胜利的希望主要寄托在第二场军事行动。有一点已经很明显：这场战争必定在弗吉尼亚赢得胜利。三年的战争给对立双方军队的关系带来的改变很小。两军隔着拉皮丹河顽强地对峙，他们依然在保卫着横亘在他们之间的那个地带，保卫着各自的首都。

格兰特的计划被严格保密。经过审查的报纸无声无息。政府官员从未像这样守口如瓶。在华盛顿的一次社交集会上，一位女士冒冒失失地问西华德先生军队正朝哪个方向前进。据说，国务卿答道："夫人，如果我不知道的话，我倒是会告诉你。"然而，西华德先生实际上并不像他看上去那么消息灵通。破天荒第一次，政府把它的军事行动完全托付给一个军人。格兰特被授予了自由行动的全权，没有政治的干预、建议或磋商。总统已经不再插手军队事务，并向总司令保证：他不想了解他的计划。斯坦顿先生和哈勒克将军都警告格兰特不要轻易相信林肯，理由是：总统虽然看上去和蔼可亲，可能并不慎重。格兰特并没有听信斯坦顿和哈勒克的话。

那年春天，华盛顿人第一次见到了一个骨瘦如柴的爱尔兰裔小个子将军，名叫菲尔·谢里登。他只有33岁，看上去更年轻一些。他的腿很短，他的胸部和肩膀都很宽。他那张红扑扑的、样子粗糙的脸上蓄着两瓣八字胡子和一撮尖胡须。在西部，谢里登创造了辉煌的纪录，成为格兰特的爱将。他拜访了战争部和白宫，然后接管了波托马克军团骑兵军的指挥权。

菲尔·谢里登

庞大的联邦军队整装待发，就像赛跑选手在等待发令枪声。最近招募的领取报酬的新兵与早先的志愿兵不可同日而语。然而，尽管津贴和替身费让一些罪犯和流浪汉穿上了制服，但用金钱也招募到了一些能征惯战的团队，由乡村少年、加拿大人和身强体壮的欧洲移民组成。在葛底斯堡战斗和维克斯堡战斗之后，这些人都成了职业军人，使陆军的队伍迅速壮大——甚至得到了偏见甚深的西点人的认可。在付出了可怕的代价之后，这个民主国家缓慢地发展出了一台有效的“战斗机器”。在拉皮丹河沿岸的营地里，波托马克军团的士兵没有整洁漂亮的军容。士兵们浑身肮脏、胡子拉碴、长发凌乱，他们有着一帮亡命徒那样的凶狠样子。这是一支年轻的军队，十几岁的小伙子有着老兵那样冷酷无情的脸。在各旅、师、军中，他们是杰出的战斗工具，指挥他们的军官们如今都被战争打造成了军事专家。联邦军也失去了一些东西：最初的爱国呐喊和喝彩，忠心耿耿的慷慨心灵，对军旗的毫不怀疑的热情。但混乱和无能几乎从战场上消失了。业余选手的战争已经结束了。

整个国家在信息闭塞和紧张的期待中等待着。在华盛顿，有一些消息是审查官无法抹去的。它们写在大街上，在酒店的大厅里，在码头上，在火车站里，以及在医院的那些已经被清洗过的病区里。平民在拉皮丹河畔是多余的，军官们的妻子，看热闹的人，没有在战争部登记的报社记者，他们纷纷回到首都。随军小贩，那些兜售馅饼、蛋糕、棒棒糖、烟草和苦啤酒的人也回来了。作为军事行动的确切预兆，来自米德军队中的病人被送进了华盛顿城，很多人因为患上了肠胃病而变得虚弱不堪，他们是长期忍受猪肉、压缩饼干和风餐露宿的受害者。很显然，他们不是华盛顿的医院所预期的唯一客人。服务员、保姆和护士们都在储备供应品并打开各个房间，就像人们在准备社交集会一样——规模巨大的伤兵招待会。

扛枪的士兵们纷纷去了南方。在华盛顿单独执行任务的各班各连都奉命返回各自所在的团。他们的位置都被老兵预备队的士兵所取代，伤兵们适合较轻的职责，他们穿着淡蓝色制服，以示区别。进军弗吉尼亚的行动看上去就像大自然的力量一样不可抗拒。逃兵在护卫队的押送下，走出牢房，向前线行进。康复的伤病员在医院门前跌跌撞撞地列队。结束休假的士兵们排着队列，步伐坚定地经过城市。

4 月末，华盛顿目睹了伯恩赛德将军率领的第 9 军川流不息地走过第 14 街，包括步兵、骑兵、炮兵，共 25 000 人。有五个军容整齐的黑人团，自皮洛要塞战斗以来就准备好了打硬仗。其余的都是老兵。两个由印第安狙击手组成的连是一个密歇根团的组成部分。新泽西第 3 骑兵团有一些花里胡哨的骑兵，穿着崭新的斗篷和金边护胸，一些军官的制服就像从前去弗吉尼亚半岛的军官们一样华美。士兵们像拉皮丹河畔的战友们一样，都是一些疲惫不堪、晒得黝黑、斗志高昂的小伙子。他们的装备是轻型的：单薄的行李，背包，平底锅，以及像银子一样闪闪发光的步枪。在他们的尘垢和汗水之下，这些士兵看上去就像机械师的工具一样坚实和轻便，已经被使用过，将会再次被使用。

在威拉德酒店的阳台上，伯恩赛德站在总统身边，检阅着这支军队。总统光着头，沃尔特·惠特曼正从街道的另一侧注视着他，心里想，看到总统在五颜六色的士兵们走过的时候取下自己的帽子很可笑。惠特曼和他新交的好朋友约翰·伯勒斯站在街角，伯勒斯是一个年轻的教师和博物学家，他来到华盛顿并在财政部谋到了一份职员的差事。惠特曼还得等上三个小时才能看到纽约第 41 团从面前走过，这样他就有机会跟他兄弟乔治说上几句话。但是，当士兵们看到惠特曼站在那里的时候，有很多人叫喊和挥手。有时候会有一个士兵突然跑出队列，亲吻他那张红扑扑的、胡子拉碴的脸，并拉着他走上几步，然后才放他走。

日复一日，从华盛顿驶出的平板列车满载着身穿蓝色制服的士兵。在 4 月温和的空气里，他们颠簸着穿过弗吉尼亚的荒野。农场，花园，教堂，学校，路边酒馆，以及付费公路，全都消失得不见踪影。在华盛顿，郁金香树绿意盎然，银白杨垂下它们的羽毛。弗吉尼亚北部的森林里只剩下树桩和矮小的灌木。在奔牛溪沿岸，只有野菠菜和水田芥诉说着春天的消息。火车穿过光秃秃的乡村，把荒凉带向南方。

5 月 4 日一大早，波托马克军团渡过了拉皮丹河，进入了弗吉尼亚荒野茂密的灌木丛中。除了谢里登的骑兵之外，米德率领整整三支经过整编和合并的步兵军：汉考克指挥的第 2 军，沃伦指挥的第 5 军，以及塞奇威克指挥的第 6 军。伯恩赛德的第 9 军直到最近还是单独作战，如今重新加入了这支强大的军队，格兰特打算用这支大军来寻找并追踪李将军，打败他的军队，使之丧失战斗力。如果溃败的南方军撤退到里士满的堑壕之内，波托马克军团接下来将会渡过詹姆斯河，围攻南部邦联首都。与此同时，这座城市将受到本杰明 · 巴特勒将军指挥的詹姆斯军团的威胁。巴特勒在 5 月初有一个天赐良机。里士满的防御很薄弱。如果他以一场迅速而有力的进攻占领这座城市，他就会成为一个伟大的英雄。他是 1864 年依然留在联邦军中的少数政治将军之一。他对里士满的进攻是军事错误的绝佳例证。

当波托马克军团已经渡过拉皮丹河的消息最早从弗吉尼亚传出的时候，整个国家处在悬而未决的紧张状态中。人们的心理状态就像一个人在医院的大厅里焦急地踱步，一位技巧娴熟的外科医生正在里面实施一项紧急手术。北方所预期的不是一次军事旅游，不是一场轻易得来的胜利，他们知道，弗吉尼亚两军争夺的那个地带，每一英里都要付出代价。他们沉着镇定地对待那片混乱荒野上生死搏斗的消息。5 月 7 日星期六，华盛顿的大街在叫卖战争号外。下午，水兵乐队在白宫南草坪上演奏音乐，这是 1861 年以来第一次。人群大规模聚集。林肯先生刚出现在柱廊上，人们就大声向他欢呼致意。他提议为格兰特和他的军队欢呼三声，一阵接一阵呼喊从人们的喉咙里发出，释放压抑已久的情绪。

第二天是星期日，传来了这场可怕战斗的更多消息。故事并不是决定性的。尚没有官方报告。但人们知道，波托马克军团的指挥官已经发电报请求草料，这座城市对战争形势的嗅觉更灵敏了。它意识到，这意味着一次进军。那一天，华盛顿在提前到来的闷热天气里热得让人喘不过气来。人们倚靠在他们的窗户上，在自家的门口徘徊，仿佛大街上能听到消息似的。很多人跑到外面，在灼热的阳光下焦躁不安地游荡。门廊和柱廊，灯柱和天棚支柱，都是讨论的集会地点。有强烈的情绪，但没有惊慌。《纪事报》说，漫长的紧张时刻是“国家磨难的日子”。

星期日在一大堆令人困惑的谣言中结束了，谣言说到了更加激烈的战斗，但谢天谢地，并没有带来惨败的消息。大约下午 4 点，斯坦顿送来的一份官方电报声称，格兰特正在向里士满进逼。李将军正在撤退，而汉考克、塞奇威克、沃伦和伯恩赛德紧追不舍。傍晚时分，一群人再次聚集在白宫。当俄亥俄第 27 团（他们去前线路过首都）的乐队向林肯致敬的时候，有更多的音乐和欢呼。总统发表了简短的演说。自波托马克军团进军以来，他几乎没合过眼，有了黑眼圈。夜里，他披着一件长睡衣，在白宫二楼的大厅里来回踱步，头垂到胸前。但是，当说到英勇的官兵时，他的语气是乐观的，并说他“很高兴得知，格兰特将军并没有放弃他的计划”。他还说，还有更多的事情要做。人群爆发出欢呼声。那天夜里，最早一批伤兵运抵第 7 街码头。

星期六、星期天和星期一的消息让人们的神经变得紧张起来，在斯波特西瓦尼亚县那些崎岖不平的山上，狂风依然在怒号。在这五天的时间里，北方人们每天爬起床，阅读同样的故事—— 一场噩梦般的战斗和杀戮。5 月 11 日星期三，《星晚报》刊登了波托马克军团军需官鲁弗斯·英戈尔斯将军从斯波特西瓦尼亚发给他在首都的一位朋友的电报。他说，他们一直在战斗，伤亡十分惨重。他们即将再一次发起进攻。“世界此前从未听说过这样的战争。”

两天后，另一封来自斯波特西瓦尼亚的电报发表在报纸上，它后来才出现在斯坦顿的公报中。发件人是格兰特将军，内容是一句直截了当、简短有力的话：“成败在此一战，哪怕打上整个夏天。”那天傍晚，总统向蜂拥奔向白宫的欣喜若狂的人群宣读了这封电报。这句话响彻全国。坚定不移的决心在联邦的将军们当中十分罕见。人们对麦克莱伦、波普、伯恩赛德和胡克曾经在弗吉尼亚发起的大规模进攻记忆犹新。所有战斗都打得很血腥，所有战斗都是在溃败中撤退。这一次，联邦人民接受了新的伤亡数字，并为一位勇往直前的指挥官的勇气而欢呼喝彩。

报纸以准确而克制的笔调报道了弗吉尼亚荒野战役，相对于早先的战地通讯来说，这是一次巨大的改进。一些大型日报和美联社派往前线的记者都是经验丰富的精兵强将，都在战争部登记过。此外，各大媒体如今都有权拿到斯坦顿先生发给迪克斯将军的官方公报，迪克斯在去年夏天的征兵骚乱之后被任命为东部战区的指挥官，司令部设在纽约市。不可避免地有一些对胜利的夸大。总而言之，各大媒体都恰当地考虑到了积极的军事行动中瞬息万变的混乱情况，新闻稿都写得恰到好处。每一天，华盛顿的报纸都要发表“战况”简报。对于南方军的顽强抵抗和联邦军的惨重伤亡，既没有不屑一顾，也没有危言耸听，而是冷静而坦率地加以陈述。社论是克制的，劝告人们要有耐性和决心，不赞成草率地相信传闻。

当那可怕的八天战斗的消息全部到达的时候，有一段平静期。暴雨使得弗吉尼亚的道路变成了泥潭，进攻行动中断了一周。整个国家都在等待最后的决战。每一个迹象都是好兆头。精力充沛的老兵部队正在向南行进，弥补波托马克军团的伤亡；本杰明·巴特勒正在逼近里士满，让里士满的居民陷入恐慌；菲尔·谢里登的骑兵部队让南方骑兵遭受了一次惨败；谢尔曼正在佐治亚州进军；西格尔被任命为西弗吉尼亚的指挥官，正在冲过谢南多厄河谷……这些报道全都是真的，只有一件事情被人们误解了。李将军打得很谨慎，把他的军队保护在掩体的后面。格兰特一直让自己的部队向他们冲锋，造成了重大伤亡。在斯波特西瓦尼亚之战之后，他依然继续前进，向左边移动，进一步向南推进。他在不断前进，但并没有打败李将军的部队。

只有对格兰特的坚定信念，以及胜利在望的信心，让整个国家有勇气承受人员伤亡带来的打击。对战争即将结束的喜悦深沉而严肃。总统建议感恩和祈祷一天，人们在家里和教堂里低下头，感谢上帝，像受到惩罚的孩子一样，谦卑地期望和平。在浓厚的宗教氛围中，华盛顿人在灿烂的阳光和盛开的鲜花中看到了慈爱上帝的信号。他们在“武装自由女神”雕像中读到了好兆头，清除了国会大厦穹顶上最后的脚手架面纱。华盛顿目睹了正在行进的增援部队，以及叛军战俘和逃兵们衣衫褴褛的灰色身影，但它也看到了一场前所未有的杀戮所带来的可怕后果，即使是一座因战争而变得铁石心肠的城市，也会对这样的后果感到不寒而栗。

那个星期，斯波特西瓦尼亚之战的消息不断涌进人们的耳朵里。来自弗吉尼亚荒野的伤兵不断返回华盛顿。第六街码头夜里就像白天一样充满活力，火把在波托马克河黑暗的河水中舞蹈，救护车排列成行，隆隆驶过；厨房里刀声霍霍，热气腾腾，女士们在茶点摊旁走来走去；寂静无声的蒸汽船驶进码头，飘送过来伤口的气味，就像一声问候。

三天三夜，救护车的队列一直没有停过。医院的伤员名单在报纸上铺天盖地。5 月 21 日，《纪事报》报道了 18 000 个病例，包括轻伤员和战俘。在目不转睛地紧盯着颠簸车队的华盛顿人看来，格兰特的整个大军似乎都被带回了这座城市。

数以百计的男人和女人去码头分发食品和饮料，把水倒在包着伤口的纱布上，它们在旅途中被晒干、变硬了。黑人小孩拿着饮用水在救护车旁奔跑。在去医院的路上，沿途都有人坐在自家门口的桌子旁，在车队缓慢经过时提供热茶、咖啡和三明治。医院都被志愿护士和伤兵的亲友所包围。蜂拥而至的外地人使得这座城市的混乱变本加厉——这些焦急的外地人匆忙跑过大街，浏览报纸，对一排排担架和帆布床俯下身来，每个人都在寻找着某个熟人的面孔，既希望又害怕找到他。

对于接待伤兵，华盛顿并不缺乏准备。医院周围的帐篷大量增加，一排排干净的床铺准备就绪，有数量充足的外科医生和护士，城里储备了大量的器械、药品、绷带、食品和饮料。为紧急情况准备的一箱箱、一捆捆供应品塞满了储藏室和代办行，高高地堆在人行道上。但漫长的距离把首都的舒适与弗吉尼亚荒野里孤寂的战场分隔开来，在那里，尽管联邦军已经获得了一些经验，但对伤兵的处理依然搞得一团糟：处置失当、缺乏准备和照看不周。

最早的打算是通过奥兰治与亚历山大铁路把伤兵直接送到华盛顿。当这一计划由于军事原因而被放弃的时候，伤兵被运到了弗雷德里克斯堡，再从那里运送到阿奎亚河南岸格兰特的新供应基地，贝尔普莱恩市小码头的蒸汽船上。那个闷热的星期天，正当华盛顿哆哆嗦嗦地等待来自弗吉尼亚荒野的消息时，战争部长和代理军医署长得到报告：弗雷德里克斯堡为接待伤兵建立了一家医院。当米德发出这封电报的时候，救护车和军用马车的车队已经涌入了这座城市。《星晚报》声称，街道上的伤兵是如此密集，以至于骑兵巡逻队都没法履行自己的职责，他们担心踩踏到这些无助的人。

弗雷德里克斯堡在伤兵开始抵达之前的那天晚上被联邦军占领。不可能刚刚得到通知便组织起舒适的医院。前线，迫切需要外科医生及物资储备。这座城市已经被它大多数的居民所抛弃，那些留下来的人并不同情这些饱受痛苦的敌人。然而，这座被占领的城市里依然有舒适的住处和食品供应。联邦军官并没有强占它们。伤兵从街上被抬进了商店、教堂、马厩和废弃的房子，一排排地放在光秃秃、脏兮兮的地板上。他们没有空间舒展四肢或翻身，被推到了墙角，在楼梯上挤作一团。一个受重伤的士兵很高兴在壁橱架上找到了一个容身之地。弗雷德里克斯堡的“医院”一天的口粮包括一杯咖啡和一块压缩饼干。很多人的死因是缺乏治疗，据那些目睹了医院条件的人说，还有很多人死于饥饿。只有卫生委员会和基督徒委员会的救助挽救了另外数千人的生命。

米德将军和波托马克军团的医务主管正式向华盛顿求助，要求外科医生、护士、救护车和供应品的援助。弗雷德里克斯堡距离首都只有70英里。几小时之内，军医署就能证实可怕条件的真实性，能够用船装运物资去援救他们。有一个借口是：运输工具在从贝尔普莱恩到弗雷德里克斯堡的路上给耽搁了，但事实证明，这对于卫生委员会和基督徒委员会来说并不是一个不能克服的障碍。军医署没有意识到情况的紧急，只是

弗雷德里克斯堡的医院

发出例行公事的命令，要求把护理人员和医药及食品供应送到伤兵那里去。这一切都来得致命地缓慢。卫生委员会从它设在 F 街的巨大仓库运去了大量物资，不仅有各种食品，而且还有一些原本应该由军医署提供的东西——吗啡、氯仿、鸦片、剪刀、镊子和漂白粉。

军医署已经陷入混乱好几个月。军医署长哈蒙德已经去职。数周以来，在第 14 街阴郁沉闷的法庭上，他因为欺诈和玩忽职守而接受审判。哈蒙德强有力的个性引起了斯坦顿的敌意，斯坦顿先生找到了摆脱一位能干下属的手段。1863 年秋天，他命令哈蒙德远离华盛顿，开始了一趟漫长的视察之旅。在他不在的情况下，一个委员会仔细审查了他的办公室的事务，并报告了医院供应合同中的不正当行为。哈蒙德要求由军事法庭审判，他被宣判无罪。但是，就在伤兵们在弗雷德里克斯堡承受巨大痛苦的同时，法庭重审的程序已经开始启动，哈蒙德在耻辱中被开除了军籍。

与此同时，约瑟夫 · K. 巴恩斯上校代理军医署长，是斯坦顿把他提到这个位置上，只要哈蒙德革职的正式手续一结束，他立即就会被任命为军医署长。斯坦顿十分正直而且爱国，他不可能让一个不中用的亲信担任这一职务。巴恩斯是个很有能力的人。考虑到他随后的记录，他在 1864 年春天所表现出来的无所作为，可能是因为尽管他负责军医署长达九个月，但一直没有得到正式的任命。

当伤兵们撤出弗雷德里克斯堡的时候，他们异乎寻常的苦难并没有到头。在这座城市与贝尔普莱恩码头之间，还有一条将近 10 英里的狭窄而粗糙的道路，无休无止向南移动的援兵和供应品把这条路弄得乱七八糟。由于缺乏足够的救护车，没有弹性的四轮马车被用作运输工具。在大树的后面，叛军游击队员漫无目标地向缓慢移动的车队发起进攻。骡子受到了惊吓，在混乱中疯狂地上蹿下跳。有时候，马车翻掉了，把这些裹着绷带的人掀翻在路边。

暴雨打断了格兰特的进攻，在大雨连绵的一周里，通往贝尔普莱恩的道路成了一片无底的沼泽。马车颠簸着经过田野和树桩。伤员常常被严重碰伤，以至于死在半路上。在码头四周，黏土成了一大堆粉红色的软泥，沉重的马车深陷其中，动弹不得。基督徒委员会代表们的首要任务之一便是把新鲜的面包带到贝尔普莱恩。工人们生火煮咖啡，卷起裤腿，在救护车当中涉水而过，去喂车里正在挨饿的伤兵。卫生委员会在码头上建立了一个茶点供应站，另有三个供应站设在通往弗雷德里克斯堡的沿途。

华盛顿的医院管理有了很大的改进，而两个救援委员会的效率也提高不少，此时，克拉拉·巴顿开始觉得，她的作用到头了。斯坦顿拒绝发给她通行证，让她酌情跟随军队前进。然而，随着弗吉尼亚荒野伤亡惨重的消息传来，巴顿小姐收到了通行证。她离开了贝尔普莱恩，离开了陷于泥沼中的救护车，去了弗雷德里克斯堡。不久，她匆匆回到了华盛顿，把她所看到的一切告诉了亨利·威尔逊参议员。夜里10点钟的时候，威尔逊去了战争部。克拉拉·巴顿理解他所说的话：如果他们不派出某个能够纠正弊端的人，那么参议院第二天会派出某个人。威尔逊开始行动，在短短几小时之内，军需部长麦格斯和他的工作团队直奔第6街码头。第二天早晨，弗雷德里克斯堡便有了一次改组。麦格斯下令老百姓的家门向伤兵敞开，并安排伤兵们从本城的供应中领取食物。不久之后，通往弗雷德里克斯堡的水路和通往阿奎亚河的铁路都开通了，通往贝尔普莱恩的苦难重重的运输总算熬到了头。

5月末，经诊断还能行走的伤兵都被送到华盛顿的医院里去了。那些留下来的人都是做过截肢手术和胸腹部受伤的人。当格兰特向南进发的时候，他的供应基地也就撤离了贝尔普莱恩。弗雷德里克斯堡将被放弃，交给叛军的游击队，这意味着必须转移所有伤员。正在这时，华盛顿接收了大批的伤兵（他们都在承受更加可怕的痛苦），人数超过了以前离开的伤病员。人群聚集在第 6 街码头上等候蒸汽船的到来。甚至跳板上也挤满了人。当担架经过的时候，一些女人失声痛哭。抬担架的人每两个结成一对，抬着伤兵穿过大街，走出了很远，以至于担架没有被放进救护车。医院里的死亡率开始急剧攀升。

尽管格兰特的伤亡数目没有被刻意降低，但华盛顿的媒体还是低估了受伤的严重性。重症病例据说很少，因为这场战役中很少使用大炮。报纸再三声称，医院里很大一部分患者准备在 30 天之内重返战场，此类报道的背后想必有战争部的权威。媒体强调，大批到来的受伤者，并非完全由联邦军的伤兵构成，也有很多受伤的战俘，此外，还有一些常见的疾病。最后，总有装病者和逃兵。众所周知，这些人往往会混在伤兵群当中，尤其在一场战斗之后最早到达的一批伤兵中。有些人一路上一瘸一拐地前行，完好无损的手臂用绷带裹得严严实实。还有人以中暑作为借口。负责检查的军官把他们移交给宪兵队，送回各自的部队。华盛顿越来越倾向于带着怀疑的眼光看待任何一个能够蹒跚着四处走动的士兵，即使他拄着拐杖，头破血流，或者吊着胳膊。具有讽刺意味的是，报纸上宣称，如果受了伤还可以在酒店里闲逛或在宾夕法尼亚大道上漫步的话，那么他的伤确实不重。

然而，所有这些对伤亡的轻描淡写都说服不了华盛顿人，他们日日夜夜目睹了伤兵从面前经过，其中不仅有极度痛苦的人，而且还有死者。伤势无足轻重者只是个例，波托马克军团那些被装在红木和松木棺材里的官兵给出了无声的回答。装着棺材的灵车驶出医院，它们走的是一条新路线。军人之家的墓地已经满了，在阿灵顿高地上，新的墓穴开始侵占李将军宅邸周围的那片绿地。在死者的灵车吱吱嘎嘎地驶过长桥的同时，每一艘正在到达的蒸汽船都运来了大量的尸体。

军官们伤亡惨重，放在船头上的那些裹着的尸体当中，各种军衔的军官都有，甚至有少将也在格兰特的战役中阵亡了。整整一天，不久前被任命为第 6 军指挥官的约翰·塞奇威克躺在宾夕法尼亚大道上霍姆斯博士的尸体防腐所里，接受人们最后的充满敬意的颂词。他的遗体在他阵亡之后的第二天夜里被运到华盛顿，防腐师为他们的工作而自豪。站在他的棺材旁边，很多士兵流下了眼泪，因为塞奇威克一直被他手下的士兵所热爱。一位女士执着地想得到一点纪念品，人们费了很大劲阻止她从塞奇威克的制服上剪下两颗纽扣。

詹姆斯·沃兹沃思的灵车在军事卫队和纽约州国会议员代表团的陪同下，隆重地驶向火车站，但没有一个人再次看到他那英俊的脸庞。在他倒在弗吉尼亚荒野后将近两个星期，他的尸体一直没有运抵华盛顿。人们在战场上找到并挖出了他的尸体，一个住在附近地区的弗吉尼亚人把他草草地埋在了那里。此人从前是监禁在老国会大厦的一名战俘，沃兹沃思在担任特区军事长官的时候曾善待过他。

像活着的人一样，死者通常在运输途中耽搁很长时间。天气越来越热。华盛顿塞满了大量的尸体，像停尸房一样散发着恶臭。人们没法指责死者，只好把他们的愤恨发泄在防腐师的身上。四面八方都挂着宣扬防腐师们生意兴隆的广告牌。停尸房坐落于私宅、餐馆和集市的隔壁。《纪事报》说：“把死者与食物并排放在一起，对最卑贱的动物来说都是一种侮辱。”华盛顿在大呼小叫：防腐师是瘟疫的供应商，必须从本城清理出去。最重要的尸体防腐所的业主霍姆斯博士因为在宾夕法尼亚大道上扰民而遭到逮捕。

正是那些牢骚满腹的人，他们的信念开始动摇。灾难的微弱征兆缓慢地渗透到了新闻里。西格尔在谢南多厄河谷的新集市被约翰·C. 布雷肯里奇率领的一支规模更小的部队给打败了。首都并没有惊慌失措，而是愤怒地指责西格尔是一个“顽固的惯犯”。关

格兰特在冷港的司令部

于本杰明·巴特勒在詹姆斯河以南的行动的报道使他们最初的兴奋得以延续。宾夕法尼亚大道上，很多人在急着打赌：里士满南面的达林要塞会不会陷落。人们指责持悲观态度的人是黄金投机者，是分离主义同情者。全国都在等待格兰特在里士满之南取得决定性的胜利，却仅仅听说有一些激烈的骑兵冲突和小规模战斗，尽管伤亡惨重，但它们都不是决定性的战斗，在此期间，有一些毫无把握、沮丧消沉的日子。然而，格兰特依然在前进，6 月里士满东北 10 英里的地方响起隆隆炮声，爱国者的心里又熊熊燃起了希望。北方人读到了冷港发生的一场激烈战斗的报道。措辞乐观的公报丝毫没有失败的暗示，但就在这一地区，出现了不祥的预兆。冷港之战让人们回忆起了弗吉尼亚半岛战役。冷港位于梅卡尼克斯维尔和盖恩斯米尔附近。格兰特的供应基地在帕门基河畔的白屋。报道再一次声称，只有奇克哈默尼河横亘在波托马克军团与里士满之间。有传闻说，格兰特正在向哈里森码头撤退。

冷港之战是一次惨败。它动摇了波托马克军团的士气。他们都是训练有素的士兵，但他们也是普通人。必须有一个目标促使他们冲向李将军的防护墙。格兰特的打算是成败在此一战，哪怕打上整个夏天；但在6月中旬那些太阳当空的日子里，他的部队被发现正偷偷向詹姆斯河南岸撤退。当他不再固执的时候，波托马克军团已经损失了5万多人，超过5月初渡过拉皮丹河的兵力的一半，几乎和李将军那时的整个兵力一样多。

6月中旬，里士满以北的战役以平局告终，这个消息得到了官方的认可，它再也不会贴上怯懦和不忠诚的标签。彼得斯堡占据了报纸的头条，还是老一套，一个胜利的故事被首尾颠倒地报道。最早说联邦军已经光荣地占领了这座城市，接下来又说攻克了外围工事，损失惨重，最后才讲到，在军队占领彼得斯堡之前，首先必须逐步逼近，并正式发起围攻。

那是一个令人扫兴的时刻。翘首期盼战争结束的国民，得到的却是对彼得斯堡的围攻。在可信而明智的社论中，华盛顿的媒体极力缓和人们的失望。一直过于乐观，这是美国人性格的缺点。格兰特将会及时抵达里士满。《纪事报》说："我们需要更多的东西，而不仅仅是古罗马人那种固执地欢迎胜利的脾性，在最黑暗的时刻也决不对共和国感到绝望。"所有迹象都清楚地表明，在资源和兵力上占有巨大优势的联邦，只需良好的心态和耐心，就足以打败南部邦联。然而，1864年6月，这两者都所剩无几。

就在冷港的失败被人们了解之前，全国联合大会（即南部效忠联邦者大会）在巴尔的摩召开，并再次提名亚伯拉罕·林肯为总统候选人。他们选择了一个民主党人和来自田纳西州的南方人安德鲁·约翰逊作为他的竞选伙伴，在两年多的时间里，约翰逊一直担任被收复的田纳西州的军事首长。白宫是来访代表团的中心，那里有一些致敬和庆祝演说。正当国民信心的潮水急转直下的时候，一次大规模的批准提名会议在专利局的南柱廊举行。巨大的广告牌装饰着常青树，颂扬林肯、约翰逊和格兰特，斯蒂芬·道格拉斯的名字被重新提起，以刺激主战派民主党人的忠诚。在 6 月的夜晚那柔和的夜色中，专利局像一座多面灯塔那样灯火通明，邮政部在马路对面闪闪发光。焰火飞射，划破夜空，天空中悬挂着像星星一样璀璨的照明气球。军乐和铿锵有力的演说搅动了聚集在 F 街的忠诚市民。从防御工事传来了大炮的致敬声，不是庆祝联邦军的胜利，而是欢呼共和党激进派的失败。

第16章　郊区的围攻

人们有一个热切的期待：格兰特将军能够发动一次成功的出击，以此庆祝独立日。事实上，华盛顿听说西格尔再次在谢南多厄河谷被打败了，正在向哈珀斯费里撤退。西格尔看上去似乎已经筋疲力尽。战争部开始四处寻找眼下不在军中服役的能干将军。斯坦顿提到了请亚历山大·麦库克出山，他是俄亥俄州鼎鼎大名的“能征惯战的麦库克家族”的一员。他曾在西部担任军长，有过英勇作战的辉煌纪录。奇克莫加战斗联邦军惨败之后的起诉玷污了这样的纪录，不过，调查法庭宣布他无罪。哈勒克想到的是昆西·A. 吉尔摩，他是一个很有能力的年轻工程师，曾经成功地攻克萨姆特要塞，尽管在攻打查尔斯顿时失败了。吉尔摩后来在詹姆斯军团担任指挥官，遭到猛烈的指控，被本杰明·巴特勒将军解除了职务。

华盛顿的街道上挤满了一贫如洗的逃亡奴隶，都是军队从弗吉尼亚打发回来的。民众对军事形势的沮丧，因为对国家偿付能力的怀疑而进一步加深了，蔡斯先生突然从内阁辞职的消息激发了这样的怀疑。兵工厂子弹车间的一次爆炸炸死17个特区姑娘，还导致很多人伤残。华盛顿在闷热的黄色尘土中喘不过气来，对1864年7月4日的庆祝活动提不起多大兴致。一所新的学校大楼举行了落成仪式。主和派民主党人召开了一次会议。国会休会。

只有在白宫草坪上，才有明显的欢庆气氛。华盛顿的黑人获准在总统官邸与战争部之间的草坪上举行一次盛大的主日学校野餐。国会终于为黑人的教育提供拨款，门票收入被用于建造一所学校。一些有社会地位的黑人坐在那些由披挂着鲜艳马饰的马匹拉着的出租马车里，驱车通过白宫的大门。那是穿着考究的一群人，夹杂着大量白皮肤、蓝眼睛的人。男人们挥舞着象牙头手杖，女人们撑着鲜艳的阳伞。理发师、侍者和家庭仆人们以无可挑剔的得体举止，款款漫步，簇拥在演讲台的周围，聆听演说家热情洋溢的滔滔雄辞，享受着悬挂在遮阴大树上的秋千游戏。过路的白人纷纷停下来，驻足凝视这前所未有的一幕，有人开怀大笑，有人破口大骂，有人耸耸肩，对这样的革命过程无可奈何。一位旁观者不由得想起了海地的宫殿花园。“黑人是对的，”他在日记中写道，“他们，也只有他们，意外地获得了自由，没有失去任何东西，却得到了一切。”在草坪外面，沿着路边石，坐着一排垂头丧气的人——穿着灰色制服的逃亡黑奴、外国侨民和下等人。

第二天，海军部挂出了一面巨大的军旗，庆祝海上的一次胜利。北方蒸汽船“基尔赛”号在法国海岸外击沉了叛军的劫掠船“亚拉巴马”号。忠诚的华盛顿市民在酷热中激动地为这个消息欢呼喝彩，随后，7 月的疲乏悄悄到来，立法议员、国会游说者和钻营拍马的人全都离开了。很多家庭启程前往海滨和山区。寂静降临在酒店的大堂里和被太阳烤焦的人行道上。有轨马车里有很多座位都是空的，出租马车车夫在他们的车厢里打瞌睡。

关于叛军突袭的谣言，就像一场恼人的噩梦一样渗入了这座城市的午睡。有人已经考虑到了李将军为解彼得斯堡之围能够向北调动的兵力数量。正在詹姆斯河南侧的波托马克军团不再守卫华盛顿。此外，通往首都后门的康庄大道谢南多厄河谷如今对入侵者敞开了大门。

自5月份以来，一直在谢南多厄河谷率领一支小股部队作战的西格尔仅仅在西弗吉尼亚战区担任了一个下级指挥官。在新集市战斗中被打败之后，西格尔便被大卫·亨特将军所取代。亨特率领西弗吉尼亚战区的主力部队对南方发动了一场激烈的战斗，在6月中旬包围了林奇堡。为了把他赶走，李将军派出了他手下的第2军（从前由石墙杰克逊指挥），由一位粗壮结实、膀大腰圆的老兵朱巴尔·厄尔利将军指挥。亨特被迫撤出了谢南多厄河谷，并不得不沿着一条向西的路线撤退，一路穿过西弗吉尼亚，直抵俄亥俄河。他的部队撤出谢南多厄河谷不久之后，警报声便开始在蓝岭的那边隆隆响起。拨开一些互相矛盾的传闻的乌云，事实便浮现了出来：南方军正沿着谢南多厄河谷前进，而西格尔的部队被击溃了——除了哈珀斯费里的少量人马之外，他的部队是阻挡南方军前进的唯一联邦军。

富饶肥沃的坎伯兰河谷出现了恐慌。来自马里兰州西部各县的紧张激动的难民纷纷涌入巴尔的摩，他们带来了一些可怕的故事。然而，华盛顿依然平静。对首都来说，入侵早就成了一个老掉牙的故事。战争期间每一年夏天，南方军都要大举逼近这座城市。莫斯比的骑兵队及叛军骑兵的其他劫掠小分队引发了无数次惊慌，习惯已经磨钝了忧惧的锋刃。关于马里兰州的黑格斯敦遭到攻击的最早传闻，《星晚报》轻蔑地称之为“引发恐慌的哈里斯堡谣言”。人们对南方军的兵力有各种不同的估计，从1 000人至40 000人不等。华盛顿已经习惯于战争及其带来的惊慌，倾向于保守的观点。甚至当它确切地得知敌军已经从波托马克河上游过河的时候，首都大多数人依然相信，这只是突袭骑兵的一次入侵，他们很快就会消失，就像他们的出现一样突然。

早在 7 月 2 日，战争部的电报机就开始发出痛苦的信号，都是谢南多厄河谷那些忧心忡忡的将军和铁路官员发来的。有拆毁铁路、焚烧桥梁和切断电报线的警告。战争部不可能把敌军的前进当作纯粹的骑兵突袭而置之不理。哈勒克抱怨，他无法得到关于入侵部队人数的可靠估计。在 7 月最初几天，他多次得到报告：敌军的兵力在 20 000 至 30 000 之间。较低的那个数字接近于事实。

7 月 4 日，华盛顿被切断了与哈珀斯费里之间的电报通讯。战争部从铁路公司得到消息，驻扎在哈珀斯费里的联邦军已经撤离了。他们与西格尔的部队一起，把自己关在了河对岸马里兰高地的堑壕里。哈勒克连忙派出了一批拼凑起来的俄亥俄民兵，卸下骑兵和炮兵的装束，拿起步兵的武器，由负责华盛顿炮兵站的阿尔比恩 · P. 豪将军指挥。尽管铁路已经切断，但豪将军还是设法到达了马里兰高地。他在哈珀斯费里取代了刚刚被解除指挥权的西格尔，在敌军进入马里兰州之后，联邦军已经收复了哈珀斯费里。电报的中断也引发了一次侦察远征。伊利诺伊第 8 骑兵团（这是一个在华盛顿执行巡逻任务的老兵团）派出了一支分遣队，沿着波托马克河向岩石角进发。从华盛顿调走两支部队耗尽了哈勒克的行动能力。在一场需要果断决心的危机中，他似乎处在一个“完美无缺的迷宫”里。只有这一次，斯坦顿先生也没有表现出主动性。往常，危险临近的威胁总是让他进入精力旺盛的狂热状态，但这一次，他显得有些消沉和冷淡，倾向于对一切扰乱人心的传闻都不屑一顾。战争部被包裹在深不可测的神秘中，像一个秘密教派一样。关于这次入侵，战争部没有向任何人透露任何消息，似乎发现那是一个有点令人不快的话题。

沉默并没有掩盖一项坚定的计划。斯坦顿和哈勒克尽管已经知道巴尔的摩与俄亥俄铁路被严重损毁，但他们都抱有同一个希望：亨特将军有能力把他的部队从俄亥俄河及时调来对付入侵者。与此同时，斯坦顿作出了一个大度的（即便是徒劳的）姿态：要求宾夕法尼亚州和纽约州的州长召集他们的民兵。7 月 5 日，格兰特建议从彼得斯堡派一个军来，以防敌军从波托马克河上游过河。哈勒克打电报说，他认为大可不必如此，尽管他承认，他可能要利用波托马克军团不带辎重的轻骑兵。不过同一天，格兰特有点勉强地相信，南方部队的一个军已经离开了他的前线。哈勒克已经消除了顾虑，但他还是命令救援华盛顿，不仅派出了 3 000 轻骑兵，而且还有第 6 军的三个师，由詹姆斯 · B. 里基兹将军指挥。7 月 8 日，这几支部队在巴尔的摩登陆。

1862 年秋天，斯坦顿曾就华盛顿的防御工事寻求专家的建议。一个由著名军事工程师组成的委员会花了两个月的时间检查这些防御工事。当时还在扩建和增强的防御工事形成了一个长达 37 英里的完整圆环。超过 50 个要塞占据着波托马克河南北两岸居高临下的位置，有架设野战炮的炮台，以及要塞之间战壕的连接线。委员会报告，它们需要 34 000 人的守卫部队——25 000 步兵和 9 000 炮兵，外加一支

华盛顿的防御要塞

3 000 人的骑兵部队，履行哨兵的职责。这个数字是麦克莱伦手下的军长们在 1862 年春天所定下的那个数字的两倍多。至于战场上的掩护部队（万一首都受到威胁的话），陆军工程师们同意早先 25 000 人的估计。

1863 年初，重新创立了华盛顿军区，合并了特区的所有兵力，把军事长官的职务降到了只是个荣誉职位。指挥这个军区（它的部队被命名为第 22 军）的海因策尔曼被克里斯托弗・C. 奥格尔将军所取代，此前奥格尔在弗吉尼亚和路易斯安那服役。1864 年 7 月，奥格尔报告，华盛顿军区的兵力总共有 31 000 人。7 月初，被任命为格兰特参谋部总工程师的巴纳德将军正好在华盛顿。他声称，第 22 军有 20 000 多人在首都的周边地区，但他们当中有大量的人手对于防御来说是不可用的，比如轻骑兵，守卫大桥和建筑物的卫兵，以及炮兵营地的新手，据巴纳德说（在华盛顿防御工事的问题上他是公认的专家），守卫部队不是 34 000 人，而是 9 600 人。

就连这个数字也不能让人理解华盛顿的兵力究竟有多么匮乏。在 5、6 月，保卫华盛顿的军队无论数量还是质量都有所降低。几乎所有身强体壮、训练有素的士兵都被派去增援波托马克军团了。在城里担任守卫职责的步兵由半残废的老兵预备队组成。陆军工程师们向斯坦顿建议，几个受过训练的重炮团应该永久性地留在要塞里。直至人们意识到了格兰特的战役所造成的伤亡之后，这个建议才被采纳。当时，大多数经验丰富的炮手都奉命去了前线充当步兵。很多野战炮兵也被派去了彼得斯堡，后来又被派到哈珀斯费里。他们的位置被俄亥俄国民警卫队所取代。4 月末，几个西部州的州长奉命招募 75 000 名志愿兵，服役期 100 天，在选战期间担负守卫和防御的职责。华盛顿防御要塞里的几个俄亥俄团都是民兵，就其缺乏训练和服役期过短而言，与战争爆发时来到首都的最早一批部队毫无二致。然而，他们的人数远没有那么多。派一个团去哈珀斯费里就使得华盛顿南面防御工事里执行任务的步兵减少了三分之一。

战争部无精打采，因为他们对士兵们的能力不抱幻想。哈勒克清楚地知道，俄亥俄民兵“几乎不会开枪”。到6月6日，这一事实开始让奥格尔将军忧心如焚，在他的鼓动下，哈勒克向格兰特建议，应该让一个重炮兵团回到华盛顿。他后来让格兰特确信，首都周围的步兵在战场上什么也做不了，因为他们当中有一半人根本不会行军。

在这个时候，哈勒克将军突然打算调查一下波托马克河上几座大桥的情况。他及时收到了B. S. 亚历山大上校的一份报告，亚历山大是一个粗鲁而肥胖的指挥官，早先在华盛顿是巴纳德的副官，最近被任命为防御工事的总工程师。亚历山大声称，三座大桥全都由老兵预备队守卫，兵力严重不足。在长桥的华盛顿这一端，根本没有炮兵，而在弗吉尼亚的那一端，杰克逊要塞由于铁轨横跨其上而沦为废墟。高架渠的弗吉尼亚一侧由三座碉堡和一道栅栏保护，入口处有大门，碉堡空无一人。卫队的队长声称，万一敌人进攻的话，他会关上大门。然而，他从未试过关上这些大门，也不知道门闩能不能插上，甚至根本不知道有没有门闩。在链桥的特区这一端，炮台由俄亥俄的一位民兵中士负责，他对大炮一无所知。他只是清理大炮，晾晒炮弹，打扫炮台。桥上没有一个人知道如何装填大炮。卫队的指挥官相信，这座桥埋了水雷，紧急情况下可以炸掉，但亚历山大上校说，情况并非如此。

华盛顿留守部队的质量使得来自任何方向的突袭都可能得逞，华盛顿人并不知道这一点。虽然他们知道，很多个团被派走了，并惊慌失措地看待哈勒克增援哈珀斯费里的部队离去，但他们依然相信这座城市固若金汤，它在此前一年半的时间里防守得如此牢固，以至于引发了一个颇带安慰的安全传说。

7 月 6 日，也就是亚历山大提交报告的那一天，船夫们沿着切萨皮克湾和俄亥俄运河顺水而下，前往乔治敦，他们带来了可怕的消息，在华盛顿郊区西北不到 20 英里的地方，叛军部队正在哈珀斯费里与泥河之间的每一个可以涉水而过的地点渡过波托马克河。船夫们吓得不敢向上游返回，他们空空如也的驳船在高架渠周围挤作一团。

就连最多疑的人也不得不承认，这次，袭击者胆大包天。他们正在宾夕法尼亚州的几个边境县劫掠和偷马。巴尔的摩与俄亥俄铁路的 50 英里铁轨被挖断了。他们的部队在黑格斯敦和弗雷德里克征收钱款。

在巴尔的摩指挥作战的是卢·华莱士将军，这个印第安纳指挥官有朝一日会写出一部长篇小说《宾虚》（*Ben Hur*）。他有一支小规模部队，像华盛顿的部队一样芜杂。他所得到的信息并不比哈勒克和奥格尔更准确。一支大军（看来有两万人）已经在波托马克河上游过了河，正朝南山的山口推进。华莱士迅速出兵，迎击来敌。在蒙诺卡西河畔（通往华盛顿和巴尔的摩的铁路和收费公路在这里交汇），他把自己指挥的 2 500 人集中了起来。在那里，第 6 军的里基兹师及时赶来与他会师，这支部队当时正在巴尔的摩的码头，于是火速乘坐火车来追随他。华莱士对于打败南方军并不抱多大希望，但他怀疑他们打算向华盛顿进军，认为自己能拖住他们。加上赶来增援他的部队，他总共有了大约 6 000 人，此时是 7 月 9 日星期六，他打了一场激烈的遭遇战。被打败的联邦军沿着巴尔的摩公路向东撤退。厄尔利将军并没有追击他们。星期日拂晓时分，身着灰色制服的部队——厄尔利的部队及约翰·C. 布雷肯里奇将军率领的另一个师——沿着乔治敦收费公路向南进发。那天夜里，他们在罗克维尔北边安营扎寨，这个小城距离特区边境线不到 10 英里。

在华盛顿北侧的防御工事，规章制度变得更严格了，不允许一个人离开自己的岗位。一天留出四个小时用于炮兵练习。守卫部队在忙着砍伐灌木丛，它们在通道上长得越来越高。这些俄亥俄士兵的斗志很不错，他们准备为首都而战。但是，南方军如果没有在蒙诺卡西河畔被拖住的话，很可能在星期天从他们身边经过。在北侧的防御工事里，步兵由两个毫无经验的民兵团组成，分散在土堆要塞里，要塞之间的射击掩体中空无一人，而厄尔利率领的是一支久经沙场的老兵大军。

正如战争部所知道的那样，强大的援军正在向华盛顿进发。星期六傍晚，哈勒克得到了格兰特的许可，下令从门罗要塞调来第 19 军，人们预期这支部队将在那里乘船从墨西哥湾出发。夜里晚些时候，这位老官僚仔细琢磨了华盛顿的困境，于是披衣起床，发出了另一份电报，请求格兰特把第 6 军剩下的人马全都派出。幸运的是，格兰特已经发出了命令，星期天，剩下的两个师在锡蒂波因特登船。

没有一支上述部队能够在星期一之前抵达。在此期间，华盛顿防御所得到的增援可以忽略不计。谢里登的徒步骑兵部队从巴尔的摩出发，其中有 2 500 个病员，只有 500 人可用，主要是纽约第 25 骑兵团的残余。人们也期待纽约第 9 炮兵团，但只有一个营在星期天下午出现。该团其余的人马，连同他的团长小威廉・亨利・西华德上校，全都去了蒙诺卡西河。

哈勒克和奥格尔一直在忙着发电报，召集华盛顿军区每一个可用的士兵。命令发给了弗吉尼亚偏远的要塞和营地。奥格尔满怀希望地把目光投向了亚历山大港逃兵营地里那些衰弱不堪的囚犯身上。

迫切需要骑兵来担负哨兵的职责。800 名骑兵（包括一些正规军士兵）在福尔斯彻奇组织了起来，并被派了出去，沿着罗克维尔公路去迎击敌军。星期天，他们与厄尔利的先头部队爆发了一场激烈的小规模战斗，他们尽了自己最大的努力来阻挡敌军的前进。哈勒克派往岩石角的伊利诺伊第 8 团的一个分遣队在蒙诺卡西河卷入了战斗。这个团的另外六个连分散在北侧防御工事的前线。星期天，斯通曼营地（位于吉斯博罗岬角的徒步骑兵集合地）的指挥官正在集合来自骑兵署的装备和马匹，但那一天，士兵们并没有为服役做好准备。然而，有些人奉命作为步兵投入到了防御中。

在特区边境线之内，里诺要塞坚固的土木工事守卫着罗克维尔公路。星期天下午，纽约第 9 炮兵团的一个营在坦纳利敦安营扎寨。在边境线上这个了无遮拦的部分，一位新任旅长马丁·D. 哈丁将军在星期天夜里的晚些时候接管了指挥权，他在战争爆发仅仅两年之前才从西点军校毕业。哈丁直到 11 点才离开华盛顿，老兵预备队的援兵在那天深夜时分抵达里诺要塞。

亚历山大·麦库克将军被派去指挥松枝河畔的一个预备营地，这个营地位于华盛顿城与史蒂文斯要塞之间的半道上，是防御工事的最北端，守卫着第 7 街公路的主干道。俄亥俄第 150 团驻守并警戒从岩溪到布拉登斯堡之间的整个战线。这个团的一个连驻守史蒂文斯要塞，增补了一个炮兵连和少量康复伤病员——总共 209 人。步兵的缺乏可想而知。星期天夜里，特区第 2 团、一个老兵预备团和两个炮兵连到麦库克的营地里报到。将军仓促地勘查了一下他从来没见过的北侧防御工事，明天他将指挥这里的防御。

军需署长麦格斯将军奉斯坦顿先生之命去战场报到。军需署的职员、各部队军需官在特区和亚历山大港的雇员组成了一个规模可观的团队，麦格斯迫不及待地要率领他们效命沙场，而哈勒克仅仅安排他去给守护仓库和畜栏的卫兵换岗，他的热情被哈勒克将军浇了一瓢冷水。这项微不足道的职责完全可以由 250 个职员组成的一个营去履行。麦格斯还考虑到了在城里留下一定数量的马车夫，准备接待格兰特的援兵。他们很快就会到达，却没有马车队。即使减掉这些兵力，军需署长依然能够指挥一支将近 2 000 人的机动部队，为了把他们组织起来，从兵工厂为他们领取武器，他度过了一个忙乱的星期天。他把这些人交给奥格尔将军，在他麾下效力，奥格尔欣然接受了。

蒙诺卡西河战斗失败的消息让沾沾自喜的华盛顿大吃一惊。传闻说，这次惨败与葛底斯堡之战之前的那些败仗不相上下。据说，李将军的整个大军再次侵入北方。迄今为止一直昏昏欲睡的战争部突然活跃忙乱起来，给人们留下深刻的印象。士兵们的调动并没有什么重大的军事意义，但是，当伤残士兵及徒步的炮兵和骑兵拖着沉重的脚步奔赴防御工事的时候，大路上尘土飞扬，长长的马队被领向四面八方。在某些空地上，有一些班队穿着亚麻布外套在操练。那是一个喧闹而兴奋的星期天。

不管战争部的自身情绪如何，它依然是沉默寡言的。吉迪恩·韦尔斯深感厌恶。星期天，海军部接到了一份非常可靠的报告，说在乔治敦附近看到了叛军的前哨。然而，那天夜里，斯坦顿先生派出了一辆马车去军人之家，带去了明确的命令：总统和他的家人应该回到白宫。正是在午夜之后，约翰·海被罗伯特·林肯弄醒了，林肯走进他的房间，爬上了床。

星期一早晨，联邦军骑兵再次在罗克维尔公路上遭遇南方军，发生了一场小规模战斗。有人从里诺要塞的信号台观察到，飞扬的尘土正在向右移动。在银泉的那边，伊利诺伊第 8 团的一位情报员飞身上马，一路疾驰，回到了史蒂文斯要塞后面麦库克的预备营地。敌军正在向第 7 街公路前进。

麦库克放弃了预备营地，把他麾下这支寒酸的部队塞进了史蒂文斯要塞，以及附近的射击掩体中。早晨，国民警卫队一个团的三分之一人马和少量伤残士兵以及徒步骑兵赶来与他会师。他派出了一些轻骑兵，与俄亥俄民兵一起在要塞前面组成了一道散兵线。

与此同时，随着一大批来自坦纳利敦、罗克维尔、银泉及马里兰州其他城镇的难民抵达特区，入侵的消息在华盛顿炸开了锅。他们顺着公路，在叛军前面一路飞奔，带着他们的家庭财物，胡乱堆放在马车里。他们告诉华盛顿人，这不是一次骑兵突袭。城北的地区挤满了穿灰色制服的人。

华盛顿到处都是骑马疾驰的情报员、迈步行进的部队和军车队，完全是一副军事模样。这副模样完全是虚幻的。当局已经山穷水尽，从医院里调来了处在康复期的伤病员。三个由逃兵组成的连被派往坦纳利敦。就连总统的鹿尾卫队也奉命去了防御工事，他们在那里第一次闻到了火药的味道。作为最后的权宜之计，特区民兵和志愿兵在星期一早晨被召集起来了。民兵如今包括了三年前的名单，忠诚于联邦

史蒂文斯要塞

的市民被鼓励去填满各连的空缺。共和党俱乐部最近组成了联邦同盟，他们挺身而出，但他们没有军事组织。唯一现有的志愿兵连是政府各部门的民兵连，必须先把他们召集起来，发给他们武器和装备，然后才能派上用场。就在华盛顿回荡着号召人们拿起武器的狂乱呼喊声的同时，军事命令像冰雹一样噼里啪啦地通过电报机发出，厄尔利的前进在史蒂文斯要塞前方扬起了漫天尘土。

站在国会大厦闪闪发光的穹顶上，可以将南方军尽收眼底。在构造坚固却防守薄弱的防御工事的背后，有财政部大楼、兵工厂以及种类繁多的仓库。一旦来自彼得斯堡的援兵到达，袭击者没有足够的兵力守住这个地方，但是，对首都的洗劫会让联邦低下头来，在全世界面前蒙受耻辱。厄尔利将军弯腰驼背地骑在马上，驻足于史蒂文斯要塞之前，他知道，希望之光比正午的太阳更加炫目。

厄尔利已经赢得了这场奔赴华盛顿防御工事的赛跑。他认识到，这些要塞“兵力不足”，于是，他下令进攻。当南方军强大的扇形散兵线推进到要塞前面的河谷时，麦库克命令他的前哨线缓慢地边打边撤，与此同时，一支 600 人的生力军（由纽约第 25 骑兵团、俄亥俄国民警卫队第 150 团的部分人马和特区第 2 团的一个连组成）已经整装待发，准备把叛军散兵赶回去。纽约人是一支由徒步骑兵组成的骨干部队，但他们都是久经沙场的老兵，看上去煞有介事。厄尔利一看到他们便改变了主意。他担心，来自彼得斯堡的援兵已经投入华盛顿的防御，于是下令：先侦察，再进攻。

一点半钟的时候，一声强烈而低沉的爆炸声震惊了华盛顿。紧接着爆炸声隆隆不绝。华盛顿意识到了那是来自北侧要塞的炮声，并得到消息：华盛顿被包围了。

那天早晨，总统是在坦纳利敦度过的，但在中午最热的时候，他正驱车赶往波托马克河畔。在第 6 街的脚下，热切的人群争先恐后。

两个多月以来，蒸汽船日日夜夜地停靠这个码头，它接收了波托马克军团无数身负重伤、饱受折磨的士兵。新到达的人并不像之前的那些战友。他们昂首挺立、全副武装，一共有三个旅跳下了跳板。希腊式十字架在夏日的阳光下闪闪发光，人群向第 6 军致敬，欢呼声充满喜悦与喧嚣，与这座围困中的城市很不协调。在战争时期，传统很快就被创造了出来。人们已经把两年前组建的这个军当作老的第 6 军，为他们欢呼喝彩。

他们很快就列队完毕，迈步行进在第 7 街。霍雷肖・赖特将军是一个严谨刻板的工程兵指挥官，在塞奇威克阵亡后被任命为军长，并没有人立即建议他：必须把兵力集中在史蒂文斯要塞。还没等到哈勒克向奥格尔发话："制止赖特沿波托马克河向上移动……"他的一个旅便已经向链桥进发。铿锵有力的脚步声吸引人们聚拢到人行道上，欢迎波托马克军团回来。这座城市到处充满了民兵，以及身穿制服的伤残者和闲杂人员，早已对此感到恶心。当华盛顿人看到老兵们的时候，便立即认出了他们。"那是老第 6 军！"士兵们听到有人惊呼，"危险如今结束了。"

到了下午晚些时候，三个旅已经走出了城市的范围，到达史蒂文斯要塞的附近。星期二早晨，又有三个旅到达，至此，这个军的第 1 师和第 2 师全都来到了华盛顿——共 10 000 兵力。对他们当中的很多人来说，这几乎就是回家。来自新英格兰、纽约、宾夕法尼亚和新泽西的小伙子们当年就是在这些防御工事里学习成为一名军人。对有些人来说，这里的大炮就像他们肩上的步枪一样熟悉。而赖特本人，作为巴纳德手下的一名助理工程师，曾亲自参与建造这些防御工事。

紧接着第 6 军最早三个旅到达之后，第 19 军的前进让波托马克河变得热气腾腾。看到这些来自路易斯安那州被太阳晒得黝黑的老兵们，华盛顿人顿时信心倍增。然而，他们是一支小规模部队（只有

650 人），这个军其余的士兵来得太晚，对首都的防御帮不上什么忙。星期一到达的那些人被派出去了，沿老布拉登斯堡公路向萨拉托加要塞进发。哈勒克从纽约召来了吉尔摩将军，负责指挥他们。

华盛顿人从报纸的号外中得知，一支数量可观的南方军部队突然改变了方向，从罗克维尔公路向东，直奔布莱尔家族在银泉的农场。头条新闻宣告了第 7 街公路上的战斗。几年来，华盛顿人一直从报纸上读到这个微妙而关键的地区，它通常被称作“前方”。在马纳萨斯平原上 30 多英里之外的地方，它两次令人不安地紧挨着首都。“前方”是一个这样的地方：人们可以乘坐北第 7 街的有轨马车接近那里；一些华盛顿人带着可以理解的好奇心，想看看那里正在发生什么，他们在街轨尽头手忙脚乱地走出马车，然后徒步（也有人坐马车或骑马）去那里。他们目睹的混乱场面告诉他们的，比他们已经知道的多不了多少。即使是那些享有特权的获准探访史蒂文斯要塞的官员，他们打道回府的时候也不见得比他们去的时候了解得更多。然而，对于星期一夜里来的观光客而言，第 7 街公路外的这趟远足想必是一次没齿不忘的经历。月亮在宁静的夜空中航行，从森林和田野里飘来作物成熟的气味，传来夏夜的呢喃声，但沿着这条公路，战争的气息像飓风一样吹过，粉碎了乡村的寂静。惊慌失措的逃难者蜂拥着奔向华盛顿，男女老少步履艰难地紧跟在装得满满的马车后面。一路上可以看到固定在篱笆上的蜡烛，照亮焦虑不安的庭院，人们正在那里收拾他们的家庭财物，装填火枪，堆起粗糙的路障。路旁点起的篝火用火焰把道路给包围了；远处，正在燃烧的房屋燃起了熊熊的篝火。在通过哨所之后，一队队士兵和疾驰的骑兵奔向要塞中耀眼的光亮和开火的步枪。一群全副武装的来自医院的患者蹒跚着前行。军需署长麦格斯率领着他那支强壮的雇员部队，他们肩上扛着步枪，而不是鞭子和铁锹。在银色的月光下，车夫和劳工穿过扬起的稀薄尘土，走向位于史蒂文斯东边的斯洛克姆要塞两侧的射击掩体。那天夜里，麦格斯没有睡在单调乏味的行军床上，而是躺在一个果园里，身上盖着斗篷，他的马系在一棵苹果树上。

星期二，华盛顿在大炮的喧嚣声中醒来，发现没有来自北方的邮件和报纸。巴尔的摩以北的铁路被严重损毁。那一天，叛军骑兵袭击了巴尔的摩与华盛顿之间的铁轨。到了中午，通往北方的电报线被切断了。

这座城市陷入隔绝，不仅新闻被封锁，而且市场也出现紧缺。只有牛肉的供应还算丰富。为了逃避厄尔利的骑兵而从南方赶来的牛群蜂拥着进入了这座城市，不受限制地销售。一些杂货商满怀希望地预计一次长期围攻，给面粉和马铃薯定下了饥荒时的高价。由于首都的形势不明朗，巴尔的摩商行的代理人纷纷与本地商人结清了账目，拒绝接受更多的订单。

华盛顿的分离主义者在经历了很长时期的忧郁压抑之后，兴高采烈地奔走相告。他们油腔滑调地向其他的居民保证：这座城市在劫难逃。他们说，南方军发起了一次成功的进攻，总统受伤了。忠诚于联邦的市民意识到，城门之内就像城门之外一样，也有敌人。一些年轻人偷偷地穿过联邦军的阵线，加入入侵的敌军。在政府号召参军期间，军需署的几个雇员明显缺席。海军造船厂的工人在星期二得到了拿起武器的命令，但其中有一些人拒绝服从。有人秘密制造南部邦联的国旗，准备庆祝厄尔利的胜利进城，其中不止一面国旗被发现并被没收了。在华盛顿，人们坚定地相信，一些间谍借助通信服务，不断把北侧防御工事的情况通报给叛军。

在 1864 年，华盛顿已经见过世面了，不可能出现恐慌。没有一座城市在听到郊区响起大炮的喧嚣时表现得如此沉着镇定。人们热切地想知道事实。他们购买并贪婪地阅读报纸的每一份号外。多斯特写道："这座城市没有表现出任何惊恐的迹象，只是像孩子一样在雷电交加的暴风雨中打不起精神，倾听并等待号外的发行。听到有轨马车的隆隆声混杂着敌军大炮的隆隆声，似乎有些搞笑。"观光客依然蜂拥着跑出城外，奔向史蒂文斯要塞，他们当中有些人在打听特区第2团中亲友们的消息。人数如此之多，以至于妨碍了军车的移动，只好命令他们往回走。城里各行各业一如往常。根据日程安排，星期一和星期二在史密森学会给公立学校的优秀学生颁发奖金。多斯特写道，鞋匠们在敲敲打打，职员们在埋头抄写，律师们在申诉答辩，女士们在逛店购物。有些人对危险的满不在乎大概是假装出来的。漠不关心成了华盛顿的时尚。弗伦奇少校说，他所苦恼的主要是高温。他认为，叛军那些"丑陋的面孔"的确出现在了华盛顿的面前，但他还认为，如果他们胆敢进城的话，这里有"足够多的勇士让他们下地狱"。

首都所信赖的勇士是波托马克军团的士兵们。如果想从城内的军事形势得到安慰，恐怕需要超出常人的乐观。彼得·培根准将是一位值得尊敬的杂货商，负责指挥特区民兵，根据他的指示，几个民兵连奉命在市政厅、富兰克林广场和充当阅兵场和集合地的五花八门的空地上集合。《星期日纪事报》高喊，拿起武器吧！它恳求所有身强体壮的市民，宁愿死在战壕里，也不让叛军的旗帜飘扬在国会大厦的穹顶上。多斯特少校走进培根的杂货店，打听民兵司令部在哪里。培根的兄弟说："鬼知道。"

战争部依然缺乏关于南方军的确切信息，因为缺少精力旺盛的骑兵，没法获取这样的情报。敌军看上去似乎集中在银泉，但完全无法确定，史蒂文斯要塞究竟是不是他们主要的进攻点。战争部还担心他们进攻波托马克河以南的防御工事。有传闻说，厄尔利的士兵正从银泉向东移动，听到传闻，海军造船厂的工人被召集了起来。这条战线的北段守卫着从布拉登斯堡进入首都的铁路和通道，并没有为应对进攻做好准备。哈勒克十分感激地接受了恰巧在城里的几位海军军官的效劳，已经退休的老水兵戈尔兹伯勒海军少将负责指挥海军造船厂的木匠和技工，他们被派到林肯要塞去填补射击掩体的空缺。

助理战争部长查尔斯·A. 达纳打电报给格兰特，请求他下达命令。达纳说，格兰特应该给华盛顿指派一个首领。奥格尔指挥城市的防御，“麦库克和很多旅长归他指挥”，但不允许他离开华盛顿。赖特指挥第 6 军，吉尔摩临时被派去指挥从第 19 军来的人。达纳坦率地告诉格兰特，忠告和建议都不够。“除非你明确而具体地指示应该做什么，否则，每一件事情都会以极其糟糕的、灾难性的方式进行，过去一周里就是这么干的。”达纳没有提到哈勒克的名字，对于华盛顿的混乱，他几乎不能提出比这更明白的理由了。这座城市不喜欢那位脾气暴躁的官僚、饱受批评的哈勒克。在他位于乔治敦高地的住处，他维持了一个庞大的军事王国，有一支由伤残士兵组成的卫队，每夜都吹响归营号和熄灯号。一些脾气暴躁的人暗示，如果叛军进攻岩溪并抓住他，或许并不是什么重大损失。

星期二，史蒂文斯要塞前方一整天都在发生小规模冲突。缕缕白烟，从联邦军在河谷里确立的阵线升起，从树林和果园以及南方军狙击手驻扎的农舍里升起。在战斗暂停期间，步枪射击的声音被史蒂文斯要塞及其附近的两个要塞——德鲁斯要塞和斯洛克姆要塞——传出的隆隆炮声所淹没。在碧绿的草地和起伏的麦田上方，密集的子弹呼啸而过，炮弹尖叫着向入侵者发出挑衅。由于南方军并没有把自己暴露在重型火力之下，大炮也没有派上大的用场。它主要是为了摧毁庇护敌军散兵的大树和房屋。

联邦军的散兵线由第 6 军的士兵组成，在麦库克的要求下，他们在星期一夜里替换了他的警戒哨，这违反了战争部的命令：赖特的人马应该用作后备部队。麦库克的理解是，他奉命指挥北侧防御工事的

首都的保卫者（15英寸大炮）

整个战线，吉尔摩在右翼，麦格斯在中间，哈丁在左翼，全都归他指挥。战争部对这些指挥权并没有清晰观念，而且，从各种互相矛盾的报告来看，有一点很明显：麦库克实际上并没有控制整个北线。他与赖特将军之间的权力冲突导致了进一步的低效。第6军急切地渴望行动，如果不是奥格尔阻止，赖特肯定会在他的人马于星期一夜里被调来之后便立即进军，横扫敌军的散兵。令人气恼的是，在岩溪两岸史蒂文斯要塞附近安营扎寨的老兵们发现，他们依然留在后方，而民兵、伤残士兵和军需署的雇员们却在积极履行职责。其中有些人进入了史蒂文斯要塞与德鲁斯要塞之间的射击掩体，在战线的这一部分制造了不小的混乱，因为不同军官指挥的部队混在了一起。另一方面，让第6军的重炮兵感到耻辱的是，连大炮也被禁用，尽管史蒂文斯要塞和斯洛克姆要塞都十分需要技能娴熟的援兵，他们甚至欢迎来自华盛顿医院的那些病弱无力的炮手。

星期二下午晚些时候，第6军的一个旅奉命发起进攻，目的是把南方军的狙击手从位于第7街公路两侧的两幢房子里赶出来。很多名流要人聚集在史蒂文斯要塞，包括总统、内阁和国会的一些成员，以及另外一些政府官员。林肯夫人与丈夫同车，另有几位女士陪着赖特将军和他的参谋团队。要塞旁边的小山被另外一些观众占据着，都是一些有足够的影响力获得通行证的人，而且他们有足够的冒险精神，敢于在大树和灌木的庇护下，忍受敌军远程步枪呼啸的子弹。

没过多久，一小队老兵出现了，走在前头的，是他们那位身材肥胖的指挥官 D. D. 比德韦尔上校。他们通过要塞，进入了河谷，在联邦军散兵线的后面整装列队。史蒂文斯要塞和斯洛克姆要塞的大炮对着南方军的阵地开火。当炮火停止，赖特将军从史蒂文斯要塞护墙的后面发出了进攻的信号。比德韦尔旅向前猛冲。南方军顽强地坚守阵地。步枪的砰砰声变成了嘎哒嘎哒声，然后演变成连续不断的呼啸声。当南方军终于屈服的时候，史蒂文斯要塞里的平民都鼓掌欢呼。

这次激烈的小规模战斗，是总统目睹军队作战的唯一一次机会。他毫不关心自己的个人安危。星期一和星期二，他都在史蒂文斯要塞面对枪林弹雨，半个身子暴露在护墙之上。在比德韦尔旅冲锋期间，他爬上了护墙的顶部，当时，赖特将军及其他几个人站在那里。在距离林肯不到 3 英尺远的地方，一名外科医生被狙击手的子弹打死了。在赖特把其他所有人从护墙上清理走之后，总统却还在，赖特命令他撤离。将军的忠告是以威严（即便有点霸道）的措辞发出的，而他的那位被激怒的年轻副官奥利弗·温德尔·霍姆斯中校对总统大声喊道："下去，你这个笨蛋！"

暮色开始降临远处的河谷，已经没有更多的东西可看了，观众纷纷寻找各自的马车。在傍晚的空气里，步枪射击的喧嚣声依然尖利地响起。敌军的阵线得到了增强，战斗一直持续到夜晚。比德韦尔旅大约只有 1 000 人，死伤将近 300 人。士兵们用担架抬着或者用肩膀扛着他们的战友，缓慢地走向史蒂文斯要塞后面，那里的营房已经变成了医院。那天夜里，零零散散的死者被草草埋在了公地上的粗糙坟墓里。不久以后，他们将被埋进一个不大的墓地里，那是在第 7 街公路一侧建起来的。他们将在那里等待一次更隆重的葬礼。

太阳落山时分，士兵们注意到，在南方军的后方，漫天的扬尘看上去正在向西北方向退去。整个夜晚，北自由区的街道上因为孩子和女人而变得活跃起来，他们挤作一团，涌向行动的现场。叫卖冰淇淋和蛋糕的小贩们生意兴隆。从军人之家的那座信号塔中射出的光亮划破夜空，华盛顿人期待一场夜攻。早晨，悬而未决的状态结束。敌军撤走了。

罗克维尔公路上，最后仓皇逃走的叛军前哨身后扬起的尘土渐次消散。毕竟，对华盛顿的围攻并不是一件多么重要的事。南方军的主力部队并没有出现在防御工事前。他们大约有 40 门大炮，报纸上有报道说，一门大炮竖立在里诺要塞附近，另一门大炮被放置在布拉登斯堡火车站附近。然而，据说这两门大炮都没有造成什么损害。厄尔利本人声称，他的大炮当中，没有一门大炮朝华盛顿开火。如果不包括比德韦尔旅的伤亡，联邦军只有不到 100 人被狙击手打死或打伤。

在思考刚刚究竟发生了什么事的时候，人们唯一想到的是：华莱士在蒙诺卡西河畔的抵抗分担了这次解救的工作。想到星期天的混乱，华盛顿人对逃过这一劫感到不寒而栗。战争部的无能，就像它盲目相信防御工事固若金汤时所表现出来的愚蠢一样清清楚楚。最后的幻想破灭，是敌军消失之后的星期三早晨，特区到场的民兵，只有国民步枪队的一个连成功地恢复了全部的兵力。宣誓入伍的志愿兵连寥寥无几。战争部的职员们去担负警卫职责了，财政部卫队的两个连和联邦同盟成员组成的一个营在阿纳卡斯蒂亚河对岸的贝克要塞度过了一夜。军需部的职员是仅有的在前线效力的政府雇员。

星期三早晨，华盛顿北郊安详笼罩在 6 月的薄雾中。第 6 军的士兵们“以吉卜赛人的方式，像游手好闲之徒一样躺在树林里”。有些人睡在他们的小帐篷里。一些士兵在用农民的水泵灌满他们的水壶。篝火上传来咖啡和烤肉的香味。步枪立在那里，搭成金字塔形的支架，栅栏上飘扬着国旗和军旗。一夜之间，战争的恐慌从第 7 街公路上消失得不见踪影，留下的这一幕场景，就像哈勒克将军那缺乏首创精神的大脑一样空空荡荡。等赖特将军接到命令，第 6 军开始追击的时候，厄尔利的部队已经沿着波托马克河向上游走出了很远。

在防御线的那边，低矮的护墙、布满弹痕的大树和百孔千疮的田野把乡村毁坏得不成样子。焖烧的房屋废墟，让人想起昨天从要塞呼啸而来的炮弹。一些身负重伤的南方军士兵落在了后面，掉队者被送回了华盛顿的监狱。零零散散的灰色制服四仰八叉地躺在草地上，一队逃亡黑奴走出要塞，去掩埋战死的叛军士兵。

南方军散兵线后面的房子曾被敌军所占据。马匹拴在果园里，栅栏给拆毁充当木柴。士兵们翻箱倒柜，离开时换下了他们破破烂烂的灰色制服。书、信件、女人的衣物散落一地。在一个家庭的宅邸里，瓷器被砸碎，家具被捣烂，就连钢琴也被劈开了。墙上乱涂的下流图画当中，有一幅让人想起谢南多厄河谷的毁灭。在亨特征战林奇堡期间，也出现过对财产的毁坏。他下令烧毁莱彻州长的宅邸，以及弗吉尼亚军事学院的大楼。对于从前的冒犯，南方军进行了持续不断的报复。他们前往华盛顿的路上摧毁了马里兰州州长布雷德福的住宅。邮政部长布莱尔在银泉的乡村别墅只剩下烧得黑乎乎的墙壁。月底，当南方军袭击宾夕法尼亚州钱伯斯堡的时候，厄尔利下令，把这座漂亮的小城整个烧为灰烬。

老布莱尔漂亮的老房子距离他儿子的住宅不远，成了南方军的司令部。厄尔利和布雷肯里奇曾躺在草坪上——林肯先生曾在这里与布莱尔的孙子嬉戏，当他奔跑的时候，他那身燕尾服的后摆像船帆一样飘扬——他们短暂地梦到了那闪闪发光的奖品：华盛顿。所有酒都被喝光了，文件被洗劫一空，老布莱尔夫人的亚麻布床单只剩下褶边。但房子没有遭到大肆劫掠，灌木丛和玉米地幸免于难。这得益于布雷肯里奇从前与老布莱尔结下的友谊。华盛顿对这一充满感情的姿态没有留下什么印象，依然恨死了约翰·C. 布雷肯里奇。战争爆发四个月之后，他依然留在国会大厦的座位上，为老国旗摇唇鼓舌。朱巴尔·厄尔利只不过是一个叛乱分子的名字，是敌军的一位将军；但布雷肯里奇就不一样了，变质的友谊已经发酸，华盛顿认为他是一个叛国者，如今回过头来进攻这座曾经对他敬如上宾的城市。

战争部和城里的分离主义者都改变了调子，前者极力夸大入侵的严重性，后者则极力低估厄尔利的兵力，对他们如此轻而易举地围困首都而暗自窃笑。总统想消灭叛军部队，依然坚持他在任命格兰特为总司令时下定的决心：决不插手军队的指挥。华盛顿对袭击者的大胆深感愤怒，紧接着便想报复。赖特率领他的两个师和第 19 军的先头部队，直至星期三中午才动身出发。厄尔利的部队带着他们所有的战利品和偷来的马群逃之夭夭，从波托马克河上游过了河。尽管亨特的部队也回到了谢南多厄河谷，但并不存在有效的追击。在华盛顿发出的互相矛盾的命令所导致的混乱中，联邦军毫无希望地来回奔波，看到联邦军错误百出，一些忠诚的市民羞愧地低下了头。

厄尔利将军没有理由为他这次远征的成功感到高兴。他坐失了劫掠华盛顿的大好时机。他没能实现他的意图：解放监禁在了望角的南方军战俘。最重要的是，他的行动没有实现李将军的主要目的：或者迫使格兰特放松他对彼得斯堡的围攻，或者尝试一次代价高昂的进攻。然而，厄尔利的袭击有一个极其重要的战果：它动摇了北方原本已经不坚定的信心。而且，正如过去经常出现的那样，用《国民通讯员报》的话说，谢南多厄河谷再次成为“我们国家蒙受羞辱的河谷”。再一次，在深受信任的领导下，在残酷的人员伤亡之后，联邦军作战不力的老模式得以重现，强烈反感的国民诅咒本届政府和它的将军们。就连格兰特也从备受推崇的地位上跌落了下来，当初正是同胞们把他推到这样一个位置上，人们辱骂他无异于一个双手沾满鲜血的屠夫。

志愿参军几乎停止了。总统不顾朋友们的抗议（他们担心这步棋会毁掉他赢得连任的机会），发布号召，要求再招募 50 万人。人们痛恨的强制征兵的阴影阴郁地笼罩着这个国家，因为政府一定会启动强制征兵，来完成尚未填满的名额。

联邦军的营地里不再回荡着《欢呼，小伙子们，欢呼吧》和《自由战歌》。从营地里传来的是疲倦和死亡的曲调——《当这场残酷的战争结束时》《就在战斗之前，妈妈》《空荡荡的椅子》，以及新罕布什尔州的一位新兵创作的思乡歌曲《今夜帐篷里》：

> 我们厌倦了战争，在这古老的营地
> 很多人死了，一去不回……

来到里士满城前、与马萨诸塞第 1 骑兵团发生小冲突的，有个切尔西县小伙子安德鲁 · J. 克莱门特，他曾在第一次奔牛溪之战的那天

联邦军的营地

早晨驱车跑到森特维尔那边去寻找他的哥哥。打那以后，安德鲁亲历了许许多多的战斗。他是一个骑术高明的骑手，一个久经沙场的老兵。他有一把弯曲的奇科皮马刀和一支银光闪亮的卡宾枪，他穿着一件扣得很紧的蓝色夹克，有黄色的滚边，袖子上有中士军衔的三道V形条。有时候，在遭到毁坏的弗吉尼亚树林里，他想到了1861年7月那个闷热的星期天，当时，他与士兵们一起逗留在前线，天真地希望能够去里士满旅行。三年的艰苦战斗之后，他还没有到达那里。

第 17 章　第二任期的预兆

1864 年那个大雨滂沱的选举日，人们发现，白宫几乎被废弃了。在拉票的会议和喧嚣之后，林肯先生便静静等待人民选择的消息。这一选择要在他与一个最近有点疏远的老朋友之间作出。同情南方的北方人与和平主义者都聚集到了乔治·B. 麦克莱伦旗下，他曾经是北方人的军事偶像，让他获得提名的政纲是：这场战争被证明是一次失败，必须停止。

忠诚于联邦的国民也不再团结，用林肯先生的话说："被他们自己之间的政治战争所分裂，部分瘫痪了。"在南部邦联满怀希望地注视着这一切并密谋策划的同时，联邦卷入了一场内斗，它的两个竞争小集团，共和党集团和民主党集团，被愤怒的内部争吵进一步分裂。

国家统一党[①] 的内部纷争导致了拆毁政府头上屋顶的威胁。对战争行为的不满在 7、8 月与日俱增。一些非官方和平团体所抱持的虚幻希望并没有让国家安定下来。厄尔利的部队再次从谢南多厄河谷猛扑过来，突袭了马里兰州和宾夕法尼亚州。谢尔曼的部队参加了激烈的战斗，看来被堵在了亚特兰大城前。彼得斯堡的一场进攻无功而

---

① 共和党在 1864 年选举期间的暂名。

返，8 月的这个消息加深了人们的沮丧情绪，联邦军在那里埋了一颗地雷，因为严重的失误而爆炸了，造成了重大的人员伤亡。

针对本届政府的漫天谣言使共和党内部的总统敌人们勇气倍增。《韦德—戴维斯宣言》把激进派对他们的领袖的反对公之于众。纽约发起了一场运动，想迫使林肯先生退出，以支持更有希望的候选人。格兰特和本杰明·巴特勒被认为能够拯救联邦派而受到人们的欢呼。甚至林肯的朋友们也受到了影响，他们相信有一场大规模的群众运动反对林肯。到了 8 月，总统本人也对连任感到绝望。

民主党人期望通过拖延来获得好处，于是把他们的全国大会推迟到 8 月底。这次大会是在亚特兰大的陷落激起国民重新振作的仅仅几天前才召开。8 月初，法拉格特在莫比尔湾的胜利——那是一个激动人心的故事，一位老将军被绑到他的旗舰的桅杆上——并不足以抵消普遍盛行的消沉。然而在亚特兰大之战之后，两场大胜仗被人们欢欣鼓舞地归到了一起。北方人记起了他们的人力优势，再一次变得自信起来。

在民主党大会召开之前，共和党人几乎还没有开始他们的竞选攻势。有了更加光明的前景，于是他们在 9 月开始行动。为了反对麦克莱伦及其政党的纲领，激进派领袖停止了他们的阴谋诡计，闷闷不乐地齐心协力为总统的连任而工作，就连一群心怀不满的人（他们原本脱离了本党，提名弗里蒙特为候选人）也平息了下来。蒙哥马利·布莱尔是激进派痛恨的靶子，在林肯的要求下，他辞去了内阁的职务。弗里蒙特退出了竞选。为了打赢这场选战，共和党统一了起来。

反对党依然不可调和地分裂为南方同情者和支持战争的小集团。前者口授了竞选纲领中的和平政纲，而后者则心满意足地选择了麦克莱伦—— 一个受到本届政府“迫害”的军事英雄。然而，由于麦克莱伦的声望是建立在他过去的作战记录上，政纲中同情南方的观点便把他置于一个反常的位置上，以引起其部分支持者的敌对为代价，麦克莱伦迅速否决了和平政纲。在他的旗下聚集了一大批忠诚的联邦人，联邦的集权让他们惊慌失措，强制征兵、苛捐杂税、审查制度和随意逮捕也让他们感到愤怒。

当政治游说在 9 月份变得火爆的时候，谢南多厄河谷的事件给共和党人带来了进一步的帮助，对他们来说，战场上的一次胜利比任何政治演说更有说服力。8 月的时候，战争部手忙脚乱的干涉推动格兰特将军在谢南多厄河谷进行了一次激烈的改组。亨特辞职了，骑兵指挥官菲尔·谢里登被任命为一支部队的首领，不久后这支部队被称作谢南多厄军团，它包括第 6 军和第 19 军，以及从波托马克军团调来的重骑兵增援部队。有了这支精锐部队，格兰特期望谢里登不仅打败厄尔利，而且要摧毁这片丰饶肥沃的河谷，这样一来，它就再也不能给李将军的部队供应粮食，任何一支侵略军就再也不可能生存下去了。

总司令格兰特发现，他无法依靠哈勒克和斯坦顿把他的命令传达给华盛顿附近地区的部队。他没有在首都停留，而是在 9 月中旬抵达谢南多厄河谷，亲自指挥谢里登进攻。很快，联邦军在温彻斯特和费希尔山赢得重大胜利的消息震动了全国。沿着这条富庶的河谷向下，谢南多厄军团像蝗虫一样一路扫荡，夺去并摧毁农作物，赶走牲畜。这位年轻的爱尔兰裔将军的功绩点燃了北方人的想象。为了嘲笑和平主义者的努力，他被人称作“和平专员谢里登”。

尽管特区的市民被禁止参加总统选举投票，但双方的支持者都在首都发动了一场热火朝天的选战。热情的华盛顿民主党人最早组织起来，但到了 9 月中旬，“林肯—约翰逊俱乐部”在城市的所有街区遍地开花。麦克莱伦获得提名之后，一面竞选旗便立即悬挂在了宾夕法尼亚大道与第 7 街的拐角上，就在帕克大楼民主党总部的外面，旗子上印有他的名字，以及他的竞选伙伴、同情南方的北方人彭德尔顿的名字。将近两周过去，共和党人才从第 9 街联邦同盟的办公室挂出了林肯和约翰逊的竞选旗。从此以后，路过部队的欢呼声被热切地关注，作为军队政治观点的一个风向标。

在大选前几周大喊大叫的敌对状态中，只有征兵会议让华盛顿的市民团结起来，尽管他们各有自己的党派渊源。但在新的征兵程序运转起来之后，永远抗议征兵名额不公的首都，继续作出疯狂的努力，为参军津贴募集捐款。总统率先垂范，亲自掏腰包支付一个士兵的津贴，记在第 3 选区的账上。林肯先生的新兵代理人（他是这样称呼的）是约翰·萨姆菲尔德·斯特普尔斯，一个 20 岁的老兵，之前在宾夕法尼亚民兵中服役，为期 9 个月。在 10 月初加入特区第 2 团之前，斯特普尔斯身穿制服去了白宫，总统跟他握了手，并告诉他，他是一个英俊、结实而健康的人，在林肯看来，他一定会履行自己的职责。

即使在 9 月份征兵的轮子开始转动之前，当替身人数众多、价格低廉的时候，在首都也不可能筹集到数量可观的豁免基金。强制征兵一旦开始，替身就会突然消失，人们黑着脸去找中间人，如今，他们要求的价钱是每个人 800 至 900 美元。华盛顿炸开了锅，人们纷纷抗议，拒绝接受解除政府压力的这一价格。强制征兵继续生效，它所激起的敌意，与它产生人力的效率不成比例。

10 月，宾夕法尼亚、俄亥俄和印第安纳等州的选举在决定政治情绪的动向上是决定性的。按照法律，前两个州的士兵能够在战场上投票，而且在首都的兵营和医院里开设了投票点，选票收集在曾经放雪茄和纸衣领的盒子里。这些投票箱显示，绝大多数人支持联邦派，尽管卡弗医院登记了相当可观的反对票。

大约 1 000 名宾夕法尼亚人还从谢里登的部队匆忙赶回老家投票，大大增加了民主党在这个摇摆州的得票。共和党在这个州仅仅以微弱多数胜出，但在俄亥俄和印第安纳，其得票令人印象深刻，足以让人们相信：林肯将会在 11 月获得连任。

对华盛顿来说，至关重要的是马里兰州的选举，该州通过士兵的投票，以微弱多数采用了新的州宪法，废除奴隶制。一些忠诚的马里兰人涌向白宫，向总统致敬，华盛顿的黑人准备在第 15 街长老会教堂举行一次盛大的纪念活动。

在 10 月欢庆的气氛当中，首席大法官坦尼适时地去世了。他比他那个时代更长寿，在一个充满变革和危机的世界上苟延残喘地活到了 87 岁。他为国家提供的漫长而光荣的服务，却被烙上了德雷德・斯科特的名字，当他的棺柩被送到华盛顿火车站、运往马里兰州（如今已获自由的土地上）那块墓地的时候，并没有举行隆重的官方哀悼仪式。

游击队员们云集在马纳萨斯铁路沿线，让首都的目光转向一幕微不足道的战争戏剧。一些铁路雇员被杀，特区第 2 团的警戒哨被莫斯比手下勇敢大胆的骑手俘获。奥格尔终于被允许披挂上阵，奉命把这些游击队员从铁路沿线清理掉。军需署的雇员们也被派去砍倒铁轨附近提供庇护的大树，但他们当中有 47 人拒绝前往，被关进了中央禁闭室。

很快，华盛顿周边地区有了更大规模的行动。在 10 月 19 日拂晓之前，厄尔利的部队对谢南多厄军团发起了一次突然袭击。菲尔・谢里登没有跟自己的部队在一起。参加战争部的一次会议之后，在归队途中，那天夜里他在部队驻扎地雪松溪以北 20 英里处的温彻斯特过夜。

早晨，当谢里登骑马走出温彻斯特的时候，他听到了激烈的交火声。身穿蓝色制服的逃命者从南边源源不断地涌出，气喘吁吁地报告：他的部队被击溃了。谢里登策马飞奔，号召人们跟在他后面，一路直奔前线。他重整了自己的部队，下午，他发起了一次反击，以联邦军决定性的胜利而告终。这个小个子爱尔兰人骑在他那匹高大黑马上风驰电掣的身影，对于联邦派来说是一个十分有用的戏剧性场面。在政治战结束之前，“谢里登策马疾驰”的华丽桥段——谢里登还有20英里、15英里、10英里、5英里——不断掀起人们的爱国热情。

对首都来说，雪松溪之战是一次重大胜利。接下来的围追阻截把敌人永远赶出了谢南多厄河谷。最后的决定性战斗要到春天才打响，但惊慌已经从坎伯兰河谷消失得不见踪影，马里兰和宾夕法尼亚的农民和平安宁地睡在自家的床上。在华盛顿周围的山岗上，猎鸟成群结队地聚集在防御要塞的附近，在寂静无声的枪炮下觅食。

整个秋天，一直有被俘获的南方军战旗源源不断地从谢南多厄河谷运到华盛顿。这些破烂不堪、布满灰尘的旗子，尽管没有生命，却有着雄辩的说服力，哭诉着它们的失败。斯坦顿在战争部接收这些旗

平静的战场（林肯要塞）

子，感激之情溢于言表，他紧紧握住那些满脸骄傲的中士和列兵的手，对他们的英勇作战表示感谢。巴尔的摩至俄亥俄的列车在中断三个月之后，再次驶往谢南多厄河谷。雪松溪之战胜利之后，年轻的乔治·A. 卡斯特将军——从前是骑兵中尉，在弗吉尼亚半岛被任命为麦克莱伦的副官——登上了前往华盛顿的火车，他带来的 10 面战旗在火车头上迎风飘扬。南方军的一些大炮也通过火车运往首都。在一支乐队的陪伴下，这些大炮被拉着穿过街道，前往战争部门前的院子。然而，有人发现，弹药箱里装满了火药，这让斯坦顿先生的神经有些受不了，那天夜里，这些让人害怕的战利品被匆忙运去了兵工厂。

在军事胜利所带来的兴高采烈的氛围中，华盛顿的政治战正打得热火朝天。规模最大的示威是在雪松溪之战两天后共和党人举行的火炬游行。那个夜晚被大街上和专利局屋顶上点燃的蓝色火焰怪异地照亮。全城的人都出来观看这场喜气洋洋的游行，马匹、马车、榴弹炮和列队行进的人，有成千上万的火把、灯笼和照明灯。士兵、市区警察局的警察、军需署的雇员和各医院的代表排列成行，与华盛顿各区和一些州的“林肯—约翰逊俱乐部”成员一起行进。5 辆救护车装载着伤残士兵。北自由区大象俱乐部的成员有一个大灯箱，做成了他们的吉祥物的形状，放在一辆马车上。新泽西俱乐部拿着一幅麦克莱伦的肖像，上面贴着一个标签：“战争的大失败者”。当队伍经过总统官邸的时候，林肯先生和塔德出现在楼上的窗前。焰火腾空，火把挥舞。有人大声请求总统发表演说。林肯不喜欢发表他很不擅长的即兴演说，他仅仅要求人们为联邦军的指挥官、士兵和水手欢呼喝彩。

这个欢庆的场合被一个不幸的意外给弄糟了。当火炬手们走过帕克大楼时，宾夕法尼亚大道上方民主党的旗子不知何故着火了，愤怒的民主党人还没来得及把它拉下来，麦克莱伦和彭德尔顿的名字便被大火吞噬。惊慌失措中，当地的共和党人聚到一起，对这次意外表示道歉，并安排人购买一面新旗。他们的慷慨并没平息这场风波，对方提出了故意破坏他人财物的指控。民主党人大声嘲笑共和党人，嘲笑他们不仅是“肮脏下流的黑鬼”，而且是“该死的烧旗者”。“林肯—约翰逊俱乐部”的人回应了他们的挑衅。民主党人的一次街头集会被乱拳之战的吵闹声打断了，砖头和石块雨点般地砸向麦克莱伦的支持者们。这次火炬游行之后，所有政治示威都有大批的警察在附近待命。当麦克莱伦的新旗子在宾夕法尼亚大道上方升起的时候，他们成功地维持了秩序，尽管民主党人挂出了一个灯箱，上面写着“被黑鬼废奴主义卖国贼所烧毁”的字样。林肯曾经悲哀地谈到竞选中的仇恨，他想必在华盛顿看到了太多这样的证据。

战争部的力量被转向了为总统的竞选连任服务上。军官们如果是麦克莱伦的崇拜者，并不小心让斯坦顿知道，他们望眼欲穿盼望晋升便是徒劳。成千上万的共和党士兵被放假，回到那些摇摆不定的选区。根据战争部长的命令，以杰出市民塞缪尔·诺斯为首，三个来自纽约州的民主党委员被投入了卡罗尔监狱并单独监禁。这个委员会是本届政府引人注目的批评者、纽约州州长霍雷肖·西摩尔任命的，为的是在投票中帮助华盛顿周围的民主党士兵。斯坦顿把这几个纽约人当作政治犯来处理，大肆宣扬针对他们的欺诈指控，但没有一项指控针对这些倒霉的先生本人。西摩尔派来调查此事的几位使者公开指责战争部的做法。士兵们如果打算投民主党的票，就很难找到敢于主持他们的宣誓的军官。民主党的选票被人抢走，被阻止及时送到纽约去计票。诺斯和他的同事们在长时间的、令人不快的监禁之后，斯坦顿的一个军事法庭宣判他们无罪。

选举日开始一周之前，大批士兵便开始离开部队。华盛顿火车站到处都是共和党士兵，艰难地挤进北行的列车。他们冲向车门，在门廊和过道里争抢站的地方。有人说，别指望彼得斯堡城前有什么重要的军事行动，因为格兰特的军队走空了。政府职员及其他雇员如此慷慨地获准请假，以至于各部门的业务都瘫痪了。他们当中最后走的人在星期一夜里离开，星期二的时候人们发现，在突如其来的安静中，华盛顿要等到傍晚才能把电报送到战争部去。

11 月沉闷阴郁的雨点敲打着白宫的草坪。在悬而未决的紧张不安中，林肯先生似乎没办法静下心来工作。在塔德的坚持下，他站到南面的一扇窗户前，注视着他的鹿尾卫队在雨中列队，全体一致投下支持他的一票。下午的大部分时间里，他都在跟诺亚・布鲁克斯闲聊，后者是中午的时候来拜访的。7 点钟的时候，在约翰・海和一位警察的陪同下，他涉水走向了战争部的侧门。

几乎没等到煤气路灯的光亮划破迷蒙的雨雾，一些人便卷起裤腿，开始沿着泥泞的街道涉水前行，去打听消息。到了晚上 8 点钟，政治俱乐部和酒店被许多疯狂晃动的雨伞所包围。在这块场地上，没有一个人能在撑开的雨伞下打架，《星晚报》把选举之夜过激行为减少的功劳记在了天气的名下。

帕克大楼和联邦同盟的房间里都挤满了各自的支持者，他们早早到场，以便听到最早的选举结果报告。暴风雨拖延了电报的接收，有一段时间，只听见传闻说，预计联邦派在营房和医院里赢得了多数选票。有人宣布，布拉登斯堡压倒性多数支持麦克莱伦，民主党人为这个消息欢呼喝彩，而共和党人则报以大声嘲笑。然而很快，电报便开始从纽约、费城、波士顿和巴尔的摩陆续传来。到 10 点钟的时候，选举结果报告对总统十分有利，以至于联邦派支持者的乐队开始走上街头，高唱《自由战歌》。在帕克大楼，有人建议不应该相信这些电报，因为它们的消息来源是共和党人。有人站起来高喊“战斗”。麦克莱伦的支持者跌跌撞撞地跑下楼梯，大声喊道：“民主党人前来救援！”撑开的雨伞被忘得一干二净，大都会酒店的一场混战发生了。

在战争部，军事电报的主管埃克特上校弄来了一点晚餐，夜深的时候，林肯先生“开始笨拙而亲切地吃起油炸牡蛎来”。尽管选举结果报告并不完整，但他对当选似乎很有把握。他接受了朋友们的祝贺，却没有丝毫兴奋。在大雨滂沱的街上，他的支持者们依然在号召小伙子们集合在旗子周围。凌晨时分，一群宾夕法尼亚人向总统致敬，他们为共和党在本州赢得多数选票而兴高采烈。总统以一篇措辞得体的简短演说回应了他们。“要是我清楚地知道我的内心，”他告诉他们，“我敢说，我的感激没有被任何个人胜利所玷污。”

格兰特将军向林肯发出了他的祝贺，他说：“对于国家来说，比起打赢一场战斗，选举日秩序井然地度过是一次更有价值的胜利。”在两三天之内，人们得知，除了特拉华、新泽西和肯塔基，共和党人赢得了其余所有州的选票。各俱乐部纷纷向总统和内阁成员致敬，到处都是乐队和喧闹的焰火。乔治·B. 麦克莱伦请求辞去美国陆军少将，他的请求被接受了。

在选举所带来的兴奋和圣诞节之间的那些日子，华盛顿处在无精打采的状态，这种状态也攫住了整个国家。南部邦联在加拿大的密探的阴谋令人不安，为首的是从前布坎南的内政部长雅各布·汤普森。在夏秋两季，他们与北方一些不忠诚的秘密社团通力合作，试图在西部煽动造反，密谋用武力使南方战俘重获自由，并制订好了计划，准备在很多城市纵火。在感恩节之后的那天夜里，纽约的几家酒店被叛军密探点着了，试图制造一场火灾。惊慌失措的华盛顿增强了政府仓库和商店的警卫，号召各部门志愿者执勤巡逻。

然而，大势已去的南部邦联孤注一掷的阴谋由于军事事务而黯然失色。11 月末，北方的注意力集中到了佐治亚州，而不再是格兰特依然在顽强攻打的彼得斯堡。一件前所未有的事情发生了。一支大军——谢尔曼率领的由 60 000 名吃苦耐劳的老兵组成的大军——切断了通信，消失在南方腹地，把抵抗的南方军甩在了后面。在整整32 天的时间里，联邦政府仅仅从南方报纸上得到谢尔曼的消息。里士满和萨凡纳的报纸带着一丝丝恐慌，刊登了这样的传闻：某个乡村地区被夷为平地。但北方在悬而未决的紧张中等待这支大军的消息，包括它的下落、它的进军，以及它的命运。

12 月来了，依然没有确切的消息。国会开会了，像来自北方的一阵冷风。老法官贝茨不满首都的进程，从内阁辞职了，带着律师的精确头脑和老派辉格党人的原则，去了几乎同样动荡不宁的密苏里州。莱昂勋爵拖着病残之躯乘船回了英国。他的马、马车、葡萄酒和白兰地被拍卖了，黑白混血的伙食包办人沃姆利拍得了一些最好的雪利酒。萨蒙・P. 蔡斯被总统提名为最高法院首席大法官，他以惯常的威严端正的派头，坐在法官席上。华盛顿人喋喋不休地抱怨 F 街的泥泞深渊，那里开始建造一条新的街轨。哈维酒店供应起拉帕汉诺克河的牡蛎，这是战争爆发以来第一次收到的。为战场上的士兵们准备的节日礼盒开始在第 6 街码头高高地堆起。

像焦虑的瘴气一样，对谢尔曼大军的担心到处弥漫着。在寂静无声中，传闻这支部队被饿得跑出了藏身之地，被包围了，不得不投降。到这个月的中旬，人们悬着的心总算放了下来，有消息说，谢尔曼终于抵达了海边，与萨凡纳的海军联络上了。与此同时，被谢尔曼扔在后面的南方军入侵了田纳西州。那天深夜，正在军事电报局值班的埃克特上校收到电报说，托马斯将军在纳什维尔成功地攻击了敌军。埃克特手里拿着两份电报，跑下楼梯，跳上了一直在战争部门口待命的那辆救护车。在战争部长位于 K 街的家里，埃克特报告好消息的洪亮声音引得斯坦顿夫妇和孩子们连声叫好。斯坦顿和埃克特驱车前往白宫，大声把这个好消息报告给总统，林肯穿着睡衣，像鬼魅一般的高大身影站在楼梯顶部，手里举着一支点亮的蜡烛。

谢尔曼将军在萨凡纳

托马斯赢得了一场漂亮的胜仗。南方军被击溃了，逃向莽莽群山。当华盛顿人正在进行圣诞购物的时候，报纸的头条新闻宣布了对萨凡纳的重重围困。笼罩在这个欢乐节期上的唯一阴云是一次新的征兵号召，要求招募 30 万志愿兵，强制征兵的可怕前景绝不会到头。

12 月 25 日，星期天晚上，总统接到了谢尔曼的电报："我请求把萨凡纳城作为圣诞礼物送给您……"第二天，礼炮在富兰克林广场隆隆响起，国旗和彩旗在冷飕飕的毛毛细雨中挥舞，所有医院都举办了爱国庆祝活动。谢尔曼一路劈砍、焚烧，穿过了佐治亚，几乎没有任何抵抗。忠诚的华盛顿市民兴高采烈地在泥泞中跋涉，终于可以肯定：南部邦联的军事力量被打垮了。

新年前夜，欢庆的人群兴高采烈，一路高歌《当这场残酷的战争结束时》。白宫的新年招待会在 1 月 2 日星期一举行，人潮汹涌，势不可挡。女士和孩子们被他们的护卫者抱在手臂里高高举起，以逃避人群那令人窒息的挤压。一位女士在到达蓝厅门口时帽子被挤烂、披肩被撕破，觉得十分难堪，不敢进去。当不断握手的折磨结束之后，疲惫不堪的总统重新集结起他的人马，去欢迎一群黑人，他们一直在总统官邸周围徘徊，希望获准进入。一时间，被踩踏的招待厅里笑声阵阵，泪水涟涟，有人高喊：“上帝保佑亚伯拉罕·林肯！”

一个在国会上一再被总统敦促的、关于废除奴隶制的宪法修正案，已在参议院通过，一月份，华盛顿回响着众议院的讨论，议员席和边座都挤满了紧张的旁观者，每当点名时响起赞同声，同情南方的北方人面容苦涩。共和党人相互拥抱、欢呼，欢迎他们的胜利，联邦各团体也赞扬奴隶制的结束。

然而，有迹象表明，共和党人的队伍并不完全和谐。当政府采纳了一项决议，要求军事委员会对老国会大厦和卡罗尔监狱里那些未经审判而遭到监禁的人展开调查时，人们对随意逮捕的批评声一直烧到了白宫的地板上。在上一个会期，在经过漫长的争论之后，国会通过了一项法案，要求把政治犯的名单提交给对其有管辖权的民事法庭的法官；而且，如果没有及时提供名单，犯人应该得到法律救济。战争部对这个国会法案置之不理，特别是华盛顿的监狱，挤满了贝克上校即时逮捕的受害者。调查决议出乎意料地在本届政府中得到了无条件的支持者，撒迪厄斯·史蒂文斯随之马上站了起来，提出了一项动议，要求重新考虑这份决议。他遭到了军事委员会中一个年轻共和党成员的反对，此人便是来自俄亥俄州的詹姆斯·A. 加菲尔德，他在奇克莫加战场上因为英勇作战而赢得了少将军衔之后，便在总统和斯坦顿先生的要求下，在众议院里占据了一个席位。另一个共和党人、来自马里兰州的激进分子亨利·温特·戴维斯也打破了本党纪律，代表公民权利发言。众议院支持戴维斯和加菲尔德，调查着手进行，结果导致军事监狱被一扫而空，尽管最后不是以斯坦顿所青睐的法庭形式：军事委员会。

自 1863 年总统发表大赦宣言以来，共和党在重建政策上存在严重分歧。激进派强烈反对总统对联邦控制下的各叛乱州的态度。在战争中，就像在政治中一样，他的口号是："我们一定不要用严酷玷污胜利"。瞻望统一与和平的未来，他想看到国家在敌对状态不断发展中的逐步重建。1864 年 7 月，他阻挠了一项严厉的重建法案，从而激怒了激进派。

在总统的指导下，田纳西、路易斯安那、阿肯色和弗吉尼亚都成立了临时州政府，但国会把它们排除在选举计票之外，林肯很不情愿地同意了。对路易斯安那，他给予了特别的关注和支持，在围绕承认新州政府而展开的争论中，激进派找到了机会对总统否决他们严酷的重建法案加以报复。根据总统计划的要求，公民中，忠诚于联邦的少数派采用了废除奴隶制的州宪法。然而，激进派不再满足于解放奴隶。抱着挤压和羞辱南方的决心，他们要求给黑人选举权。承认路易斯安那的法案在众议院没能获得通过，萨姆纳通过阻挠议事的冗长演说，在参议院成功地挫败了这一议案。

总统与国会之间的僵局预示着围绕重建的冲突，战争结束后很快就会开始重建。1 月，空气中散发着一股和平协商的气味。老布莱尔先生去了两趟里士满，引起了人们极大的好奇。接下来，西华德先生去了汉普顿锚地，与杰斐逊 · 戴维斯的代表协商。当总统紧跟着国务卿的时候，激进派诚惶诚恐地为最坏的情况作准备。在这两个温和派着手的任何谈判中，他们都惊恐不安地预见到所有胜利果实都会付诸东流，然而，恐慌平息了。为了回应国会的要求，林肯先生对自己在汉普顿锚地的行为作出了一份说明。当他宣读的时候，众议院里死一般的寂静逐渐被放心和认可的微笑所取代，最后是鼓掌喝彩。总统列出了和平谈判必不可少的条件，包括国家权威的恢复、叛军部队的解散和奴隶制的废除。

尽管南部邦联只是寻求停战，尚未准备投降，用武力让它垮台的那一天正步步逼近。在彼得斯堡，淡灰色的阵线正在削弱。1 月，守卫着北卡罗来纳州威尔明顿市（南方最后一个开放港口）的费希尔要塞陷落，人们兴高采烈。2 月，当谢尔曼所向披靡地穿过南卡罗来纳的时候，北方举行了长时间的庆祝。哥伦比亚陷落了，查尔斯顿撤空了。华盛顿的生日那天，首都像过节一样，白天一片红白蓝，晚上灯光璀璨。河里的船上彩旗飘飘。人们蜂拥着爬上屋顶，观看这赏心悦目的场景，与此同时，山上传来礼炮的轰鸣，欢迎萨姆特要塞重回联邦。同一天，联邦军进入威尔明顿城。

战俘们排成整齐的队列走进华盛顿。大部分都是人们熟悉的身影，穿着破烂不堪的灰色制服，但华盛顿人目不转睛地注视着一些穿着整洁的军官走下被俘获的叛军劫掠船“佛罗里达”号，炫耀他们的金表链和钻石戒指，《星晚报》嘲笑“他们的海盗生涯收益不错”。战俘当中，还有一个身影，曾经在首都和宾夕法尼亚大道上众所周知，他就是罗杰·普赖尔，从前是来自弗吉尼亚州的众议员。对于一个曾经向萨姆特要塞开火、老家在彼得斯堡的人来说，那是些黑暗的日子，但《星晚报》发现他变化不大。1861 年的火爆脾气如今还是火爆脾气，不穿制服也像穿着南方军的灰色制服一样盛气凌人，硬檐帽下长发飘飘。他在拉法耶特要塞被监禁几个礼拜之后，总统在 2 月份把他放掉了。参议院秘书福尼上校对南方领导人心怀怨愤，这些人在民主党内部的旧日争吵中都是他的对手。在被迫为普赖尔的获释说了几句好话之后，他惊慌地发现，林肯先生竟然让他负责管理南部邦联的战俘。在等待交换期间，普赖尔奉命到国会山福尼的住处报到，一周多的时间里，这位来自彼得斯堡的绅士在那里成了华盛顿骑士们关注的焦点。林肯很喜欢这个玩笑。而撒迪厄斯·史蒂文斯每天都逗弄那位万分不情愿的东道主，问他：“今天早晨你那位民主党朋友和兄弟还好吗？”

灰色制服（有点蓝）如今在首都占优势。南方军逃兵的数量越来越多。黄昏正在降临里士满。饥肠辘辘、丧失勇气，导致李将军的兵力损失可能达到了数个旅。一天可以好几次遇见衣衫褴褛的一伙从大街上走过。仅 2 月份就有 1 239 名南方军逃兵来到华盛顿。3 月，有 2 860 人抵达首都。这些人在战败后低下头，他们成群结队地聚集在拉法耶特广场奥格尔司令部的周围，急切地想宣誓效忠联邦。

随着联邦军的胜利日益临近，总统在 3 月份开始的第二个任期，激进派的报复心理成为麻烦的预兆。在白宫，还有另外一些预兆，一些微小的变化，人们并没有留意，也没有理解它们的意义。

1864 年秋天，媒体上大肆宣扬观光客在公共大厅里的劫掠。壁纸从墙壁上被揭掉了，大片的锦缎从帷幔、沙发和椅子上被剪去了。在东厅和绿厅，沉甸甸的带子和流苏从帷幔上被扯走了。东厅里镀金的装饰盾牌几乎全都被偷走了，整块的蕾丝花边窗帘消失不见了，还有一些破破烂烂地挂在那里。花卉图案被剪了下来，有人推测，是为了拿去覆盖针垫。《星晚报》说，一些社会地位很高的女士和先生们因为在那里搜集纪念品而被抓，当他们被发现的时候，只有一个女士昏了过去。

在招待员不在的时候，没有人保护这些昂贵的公共财产，对纪念品的狂热导致荒唐的破坏行为，给总统官邸分派专职警官似乎是理所当然的，也是值得的。11 月末，媒体开始报道逮捕。《全国共和党人报》声称，宪兵司令拉蒙已经派警官去白宫，奉命逮捕所有被发现正在盗窃的人。事实上，市区警察局已经派出了四名警察到白宫执勤。然而，他们的主要职能并不是逮捕搜寻纪念品的人，而是保护总统的人身安全。

他们当中的两个人值白班，从早晨 8 点到下午 4 点，守卫总统办公室或总统占据的其他房间的入口。其余两个警察轮流值夜班，负责护送总统往返战争部和剧院，当他睡觉的时候在门外巡逻。

林肯至少有一个保镖，但这一事实被对破坏者的大肆宣扬所掩盖，通常不被人们所了解。警察装备着 0. 38 英寸口径的柯尔特左轮手枪，但他们不穿制服。他们并不跟在总统的身后，而是走在他的旁边，像任何一个碰巧出现的朋友或求官者。尽管不引人注意，他们的存在还是让林肯十分不快。有时候，他成功地摆脱了这些跟在身边的武装随从。想必在非同寻常的压力下，他才被迫同意了这一安排。

特区警察局长拉蒙对总统安全的担忧在那年秋天发展成了强烈的恐慌。他确信，林肯的性命处在严重的危险中。选举之夜，拉蒙揣着手枪和猎刀，在总统卧室门外的地板上守了一夜。即使在任命保镖之后，拉蒙依然经常在夜里去白宫。那年冬天，为保护林肯而采取了另外一些措施。两个警察履行守门人的职责，取代了伯恩斯和老爱德华的位置。通过分割大门，在总统官邸二楼建起了一条私人通道，这样一来，总统就可以从卧室走到办公室，而不会在大厅里遇到陌生的人群。此外，在夜晚的招待会上，所有人都被要求把自己穿在外面的行头留在蓝厅外。去年过道里已经修建了衣帽间，而餐厅里则为女士们配备了必要的设施，但很多人更愿意保留他们的外衣。新的规则在 1 月份引入，一个刚刚加入白宫小分队的警察托马斯·克鲁克负责强制执行它。场面的流光溢彩让他目瞪口呆，他发现，自己的任务不是一件轻松差事。很多客人对这一改革感到愤怒，尤其是可爱的威廉·斯普拉格夫人，再有几个月她就要做妈妈了。

克鲁克清楚地知道，之所以如此管制，是因为武器可以轻而易举地藏在宽松外套和披肩的褶皱里。然而，媒体没有提到对总统安全的关切。正如华盛顿的报纸对白宫警察小分队的目的遮遮掩掩一样，他们也是这样把强制脱去外衣解释为一个礼仪问题。《星晚报》宣称，进入蓝厅脱去外衣是一项礼仪规则，是尊敬总统和总统夫人的标志。

在特区警察局长拉蒙看来，剧院对总统来说似乎是一个特别危险的地方。保持了对白宫的严密监视之后，拉蒙知道，总统并不总是带保镖去看戏，那年初冬，他有几次在无人陪伴的情况下独自前往。12月的一天夜里，对这种疏忽大意，拉蒙的恼怒达到了顶点。当时，总统正在剧院里看戏，身边只有查尔斯·萨姆纳和一个外国公使——正如拉蒙在凌晨1点30分激动地写信给林肯时所说的那样："面对本城任何一个身强体壮的女人的袭击，这两个人连自己都保护不了。"这是一封愤怒而冒犯的信，信中拉蒙生硬地提出，在指出危险警告这件事情上，如果总统怀疑他的诚实，他就辞去特区警察局长的职务。

拉蒙对剧院的担心很可能基于一份秘密报告中所暗示的某个警告，尽管没有证据证明这一点。如果不是基于这样的情报，那么有件事情就是一个奇怪的巧合了：有个年轻人密谋在剧院里绑架总统。这个年轻人是个戏剧演员——约翰·威尔克斯·布斯。他是马里兰人，同情南方，对林肯的憎恨让他鬼迷心窍。众所周知，南部邦联最需要的是人力。格兰特有充足的人力储备可以动用，在1864年，他采用了一项冷酷无情的政策：完全终止战俘交换。于是布斯想出了一个计划：绑架总统并把他交给南方当局，作为一个人质扣留起来，这样就能够迫使联邦释放数以千计的南方战俘。

然而，布斯不是一块当阴谋家的料。他英俊潇洒，虚荣自负，功成名就，有表现欲。当他漫步进出国家大酒店的时候，很多女人的眼睛会跟着他。他26岁，象牙色的皮肤，光滑而乌黑的头发和胡子，明眸皓齿，眼睑低垂，有一种神秘而浪漫的美，这对女人来说是致命的。就衣着而言，他是冷漠的花花公子派头的写照。他穿着宽松的外套，带有飘拂的披肩，装着皮毛衣领，镶边夹克上有一个天鹅绒领子，小手指上戴着一个印章戒指，一根装饰别针别在那漂亮领结的中央。他的头发完美地卷曲，仿佛使用了卷曲的熨斗。

约翰·威尔克斯·布斯

当约翰·威尔克斯·布斯巡回演出的时候，剧院里挤满了激动不安、低徊叹息的女士。他的信箱里塞满了雪片似的情书。他的袖珍日记本里夹着几个可爱情妇的照片。他也有贝茜·哈勒小姐的照片，这个体态丰满、样子成熟的姑娘，是著名共和党参议员约翰·P. 哈勒的女儿，哈勒先生刚刚在新罕布什尔州竞选连任失败，不久将被任命为驻西班牙公使。贝茜热恋着布斯，他告知自己的家人他们已经订婚。在他访问华盛顿期间，他还挤出时间去看他的情妇埃拉·特纳，一个白肤金发、相当漂亮的小个子女人，布斯把她留在俄亥俄大道上她姐姐开的高级妓院里。布斯没有把她的照片带在身上，但埃拉·特纳爱他。

这位演员并不是一个柔弱而懒惰的好色之徒。他是个运动健将——一个剑术家，一个马术专家，一个手枪神射手。而且，他那双有力的大手与他那精致的五官形成了古怪的反差。男人像女人一样为布斯神魂颠倒。尽管他经常发脾气，喜欢搞恶作剧，但他在演员同行中深受欢迎。酒吧间侍者喜欢和年轻的布斯先生搭话，他喜欢喝白兰地，总是乐意做东请客。门童、舞台工作人员和酒店职员都被他迷人的举止所吸引。

在他的演艺事业中，由于过于自负的志向，也由于人们过高的期待，约翰·威尔克斯·布斯饱受名声之累。他父亲朱尼厄斯·布鲁图·布斯是他那个时代最伟大的悲剧演员。当约翰·威尔克斯开始他的职业生涯时，他的两个哥哥埃德温和小朱尼厄斯·布鲁图都已经在舞台上扬名立万。他表现出了非凡天才的种种迹象，但他太虚荣自负、太缺乏训练，不肯潜心学业，冒冒失失地闯进了演员这个行当。大都会的观众惊讶地睁大眼睛，但在巡回演出中，他总是在水泄不通的剧院里演出，挣到了大笔的收入，一年大约 2 万美元。在外省，为了一睹他浪漫多情的模样、充满激情的手势、滔滔不绝的口才、引人入胜的剑术，以及大跨步地纵身一跃——他很喜欢以这个动作走上舞台——人们甘愿掏腰包，觉得物有所值。

战前，他在南方深受欢迎。1859 年，当约翰·布朗被吊死的时候，他身穿民兵制服前去站岗，里士满人为他欢呼喝彩。然而，这是布斯唯一一次穿制服。联邦的边境蓄奴州有很多土生土长的本地人对南部邦联怀有深厚的感情，却没有与它同命运、共呼吸，布斯就是其中之一。在一个痛恨共和党政府的马里兰人身上没有什么不同寻常的东西，没有人特别关注布斯那些兴奋激动的谈话。

他最早在华盛顿以演员的身份露面是在 1863 年 4 月，当时，他在格罗弗剧院演出一周的合同期，海报上说他是“世界上最年轻的‘明星’”。他的首场演出是《理查三世》，他的父亲当年就是以这个角色扬名天下，一帮上流社会的观众对他报以无节制的鼓掌喝彩。那个时期，华盛顿的报纸还没有戏剧批评，并在它们的专栏文章中兜售所有娱乐活动。生意好到足以确保布斯延长他的逗留期限，因为，当他在格罗弗剧院短暂的合同期结束的时候，他租借了很不方便的老华盛顿剧院，在他自己的管理下，再演出两周。

翌年 11 月，他再次出现在华盛顿，在福特剧院演出两周。他拿出了一份人们熟悉的节目单：《理查三世》《罗密欧与朱丽叶》《威尼斯商人》《背教者》《莱昂斯夫人》《铁石心肠》《强盗们》。他的这个演出档期被《星晚报》欢呼为“辉煌的和赚钱的”。

然而，《纪事报》当时开始偶尔发表戏剧批评文章，其中最好的文章署名“怪人”。这是一个机智风趣、博学多闻的老先生的假名，他通过挖苦所谓的“道德剧”，以及那些被雇用为财政部职员的西部人当中的低俗品味，从而在头脑简单的观众当中激起了很大的愤怒。“怪人”带着怀疑的态度欢呼布斯的到来。他在 1863 年 11 月 1 日写道：“我们并不认为布斯先生是一位卓越的悲剧演员，我们几乎不能称他是一个悲剧演员。除非自从我们上次看到他之后他有了很大的长进，他并不比一个二流演员好多少，作为一个伟大名字的拥有者，而且有着漂亮的仪表、甜美的声音，以及自然的、未经雕琢的才能，他看上去合适作为悲剧的代表走上舞台。有可能，布斯先生最终会成为一个伟大的演员……”

一周以后，这位批评者没有修正自己的观点。他称赞了布斯在审判那一幕扮演的夏洛克，并认为，这表明他是一个很有前途的演员，尽管他在《威尼斯商人》另外几幕中的表演保守、粗暴而喧闹。“怪人”反感把现代伤感歌曲引入到作品中。他讽刺道：“布斯先生如果让理查三世在战斗的那天早晨高唱《当这场残酷的战争结束时》，他没准可以取得更大的成功。”

然而，“怪人”是荒野里的呼喊。在福特剧院两周的演出期间，布斯一直面对人头攒动的观众大喊大叫，活蹦乱跳。

一年后，布斯再次回到首都，他并没有演出合同，只在别的地方露过几次面。他的哥哥小朱尼厄斯·布鲁图刚刚完成了福特剧院的一个演出合约，他做剧院经理比做悲剧演员更成功。在整个北方，剧院的生意都繁荣兴旺，约翰·威尔克斯不得不回答很多关于自己离开舞台的问题。他大言不惭地谈到了他在油田的投资，他的朋友们发出嘲弄的笑声，因为这些高风险投资早就成了那个时代的一个陈腐的笑话。事实上，尽管布斯确实在宾夕法尼亚西部购买了油田，但它毫无价值，他已经低价抛售了他的地产。起初，他希望在大选之前实施他的绑架密谋，并谈到了在前往军人之家的半路上抓住总统。然而，就在他处理自己的生意事务的时候，林肯一家回到了白宫过冬。

整个冬天，布斯把国家大酒店当成了自己的总部，偶尔去一趟马里兰和纽约，但总是会回到华盛顿。他所探访的一个地方就是马里兰南部的查尔斯县，自 1861 以来，穿过查尔斯县的那段路，就一直是南方密探、邮递马车和穿越封锁线的人往返首都与波托马克河畔一些秘密渡口的必经之路。布斯在当地居民中对道路、中转站和渡口作了大量调查。那是一个南方同情者的地区，他们从前都是生意兴旺的奴隶拥有者，其中一些人无疑已经知道布斯的绑架计划。然而，他谈的是土地投资和购买马匹，实际上，他甚至通过塞缪尔·马德博士的帮忙买了一匹马。马德是当地的一位有绅士派头的医生，他是在教堂里认识布斯的。

在此期间，他正在组建一个阴谋家团伙。即使他们当中有一些华盛顿大名鼎鼎的分离主义者，他们的名字也不为人知。布斯最密切的同伙都是一些衣衫褴褛的人，他能够凭借狂热的决心，以及从心怀感激的南部联邦获得金钱报酬的允诺，维持对这些人的支配地位。在密谋自己的计划时，他最早感兴趣的两个人都是他在马里兰念书时的朋友，他们是境况糟糕的南方军逃兵，布斯让他们笼罩在金钱和成功的氛围中。塞缪尔·阿诺德是一个看上去还算体面的职员，由于没有别的工作可干，他断断续续地在马里兰州他兄弟的农场里当劳工。迈克尔·奥劳克林是一个皮肤黝黑、身材修长的家伙，看上去像个古巴人。蓄着黑色的长发和胡须，穿着花里胡哨的时尚行头，奥劳克林有一副时髦的外表，但他从事的却是单调乏味的职业：为他兄弟在巴尔的摩的饲料生意接订单，前途并不比阿诺德更光明。

在一次去查尔斯县的时候，布斯大概听说了约翰·萨拉特是一个

约翰·萨拉特

消息灵通的人，十分熟悉通往里士满的秘密路线。萨拉特是一个浅棕色头发的高个小伙子，刚满 20 岁，也是一个马里兰人，自 1861 年秋天以来，他一直为南部邦联充当密探和信使。最近，他与母亲和妹妹安娜一起迁居华盛顿。寡居的萨拉特夫人把她在马里兰的产业租出去了，那是一个乡村客栈，距离华盛顿大约 13 英里，她在首都开了一家寄宿公寓。那是 H 街上一幢漆成了土褐色的、门阶很高的小房子，萨拉特夫人毫不费劲地把它为数不多的几个房间租出去了。约翰在亚当快递公司找到了一份职员的工作，但他并不安分，喜欢冒险，布斯得以能够说服他参与自己的密谋。新年后不久，萨拉特便辞掉了工作，把所有时间都投入到绑架林肯的计划中。

为了把几个绑架者和他们的俘虏送过波托马克河，萨拉特建议去找乔治·阿兹罗德特，此人是地下通道的一名秘密摆渡者。他是一个滑稽可笑、声名狼藉的小个子德裔美国人，在马里兰城市波特塔巴科从事马车制作的行当，渴望通过夜里的工作挣大钱。布斯还吸收了萨拉特一家在华盛顿的一个熟人，一个游手好闲、脸颊绯红的年轻人，名叫戴维·赫罗尔德。他断断续续地给一个药剂师当助手，曾经给林肯先生打过一瓶蓖麻油。戴维简单而幼稚，傻笑的时候总是露出两颗龅牙，除了十分了解马里兰乡村之外——他经常去那里打猎——戴维提供不了任何帮助。

在制订从剧院里绑架总统的计划时，布斯有几个理由选择福特剧院而不是格罗弗剧院，他在这两家华盛顿剧院都演过戏，但他与前者的关系由于他跟约翰・T. 福特的友谊而更加密切一些，他还在福特的安排下去其他城市露过面。布斯与福特的弟弟亨利・克莱的关系也很好，在第 10 街的剧院，布斯与那里的雇员和股份公司的演员也相处甚欢。此外，他还有一个貌似有理的借口频繁出入这家剧院，因为他的邮件留的是这里的地址，他在后街租来的一间马厩里养了两匹马。

布斯很缺一个舞台上的同伙，他试图劝诱一个名叫切斯特的朋友去福特剧院工作，此人是纽约埃德温・布斯公司的一位演员。他提出，如果福特聘用切斯特的话，由他来支付薪水。然而，切斯特是一个有家有室的人，不想参与这场密谋，他没去华盛顿。

在福特剧院的舞台工作人员当中，布斯有一位谦卑的崇拜者，他是个木匠，当布斯还是个小屁孩的时候，他就在马里兰州老布斯的剧院里工作。此人名叫爱德华・斯潘格勒，如今人过中年—— 一个爱喝烈酒、脾气温和的家伙，曾帮助修理后街的马厩，照看布斯的马。布斯并不为斯潘格勒的马夫工作支付薪水，但人们经常看到两个人一起喝酒，就像心腹密友一样。没有证据表明斯潘格勒对绑架阴谋有任何了解，但布斯想必为他的忠诚而高兴，并指望他在危难之中出手相助。

到 1 月初，布斯把阿诺德和奥劳克林带到了华盛顿，但他没法激发他们对于在剧院里绑架总统的热情。阿诺德强烈反对这一计划，试图说服布斯放弃。有两次，他宣称在一条乡村公路上绑架总统的大好时机被浪费了，因为布斯一心痴迷于剧院。布斯的影响力起到了作用，阿诺德把自己的大部分时间用于在华盛顿闲逛。布斯被阿诺德的批评给惹恼了，于是没有介绍两位儿时的朋友入住萨拉特家的寄宿公寓，他经常去那里找约翰商议。萨拉特夫人非常喜欢这位迷人的演员，在她简朴的客厅里，他总能在女士们当中导致一阵激动不安。很可能，萨拉特夫人对于布斯与儿子之间长时间的秘密讨论知道点什么。她是个亲切和蔼、像母亲一般的女人，一个虔诚的罗马天主教徒，但她坚定地忠诚于南部邦联，而且有一个岁数更大的儿子在南方军中，她的同情自然而然地偏向了一项帮助南方的计划。

萨拉特夫人的寄宿公寓有一位房客是战争部的职员路易斯·韦克曼，他在战俘局长的办公室里工作。他是个研究罗马天主教牧师制度的学者，身材高大，腼腆害羞，曾经是约翰·萨拉特的同学，在 H 街的公寓里跟他共一张床。韦克曼的工作使得他理所当然地成为战争部步枪队的成员，他似乎也融入了寄宿公寓的分离主义氛围中。尽管他是土生土长的宾夕法尼亚人，但他渴望去里士满继续他的神学研究。一些逗留在这里的偷越封锁线的人发现他是一个安全可靠、志趣相投的伙伴。他自己后来也承认，他“经常谈论分离主义……为的是讨好周围的人……”他跟阿兹罗德特关系很好，常常与这个南部邦联摆渡者一起外出，甚至把自己的衣服借给他穿。

布斯痴迷于他的计划，但他发现，要执行这一计划殊非易事。一个严重的不利条件是：为了完善把林肯劫走的组织工作，必须提前知道他何时去福特剧院。而且，在包厢里抓住总统并不是绑架这件事最难的部分。福特剧院的包厢并非整个剧院都能看到，而是一个隐蔽的凹室，其后墙与观众席有一个夹角，包厢内部只有对面的楼厅前座才能看到。此外，总统的包厢有一部分被诺丁汉蕾丝花边帘遮住了。

把总统从剧院里带出去是最主要的困难。上面的包厢没有楼梯，而是通过楼厅前座的一个过道到达。要把俘虏带到街上，唯一可行的方法是，把他放下到舞台上，带他通过后门进入小巷。对这位身为运动健将的演员来说，从大约 12 英尺高的包厢跳下来倒不是什么难事，但他十分荒唐地低估了“俘虏”的力气。总统虽然 56 岁了，身体状况每况愈下，但他依然不是一个柔弱之辈。他年轻时曾经是一个强健的摔跤选手，肌肉发达。即便他独自一人与查尔斯·萨姆纳和一个手无缚鸡之力的外国公使在一起，要想不经过一番搏斗便把他捆起来并扔到舞台上，也是不可想象的，而这场搏斗将会使绑架的图谋泡汤。

有证据表明，布斯准备在1月份作出尝试。据传闻，时间定在18日的夜里，但由于总统没有去剧院，计划泡了汤。经验丰富的悲剧演员埃德温·福雷斯特正在福特剧院从容不迫地完成为期一个月的演出合约。林肯十分欣赏福雷斯特，这足以确保他会去看他的三四场戏，时间在1月和3月（那时候他会回来加演一周）。1月18日，福雷斯特演出深受欢迎的《杰克·凯德》（*Jack Cade*），这出戏写的是1450年的肯特郡暴动，是一出很合时宜的戏，因为它反对奴隶制。如果在《杰克·凯德》上演时成功绑架了总统，布斯就会取消后面两夜在华盛顿的演出合约，他所扮演的是罗密欧，而阿旺尼亚·琼斯小姐则扮演朱丽叶，当时她正在格罗弗剧院演出这部悲剧的全本。

一周后，布斯去了纽约，据阿诺德说是为了筹钱。在他离开首都将近一个月的时间里，绑架计划便处于停滞状态。林肯若无其事地继续上剧院。2月份，他两次去福特剧院看深受欢迎的喜剧演员J. S. 克拉克演出，他是布斯的妹夫。其中有一次，总统是在格兰特将军的陪同下去的。当时，演出已经开始，两位领导人走进剧院的时候，演出暂停了下来，与此同时，观众欢呼致敬，乐队演奏《向统帅致敬》。

2月23日——尽管华盛顿的报纸都没有注意到这一事实——距离那个灰蒙蒙的早晨刚好四年，当年的这个日子，亚伯拉罕·林肯在拉蒙和平克顿的保护下，悄悄进入了因为担心革命而十分紧张的首都。这四年的时间里，华盛顿在鲜血、劳作和混乱中目睹了联邦的事业朝着日益临近的胜利前进。在1861年，少量士兵的到来便把首都吓了一大跳。而到了1865年，首都已经大规模地备战，记起那几门令人紧张的大炮，觉得它们远比林肯第二任期就职典礼的任何准备工作都“更加像打仗的样子”。

本地和各州的“林肯—约翰逊俱乐部”开会讨论如何参加典礼。首席典礼官丹尼尔 · R. 古德洛规定了华丽的装束，用橙色、蓝色与镀金、樱桃色、黄色、粉红色和白色，把将近 100 个穿黑色双排扣常礼服和马裤的典礼官装扮得花里胡哨。宾夕法尼亚大道上 E. 洛夫人店里的围巾和节杖生意火爆。第 7 街的托珀姆公司卖掉了不少花里胡哨的鞍褥。大锤在连续不断地敲击着国会大厦东柱廊竖起的木台子。工人们从公园里清理了乱七八糟的建筑材料，在依然阻碍场地的大理石块上面盖上了木板。弗伦奇少校在忙着准备就职典礼舞会，但还是挤出了时间让人用国会大厦穹顶剩余的残片为总统演说搭建了一个铁台子。陆陆续续的陌生人来到这里乞求免税、恳求任命或者要求调到前方去，他们全都汇入了已经到达这里参加就职典礼的人的洪流。国会正在举行夜会，想赶在休会之前厘清它的程序。旁听席上座无虚席。

3 月 1 日晚上，田纳西州的安德鲁 · 约翰逊抵达华盛顿。这位当选副总统颇有老派南方政治家的派头。硕大的脑袋，宽厚的胸部，看上去庄重而傲慢。他穿着细平布和亚麻细布做的衣服。在他吃饭的时候，一个黄皮肤男仆站在他的椅子后面。然而，他的面相不像种植场主，而是精致、傲慢、天生擅长发号施令。他令人生畏的样子透着另一种骄傲——贫穷白人的骄傲，年轻时他是个目不识丁的裁缝，一路上与他所痛恨的贵族战斗，赢得了地位和权力。这场奋斗写在了他粗糙、坚强而固执的脸上，田纳西的重建之火在眼睛和嘴巴的周围留下了新的痛苦伤痕。怀着对联邦的强烈热爱，安德鲁 · 约翰逊勇敢面对危险、艰苦和仇恨。他的健康每况愈下，黝黑的脸庞写满了疲倦。那年冬天，他患上了伤寒，烧退得很慢。他迫不得已来到华盛顿，离开纳什维尔的家让他颇感不适。

就职典礼的人潮在继续涌动。专列沿着巴尔的摩和俄亥俄复线铁路一路呼啸和冒烟。刚刚抵达的人聚集在装饰一新的火车站，新刷的油漆闪闪发光。《星晚报》认为，涌入的人流并没有四年前那么庞大。据说，有很多人因为很难找到住处而止步于巴尔的摩，打算仅在就职典礼那天来华盛顿。《纪事报》把一些原本应该到来的代表团的缺席归咎于最近的暴风雨。然而，在 3 月 3 日阴沉的天空下，到处裹着毛毯的背包客让街道变得活跃起来，他们在薄雾和泥泞中择路而行，寻找住宿的地方。威拉德酒店在大堂和客厅里安排了帆布床和褥垫。国家大酒店和大都会酒店全都客满。“林肯—约翰逊俱乐部”收留了无数来访者，本地的消防队招待了大批来自费城的消防员。首都的陌生人多到了足以让脾气暴躁的哈勒克将军担心出麻烦，他神经紧张地建议韦尔斯先生关闭海军造船厂。

林肯第二任期就职典礼

晚上，城里乐音悠扬，到处都有乐队在演奏小夜曲，与此同时，宾夕法尼亚大道上，火炬游行队列的火把用银色的光亮照彻迷蒙的薄雾。国会大厦屋顶的灯光把白色的光环高高地扔进了夜雾中，国旗在穹顶上猎猎飘扬。在大厦的内部，国会的闭幕吸引了很多观光者，他们在参议院大厅与众议院大厅之间推推搡搡地来回跑动。林肯夫人和约翰·威尔克斯·布斯都在看热闹的人当中。总统和内阁也在国会大厦处理公务。安德鲁·约翰逊在出席一场男性社交集会，好客的福尼上校很喜欢在他位于国会山的房子里举办这样的集会。

3 月 4 日星期六，黎明随着一场大雨和一场破坏性的狂风降临这座城市。当游行者开始集合的时候，天空依然阴云密布。那是一场规模大为缩减的游行，几乎全都是本地人。当总统的马车从白宫驶向国会大厦的时候，特区警察局长拉蒙安排了 13 个联邦宪兵和 13 个平民陪伴左右。然而，早晨的时候，林肯亲自驱车去了国会大厦，在游行队伍集合列队的时候忙着签署法案。专门的典礼官和总统的联邦轻步兵卫队护送林肯夫人。

巡逻队员们骑马驻守在街道的交叉处。警察小分队沿着街道两侧排成一线。交通工具都给从宾夕法尼亚大道上清理出去了。五颜六色的典礼官发疯似的骑着马跑来跑去，执行最后的任务。有轨马车停运了，乐队吹吹打打，市区警察局的一队警察列队而出，为首席典礼官和他的助手们清理道路。还有为数不多的士兵、骑兵、炮兵、老兵预备队和水兵。彩车驶进了队列：一个用平纹细布搭成的自由女神殿，装饰着国旗和鲜花；一个炮舰模型，其旋转的炮塔上那门榴弹炮鸣响震天的礼炮；一个便携式印刷机由印刷协会的一些成员操作，向两侧分发这一天的节目表。华盛顿市政当局的人护卫着一个来自巴尔的摩的市政代表团。走来了“林肯—约翰逊俱乐部”的人、黑人部队的一个营和共济会旅舍的黑人寄宿者。费城和华盛顿的消防队员们在展示他们的消防器械。在逐渐明亮的天空下，游行队伍沿着一条泥泞深及脚踝的大街，蜿蜒跋涉而过，走向国会大厦。

与此同时，参议员们在参议院大厅里给众议员们挤出了一半地盘，楼上的旁听席把门打开了，女士们蜂拥而入。在奔过大厅、跑到楼上之后，她们气喘吁吁、大声尖叫，像一群鲜艳而嘈杂的小鸟一样，俯瞰着这场严肃的集会，安定了下来。她们宽大衬裙上的泥水，并没有弄湿她们的心情，她们“喋喋不休，嘁嘁喳喳”，与此同时，主持会议的官员徒劳地敲着手里的小锤，参议员们抗议：他们听不清正在发生什么。

大厅里挤满了名流要人。陆军和海军的军官出现了。所有人的目光都转向法拉格特海军上将和胡克将军，这两位英雄的制服与外交使团的金丝花边和装饰争奇斗艳、交相辉映。八位身着黑色长袍的老人跟在新任首席大法官萨蒙·P. 蔡斯的后面，蔡斯穿着丝绸法袍看上去年轻而古怪。林肯夫人坐在了外交官的旁听席里。

安德鲁·约翰逊

快到 12 点的时候，安德鲁·约翰逊与汉尼拔·哈姆林手挽手走了进来。当约翰逊走向主持官的讲台时，他想必为他所挽着的那条壮实的手臂感到高兴。福尼上校的社交集会对一个依然处在康复期的病人来说有点吃不消。他刚刚用三杯烈性威士忌平复了一下自己不稳定的神经，在闷热的参议院大厅里，他黝黑的脸庞变成了深红色。

当约翰逊正式开始发表就职

宣誓之前的演说时，众议院的议员们在科尔法克斯议长的带领下进场了。不久，总统在负责就职仪式的参议院委员会的陪伴下到达现场。当林肯先生就座的时候，他的脸上有一种深感痛心的表情。约翰逊是个对威士忌拿得起、放得下的人，而这一次，他无疑喝醉了。在他嘶哑地发表一通混乱不堪的高谈阔论时（半是政治演说，半是以自我为中心的夸夸其谈），他的庄重消失不见了，只有傲慢还在。当他带着一种坚持不懈的骄傲（这其实是一种最令人难堪的羞愧），喋喋不休地谈到自己的卑微出身时，“平民百姓”这个词就像一段叠句副歌般不断响起。

羞愧难当的共和党人怒气哼哼地坐在那里，哈姆林不断从后面轻轻触碰约翰逊，参议员们转过脸去，坐在椅子里不安地扭动。韦尔斯轻声对斯坦顿说，这位新任副总统要不是喝醉了，就是疯了。斯坦顿看样子被惊呆了，朝后面嘟囔道，显然是哪儿出毛病了。像往常一样，斯坦顿故作镇静，但新任内阁成员在假装镇静上水平不一。邮政部长威廉·A. 丹尼森的脸上青黄不定。司法部长詹姆斯·斯皮德紧闭双眼，低声对韦尔斯说，这真是“恶俗透顶”。最高法院大法官尼尔森满脸惊恐、目瞪口呆。当约翰逊转过身去宣誓的时候，首席大法官蔡斯朝尼尔森瞪了一眼，他赶紧合上了自己的嘴巴。约翰逊像一个拙劣的演员一样大声喊道：“我面对美国人民，亲吻这本《圣经》。”

在新近当选的参议员宣誓就职之后，这些显要人物列队准备向国会大厦东侧正前方进发。他们走过圆形大厅的时候受到了国会大厦警察的保护，警察们极力阻挡违令涌进过道的人群，就在总统过去之后，一个人突破了警察的防线，冲向就职典礼台。他被国会大厦警察韦斯特福尔中尉给逮住了。一场混战出现了，东门砰地关上了，警察把这个强行闯入者推进了警卫室。这一意外事件当时并没有人严肃对待，因为典礼结束之后，那个人马上就被放掉了。怪人在华盛顿并不少见。第二天，军事当局调查了一个名叫托马斯·克莱门斯的嗜酒疯子的案件，他说，他打算在就职日杀死总统。

然而，事后看来，国会大厦的这个小插曲却有着重大的意义。根据罗伯特·斯特朗（与弗伦奇少校一起守卫圆形大厅东门的警察）的书面陈述，几周之后，韦斯特福、弗伦奇和斯特朗本人都认出了约翰·威尔克斯·布斯的一张照片，他就是那个强行闯入者。这次辨认来得太晚，很难令人信服。布斯并不需要冲击警戒线。通过他的情人贝茜·哈勒，布斯弄到了一张入场券，可以接近就职典礼台。他告诉一位朋友，在整个典礼期间，他离总统很近，有很好的机会向他开枪，如果他想这样做的话。

然而，国会大厦东侧正前方并没有出现混乱。大门在名流贵人们的身后被砰地关上了，通道里混战的喧闹声安静了下来。当他们步入日光中的时候，他们看到前面有庞大的人群一直向后蔓延开来，从柱廊附近一张张欢呼喝彩的笑脸，到远处树林里模糊而细小的娃娃头。雷鸣般的欢呼声中，林肯走向了弗伦奇少校准备的那张铁台子，上面孤零零地放着一杯水。最后的乌云散去，突如其来的阳光淹没了现场，人群安静下来，聆听总统的简短致辞，他谈到了自己对任何人都没有恶意，以及对所有人的宽厚仁慈。在欢呼演说结束的喧闹掌声中，很多人脸上闪烁着泪花。首席大法官蔡斯举起右手，主持就职宣誓。总统低下头，亲吻打开的《圣经》。当他鞠躬退下的时候，礼炮齐鸣，人群欢呼。

挤得水泄不通的公园里，激动不安、踊跃欢腾的人群开始散去，约翰·威尔克斯·布斯与沃尔特·伯顿一起，沿着宾夕法尼亚大道往回走，伯顿是国家大酒店的夜班职员，是林肯的热心崇拜者。总统（塔德在他身边）在花里胡哨的典礼官和五颜六色的随员队列的护送下，驱车回白宫，街道两旁的窗户前和阳台上无数手帕在挥舞。

第 18 章　星光璀璨的首都

总统看上去不仅很老，而且很虚弱。长期的紧张劳累让他几乎达到了崩溃的边缘。他的疲倦太深，不可能通过一个小时的消遣或一个夜晚的休息来舒缓。他比标准体重轻 30 磅，手和脚总是冰冷的。3 月 4 日夜里，他要面对一场公共招待会，那是他这个社交季的最后一场招待会，定在星期六，是为了庆祝就职。

2 000 人聚集在白宫周围的大街上，到了 8 点钟，人群蜂拥着通过敞开的大门。在争相进入总统官邸的混战中，像往常一样免不了有人受伤。门廊里呈现出刺心的一幕：一些衣着华丽的人受伤了。女人的尖叫声时不时地打断水兵乐队演奏的乐曲。有些人陷入不可理喻的狂喜。另一些则被人流裹挟到了错误的方向，无助地被拖向出口，甚至没有机会向总统表示敬意。然而，当前门打开和关闭的瞬间，又有一批批新的来访者蜂拥而入。在蓝厅里令人窒息的氛围中，当林肯机械地伸出他那硕大、冰凉而疼痛的手时，他的脸上依然一阵阵抽搐。

一个黑皮肤男人斗胆冲过了把守大门的警察。著名的黑人演说家弗雷德里克·道格拉斯仗着自己的名声和与林肯先生的交情，出席了这场公共招待会。然而在屋内，两个警察把他抓住了，在他的申诉被报告给总统之前，险些把他从蓝厅的窗户里给推了出去。在白人来访者等待的时候，林肯叫住了这个惊慌失措的黑人，跟他聊了几句。

随着最后的脚步声渐次消失，音乐声也戛然而止，大厅里变得空荡荡的，林肯痛苦地环顾四周。人潮退去，满地狼藉。将近一平方码的红色织锦从东厅的窗帘上被剪去了；另一大块从绿厅的帷幔上消失不见了。挑花窗帘豁着大口，花卉图案被剪掉了，留下新鲜的缺口。保镖威廉·克鲁克写道："白宫看上去仿佛有叛军的一个团在这里驻扎过——而且得到了劫掠的许可。"逮捕成为这个就职日一个令人遗憾的结局。

在城里的街道上，迷迷糊糊的庆祝者们踉踉跄跄。《星晚报》吹嘘，那天夜里就职典礼的秩序是自杰克逊第一个任期以来最好的，虽然有几件（也只有几件）攻击、抢劫和骚乱。

就职舞会定在星期一夜里举行。作为一项节约措施，管理委员会（弗伦奇少校是该委员会的主席）把举办场地定在专利局大楼，代替搭建临时建筑。在所有费用都支付以后，收入被拿出来救助士兵家属，10 美元一张的门票销售火爆，一位先生和两位女士可凭一张门票进入，一顿丰盛的晚餐不收额外的费用。然而，管理委员会被迫发布了一项不容置疑的命令，拒绝卖门票给黑人。

星期一早晨，很多北方的"典型美女"带着她们的萨拉托加旅行箱驱车离开火车站，与此同时，观光客们聚集在熙熙攘攘的专利局大楼。食品篮旋转着通过大门。乐队正在排练，圆形大厅里开设了一个售票处。在新近完工的北厅（它在 1862 年是一家医院），工人们正在绑煤气灯，往墙上挂国旗。蓝色和金色的沙发被搬上了升高的平台，准备总统等人入座。由于只有少数几个游客获准进入舞厅，准备工作进展迅速。在西翼餐厅里，好奇的人群妨碍了甜点师鲍尔泽先生干活。到了下午，（鲍尔泽先生）发现有必要把他们赶出去，女士们嘟嘟囔囔地乘坐马车离开了 F 街。

鲍尔泽先生有一项艰巨的任务：满足 4 000 多人的口腹之乐。丰盛的晚餐包括牛肉、小牛肉、家禽、野味、熏肉、淡水龟、牡蛎（由 T. M. 哈维烹制）、色拉、果冻、冰淇淋、果馅饼、水果、坚果、咖啡和巧克力。长长的餐桌计划一次容纳 300 人，因摆放着国旗、金字塔和装饰品而变得喜气洋洋。侍者们在忙着搭建糖果点心的纪念碑，那是这场盛宴的最高荣耀。向军队致敬的那块有六幅雕刻图案，包括步兵与骑兵之间的一场战斗，一位骑在马上的将军，拿着小型的双筒望远镜；另一个向海军致敬的纪念碑与之平衡，同样精雕细刻，上面停放着法拉格特的旗舰，这位海军上将被绑在桅杆上。正中间那件是一个用糖做的巨大的国会大厦模型，它所有的雕刻和煤气灯一应俱全。它的底座装饰着一幕幕历史场景，从 1776 年的独立革命，到萨姆特要塞——被一些铁甲舰所包围，一如它被联邦军队收复时的情形。

夜幕降临，排列着专利品和古董陈列柜的展览厅里挤满了一对对闲逛的人。来自芬利医院的乐队演奏军乐一直到 10 点。接下来，舞厅乐队在福特剧团管弦乐队指挥小威瑟斯教授的指挥下（那天夜里他指挥 40 支曲子的报酬是 1 000 美元），奏响了方阵舞曲。在灯火通明、悬挂着国旗的大厅里（伤者和死者曾经停放在这里），一对对舞伴各就各位，棋盘格大理石地板被旋转跳动的舞步所覆盖。时装像番红花一样苍白；有丁香色、珍珠色和浅黄色的丝绸，紧贴着喉部；很多人穿着塔勒坦素色布衣服，装饰着褶裥饰边。在插着鲜花的头饰下，女士们全都留着卷发，有些人在头发上洒了金粉和银粉。

到了 10 点半，军乐队开始演奏《向统帅致敬》，人群中清理出了一条通道，总统在科尔法克斯议长的陪同下走向高台。林肯夫人穿着昂贵的白色丝绸和蕾丝花边，头饰上插着白色的茉莉和紫色的紫罗兰，一把扇子上装饰着貂皮和银饰片，挽着萨姆纳参议员的胳膊跟在后面。他们的出现引起了一阵嗡嗡声，因为据猜测，自从萨姆纳成功

林肯的最后一场招待会

挫败了林肯的重建计划以来，他就成了白宫里不受欢迎的人。总统这样做是为了公开表明：他们之间不存在裂痕。在星期天，他派人给萨姆纳送去了一张舞会门票，附有一张邀请便签，尽管谦恭有礼，却有点最高命令的意思。

在陆续抵达的客人当中，有很多知名人士：内阁的先生，将军和外交官们；法拉格特将军亲赴现场，就像糖雕中出现的一样；有钱的怪人乔治·弗朗西斯·特雷恩和他漂亮的妻子；小说家 E. D. E. N. 索思沃思夫人。终于参军的罗伯特·林肯从彼得斯堡赶回来出席这场舞会（他在那里效力于格兰特将军的参谋部），胳膊上挽着哈伦参议员那位可爱的女儿。方块舞、华尔兹、苏格兰慢步圆舞和波尔卡舞把越来越多的人群吸引到了没有弹性的大理石地面砖上，直至地面上变得太过拥挤，以至于几乎没法跳舞。

午夜刚过，就在这个时候，宣布晚餐开始。鲍尔泽先生规定，一次容纳 300 人进餐，但超过 4 000 个饥肠辘辘的客人坚决要求同时吃。有一刻，他那张美轮美奂的餐桌完美呈现。还没等到人群发起猛攻，它很快就变得一塌糊涂。一些搜寻食物的绅士们抢到了整块的肉饼、鸡、牛腿、半个火鸡和装饰性甜点金字塔，躲在角落和凹室里开起了野餐派对。油腻的战利品在头顶上方摇晃，女士们瑟瑟发抖，担心她们的衣裙，餐厅的地板上覆盖着糊状物，那是被踩烂的鸡骨头和蛋糕。伴随着打碎玻璃的声音，使者们冲了进来，端上了新鲜出炉的美味佳肴，搜寻纪念品的人磕磕绊绊地走过一堆堆肮脏的盘碟，对装饰品发起袭击。一个糖做的“国家之船”被打成碎片，瓜分殆尽。一位年轻的女士得意洋洋地高举着一块完整的糖马。只有国会大厦模型，刚开始便幸运地被撤走了，从而免于被毁。

在这场疯狂的集会之后，华盛顿回到了它平常关注的事务上——强制征兵，游击队，以及蝗虫一般蜂拥而至的求官者。白宫的四名警察也被征召，但他们的位置是“固定的”。后台不那么可靠的警察赶忙去找替身，而替身的价格已经高达每个人 800 至 1 000 美元，中间人在特区到处活跃。首都为应征入伍的人举办了一连串的捐赠派对，与此同时，华盛顿对一些叛军突击队员的大胆深感烦恼，这些人穿着联邦军的蓝色制服，进入联邦军阵线，在曼森山偷走了六匹马。

第二个任期的开始再一次让白宫挤满了坚持不懈的求官者。总统要挤出时间处理公务并迫切需要休息，他不得不限制自己的预约。3 月 14 日星期二，他在床上度过了一天，内阁在他的卧室里开会。尽管媒体说到了流行性感冒，但人们普遍认为，林肯先生患的是疲劳症。星期三，他回到了办公桌前。有公告宣称，他的健康状况不允许他接待来访者，但总统官邸二楼的过道和接待室里依然挤满了“政治秃鹫”。晚上，他在林肯夫人的陪伴下去了格罗弗剧院，观看德国歌剧团演出的《魔笛》(*The Magic Flute*)。

大约 3 月中旬，约翰 · 萨拉特带着一帮人去福特剧院看戏，占据了总统双层包厢的一部分。门票是布斯给萨拉特的。约翰 · T. 福特的兄弟哈里是剧院的财务主管，他说，布斯在那个演出季有三四次预订同一个包厢，这也是他预订过的唯一包厢。

被萨拉特邀请来陪伴自己的人当中，有两个人是他母亲的寄宿公寓的房客：一个 17 岁的姑娘霍诺拉 · 菲茨帕德里克小姐，还有一个名叫阿波洛尼亚 · 迪安的小孩。第三位客人对于这家剧院里上流社会的座位来说有些古怪。他是个年轻人，长得像个罗马角斗士，有一张白痴的脸，低额而迟钝，一副腰杆挺直、孔武有力、肌肉发达的身板。此人便是刘易斯 · 鲍威尔，一个从南方军中开小差来的亚拉巴马州士兵，眼下通行证上的名字是刘易斯 · 佩恩，他就是用这个名字在亚历山大港签署了忠诚誓言。他裹着一件属于路易斯 · 韦克曼的蓝色军用斗篷去了福特剧院。

刘易斯 · 佩恩

这个亚拉巴马州的小伙子曾见过舞台上的布斯，不知何时何故，他被迷住了，后来找到了布斯，并用他那种头脑简单的英雄崇拜讨布斯欢心。在战斗、受伤、被俘、逃亡、再战斗的艰苦岁月里，佩恩与布斯之间短暂的亲密关系一直是他心中一个光明的记忆。在 2 月的最后一天，一个衣衫褴褛、身无分文的逃兵出现在巴尔的摩的大街上，佩恩遇到了一个乐于助人的恩人。布斯那张笑脸想必就像一个奇迹一样出现在他的面前。对于这位演员来说，这次偶遇中也有某种神奇的东西。一个近在手边的工具出现了，远比摇摆不定的阿诺德和奥劳克林管用，也远比胆小的阿兹罗德特和糊涂的戴维·赫罗尔德管用，甚至有勇无谋的约翰·萨拉特都比不上他。1865 年的佩恩，是当年那个笨头笨脑、身强体壮、沉着镇定的新兵的一个合乎逻辑的发展：17 岁那年，有人给了他一支枪，教会了他杀人越货的勾当；战争让他对人的生命漠然视之，也让他养成了绝对服从的习惯。他跟随布斯的鞍前马后，称他为“头儿”。布斯给他提供衣食，但他追随布斯并非纯粹为了利益。他是布斯的傀儡，是他的忠实党羽，冷酷无情，从不质疑，忠心耿耿。

正当这古怪的一伙人坐在总统包厢里的时候，布斯来到门口，把佩恩和萨拉特叫了出去。他们在过道里商议了一会儿，而那两个女孩则留在了她们的座位上。

布斯及其帮凶们谈论抓林肯为人质交换南方战俘的时机已经过去。仲冬时节，战俘交换谈判已经重新开始，大量南方战俘被转到锡蒂波因特。然而，布斯再也用不着为他对总统的仇恨找一个合理的理由。这种仇恨一直在他的心里燃烧，直到熊熊烈焰把他的整个心照亮，他——南方的英雄和复仇者——光荣地在这样的烈火中昂首阔步。3 月初的一天，他戴着马刺、防护手套和军帽，坐在国家大酒店他房间里的一张桌子前，桌子上摊开着一张地图、一把刀子和一把手枪。他的心腹密友、埃德温·福雷斯特公司的另一位演员约翰·麦卡洛突然走进了房间。布斯抓起刀子对着他。听到麦卡洛大喊：“约翰……你疯了吗？”他停住了，双手蒙住眼睛，似乎刚从噩梦中醒来。

要么是在萨拉特一伙人那天看戏之后，要么是第二天夜里，密谋者们聚集在一家餐馆的私人包间里，召开他们的唯一一次全体会议。

布斯分别控制他们，一次见一两个人，在酒吧间、卧室和车马出租行。除了新人佩恩之外，他们对长期拖延执行计划感到焦虑不安。他们越来越担心，政府已经得到了关于这场密谋的报告。约翰·萨拉特建议彻底放弃这一计划，他认为其他人都同意他的观点。只有布斯“默不作声、心不在焉地坐在那里”，到最后，他站起身来，重重的一拳砸在桌子上，与一些同谋爆发了一场激烈的争吵。萨拉特后来回忆，这次会议持续了整整一夜，最后在友好的气氛中结束。布斯为自己大发脾气而道歉，他的借口是，他喝了太多的香槟酒。

阿诺德在 1867 年所作的一份供述中也描述了这次通宵会议。他说，布斯一开始便分配了每个人在这次绑架中所要扮演的角色。佩恩负责协助布斯抓住林肯，与此同时，阿诺德跃上舞台，在他们把俘虏放下来的时候伸手接住。奥劳克林和赫罗尔德负责熄灭煤气灯，利用安装在提词厢旁边的装置控制福特剧院。萨拉特和阿兹罗德特守候在阿纳卡斯蒂亚河对岸，给这帮人领路，登上已经在波托马克河上游待命的小船。

这一方案促成了针对整个计划可行性的一次激烈讨论。阿诺德声称，他直言不讳地提出了反对，而布斯威胁要开枪打死他。这场争吵最终平息了，但阿诺德依然坚定地表达了他的决心：除非本周就采取行动，否则他将退出这场密谋。

显然，由于同伙的不满，布斯在剧院之外的其他场合做了一次尝试。有消息说，总统计划出席在第 7 街公路上一家医院里举行的一次午场戏剧演出。布斯很快作出决定：在林肯乘坐马车穿过市郊的时候绑架他。赫罗尔德带着武器和弹药，提前被派去了马里兰。团伙中其余的结对骑马出城，分别是布斯和萨拉特、佩恩和阿兹罗德特、阿诺德和奥劳克林，埋伏在那里等候总统的马车。萨拉特说，他们确信这次一定成功。他们有快马，而且熟悉这一地区。而总统可能有骑兵卫队陪护这一点却没有被考虑，因为萨拉特认为，到了能够发出警报的时候，他们将会在穿过南马里兰的路上走出了很远。

3 月 17 日星期五下午，正在华盛顿演出的达文波特和沃雷克出现在北第 7 街的坎贝尔医院，演出汤姆·泰勒的《静水流深》（*Still Waters Run Deep*）。坎贝尔医院的伤病员由 A. F. 谢尔登博士负责管理，他是个既相信身体康复也相信精神康复疗法的外科医生，他努力为伤兵们提供娱乐，这一努力得到了医院牧师的支持。医院里专门为娱乐表演建起了一座能够容纳 500 人的大厅。患者当中组建了一个剧团，每个星期五表演节目。3 月 10 日，华盛顿剧院和格罗弗剧院的几个演员志愿到这座独一无二的医院剧院里表演节目。接下来的那一周，两位明星在一出全本喜剧（这是他们最受欢迎的剧目之一）的露面是坎贝尔医院的一件重要大事，大厅里挤满了康复中的伤病员、军官、女士及其他受邀客人。

许多年后，一位不愿透露姓名的演员为波士顿的一家报纸写了一篇报道，记述了 E. L. 达文波特向他讲述的一段插曲。达文波特说，1865 年初春，他在一家距离华盛顿城有一段距离的剧院里演出《静水流深》。总统和内阁都受到了邀请，但林肯没能到场。在漫长的等待期间，达文波特到室外散步，在剧院后面一片有点像花园的地方抽一支雪茄，正当此时，约翰·威尔克斯·布斯出现了。他衣着考究，但穿着马靴、戴着马刺，布斯跟他打了声招呼："晚上好，内德。"并打听谁在剧院里，这个时候，他看上去似乎有些兴奋。据他的朋友回忆，达文波特提到了斯坦顿、西华德、蔡斯及其他人。"老头子来不来？"布斯问。当听说林肯不在的时候，他掉头便走。达文波特说，布斯似乎很匆忙，只解释说他有一匹新买的马，有点难驾驭。

与此同时，在 H 街的寄宿公寓里，萨拉特夫人正在伤心地落泪。路易斯·韦克曼在 4 点半钟的时候从战争部回来了，他从黑仆丹那里得知，约翰·萨拉特与另外六个人一起骑马出城了。这位母亲很不高兴，打发萨拉特去吃饭，她自己没有陪着。然而，6点半，正当这个年轻人在自己房间里坐着的时候，萨拉特冲了进来，手里拿着一把手枪。在激动不安中，他急促而含混地说，他的希望彻底破灭了，并请求韦克曼帮他找一份职员的差事。佩恩紧跟着走了进来，也拿着武器。他满脸通红，兴奋不已，但没有说话。最后来的是布斯，脸色煞白。他绕室疾走，紧握马鞭，心烦意乱，没有注意到韦克曼的存在。

这些密谋者原本对总统要去坎贝尔医院的情报寄予了很大的信心，这次失望而归严重挫伤了这种信心。也许是由于匆忙而没有看到，也许是他们并不相信《星期日纪事报》和《国民通讯员报》的一篇报道，这篇报道说，3月17日星期五的下午，林肯先生应该出席宾夕法尼亚大道上举行的一个小仪式。印第安纳第140团的士兵们在北卡罗来纳州威尔明顿市附近的安德森要塞缴获了叛军的一面漂亮的军旗，他们通过当时正在华盛顿访问的本州州长奥利弗·P.默顿，把这面军旗送给国家。默顿和印第安纳州几个在南方监狱里遭到长期监禁之后被释放的军官一起，聚集在国家大酒店的阳台上，稍后总统也加入了进来，对聚集起来的人群发表致辞。具有讽刺意味的是，正当布斯埋伏在北第7街等候总统出现的时候，林肯却在布斯住的酒店里露面了。

正如在1月份，绑架由于布斯答应过的一次舞台露面而未能成功。第二天夜里，他在福特剧院代替他的朋友约翰·麦卡洛，在《背叛者》中扮演佩斯卡拉。而林肯夫妇那天夜里在格罗弗剧院观看《浮士德》。星期二，他们又去了E街的剧院，这是他们在一周之内第三次去看德国歌剧团的演出，而布斯正在纽约旅行。

阿诺德和奥劳克林彻底泄气了，都回了老家。佩恩去了巴尔的摩，再转道去了纽约。约翰·萨拉特去了里士满，重新开始他的信使工作。3 月 23 日星期四，总统本人也离开了华盛顿。为了回应格兰特将军的邀请，他在林肯夫人的陪伴下，登上了蒸汽船“大河女王”号，前往锡蒂波因特。当布斯在那个周末回到首都的时候，林肯已经不在他伸手可及的范围了。

总统访问前线有两个动机。对很多人来说，从事务的压力中放松一下是个明显而充分的解释。林肯的健康状况是报纸上忧心忡忡关注的话题。他憔悴的样子人们已经注意到了。《全国共和党人报》公开指责那群求官者，并建议把他们从城里赶出去，为的是把总统从崩溃中拯救出来。《纽约论坛报》在一篇后来被《星晚报》转载的文章中发出了悲哀而阴郁的声音，提到了林肯一旦发生不测将是一场国家灾难，并宣称，如果他想活过第二个任期，他的精力必须节省。人们回想起了哈里森和泰勒的命运，有人暗示，联邦可能不得不哀悼又一个死于任上的总统，这一次是“死于一些讨厌鬼的贪婪和放肆”。

然而，尽管所有的公开宣传都认为林肯需要一次休假，但华盛顿依然有持续不断的谣言说，他这次旅行是和平的先兆，一些总统身边的人都知道，战争状态日益临近的尾声使得他希望确保不把严厉的条件强加给叛乱者。最后的决定性的日子在彼得斯堡和里士满到来了。谢里登的部队在谢南多厄河谷的任务已经完成，如今正挥师南下，与格兰特会合。在北卡罗来纳州，弗吉尼亚边境线的附近，谢尔曼的部队与来自费希尔要塞和威尔明顿的部队会师了。谢尔曼和谢里登，还有格兰特，在大河女王号的甲板进行了商议。

总统经常对军队进行闪电式的拜访。即使他预感到了这次离开首都的时间可能有所延长，也没有一个人知道这一点，就连西华德先生也不知道。在他们离开之后的那个星期一，《星晚报》发表了一篇通告，说总统和林肯夫人已经在福特剧院预订了包厢，去观看几场意大利歌剧演出，并在星期二预告说，他们即将回首都。林肯夫人无疑希望他们能在3月29日星期三到家，因为在离开之前她就邀请萨姆纳参议员那天晚上陪他们去看《艾尔纳尼》(*Ernani*)。

布斯轻而易举地得知，林肯那天晚上应该去福特剧院，于是他在星期一开始行动。他打电报给身在巴尔的摩的奥劳克林，催促他在星期三赶到华盛顿，带不带上塞缪尔·阿诺德都行。电报说："我们那天肯定能搞定。别搞砸了。"他两个儿时的朋友都没有对这一召唤作出回应。总统依然跟军队待在一起。3月29日，他早就把意大利歌剧抛到九霄云外，正密切注视着格兰特对彼得斯堡防线发起大规模的进攻。

4月2日星期天，《星晚报》的一份号外报道了林肯发给斯坦顿的电报——"激烈的战斗，伟大的胜利"。李将军固若金汤的防线被打破了。格兰特从东面击溃了他。第二天早晨，林肯发来的另一份电报说敌军撤出了彼得斯堡。格兰特确信，里士满也陷落了。他奋力挺进，去切断李将军的退路。

电报很快就收到了，一个新的信号让战争部的电报员大吃一惊。对于那个趴在电报机上的人来说，"发自里士满"这几个字就足以说明问题了。他把电文交给威利·凯特尔斯（一个15岁的小男孩）去抄写。电报员们从窗户里挂出了条幅，大喊："里士满陷落了！"战争部的雇员们从各个部门跑出来，欢呼着涌上大街。兴奋的呼喊响彻全城，人们最初以怀疑的态度对待这个消息。人们涌向报社，抢夺数以千份加急印出的号外，官方确认了胜利的消息。"光荣！欢呼，哥伦比亚！哈利路亚！"《星晚报》高呼。"里士满是我们的了！"

从第14街到M街，鸣响了震耳欲聋的800响礼炮——300响为彼得斯堡，500响为里士满，还有100响礼炮来自海军造船厂码头。巡回法院和刑事法院宣布休庭。工人们跌跌撞撞地走出银行、写字楼和商店，兴高采烈的黑人一路狂奔，康复中的伤病员气喘吁吁地走出医院，孩子们蹦蹦跳跳跑出公立学校，使欢庆的人群剧增。到中午的时候，街上响起教堂的钟声，飘扬着挥舞的国旗，令人晕眩。华盛顿所有的居民似乎都跑到外面来了，互相握手、拥抱，高高抛起他们的帽子，尖叫，歌唱，就像一场疯子的狂欢节。

仿佛早有准备，乐队倾巢而出，奏响国歌，人群跟着《扬基杂牌军》和《聚集在国旗周围》的节拍向前行进。两个骑兵中队和老兵预备队的一个旅组成了一支游行队伍，他们发现，奥格尔将军正在白宫的南草坪上检阅他们。悬挂着国旗的马车从宾夕法尼亚大道上驶过，消防队鸣响汽笛，飞奔着穿城而过。

整个疯狂的下午，不管黑人还是白人，华盛顿人都是在狂欢庆祝中度过的。友善的爱国者们手挽手一起去喝酒，夜幕的降临也没能让他们的兴奋冷却下来。那天晚上，著名戏剧女演员劳拉·基恩在福特剧院开始了她为期两周的演出合约，上演她自己创作的《华盛顿的劳动者》(*The Workmen of Washington*)，这是一部旨在揭露酗酒之恶的道德剧。它是一部颇合时宜（即便没什么影响）的作品。香槟酒瓶塞在整个华盛顿乒乒乓乓地打开，酒吧间里挤满了人。为了加强夜晚的警力，白班警察依然留在岗位上，直至 11 点。巡逻队员带着宽容的态度看着一伙伙喧嚣吵闹的歌者，护送无助的醉鬼回家，只逮捕作恶的罪犯。

第二天，蒸汽船“丽贝卡·巴顿”号从第 6 街码头出发，骄傲地驶向里士满。蒸汽船“托马斯·鲍威尔”号从锡蒂波因特来到华盛顿，带来了大约 300 名伤兵，主要来自谢里登的骑兵部队。他们在门罗要塞就已经听到了礼炮声，瞥见了锚地里船只上飘扬的彩旗，但直到托马斯·鲍威尔停靠码头，他们才知道里士满已经陷落。报童们爬上甲板，很快就卖光了手里的报纸，这些脸色苍白的航行者第一次面

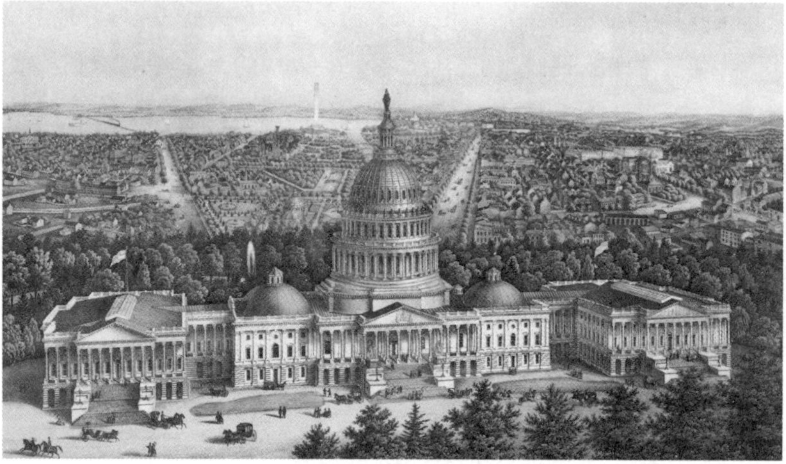

从国会山远眺华盛顿

带微笑走向医院。

国务院建议在星期二晚上搞一场盛大的彩灯照明，以庆祝这场胜利。整整一天，公共建筑都云集了大量工人。白宫及附近的政府部门都被装饰得喜气洋洋。一些爱国格言装饰着国务院。战争部挂满了国旗和军旗。海军部挂出了一个巨大的全帆装备的战船模型。财政部大楼正门的上方悬挂着一个做成 10 美元钞票（美国计息纸钞）形状的灯箱。

巨大的财政部大楼，连同它的众多窗户，其亮丽耀眼定然让其余的建筑黯然失色，而斯坦顿先生则忙着对战争部大楼作一次引人注目的努力。尽管它是一幢很小的建筑，但战争部多出来的人，流向了另外 11 幢建筑，像温德尔大楼和科科伦美术馆，都很雄伟。当暗蓝的夜幕降临，每一扇窗户前都站着一个人，手里拿着火柴，还有一些人站在战争部公园里一排火球的旁边，全都做好了准备。一声军号响起，一支乐队突然奏响《星条旗》，眨眼之间，“就像用电点亮了煤气灯喷嘴”，各个办公室同时点亮，沿着第 17 街形成了一个彗星尾巴，与此同时，小小的战争部大楼漂浮在五颜六色的光焰中。

从底座到穹顶，国会大厦像国会山上的一座灯塔，熊熊燃烧。在西侧的山墙上，弗伦奇少校设计了一个巨大的煤气灯箱，上面印着巨大的字母。从宾夕法尼亚大道上就能远远地读出上面的文字：“这是上帝的作为，是我们眼里的奇迹。”在专利局大楼和邮政部大楼，在所有的陆军司令部、海军兵营、海军造船厂、国家暖房和医院，都有彩灯照明。监狱长伍德不辞辛苦，把第 1 街监狱弄得明亮辉煌。精神病院像一颗星星一样熠熠闪光。

社会也参与了这场国家庆典。市政厅灯火通明。闪闪发光的酒店、餐馆、银行、写字楼和商店装饰着整个宾夕法尼亚大道的两侧。格罗弗剧院在屋顶上用煤气灯排成了两个字“胜利”。霍姆斯博士的殡葬服务机构也很喜庆。不仅政府官员，而且还有很多市民装饰了他们的住处。分离主义者从未像这样人迹寥寥。《纪事报》说，就连最恶毒、最顽固的分离主义者也乐意看着战争走向终结。他们中很多人在哀喜交集中点亮自己的房子，挂出联邦的国旗，以纪念里士满的解放。

华盛顿全城的人都跑出来观灯。国会大厦的场地上和灯火辉煌的财政部周围聚集了大批的人群。F 街有音乐和焰火，成千上万的人挤到专利局大楼前，那里正在举行一场共和党群众集会。在拼成“联邦”字样的煤气灯下，特区最高法院的卡特法官在专利局的柱廊里迈步上前，他说到了杰斐逊·戴维斯，这个“已经仓皇逃出里士满的无赖”。他阴郁地暗示，国家的军事院校教育出了一些要割断国家喉咙的叛国者，并毫不犹豫地说：“那些靠公费吃饭穿衣、接受教育的人，应该首先把他们吊死。”F 街响起了欢呼声，向卡特法官致敬，向副总统约翰逊致敬，他的话如出一辙。安德鲁·约翰逊大声吼道，杰斐逊·戴维斯把国家交给他的那把剑投向了他母亲的胸膛。人群中响起呼喊："吊死他！"约翰逊大声回答：是的，要吊死他 20 次，因为叛国是最大的犯罪。

总统正在里士满，注视着李将军那支四面楚歌、饥肠辘辘的部队在做最后的挣扎，在那个欢庆之夜，华盛顿未能听到出自总统之口的任何一个字。

星期日，林肯夫人回到了华盛顿，但在星期三，她领着一帮名流显贵再次去了锡蒂波因特。同一天，华盛顿发生了一件意外。西华德先生那天下午驱车外出，他的马受惊了，挣脱缰绳跑掉了。他跳出马车，重重摔在了地上。人们把他抬起来的时候，他已经失去知觉，摔成了脑震荡，下巴摔破了，右臂摔断了。

就在首都人民关心西华德的伤势的同时，兴奋的潮水强大到了就连这一不幸事件也没法阻止的程度。那一周，人们是在眼花缭乱中度过的，期盼着更多来自弗吉尼亚的胜利消息。4 月 7 日星期五，有消息说，谢里登截住了李将军，进攻并击溃了他的军队，人们对这个消息欣喜若狂，报之以更多的欢呼与国旗。那一天，华盛顿看到了奇怪的一幕：一支叛军乐队向斯坦顿先生致敬。乐手们是刚刚抵达的一船南方军逃兵的组成部分，他们拿着各自的乐器。从离开码头的那一刻起，他们便心怀感激地演奏，华盛顿人被这新奇的一幕给逗乐了。很多人聚集在战争部听他们演奏，以至于交通都堵塞了。向战争部致敬的那些曲子都是人们所不熟悉的，不是《聚集在国旗周围》，甚至也不是《扬基歌》；而是《迪克西》《乔丹》和《我们很高兴走出荒野》。副官长 E. D. 汤森代表斯坦顿欢迎这些开小差的乐手们回到星条旗下。有些人表示遗憾：他们不会演奏国歌。

4 月 9 日棕榈主日一大早，"大河女王"号停靠码头。林肯直接去了西华德的住处，获准进入病房。西华德躺在远离门口的床边，斜挨在床沿上，好让那只疼痛的手臂能够伸出，免受任何压迫。他脸上裹着绷带，肿得很厉害，完全没有血色，几乎都让人认不出来。他挣扎着低声问道："你是从里士满回来的吗？""是的，"总统告诉他，"我想，我们总算快成功了。"林肯朝床俯下身子，撑在胳臂肘上，贴近西华德的脸，讲述了最近两周的故事。最后国务卿在发烧中沉沉睡去，林肯悄悄地走出了房间。

在总统去休息之前，他从斯坦顿那里得知，李将军的军队那天早晨已经在阿波马托克斯镇投降。有几个人在黑暗和潮湿中跑到外面，加入了报社记者们的狂欢。大多数华盛顿人是在第二天拂晓的时候得知投降的消息，当时，他们的床被隆隆炮声所撼动。大炮放置在马萨诸塞大道上，拉法耶特广场的后面，在这个上流社会的聚居区，震碎的窗户玻璃激怒了一些居民，他们希望联邦的欢庆赶快结束。很快就有一大群爱国者在阴冷的黎明中高声欢呼。然而，很多忠诚于联邦的人继续躺在床上，心满意足地得知：大炮的轰鸣宣告了格兰特将军的胜利。

早晨的报纸把完整的细节带到了华盛顿人的早餐桌上。李将军手下的官兵全都有条件地释放了，他们获准各自回家，军官们保留了他们的随身武器和马匹。那个淫雨霏霏的 4 月早晨被和平的愿景所照亮。南方首领的投降预示着叛乱的结束，因为，在乔·约翰斯顿向谢尔曼投降之后，在南方军零零碎碎的残余部队土崩瓦解之后，这样的结局必定很快就会到来。星期一第二次交给了庆祝活动。一大早，国旗便在雨中挥舞。政府部门和很多商业机构又给他们的雇员一个假日，首都再一次陷入了礼炮、钟声、欢呼和演说的喧闹中。

没有欢呼里士满陷落的那种疯狂的歇斯底里，公众的情绪已经得到了自由的释放，不可能在一周内重复这样的爆发。然而，4 月 10 日依然引发了兴奋的狂潮。总统回到了华盛顿，从早餐时间起，人们便源源不断地奔向白宫，就像兴高采烈的孩子急于见到父亲一样。有好几次，在办公室里埋头工作的林肯放出话来，要求人群散去，但他有两次短时间地出现在窗前。上午的时候，一队人马紧跟在海军造船厂的工人后面，他们带着乐队和榴弹炮冲过大街。在喜欢炫耀的小塔德挥舞着一面缴获来的叛军旗帜时，有人大声呼喊，要求总统发表演说。总统的露面引起了场面的混乱。人们一次又一次把帽子抛向空中，爆发出一阵阵疯狂的呼喊。林肯简短地为自己做了一番辩解。他认为，应该会有一场大规模的庆祝游行，到时候他一定会说点什么。他请乐手们演奏好听的老曲子《迪克西》，他宣布，这首曲子如今成了联邦的合法财产。傍晚，他再一次回应了人们兴奋的呼喊，他说，他会推迟发表自己的评论，最好是到明天夜里，因为到那时候，他会准备得更好一些。

总统的病容和疲态一扫而光，他瘦削的脸庞神采奕奕。“这场大麻烦”所带来的沉重负担即将从他的肩膀上卸下，但他在愉快中并无自得之色。他的心思全都集中在重建联邦的想法上，他的快乐由于胜利所带来的沉重责任而变得冷静。

据说，政府大楼将在星期二晚上再次被点亮，华盛顿人准备在总统已应允发表演说的场地给他一次盛大的欢迎仪式。这篇演说的大意不难预料，总统作为一个宽厚仁慈的人受到了人们的广泛热爱，对所有人都宽厚仁慈是他最近就职演说的基调。在他与格兰特商谈之后，紧接着是对战败的敌人的慷慨大度。星期二晚上，波托马克河对岸，李将军的宅邸里灯火通明，很多被解放的奴隶踩踏着草坪，吟唱《大赦之年》。但是为了让叛军免受羞辱，几乎不允许波托马克军团在阿波马托克斯欢庆他们的胜利。在让他们解甲归田之前，李将军手下的官兵都是由格兰特提供食品。

当彩灯把笼罩万物的薄雾转变成金色时，大批的人群聚集在白宫门前，挤满了草坪，堵塞了宾夕法尼亚大道的人行道。当林肯迈步走到窗前的时候，欢呼声一浪接一浪汹涌澎湃。一位观察者觉得，“这样的热情中有某种可怕的东西”。总统的每一句话都会让人群为之疯狂，人们随着情绪的波动而浑身颤抖，激动不已。

然而，林肯几乎没有谈到胜利，而胜利正是这次游行集会的理由。在美国历史上这个举国欢腾的时刻，他的心思集中在重新开始联邦与叛乱各州之间的关系上。仿佛是在向已经否决其政策的国会发表一篇有说服力的咨文，他拿着一篇精心准备的手稿照本宣科，阐述他对重建的看法，以及这些观点在路易斯安那州的实际应用。他的演说是一份辩护和申诉，它是讲道理的，解释性的，缺乏雄辩的说服力。它是一篇高贵的演说，但完全不适合听众的心情。有些记者听到了欢呼，这样的欢呼是必定会有的——为一个人而欢呼，为一个场合而欢呼。另一些观察者说，听众默不作声地站在那里，吃惊地发现，他们兴高采烈的心情被政治家的论证所削弱。关于黑人投票权的问题，总统的意见太过温和，很不对本党激进派的口味；但他声称，他赞成给某些黑人以选票，即他们当中的聪明人和士兵，这个说法想必给他的听众浇了一瓢冷水。

至少有一个人在听总统演说的时候感到愤怒和恶心。布斯当时就在白宫草坪上，来自里士满和阿波马托克斯的消息让他心如刀绞。灯火通明的窗前，那个高高的身影成了一个很好的靶子；当布斯注视着那个身影的时候，大概是第一次，他的头脑里突然冒出了谋杀的想法，就像一声爆炸一样。

来自艾奥瓦州的詹姆斯·哈伦参议员（已经被任命为内政部长）跟在总统的后面出现在窗前，他问听众，应该怎样“对待我们的这些同胞”，从而激起了一次爆发。“吊死他们！”人群高喊道。但他暗示林肯先生可能行使赦免权的时候，有人大喊：“不行！不行！”然而，人群还是支持哈伦这样的观点：大多数叛乱者是无辜的。他们只是要求惩罚叛乱的领导人。哈伦最后声明：他愿意把未来托付给总统，人群对此报以长时间的鼓掌喝彩。

当一支乐队奏响《呐喊》的时候，要求其他人发表演说的呼喊声被打断了。薄雾似的毛毛雨变成了豆大的雨点，人群开始散去。很多人去了富兰克林广场，向斯坦顿部长致敬。

那是圣周，星期三，宗教哀悼的钟声缓慢地敲响，在这座依然沉浸在欢庆氛围中的城市听起来很不协调。就连来自锡蒂波因特的伤兵的到达，也没有减弱首都的兴致。仿佛他们忘了已经经历过 10 天的狂欢，市民们正在为另一场狂欢做着精心的准备。

星期一，《纪事报》多少有点恶意地猜测，李将军的投降会不会唤醒市政当局，他们一直对联邦的胜利漠不关心。这份报纸评论道，葛底斯堡、维克斯堡、萨凡纳、查尔斯顿和里士满都没能让他们从昏睡中惊醒过来。尽管沃勒克市长是忠诚的，而且市政厅也为里士满的陷落点过彩灯，但《纪事报》的攻击还是有些道理，飞镖击中了要害。到星期一中午，沃勒克借来了一门大炮，在市政厅的前面放了 200 响礼炮，为纪念阿波马托克斯投降，震碎了不少窗户。市议会突然对胜利的一方爆发出了巨大的热情，通过一份联合决议，要求在 4 月 13 日星期四搞一场盛大的彩灯庆祝。

这个提议立即得到了联邦政府的合作。所有政府部门都订制了彩灯，有些漂亮的新装饰被添加到了早先的展示品上。财政部挂出了第二个巨大的灯箱，描绘的是深受欢迎的 50 美元债券，利率 $7\frac{1}{3}$。在邮政部有一个引人注目的展示品，是一名快递员拿着联邦邮政的邮包，还有这样一行字："瞧，我给你们带来了欢欣鼓舞的好消息。"邮政部大楼窗户所需要的蜡烛超过 3 600 支，专利局大楼将近 6 000 支。

然而，这次庆祝活动主要是社区的事，而不是政府的事。市议会

专利局大楼

带着姗姗来迟的忠诚热情鼓励本城居民。想必依然有人关上大门，暗自垂泪，据韦克曼说，萨拉特夫人便是如此，但种种迹象表明，大多数南方同情者都准备改变立场。一箱箱灯笼、焰火和联邦国旗从纽约运来。蜡烛数以千计地销售。商人纷纷打广告，宣传专用“照明烛台”的优点。私宅、商店、写字楼和酒店争先恐后地表现爱国，都在准备异乎寻常的壮观场面。商店里的国旗被卖光了，市政委员会主席不得不派人去亚历山大，为他在 H 街的住处买一些恰当的装饰品。

就在星期四的兴奋激动气氛中，格兰特将军抵达首都。总司令的出现是个戏剧性的时刻，但格兰特并没有想到凯旋仪式。他一门心思琢磨军事细节，尤其急着与斯坦顿先生商谈，因为他匆匆赶到华盛顿的主要目的是想缩减军队的庞大开支。尽管有庞大的人群聚集在威拉德酒店欢呼致敬，但他想得很简单，以为自己可以平静地穿过人群去战争部，最后还是警察把他从人群中给救了出来。

格罗弗剧院的合伙人 C. D. 赫斯正在跟提词员核对稿子的时候，布斯走进了办公室，坐了下来，开始谈论晚上的庆祝活动。赫斯打算点彩灯吗？他问道。经理告诉他，是的，在某种程度上是这样。然而，他的重大之夜是第二天夜晚。

4 月 14 日星期五，萨姆特要塞举行了一些恰当的仪式纪念投降四周年。星期四夜里全城的人都会上街观灯，格罗弗剧院无疑意识到了，因此作出一个精明的决定：星期五举办一场爱国集会。当然，那天是受难日，对于娱乐场所来说是一个糟糕的夜晚，但人民正处在欢庆的情绪中，那一夜，剧院之间的竞争与兵工厂雇员的火把游行一样激烈。格罗弗剧院准备放焰火，而且，一场盛大的东方奇观——流行剧目《阿拉丁神灯》（*Aladdin*）将有所变化，会吟唱一首新创作的爱国歌曲，并朗诵弗伦奇少校的一首原创诗歌《萨姆特的旗帜》。

布斯问道，赫斯会不会邀请总统出席呢？几天以来，赫斯一直打算这么做，这次提醒之后，他便向林肯夫人寄去了一份请柬。

布斯经常顺道拜访格罗弗剧院，但这一次，赫斯和提词员正在核对稿子，因此对他的打扰稍感不快。他们显然很忙，赫斯没有邀请布斯进来坐。除了打扰之外，这次短暂的交谈似乎没有什么值得注意的东西。布斯那张英俊的脸上没有透露他内心的打算，赫斯不可能猜到，受难日被选为谋杀的日子，他也不可能猜到，这个懒洋洋坐在格罗弗剧院办公室里轻松交谈的家伙就是刺客。

星期四晚上 7 点，最后一支蜡烛被点亮。《星晚报》（该报的老板是市长的兄弟）说：“闪烁的群星变得黯淡了，仿佛……地球成了一个巨大的发光体。”市政厅被煤气灯光所笼罩，惹人注目，它的一些窗户各有多达 60 支蜡烛；从广场上看，闪闪发光的街道似乎排成一道不间断的火焰向前延伸。在宾夕法尼亚大道上，南侧与北侧争奇斗艳，第 7 街令人眼花缭乱。

四面八方的煤气灯排成了“联邦”和“格兰特”的字样。灯箱上印着“胜利带来和平”“站在国旗下”和“上帝愿意我们依然统一”。很多商店和住宅覆盖着冗长的《圣经》引语和爱国口号。还有一些房子用的是原创格言。“光荣归于上帝，是他让 U. S. 格兰特赢得了胜利”悬挂在财政部对面杰伊·库克银行大楼上。“上帝，格兰特，我们的国家，和平”是第 7 街上基督教青年会大楼的贡献。E. L. 塞尔德纳的服装店问道：“李将军，你好吗？”威拉德酒店对面的洛温萨尔公司狡黠地问：“约翰尼·布利，你好吗？”

从岩溪到济贫院，从兵工厂到北自由区，在所有七个街区，没有一个街区不曾展示它的爱国心。在富人和名人的宅邸，巨大的窗户灯火通明，焰火在彩旗上方嬉戏；一些荒凉冷清的街道，因为劳动者住房里的照明而熠熠闪光；黑人聚居区和最贫穷的小巷里那些破烂不堪的棚屋也谦卑地展示了摇曳的烛光。

沿着宾夕法尼亚大道，在音乐与灯箱的陪伴下，走来了一支游行队伍，参加者都是政府修理厂的工人。人行道上人头攒动，人们目不转睛地注视着灯光，直至眼睛疼痛。很多外地的观光客来看灯展。有一帮年轻人来自巴尔的摩，其中包括迈克尔·奥劳克林，穿着紫红色的外套，紫色双排扣马甲和马裤，绿色的苏格兰方格呢披风，打扮得花里胡哨。他如今在巴尔的摩工作，而塞缪尔·阿诺德则去了门罗要塞，在一个随军小贩的店里做职员。奥劳克林在国家大酒店停下来，进去拜访布斯，但余下的时间他都跟同伴们在一起，穿着他那身花哨的新套装，在宾夕法尼亚大道上人头攒动的酒吧间里闲逛。

富兰克林广场有焰火表演，一些致敬者聚集在战争部长住处的周围。斯坦顿先生那天晚上举办了一场招待会，客人当中包括格兰特。整个城市灯火辉煌，回响着这位军事首领的名字，但格兰特一直待在斯坦顿家的客厅里，仅仅混在一群人当中在台阶上很不显眼地露了一下面，而战争部长则出去回应人们的致敬。斯坦顿担心这个民众骚动的时节会发生悲剧，他反对总司令和总统公开露面。战争部电报局长戴维·贝茨说，已经采取了额外的预防措施来保护他们，因为据情报部门报告，有人试图在民众欢庆期间绑架或杀死他们。特区警察局长拉蒙在最近几周内多次告诉林肯的一位朋友，他担心总统将会遭到暗杀。西华德尽管认为暗杀不是美国人的习惯做法，但他还是有一定的理由认为，这段时期总统不应该暴露自己。

因为害怕自己受到萨拉特寄宿公寓里的叛国活动的牵连，路易斯·韦克曼把此事说了出来。3 月份的时候，他把绑架密谋的故事透露给了战争部的一位同事格利森上尉，并恳求他保守秘密，以免他的朋友们发现他出卖了他们。然而，格利森立即把这个情报告诉了奥格尔参谋部的一位宪兵司令助理。在得知消息走漏之后，韦克曼赶忙向另一位军官作了报告，以此洗清自己。战争部的权威人士因此完全知道了布斯的阴谋。格利森认为，报告是在就职典礼之前作出的，布斯为那个日子策划了一次尝试——唯一的证据，是那天有个人冲破了国会大厦的警戒线，后来人们回忆，布斯的一张照片很像这个人。韦克曼说，他直到第 7 街公路那次尝试之后的第二天才向格利森透露。

林肯对待这些警告的态度想必比他自己承认的更严肃。他曾告诉自己的妻子和拉蒙，他最近梦见了一具死尸，躺在东厅的一辆灵车上，被一队士兵所环绕。在梦里，人们哭泣的声音惊得林肯披衣起床。“白宫里谁死了？”他问一位士兵。得到的回答是：“是总统，他被一个刺客杀死了！”一声悲痛的哭喊惊醒了林肯。那一夜，他再也没有睡着。即使在许多天之后，回忆起这个梦的时候，他依然神情肃穆、脸色苍白，明显心烦意乱。

考虑到那些威胁性的谣言，即使不是像林肯夫人那么神经紧张的女人，也很可能被这个梦给吓着，但她的态度非常明智，她只是淡淡地说，她很高兴自己并不相信梦，否则，在听到这样一个梦之后肯定要吓死。接下来，她在行动上并没有对丈夫的保护工作表现出太大的担心。星期四，她邀请格兰特同她与总统一起乘坐马车去城里转转，观赏彩灯。除了林肯先生正患严重头痛这个事实之外，还有各种理由反对这一提议。街上人满为患，有很多醉鬼，见到格兰特会导致总统的马车被群众包围。

没有提到邀请格兰特夫人，格兰特的一位副官说，那天白天将军与林肯夫人一起乘车外出。晚上没有离开白宫。灯光在装饰着花环的常青树、军旗、队旗和骑兵的旗子上闪闪烁烁。人群聚集在总统官邸，而总统没有露面。

特区警察局长拉蒙被派往里士满执行一项使命，他要求林肯在他离开期间夜里不要外出。特别是，他希望总统答应不去剧院看戏。林肯作出了一个含含糊糊的答复。那些困扰其梦境的恐惧对他的行动并没有什么影响，他答应了妻子的提议：星期五夜里邀一帮人去剧院看戏。按照林肯夫人的计划，不是去参加格罗弗剧院的爱国聚会（门票给了塔德），而是去福特剧院，劳拉·基恩小姐在那里演出汤姆·泰勒的喜剧《咱们的美国亲戚》（*Our American Cousin*），这是她的公益演出，也是她最后一场演出。许多年来，这部轻浮的戏剧一直受到公众的追捧，精明的扬基佬阿萨·特伦查德对荒谬可笑的英国佬邓德里雷的善意嘲笑，让人们十分欣赏。战前，它在纽约首轮演出时，乔·杰斐逊和萨森一炮走红，弗洛伦斯·特伦查德这个角色是基恩小姐舞台生涯中一次引人注目的成功。然而，太多的跟风复制削弱了这部喜剧的名声，1865 年，它的票房收入只能说差强人意。

邀请格兰特和他妻子一起去剧院的建议明显出自林肯。他大概想以某种方式弥补林肯夫人的失礼：忘了邀请格兰特夫人一起驱车去城里兜风。总统在星期四见到格兰特，亲自邀请他去剧院。格兰特后来回忆，他当时的答复是：到时他们如果在城里，就一定会去，不过，如果他能够完成他的工作，他很想在星期五离开首都，去看孩子们。尽管“孩子们”后来作为他早早离去的一个貌似有理的借口，但他对总统的答复不大可能像他后来回忆的那么含糊而有条件。冷不防接到一个口头邀请，他想必脱口而出，半心半意地接受了，因为毫无疑问，按照林肯的理解，格兰特夫妇打算去剧院，当白宫的信差在星期五上午 10 点半去福特剧院预订总统包厢的时候，他是这样告诉剧院的。

格兰特想必很快就后悔自己当时没有足够的机智直率地谢绝这个邀请。格兰特夫人不大可能喜欢跟林肯夫人一起度过一个夜晚。不久前在锡蒂波因特，她痛苦地目睹了总统夫人的暴脾气，甚至有一两次遭到她愤怒的侮辱。而格兰特出于自己的原因，急着逃离华盛顿，逃离那些令人尴尬的欢迎活动。去剧院看戏正是人们向他隆重致敬的场合。去年，他就曾违背与总统的约定，让格罗弗剧院的观众大失所望，他准备在福特剧院故伎重演。

当斯坦顿听说这次剧院聚会（这违背了他所有的劝告）的时候，他激烈地表示反对。电报员贝茨说，他曾力劝格兰特不要去剧院，因为有暗杀的危险。格兰特欣然同意了，并告诉斯坦顿，他只是没有一个借口，但他并没有利用战争部给他的那个借口，也没有试着劝总统别去剧院，据贝茨说，斯坦顿曾要求他这样做。他提出了一个自始至终在使用的、有点站不住脚的借口：他想去看孩子。直到下午大约两点钟的时候，他才说出了果断的拒绝，当时，下午的报纸正在发表公告：他会去福特剧院。

格兰特在星期五上午 11 点去白宫参加内阁会议。这是一次漫长的会议，总统信心十足地预料到了约翰斯顿向谢尔曼投降，会议花了三个小时讨论联邦和谐重建的计划。格兰特的一位副官霍勒斯·波特上校听到将军向总统表示歉意，强调说，如果拖延去看孩子，他妻子会失望。总统稍稍劝了他一下，提醒他，如果他出现在剧院的话，会给那些见到他的人带来莫大的快乐。约定依然悬而未决，直到格兰特夫人的一纸便条被交到将军的手里，上面说她急着赶下午晚些时候的火车动身。就这样，在会议结束的时候，格兰特坚定地告诉总统，他决定不留下来。

弗雷德里克·西华德代替他父亲出席内阁会议，他证实了明确拒绝的时间。大约在两点钟的时候，年轻的西华德听到总统对格兰特说到剧院的事，按照他的理解，将军给出的借口是他已经有约在先。

格兰特本人把他对践约的含糊归因于他不能确定他的工作能不能在星期五及时完成。他写道："我完成了工作，并在 14 日乘坐夜晚的列车动身离开，当然给斯坦顿留了话：我不会去剧院了。"尽管格兰特对整个事情漫不经心的陈述中缺乏坦率，而且他的借口也不真诚（因为星期五他并没有多少时间去工作），但他坦率地承认，他是在最后一刻才作出决定的。

然而，根据两份记述（一份为科尔法克斯议长所作，另一份为电报员贝茨所作），据说林肯知道格兰特打算星期五那天早点离开。根据间接的证据，科尔法克斯与总统之间的谈话不可能发生于他起床期间（大约 9 点钟左右）。总统要求科尔法克斯跟他一起去看戏，并补充道，格兰特已经答应去，但他去了北方；他还说，他认为为了不让人们失望，自己必须露面。不仅格兰特直到傍晚时分依然在城里，而且，白宫信差也直到半晌午才到达福特剧院。这些话无疑是科尔法克斯在晚上 7 点半的时候与总统第二次谈话时说的。

同样，尽管贝茨认为林肯在上午说到了违约，但他多半是在傍晚探访战争部的时候说的。诺亚·布鲁克斯和他的卫兵克鲁克都证实了科尔法克斯的说法：总统是出于对公众的责任感才去福特剧院。出于某种原因，在格兰特夫妇违约之后，他并不想去。正是对这一计划的宣扬，促使他践行他原先的打算。福特剧院直到中午的时候才把通告送给傍晚出版的报纸。如果格兰特在星期四或星期五早些时候直截了当地拒绝了总统的邀请，林肯就能够“放弃整个计划”，正如他告诉布鲁克斯的那样：他宁愿这样做。

格兰特将会陪总统去观看《咱们的美国亲戚》的消息让第 10 街的这家剧院陷入了一片欢腾。约翰·T. 福特已经赶去里士满看亲戚了，但他的兄弟詹姆斯和哈里正在忙着准备一个欢庆之夜，他们清楚地意识到，总司令的出现将会让格罗弗剧院的爱国活动黯然失色。

常规排练被延长了，为的是练习一首新歌《向我们的士兵致敬》，这首歌的作曲是小威瑟斯教授。服装师卡兰先生跑去购买绶带，为演员中的先生们制作徽章，他们在演唱这首歌曲的时候要戴。订制了崭新的节目单。斯潘格勒帮着拆除隔开两间包厢的隔板，年轻的哈里·福特在布置装饰品。这项工作是剧院装饰师雷波尔德先生的责任，但他正患严重的面部神经痛，责任便落在了哈里身上。提花帘帷双包厢的两侧和中间的柱子上都绑上了国旗，而在栏杆的那边，悬挂着国库卫队那面蓝色大旗，这面旗子是特意为了当天晚上而借来的。哈里引入了一个雷波尔德从未想到过的新奇花招：把一幅华盛顿

福特剧院

将军的肖像悬挂在国库卫队这面旗子的中央。

为了把包厢装饰得优雅得体，哈里从道具室和接待室里搬来了一个沙发和几把安乐椅。其中就有总统第一次探访福特新剧院时所坐的那把豪华摇椅。哈里对这把漂亮的椅子毕恭毕敬。由于引座员总是坐在上面“用他们的头发给它涂油”，他于是把它搬到了旁边那幢大楼他自己的卧室里。那个演出季它从未被拿到包厢里使用过。哈里觉得，这一次是值得使用这把摇椅的场合，一个黑人小伙子乔·西姆斯把它顶在自己的头上走过那条小巷，把它摆放在合适的位置上供总统入座。

还需要一把椅子。它被安放在从楼厅前座通往包厢的狭窄过道里，给保镖坐。

据传闻，星期五晚上，布斯在格罗弗剧院订了一个包厢观看晚上的演出，他是偷偷摸摸地做这件事的，通过他的一个心腹密友约翰·迪里，此人是一家台球厅的老板，台球厅就坐落于格罗弗剧院正门的上方。至于自己为什么不直接去售票处，布斯给迪里的解释是：他不想为了免费赠送的座位欠经理的情。迪里说，他给布斯预订的包厢紧挨着预留给总统的包厢。

还有一个传闻说，布斯星期五上午在格罗弗剧院的办公室里，在那里听说总统接受的不是格罗弗剧院的邀请，而是福特剧院的邀请。不管怎么说，他在中午的时候得知了林肯的计划，当时他去福特剧院收邮件。

布斯在第 10 街的这家剧院的台阶上坐了下来，阅读一封信。他时不时仰脸大笑。他之所以笑，大概是想到了幸运之星，它们总是掌管着一个英雄的命运。福特剧院就是他在星期五晚上为总统选定的这样一个地方。布斯用不着在这家剧院预订包厢，他在任何时刻都无须解释自己为什么出现在那里，不管是台前，还是幕后。

后来，很多人回忆那天见到了布斯，当时，他在华盛顿四处奔走做最后的安排。然而，这些人当中没有一个是政府密探。权威部门对布斯毫不留意，就好像格利森上尉从未向战争部通报绑架密谋似的。

在他轻松悠闲的光鲜外表之下，掩藏着躁动不安的兴奋。一周以来，迪里注意到布斯在酒吧间喝掉了大量的烈酒，有时候在不到两个小时的时间内喝掉了一夸脱白兰地。那天下午，民主党新近创办的《宪政联合报》（*Constitutional Union*）的编辑在宾夕法尼亚大道上与他有过一次短暂的谈话。他后来回忆，布斯尽管看上去很清醒，但似乎有些心不在焉，神经质地移动自己的双臂和身体，仿佛在焦虑不安地思考着什么。他的一个朋友、福特剧团的演员约翰·马修斯明显能注意到他的神经紧张。当布斯骑马走过宾夕法尼亚大道、勒住缰绳跟他说话的时候，马修斯正站在威拉德酒店附近，注视着李将军手下的一群军官走过，他们在投降之前成了谢里登的战俘。马修斯谈到了这些被俘的军官，布斯把手放在额头上，大声喊道："上帝啊！我再也没有国家了！"接下来，他抓起马修斯的手，紧紧握住，恳求他帮忙在第二天早晨把一封信交到《国民通讯员报》。他说，他今天夜里可能离开华盛顿。

当马修斯接过信、揣进口袋的时候，一辆刚从威拉德酒店驶出的马车飞驰而过。"约翰，那是格兰特将军，"马修斯叫了起来，"我想他今天晚上要和总统一起去剧院。"布斯焦急地转过身，紧紧抓住他的朋友的手，然后沿着大街策马而去。

拉克夫人（助理军需署长的妻子）与格兰特夫妇一起坐马车去火车站。格兰特夫人和拉克夫人占据着后座，而将军高踞于前座，坐在车夫旁边。

正当格兰特夫妇沿着宾夕法尼亚大道动身出发的时候，一个骑马的人从他们身边经过，紧紧盯着马车里面。不久，他转过身又骑了回来。他的仔细审视引起了车里人的注意。后来，他们认为，布斯的一张照片很像这个冒昧打扰的陌生人。不管布斯是不是跟在了马车的后面，当它朝火车站的方向驶去的时候，他必定看到了堆得高高的行李，并意识到，格兰特不会践行他与总统之间的约定了。

布斯让三位同伙离开了。他为南方报仇的计划已经拓宽了。如今他打算威逼阿兹罗德特去刺杀副总统约翰逊。血腥的勾当可以放心地交给佩恩。那天夜里他将去斯坦顿的卧室。戴维·赫罗尔德当不了杀手，他可以充当佩恩的向导，帮他穿过马里兰州逃离。从剧院里绑架总统的精心组织再也不需要了，一支大口径短筒手枪不需要帮凶。布斯将孤身前往福特剧院。

斯坦顿后来告诉一帮绅士（查尔斯·狄更斯是其中之一），星期五下午大约 3 点钟的时候，斯坦顿夫人走进战争部的办公室，问她丈夫该如何回复总统让他们那天夜里一起去剧院的邀请。斯坦顿夫妇不大可能成为这次聚会的客人。勤勉工作的战争部长对看戏不感兴趣。他只有一次走进格罗弗剧院，为的是演戏期间在总统的包厢里与林肯进行一次低声交谈。斯坦顿夫人与总统夫人相处得不是很好，甚至不愿去拜访她。斯坦顿先生说，他们经常受邀参加林肯夫妇的剧院派对，但他们总是拒绝，原因是他们不赞成总统暴露自己。这一次，不出所料，他再次指示妻子寄去辞谢邀请的短柬。

下午，林肯长时间与夫人一起驱车外出之后，他同几个来自伊利诺伊州的朋友在一起待了一个小时。6 点钟，他吃了点晚饭，然后便去了街对面的战争部。从几个吵吵闹闹的醉汉身边经过的时候，林肯对保镖克鲁克说，他预感有人想要他的命。他平静地表达了自己的确信：他们会这样做的。并说，如果他们这样做的话，想要阻止是不可能的。

大概就是在这次拜访的时候，斯坦顿重申了他对剧院派对的劝告，正如电报员贝茨后来描述的那样。危险的警告只有一次影响了总统的行动，就是 1861 年秘而不宣的华盛顿之行。在林肯最近逗留锡蒂波因特期间，斯坦顿曾打电报警告他不要去前线，但第二天，总统还是若无其事地走进了里士满的喧嚣混乱中，那个地方的风险肯定远远大于华盛顿的剧院。

斯坦顿的怒视和抗议都是白费力气。发现总统无动于衷之后，斯坦顿对他说，他应该带一个能干的保镖。这是一句很奇怪的话。林肯本人完全信任他的保镖，正如他刚才在前往战争部的路上向克鲁克保证的那样，他说，他知道没有一个人能够暗杀他并活着逃走。如果斯坦顿有任何充足的理由怀疑总统保镖的能力，那么，他的职责就是直截了当地采取行动，而不是抛出拐弯抹角的批评。

对此，林肯的回应是要求斯坦顿让他带军事电报主管埃克特去剧院。有一次，埃克特当着林肯的面证明了战争部购买的一些铸铁拨火棒的糟糕质量，用自己的手臂折断了它们。总统回忆起了这一壮举，他宣称，埃克特是那天晚上陪他去剧院的合适人选。

林肯这个要求带有取笑之意。它不仅有点轻浮的味道，而且侵入了斯坦顿的权力领地。战争部长马上回答道，他有很重要的工作交给埃克特去干，不可能让他分身。尽管他暗示了对总统保镖的能力有所怀疑，但斯坦顿太生气了，太不赞成了，不可能给林肯提供一个能干的保护人，这等于鼓励他去剧院。总统亲自向埃克特提出邀请，但这位电报主管还不至于糊涂到接受邀请，因为这样就会得罪斯坦顿。

然而，为斯坦顿说句公道话，必须承认，总统在剧院里明显有充分的保护，至少远比先前很多场合好得多。尽管林肯夫妇在拼凑这次聚会的人员上遇到了很大的麻烦——就连刚刚从前线回家的罗伯特也借口太累而推辞了——但林肯夫人还是邀到了一对已经订婚的年轻两口子：哈里斯小姐和拉思伯恩少校，他们是纽约州参议员艾拉·哈里斯的女儿和继子。拉思伯恩是一个身强体壮的小伙子。武装卫兵也会守候在包厢的过道上。

当林肯带着年轻的克鲁克从战争部往回走的时候，天空乌云密布，空气变得阴冷。克鲁克本可以在 4 点钟准时下班，但换班的卫兵约翰 · F. 帕克很晚才露面，他是土生土长的特区人，有点懒，在市区警察局有着糟糕的记录。当克鲁克在白宫门口离开总统的时候，晚餐时间已经过去许久，他又累又饿。

在第 10 街，福特剧院正从傍晚的黑暗和沉寂中醒来。6 点 30 分，斯潘格勒及另外一些舞台管理人员开始工作，而油头粉面的引座员正在忙着点亮剧院的大厅。后台入口服务员皮纳特 · 约翰走到了他的岗位上。很快，演员们漫步走进了那条阴森的小巷，周围挤满了黑人的简陋棚屋。从化妆室里飘出油彩的气味，劳拉 · 基恩小姐在调整她的装束。男主演哈里 · 霍克先生在为扮演扬基佬阿萨 · 特伦查德做准备。E. A. 爱默生先生戴上了邓德里雷勋爵的大胡子。约翰 · 马修斯先生脱下了他的双排扣常礼服，口袋里装着布斯的信。威瑟斯教授到了，对演出他的歌曲感到有些紧张。

马车开始驶过第 10 街，驶上横跨在剧院前面那道排水沟上的宽阔的木板平台。看门人白金汉先生（白天是海军造船厂的木匠）站在入口处检票。人群越来越密集，门票越来越快地从白金汉的手里掠过，引座员在过道里跑上跑下。约翰 · 帕克赶来迎接总统。他是从白宫走过来的，当他在那里等候的时候，多半饶有兴味地扫视了一下节目单。过道里他坐的那把椅子看不到舞台。对戏剧感兴趣不在帕克的职责范围内，但帕克想看戏。

剧院里差不多坐满了。只有包厢空着。观众的眼睛充满期待地转向右上方的国旗和提花帘帷。威瑟斯教授举起了他的指挥棒，交响乐队演奏起来。观众席的照明灯暗了下去，两个黑人男孩拉起大幕，台

福特剧院的总统包厢

上有布景和莎士比亚的胸像，这是《咱们的美国亲戚》的第一幕。可是包厢的帘帷依然没有动静。直到 8 点过 10 分，林肯才很不情愿地站起身来，对最后一批来访者道晚安，随后坐马车穿过 8 月里那个刮风的夜晚，停在了福特剧院的门前。

尽管斯坦顿给人留下了在战争部很活跃的印象，但那天夜里，他在晚饭之后并没有工作，他去拜访西华德了。国务卿依然是个病人，从下巴受伤之后几乎没有说过话。尽管他的医生在频繁的会诊中都对他的进展表示满意，家人却仍然感到忧虑。两个康复中的士兵被派来充当护士，但他那位纤弱的妻子（她从奥本赶了过来）把夜晚的看护工作分配给了她的两个孩子，范妮和奥古斯塔斯·西华德少校，奥古斯塔斯是西点军校的毕业生，在陆军中担任军需官。

傍晚时分，老俱乐部会所里嗡嗡响起打听和关心的声音，这在一幢有重要人物生病的房子里是不可避免的。先生们坐在红色客厅和黄色客厅里，西华德经常在这里接待客人，向他们展示他收藏的世界各国君主及其大臣们的肖像，他自嘲地称这些肖像是“我的折磨者”。斯坦顿留在了那里，与其他来访者闲聊，直到大约 9 点钟，音乐声提醒他：有来自兵工厂的火把游行队伍向他致敬。来访者逐渐离开了。

家庭医生威尔第博士来访。很晚，军队里的一位外科医生来访。到10点钟的时候，西华德先生已经躺在他的床沿上打起了瞌睡。整个宅邸安静了下来。煤气灯被调低了，西华德夫人退了出去；弗雷德里克和他妻子在他们的卧室里喃喃低语；奥古斯塔斯在打盹，准备轮班照看父亲；范妮与一个男护士鲁宾逊在值班。在黄色客厅，西华德先生的“折磨者们”在画框里神秘地微笑。

门铃响了，黑人侍者威廉・贝尔跑去开门。一个身材高大、满脸通红的男人走进了大厅，他的帽子拉得很低，遮住了一只眼睛。他手里拿着一个小包。他告诉贝尔，那是药。威尔第博士派他来指导西华德先生如何服用这些药，他必须亲自递交。贝尔告诉他，他不能见西华德先生。让任何人进去都违背他的命令。

就在贝尔极力劝阻的同时，陌生人缓慢地走向楼梯。他的右手揣在外套口袋里。他个子很高，身材魁梧，穿着考究，嗓音动听，而且，他看上去对这个黑人男孩“眼冒怒火”。他的态度看上去是那么坚定，以至于贝尔在拒绝让这位派头十足的人进入时不敢做得太过分。他请求此人原谅自己，并领着他在楼梯上走了两级。他再次转向陌生人，并提醒他“脚步不要这么重”。

在三楼那昏暗而安静的房间里，范妮正守在父亲的床边，此时，沉重的脚步声响起。范妮愤怒地低声对鲁宾逊说：到底谁来了，脚步声这么冒冒失失。接下来，范妮和护士都听到了楼上大厅传来的噪声。弗雷德里克在阻止某人，带着强硬的命令口吻。瞬间一片安静，鲁宾逊没听到手枪的咔嗒声，枪没打响，然而厮打和重击的喧闹猛然袭来，他跳到了门口。鲁宾逊看到两个人在那里扭作一团。一个是弗雷德里克先生，他的头上在淌血。另一个人把他打翻在地，冲进了卧室，一把猎刀寒光闪闪，划破了鲁宾逊的额头。

病人西华德先生在半睡半醒中痛苦地坐起身来。刹那间，闯入者用拳头把范妮推到一旁，跳向病床，此刻，国务卿原先的信念想必已经动摇：暗杀不是美国人的习惯做法。他所记得的最后一件事是范妮的尖叫声。他还来不及感觉佩恩的猎刀割破自己的脸和喉咙，就从床沿翻滚在地。

奥古斯塔斯从睡梦中惊醒，只穿着衬衣和内裤冲进了父亲的房间。他看到在床脚扭打的两个人，但在昏暗的光线中，他认不出鲁宾逊，反而帮倒忙。他听到佩恩大声喊叫："我疯了！我疯了！"然后挣脱开来，冲下楼梯，砍伤了正在一楼大厅里的国务院信差汉塞尔先生。

这一切发生得太快。地板上有一顶垂边软帽，以及打破弗雷德里克脑袋的那把手枪。西华德不省人事地躺在床的旁边，他的绷带被血染红了。弗雷德里克的脑壳留下了两个洞。汉塞尔的肋部被砍得很深。奥古斯塔斯的伤势并不重，但伤口都在流血。就连老俱乐部会所的门把手上都有血迹。在这个惊悚之夜过去三个多月后，弱不禁风的西华德夫人就去世了。范妮也在一年半之后去世。

威廉·贝尔被这场突袭吓呆了，他冲下楼梯，跑到大街上，大声叫喊有人谋杀。奥格尔将军的司令部就在隔壁，然而，在15街中段与宾夕法尼亚大道的拐角上，贝尔并没有发现卫兵。这幢大楼大概由于两周前因大火受损而打乱了日常安排，奥格尔占据着第14街上的临时司令部。有三个士兵跑了过来，贝尔也跑回了老俱乐部会所。他看到佩恩正在上马，于是朝士兵们大声叫喊，但他们并没有去追赶。佩恩骑马逃跑，速度不快，以至贝尔得以拔腿紧追到I街，这才不见了佩恩的踪影。当这名侍者回来的时候，奥古斯塔斯正拿着一把手枪站在门口。他的理解力似乎格外迟钝。在他与佩恩搏斗期间，他似乎一直是一头雾水，而且，直到他与贝尔谈话，他依然没有意识到：那个把他家弄得一片混乱的人是个刺客。

一群人聚集到房子周围。匆忙召来的几个外科医生跑上了楼梯。一些士兵和市民挤进了老俱乐部会所的大门。一些外交使团的代表匆匆赶来，急着打听消息。等到吉迪恩·韦尔斯从拉法耶特广场北侧跑过来时，办公室和一楼大厅里已经挤满了人。两个惊慌失措的仆人挡在楼梯口，不让人们上楼。看到韦尔斯，他们似乎松了一口气，让他上去了。

军医署长巴恩斯姗姗来迟。正当他经过威拉德酒店的时候，一位军官告诉他：总统中枪了；在匆忙赶往白宫之前，他逗留在自己的办公室以寻求帮助。他在那里得到了命令，要他去照料西华德，他不由得猜测，另外那份报告是不是弄错了。当一个惊慌失措的黑人出租马车车夫带着一份要他去第 10 街的紧急命令走进来的时候，他正在给弗雷德里克包扎伤口。

整个城市被街头暗杀的传言所震惊。新来者告诉西华德住宅周围的人群：总统快要死了。韦尔斯曾嘲笑那个来召唤他的信差所带来的令人难以置信的故事，但眼下，他见到了西华德，不省人事地躺在那张沾满鲜血的床上。当他们走下楼梯的时候，他询问了斯坦顿，后者告诉他，他见过一个从福特剧院出来的人，关于总统的传闻是真的。

在一楼大厅里，军需部长麦格斯恳求斯坦顿不要去总统那里。另一些人挤在周围，也极力劝阻。韦尔斯认为斯坦顿犹豫了，于是不耐烦地催促他挤过人群，登上马车。麦格斯跟他一起进了马车。埃克特骑上马背，反对斯坦顿暴露自己。麦格斯派人叫来一队卫兵。终于，马车出发了，穿过奔跑的人流，战争部长和海军部长驱车驶进了第 10 街交头接耳、窃窃私语的人群中。

第19章　胜利，及刺耳的声音

一位报社记者从福特剧院双包厢的地板上捡起了一把镶银手枪。挂在栏杆上的那面国库卫队军旗上撕了一个口子，一个马刺落在舞台上。鲜血染红了哈里·福特所钟爱的那把摇椅的靠背。

总统被抬过了大街，人头攒动的过道变得空荡荡。惊慌失措的演员们悄悄溜走了，福特剧院终于安静了下来，陷入了阴郁沉寂的停业状态，再也没有上午那使之活跃起来的排练，再也没有交响乐队演奏，再也没有脚灯在大幕拉起时闪烁的光芒。这座剧院是一个巨大的、没有生命的帮凶，被打上了犯罪的烙印。赫斯先生冲了出去，打电报给身在纽约的伦纳德·格罗弗。“林肯总统今夜在福特剧院遭枪击。谢天谢地，不是咱们的剧院。”在大街上，民众高声叫喊：“烧掉这座剧院！”

在华盛顿闻所未闻的这样一个恐怖之夜过后，一个阴郁的黎明让煤气灯变得更加阴冷昏暗——只要想到那些秘密刺客，拿着猎刀和手枪，蹑手蹑脚地走过这座城市，人们心头不由得充满了恐惧。

人们听说，整个内阁被彻底消灭了。约翰逊是另一个牺牲品，格兰特在列车上被杀。人们哭泣、诅咒、抓起他们的武器，与此同时，长长的隆隆声在兵营里响起，深感震惊的部队倾巢而出。整夜，巡逻队拖着沉重的脚步穿过大街小巷，卫兵们神经紧张地守在政府官员的家门前。

凌晨时分，名流显贵们从第 10 街一家默默无闻的寄宿公寓那间小卧室鱼贯而出，雨点淋湿了正在等候消息的人群。一位医生把半美元的银币放在了林肯的眼睑上，林肯夫人被人带上马车，在看到福特剧院的时候，她大放悲声："啊，那家该死的剧院！那家该死的剧院！"7 点 30 分，丧钟敲响，国旗半降。一口长长的棺材沿着寄宿公寓狭窄的台阶被缓慢抬下来。一群军官光着头，紧跟其后向白宫走去。一路上，男女老少默然肃立，只有人们的啜泣声和士兵的脚步声打破这死一般的寂静。

第 10 街彼得森公寓，林肯在这里去世

华盛顿似乎被一声枪击给打晕了，动弹不得。所有通往这座城市的公路上都有卫兵。集市马车、牛奶马车和邮递马车全都从郊区折回来了。喝酒的场所都被警察勒令关门。政府部门和商业机构都关门大吉。剧院和音乐厅取消了它们的演出合约。音乐会和社交聚会被延期。上流社会召集会议是为了安排参加葬礼。

整个社会都为这样的犯罪感到丢脸，赶紧摆脱干系。市议会开会颂扬去世的总统，并安排佩戴悼念徽章，让市政当局的建筑物悬挂丧旗。他们还通过了一项议案，悬赏 2 万美元捉拿凶手。奥格尔将军代表华盛顿战区宣布了另外 1 万美元的悬赏。

一大早，喜庆的装饰便全部消失在黑纱的后面。白宫的立柱被裹上了黑纱，在城里每一个角落，阴森的氛围笼罩着政府大楼，笼罩着私人住处和商业场所。悲痛在穷人当中似乎是普遍的。简陋的茅棚和破屋也缠上了黑布碎片或黑丝带。在白宫门前的宾夕法尼亚大道上，成百上千的黑人肃立雨中，默默等待着。

当海军部长走下总统官邸的楼梯时，塔德呜咽着说："噢，韦尔斯先生，谁杀了我父亲？"韦尔斯和他的同伴、司法部长斯皮德禁不住流下了眼泪。他们不知道如何给这个孩子一个满意的答案。

到这时候，全华盛顿都知道了答案。当布斯跳出包厢、跑过舞台的时候，演员和观众都认出了他，很多目击者在午夜之前就指认了他。然而，他的名字并没有出现在最早的命令和电报中。把守公路的卫兵和黎明时分沿着波托马克河弗吉尼亚一侧散开的部队都接到了指令：逮捕任何一个试图离开这座城市的可疑人员。关于有人认出布斯的通告，几乎是从道听途说的迷宫中浮现出来的唯一确切的事实。骑兵和骑警迅速奔赴马里兰，搜寻他的踪迹。一个刚刚从堪萨斯州来的人，由于跟人们口中描述的布斯长得很像，于是在星期六早晨遭到了逮捕。跟布斯有交往成了一个污点，有着可怕的重要意义。那天夜里，警察拜访了萨拉特寄宿公寓。据传闻，约翰·萨拉特就是"那个砍伤西华德先生的人"。韦克曼早早去了警察总部协助调查。埃拉·特纳在俄亥俄大道上她姐姐开的妓院里吞食了氯仿。她的枕头底下放着布斯的照片，她并不感谢那些救活她的医生。

一个曾经闪烁着欢乐和天才之光的名字，一夜之间成了一个社会弃儿的名字。这名演员自作主张地谋杀了总统，这个故事听上去荒诞得让人无法相信。人们情不自禁地得出这样一个结论：布斯和他不为人知的帮凶都是一个强大组织的密探，是这个组织策划了暗杀计划，它可能再次发动袭击。回想起敌人的一些阴谋活动，在北方煽动叛乱、移交战俘、纵火焚烧北方城市……人们心里点燃了愤怒之火。在布斯这个人物背后，隐约出现了南部邦联的身影，由于武装力量已经失败，它便密谋着通过暗杀来瓦解联邦政府。

华盛顿的媒体迅速把林肯的被杀归咎于南方。最近充斥着安抚和宽恕的《星期日纪事报》在黎明时分撰写的一篇社论中宣称，叛国活动在这一罪行中达到了无以复加的顶峰。它预言，人们将普遍要求对这一叛乱行为实施报复。《星晚报》谈到了“被征服的南方昨天通过它的代理人犯下了可怕的罪行：暗杀林肯总统”。就连对林肯抱有敌意的《宪政联合报》如今也表示要为这位可敬的死者报仇，并呼唤上帝拯救共和国。

在克制和悲痛的外表之下，首都被暴民的报复心搅得不得安宁。人们站在每一个披着黑纱的街角窃窃私语，在展示着林肯肖像的商店橱窗前游荡。他们的敌意让南部邦联的士兵不敢露面。人们能看到的唯一的灰色制服是卫兵看守下的战俘的制服，这也会在人群中引发骚乱。两个南方军官在骑兵护送下露面，打破了星期天下午的宁静。起初，有人大喊：“游击队员”——也有人说他就是莫斯比本人——但叫喊声很快就变成了“布斯”。在宪兵司令办公室外，有人在大声吵闹，召来了哈勒参议员和斯平纳将军。他们极力劝说这帮人散去，但白费力气。最后，这两个南方军官通过后门被带走了，去老国会大厦寻求庇护。一场类似的游行示威发生在星期一，当时，一个战俘被误认为是布斯，另一个战俘被误认为是约翰·萨拉特。在“枪毙他们！吊死他们！”的叫喊声中，人群蜂拥着围住了这两个战俘，只是凭借老兵预备队的卫兵岿然不动，才阻止了他们被抓走。

一些行事谨慎的分离主义者在他们的房子上挂出了黑纱。只有少数几个鲁莽之徒仍敢跟公众的感情作对，于是发现自己身陷囹圄。这些人当中，有胡克师的几个女人，她们被指控因为总统的被杀而兴高采烈，并从邻居的窗户上扯下悼念的标志。当局发布了一份逮捕证，要求逮捕玛丽·简·温德尔，她是战前那些日子华盛顿社交活动的记录者，在南方待了很长时间之后，最近回到了华盛顿。温德尔小姐被指控恶意地把她住的寄宿公寓悬挂的国旗扯了下来，扔到了大街上。在第一区的传道教堂，一位传教士在他的礼拜日布道中对林肯发表了一番诋毁性的评论。会众当中的老兵预备队队员把他抓了起来，从布道坛上把他拖走了。在教堂外面，他被正式逮捕。

首都大部分牧师们都赶忙修改了他们的复活节布道词，劝说他们的会众遵守哀悼的相关礼节。当人们垂头丧气地去教堂听那些抚慰人心的陈词滥调时，阳光明媚，鸟儿在繁花盛开的树林里歌唱。一个医院的护士会记得丁香花的气味，伤心落泪的士兵走过来请求将一块黑纱和丝带系在他们的袖子上。在纽约大道的长老会教堂，总统的座位覆盖着黑纱，菲尼亚斯·D. 格利博士说到了明智的上帝那只惩罚之手。然而，一位论派的教徒们从他们的牧师威廉·H. 钱宁博士那里听到了一篇挑衅性的布道。他谴责了南方的统治阶级，并说，他们要么彻底屈服，要么就必须作为罪犯被带到法律的面前，并被宣判有罪。他的听众屡次爆发出鼓掌欢呼，有几个人在小声嘀咕："吊死他们！"

这样的群情骚动，绝非官方的温和建议和延缓的判决所能平息。在星期五夜里的绝望和歇斯底里中，斯坦顿先生用他那强有力的、颤抖的双手，勒住了政府的缰绳。有人告诉他，一个潜行者潜伏在他位于H街的房子附近，看来，他也被定为暗杀的目标。他担心有一场大规模的杀人密谋，于是把格兰特召了回来，保卫首都。在各个监狱，他命令对叛军官兵实施特别警戒。仿佛一支入侵大军正在向这座城市进逼，他指示，各要塞保持警戒，大炮配备人手。可是，尽管战争部长受了惊吓，但他并非软弱无能。当他口授命令时，政府的轮子转动了起来。整夜，当林肯躺在那里奄奄一息的时候，骑马的信差从寄宿公寓冲向了战争部。脸色煞白的电报操作员们在那里发出斯坦顿先生的电报。这些电报把华盛顿的恐惧传播到了全国各地，但它们也带去了权威的声音，消除人们的顾虑。

星期六早晨，联邦有了一位新总统。在柯克伍德酒店，安德鲁·约翰逊在他那戒备森严的房间里仓促就职，他是一个默不作声的傀儡。西华德躺在床上无法开口。斯坦顿依然大权在握。他相信，这些罪行是叛乱者蓄意策划的，为的是给南方报仇，帮助南部邦联的事业，他将调动战争部的庞大资源来证实这一点。

斯坦顿对南方的愤怒将因其盲目、激烈、持续而变得引人注目，但在林肯去世的那一天，这种对南方的愤怒席卷了首都乃至全国。就连格兰特也受到了偏见的影响。星期六下午，他打电报给里士满说："在暗杀依然是叛乱者所诉诸的常规手段时，不得不遵守极端苛刻的条件。"尽管他后来改变了主意，但他第一份严厉命令是逮捕里士满的南部邦联官员，以及所有没有作忠诚宣誓的假释军官。联邦军队充满敌意的回应，在霍雷肖·赖特将军的一份电报中有所反映，这份电报建议，为了报复他们，应该严密看管波托马克军团所控制的叛军军官。

对战败之敌的善意的嫩芽一夜之间凋萎了。整个北方，嘶哑的复仇呐喊为林肯奏响了一支刺耳的安魂曲。

葬礼的准备工作阴郁地分散了人们的注意力，某种程度上缓和了首都的群情骚动。葬礼定于星期三中午在东厅举行，紧接着将是一次盛大的游行，走向国会大厦。战争部发布了组织军事护卫队的命令，拉蒙的办公室提名了典礼官，负责引导市民的队伍，由名流显要、各界代表、上流社会和牧师们组成。博斯韦尔的精品店做广告说，它已经准备了紫貂饰带、节杖和圆花饰。各家商店销售了大量的黑手套，佩戴在帽子和手臂上的黑纱，以及装饰着林肯肖像的徽章。从纽约紧急运来了大量丧葬布料，按十分便宜的特价提供给顾客。每一趟列车都卸下了满车的来访者。第 10 街挤满了观光客，他们目不转睛地紧盯着由士兵守卫的福特剧院，蜂拥着进入那幢寄宿公寓，想看看林肯去世的房间。

星期一下午，尸体防腐师已经完成了他们的工作，林肯穿着崭新的黑色套装，躺在白宫的客房里。官员们来到四柱大床旁边鞠躬默哀，枕头上洒满鲜花。林肯夫人没有离开她的房间。仿佛死去的林肯不属于他的家庭，而是属于国家，葬礼的安排是以官方的方式作出的，总花销高达 3 万美元。木匠和服饰供应商来回穿梭于卫兵之间。在东厅的正中间，耸立着灵柩台，装饰着黑色的丝绸。半球形的华盖铺着白色的衬底，高高地耸起，以至于必须拆除中央的枝形吊灯。两个留下来的吊灯缠上了黑纱。镜框同样弄成了黑色的，并以白色的材料把玻璃盖住。一系列台阶绕房间的三面墙而建，覆盖着黑布，给媒体准备的椅子也是如此。黑色的布料遮住了窗户上带有蕾丝花边的深红色锦缎，使得房间像地下室一样昏暗。当一切准备就绪，林肯的遗体被放进了棺材，镶着银边，钉着银扣，点缀着银星。

星期二，林肯被隆重安放在东厅的灵柩台上，正如他曾经梦见的那样。军官们站在他的头边和脚边，刻板而严肃。昏暗的灯光在蒙着黑纱的镜子上和银质装饰品上闪闪烁烁，人们登上灵柩台的台阶，为的是最后看一眼他那模糊的脸庞。悲痛欲绝的队列整天川流不息地经过入口，经过绿厅，再缓慢地经过东厅，走上那个通往一扇窗户的、覆盖着黑纱的平台，队列中有很多士兵和黑人。下午快过去了，当大门关闭，长长的队列依然在宾夕法尼亚大道上等候着。

酒店里人满为患，就像林肯第一任期就职典礼时一样，据说，星期六有6 000人在大街上及火车站和杂屋里过夜。

星期三的日出时分，一场国葬唤醒了首都，这是联邦历史上最庄严肃穆的一天。所有商业场所都自愿关门，几乎每一幢房子都人去楼空，所有家庭成员、仆人、寄宿公寓老板和访客都倾巢而出，赶去寻找观看葬礼队伍的有利地点。从白宫到国会大厦，宾夕法尼亚大道两边都是黑压压的人群，挤得密不透风。有些观众攀到屋顶和大树上。拉法耶特广场和财政部的柱廊都挤满了人。早晨过去了，新来的人让整个城市人满为患——设法从部队溜出来的士兵，乘船和坐火车来的旅行者，坐干草车、驴车和迪尔伯恩马车来的乡下人。

林肯的葬礼（宾夕法尼亚大道）

万里无云，阳光灿烂，习习的和风吹动建筑物上的黑纱。当乐队列队站好的时候，人们安静的氛围顿时被乐队的小调乐曲所穿透。军官们的剑柄上系着黑纱，领着军事护卫队鱼贯而出。戴着黑手套的文职官员分列街道的两旁。来自其他城市的代表们围绕着市政厅打转。中午，教堂的钟声敲响，葬礼炮开始发出隆隆声。

在东厅香气缭绕的寂静中，媒体早早到达了。鲜花铺满了灵柩台的平台，撒在棺柩顶部。一个百合花编成的十字架竖立在林肯的头部，一个玫瑰花编成的锚安放在他的脚部。戴维·亨特将军默默地走进东厅，他的纽扣、双星和系着黑纱的佩剑闪着微弱的光。时不时地，他对另外一些军官谈到卫兵，在他们的前面，所有人都像雕塑一样站在灵柩台的旁边。装潢师轻轻敲击着最后的钉子，抚平黑纱，客人们开始陆续到来。门票被限制为600张，负责发放门票的财政部遭到了围攻。牧师、州长、市长和市议员，以及华盛顿市政当局的官员，在一排排台阶上各就各位，与他们站在一起的，还有内阁成员、法官、国会议员、外交使节和很多军官。约翰逊总统站在最低一级台阶上，面对棺柩的正中央，双手交叉，放在胸前。格兰特戴着白手套和白肩带，独自坐在灵柩台的头边。灵柩台的脚边，坐着罗伯特、塔德和托德家的几个亲戚。在整个房间里，只有七位女士：韦尔斯夫人，斯坦顿夫人，厄舍夫人，最高大法官蔡斯的两个女儿，以及丹尼森夫人和她的女儿。

格利博士发表葬礼布道词，念完结束祷告之后，棺柩被封闭。一队老兵预备队把它抬上高高的、覆盖着黑纱的灵车，由六匹灰色马拉着。在拉法耶特广场上一扇窗户的旁边，一个病人支撑在枕头上，模糊不清地看着这个移动的、装饰着羽状物的装置。西华德先生太虚弱，不可能理解它的意义，但对那些黑色的、低垂的羽状物，他会在心里保持着模糊的记忆。

当军事护卫队走上宾夕法尼亚大道时，乐队演奏的哀乐混合着教堂敲响的丧钟，葬礼炮重复着它们有条不紊的轰鸣。各团和各营踩着缓慢的节拍向前行进，枪口朝下，军旗低垂。重炮兵在他们身后隆隆驶过。数以百计的陆军和海军指挥官徒步前行。行进的队列中出现了一个意料之外的变化。从彼得斯堡赶来的第 22 黑人步兵团刚刚下船，他们发现自己没法从第 7 街走上宾夕法尼亚大道。这些黑人士兵干脆掉转方向，引领着游行队伍向国会大厦走去。

看到棺柩那一瞬间，悲痛之声沿着人行道一浪一浪向前涌，总统的马紧跟在灵车后面，主人的马靴依然留在马镫里。政坛显要、各界代表和社会名流挤满了宽阔的街道，他们有的步行，有的坐在马车里。三万人参加了葬礼游行，队伍的最后是黑人。当韦尔斯在国会大厦的悼念仪式之后沿着宾夕法尼亚大道驱车返回时，他遇到了浩浩荡荡的队列依然在前进。

林肯的遗体躺在高高的穹顶之下一个灵柩台上，又摆放了一天。墙壁被盖得严严实实，只露出了华盛顿将军的画像，上面也系着黑色的饰带。从凌晨到深夜，士兵们引导来访者排成两列，从棺柩的两侧通过。

星期五早晨 6 点，国会大厦圆形大厅里又有一场哀悼仪式。斯坦顿急匆匆地驱车赶来，由林肯的骑兵卫队护送。格兰特领着他的参谋团队出现了，另外还有一些军官，几个国会议员，以及伊利诺伊州的代表团。紧接着这次小规模的悼念仪式之后，还没等华盛顿完全醒来，棺柩就被运去了火车站。棺柩被安放在葬礼专列上，威利的小棺材也从墓穴里被拿来了，放在棺柩的脚头。葬礼仪仗队的军官各就各位，由亨特将军领头。伊利诺伊州代表团及另外一些朋友和政治伙伴都上了火车。从铁路调车场传来机车铃悲伤的叮当声。早晨国会大厦的悼念仪式原本打算避开的人群，眼下正奋力冲过士兵们在火车站围起的警戒线。

林肯的葬礼（俄亥俄州哥伦布市）

8点钟，葬礼专列驶出华盛顿，开始了一趟缓慢而迂回的旅程，它将带领这位大草原律师回到斯普林菲尔德的家。日日夜夜，沿着铁路线，在路边的车站里，在沿路城市盛况空前的悼念队伍里，林肯的同胞们源源不断地涌来，表达对他的敬意。将有700万人目送他的灵柩，超过150万人瞥见他稍纵即逝的脸庞。在首都，接下去的12天，传来全国人民伤心哭泣的喧嚣。这声音将回荡在这座已经被瞬息万变的事件、被愤怒和兴奋给搅得心烦意乱的城市。4月15日，新的一天降临华盛顿城，在葬礼的喧嚣渐次平静之后，它在正午时分迸发出了热量。

共和党激进派没有把时间浪费在对林肯的伪善哀悼上。暗杀帮了他们双倍的忙，既摆脱了一个慈悲的行政长官，又激发了全国人民对南部邦联的愤怒。林肯去世几小时之后，他们便召集了核心成员会议，筹划对南方的严厉政策。第二天，作战委员会拜会了新任总统。本杰明·韦德说："约翰逊，我们信任你。老天作证，政府的运转如今不会有麻烦了。”

就任之后的最初几天，约翰逊接受了韦德作为他的首席顾问。一帮心急如焚的政治家围绕在他身边，既有极端分子，也有保守派，全都发疯似的争相对他发挥影响，赢得他的青睐。在林肯的遗体离开华盛顿之前，约翰逊是各种代表团拜访的中心。越来越多的奉承者和恳求者让已故总统的朋友们大为反感。而约翰逊欢迎所有来访者，与他们一一握手，反复表达他的观点：叛国是一种犯罪，而犯罪必须受到惩罚。激进派坚信他们最初的判断，这个田纳西州民主党人的就任似乎是“国家的天赐之福”。

最后的叛乱行为在 4 月第三周走向了终结。乔·约翰斯顿手下那些厌战的士兵放下了武器，谢尔曼给格兰特寄去了投降条款。尽管这些条款与林肯的观念相一致，但谢尔曼超越了自己的权限，把政治问题包含在协定中。谢尔曼为他部队的功绩感到骄傲，他相信，关于媾和的事情，就像关于战争一样，将军们比文职官员懂得更多。林肯懂得如何坚定而机智地应付他，但在 4 月 21 日，林肯不过是一幅圣像，正在接受巴尔的摩人虔诚的致敬。

内阁赶忙开会，他们不能批准这些条款。格兰特本人也不同意，但他热爱并敬重谢尔曼，当斯坦顿公开指责他的朋友时，他坐在那里越听越气愤。这里没有有序的步骤来纠正一个杰出指挥官的判断失误。斯坦顿的话因为怀疑谢尔曼的动机，甚至暗示他叛国，而显得骇人听闻。

司法部长斯皮德有些担心，让人想起麦克莱伦的时代——统帅一支大军的谢尔曼打算篡夺联邦政府的权力。其他人倒是没有走得这么远，但所有人都受到了斯坦顿的影响。韦尔斯后来认为，他理解他们内心摇摆的理由。战争部长最近的情报让他们深感震惊：有证据表明，杰斐逊·戴维斯及另外一些南方官员卷入了暗杀阴谋。得知这些品格高尚的人竟然密谋暗杀，内阁成员给吓坏了，他们容易轻信任何东西。

斯坦顿公布了约翰斯顿投降的消息，同时宣布：政府拒绝了投降条款。这个故事在传播的过程中给谢尔曼造成了极大的伤害，以至于媒体一致宣判他有罪。最好的情况，他被描绘为一个头脑简单的家伙，那些“大阴谋家”（人们如今都这样描述所有南方领导人）巧妙地骗取了他的让步。格兰特被立即派去谢尔曼的司令部取而代之，但他一直留在幕后，谢尔曼与约翰斯顿缔结了另一份协定，条款与格兰特向李将军提出的条款是一样的。但是，就在他赢得胜利的那一刻，谢尔曼的名声却遭到了玷污，他巨大的声望受到了损害。在新政权的领导下，和平终于到来，却衣衫褴褛，满脸伤疤。

斯坦顿决定把南方领导人牵扯进来，他得到了从前在布坎南内阁中的同事、军法署署长霍尔特的帮助。这种对联邦政府立场的暗示，在华盛顿激发了反感。就像给哀悼伴奏的低吼声一样，仇恨的低语穿透了葬礼的庄严肃穆。那一周，《纪事报》两次对南方当局发起新的攻击，认为他们卷入了暗杀，要求用他们的鲜血赎偿他们犯下的罪行。一些忠诚的市民举行集会，强烈抗议为葬礼队伍选择的典礼官。他们宣称，其中很多人是林肯的敌人，而且，在很多情况下，他们“私下的同情被理解为偏向于这场臭名昭著的叛乱，也是我们的总统遭到暗杀的主要动因”。他们任命了一个委员会去拜访拉蒙，却发现他已经离开，登上了葬礼专列。在准备这份令人不快的名单时，他也不在城里，代理特区警察局长菲利普斯试图安抚被激怒的联邦主义者，他把这次失误的全部责任都揽到了自己身上，并提出辞职。

不久之后，斯坦顿公开宣称，刺杀林肯的阴谋源于加拿大，在里士满得到了批准。5 月 3 日，一份总统声明宣称，杰斐逊 · 戴维斯、雅各布 · 汤普森、克莱门特 · C. 克莱及其他南方绅士都默许了这场阴谋，并悬赏逮捕这些人。他们的名字被到处张贴，就像普通罪犯的名字一样，旁边写着他们的脑袋的悬赏价码。很多人直到那时依然不相信他们有罪，但下面这个说法让他们深信不疑：军法署已经掌握了证据。戴维斯成了严厉攻击的目标，对他的悬赏高达 10 万美元。《星晚报》说："他那只肆无忌惮的手引导了凶手的扳机和匕首……真正的罪犯，与其说是那名实施这一行为的疯狂演员，不如说是那些策划这项工作的冷血政治家。"

在华盛顿，就像在北方其他地方一样，这篇宣言引发了一阵恐惧的颤栗，点燃了人们对南方的怒火。这座城市为自己与罪行之间的联系感到羞愧，而这种羞愧激发了狂热的忠诚。市议会的议员们佩戴着悼念徽章，组织了一个团体，为本地建造林肯纪念碑募集资金。华盛顿急于把它的分离主义过去埋葬在遗忘中，而很多从前的居民、1861 年逃亡的分离主义者纷纷回来了，这让它感到强烈的不快。这些人似乎并不感到丢脸，而是带着一种回家的轻松神态在大街上漫步，走进各个部门，与周围的人一一握手，接受人们的热情欢迎。看到这一幕，那些忠诚的居民不免热血沸腾。市议会的一次会议成了激烈争吵的现场，争论的话题就是"这些肆无忌惮的叛国者和暗杀者，在叛乱刚开始的时候抛家舍业而去，如今像犹大一样回来了……"会议提议，应该通过一项委员会决议，为了维护公众的和平，要警告这些人远离华盛顿。然而，决议提交给了一个国会委员会。有些议员反对它，而另外一些议员则认为它毫无意义——只不过是"对风吹气"。《星晚报》跟"全国志愿兵复兴"运动咬上了，回想起他们的背叛活动，严厉斥责他们"厚颜无耻的放肆"，竟然指望"与忠诚的市民携起手来，而他们原本希望割断这些市民的喉咙"。地域间的仇视在华盛顿甚嚣尘上，市政厅门前举行了一场大规模的群众集会，抗议那些危险的、挑衅性的叛乱分子的存在。

在推行他所珍爱的计划、指控南部邦联策划谋杀的同时，斯坦顿并没有遗忘那个实际犯下罪行的人。在首都哀悼场景的背后，战争部启动了一项侦讯和震慑计划，参与这一计划的，有市区警察局及来自其他城市的侦探。监狱里塞满了嫌疑犯、证人以及他们的朋友和亲戚。传讯对象包括出租马匹给布斯及其同伙的车马出租行的老板，埃拉·特纳及俄亥俄大道上那家妓院里的其他人，福特兄弟及剧院的演员和雇员，萨拉特夫人和妹妹及两个姑娘：安娜·萨拉特和霍诺拉·菲茨帕德里克。最重要的拘捕，是4月17日夜里盲打误撞地抓获了刘易斯·佩恩。当时，他在林肯要塞附近的树林里躲藏了一段时间之后，突然回到了萨拉特寄宿公寓。奥劳克林同一天在巴尔的摩被逮住了，塞缪尔·阿诺德被关押在门罗要塞。暗杀之后那一周快结束的时候，阿兹罗德特在马里兰州他表哥的家里被逮捕。这四个人和舞台工作人员斯潘格勒全都给戴上了手铐和脚镣，扔进了海军造船厂，被关在停泊在那里的炮舰上。

公众对调查和逮捕十分好奇，却几乎得不到任何信息。报纸上为数甚少的报道证实了战争部的新闻审查。《星晚报》说，最好是为了司法的目的，才不公开调查所得出的事实。一些报纸因为公布阿诺德和阿兹罗德特被带到了华盛顿并被关押在一个“安全的地方”，遭到了战争部的训斥，在随后出版的报纸上，刊登了埃克特上校毋庸置疑的要求：再也不许发布这样的消息。

暗杀之后的第六天，斯坦顿先生宣布了悬赏金额：捉拿布斯50 000美元，赫罗尔德和阿兹罗德特各25 000美元。还提出了慷慨的悬赏，征集有助于捉拿嫌犯的信息。战争部长的公告中所使用的语言，透露了他有多么焦急。这篇公告以这样一句醒目的话开始：“谋杀我们敬爱的总统的凶手依然逍遥法外！”它最后呼吁：“无辜者的鲜血所留下的污点，必须从这块土地上擦去”，并要求“所有善良的市民都应该帮助司法部门”。

这篇公告还宣布了战争部在即将着手的审判中将会行使的权力。斯坦顿声称，所有窝藏或帮助布斯、阿兹罗德特或赫罗尔德的人，都将在军事法庭面前接受审判，并被处死，这预告了遭到起诉的密谋者本人将要遭遇的可怕厄运。战争部长并不打算把他们交给特区的民事法庭，由陪审团分别审判，因为那样必然会带来拖延与不确定。他毫不犹豫地对被告不审而判，在提到他们的时候称之为“上述罪犯”和“凶手”。

布斯下落不明是令人恼怒的一个原因，不仅斯坦顿如此，民众也是这样。关于他被俘获的隐约传闻屡次三番地在首都点燃人们的兴奋。而当它们一次次被证明是假消息的时候，人们开始绝望地相信：大规模的搜捕队都是废物，凶手已经逃之夭夭。人们不知道的是，从福特剧院的包厢里跳出来的时候，布斯的马刺被国库卫队的旗子给挂住了，他重重摔在了舞台上，折断了一条腿。他不得不半道上改变方向，去找马里兰州的老熟人塞缪尔·马德博士给他接骨头。他几乎完全残废了，他与赫罗尔德在马里兰南部躲藏了多日，然后成功地渡过了波托马克河，去了弗吉尼亚。

搜索无功而返的一个原因是搜捕队之间缺乏合作。士兵、警察和侦探被组织成了多个独立的小分队，他们满怀妒忌地守护重要线索，不让竞争对手知道。斯坦顿的悬赏加剧了他们的敌对，贪婪之心带来了一批批新的侦探，还有退役士兵和冒险家，他们纷纷来到首都，加入了这场搜捕。

暗杀之后，斯坦顿便立即向正在纽约办事的贝克上校发出了紧急召唤。贝克后来说，战争部长眼泪汪汪地迎候了他，说：“只有全靠你了。”然而，他并没有把任何协调的权力授予贝克，他纯粹是作为又一个调查者进场。他在奥格尔的司令部里遭受了冷眼，他在那里被告知，已经获得了明确的线索，用不着他帮忙。

贝克没有解释斯坦顿为什么容忍对战争部情报部门首领的这种傲慢无礼。据贝克两个最信任的下级，也是他的亲戚 L. B. 贝克中尉和 E. J. 康格中校说，他们的头儿被迫从头开始，着手调查这个案子。“当时，他所得到的信息与战争部长本人掌握的信息一样不足。”在林肯去世之后的那天，信息固然不足，但要说斯坦顿也遭到了奥格尔和他的军官们的怠慢，恐怕有点荒谬可笑。

贝克上校在第一周并没取得太多的进展。他派了几个侦探去了一趟马里兰州南部，但无功而返，他散发了一些传单，上面包含布斯和萨拉特的照片和描述，并悬赏 30 000 美元，其中 20 000 美元是华盛顿市政当局已经宣布的数额。另外一些城市和州也公布了赏金，在战争部的巨额悬赏面前，贝克的传单彻底相形见绌。

4 月 24 日星期一，贝克得到情报：布斯和赫罗尔德已经渡过了波托马克河，眼下在弗吉尼亚。这个情报的来源是秘密的。它肯定不是来自那个匿名的黑人，贝克在他自己讲述的可疑故事中把它归到这个黑人的头上。然而，华盛顿宪兵司令詹姆斯 · R. 奥贝恩少校（他负责其中一支搜索队）正在弗吉尼亚追踪布斯的踪迹。就在这个时候，奥贝恩被召回了，贝克负责指挥追踪。这位侦探头子派人叫来了康格和 L. B. 贝克，他们都是特区第 1 骑兵团的军官。贝克在一张地图上指出了逃犯过河的地点及路线，他以“侦探的灵敏直觉”，希望他们俩能走这条路线，他命令他们乘船出发，前往贝尔普莱恩，搜遍拉帕汉诺克河畔罗亚尔港的周边地区。一支援兵部队是必不可少的，于是给贝克上校派来了纽约第 16 骑兵团的一个小分队。贝克上校不仅渴望个人的胜利，而且渴望分享慷慨的赏金，他采取了防备措施：让康格和 L. B. 贝克负责指挥这次远征。

两天后，康格回来报告。他紧附贝克的耳畔，低声说出了几个单词，让这位并不容易激动的侦探头子跳了起来，跑出房间。他叫来一辆马车，两个人迅速驱车去斯坦顿的家。当贝克冲进房间的时候，战争部长正躺在沙发上睡觉。贝克大声叫道："我们逮着布斯了！"

斯坦顿把双手放在眼睛上，默不作声地躺了片刻。然后，他站起身来，冷冷地披上了外套。贝克把一些物品摆在了一张桌子上：两把手枪，一把刀子，一个裹了一层牛脂的罗盘，一个烟斗，以及一个小小的红皮日记本。他解释道，这些都是在布斯身上找到的东西。于是，战争部长明白，刺杀林肯的凶手并没有被活捉。

康格上校讲述了昨天夜里的故事，当时，布斯和赫罗尔德被包围在罗亚尔港附近一个农场的烟叶仓库里。一个死了，另一个被活捉了，他们被一艘蒸汽船带到了华盛顿，斯坦顿曾指示贝克去亚历山大港与这艘船会合。那天夜里的晚些时候，赫罗尔德被关进了炮舰"蒙塔克"号，加入了奥劳克林、阿兹罗德特和斯潘格勒的行列。这个小伙子被安放在前甲板的一条长椅上。在下游，炮舰"索格斯"号上关押着佩恩和阿诺德，还有不久前被逮捕的马德博士，以及从老国会大厦转来的萨拉特夫人。

就在贝克偷偷前往亚历山大港的同时，华盛顿陷入了一片骚乱中，因为据传闻，布斯假扮作一个黑人妇女，拄着拐杖，进入了柯克伍德酒店附近的一幢大楼。士兵们在这一地区挨家挨户地搜索。华盛顿到处在流传布斯摔伤了一条腿的故事，按照人们的理解，他应该是从马上摔下来受伤的。另一个不准确的官方情报透露的是对他衣着的描述，因为战争部被告知，布斯化妆成了一个女人。

第二天早晨，华盛顿人惊愕地看着报纸上的大字标题，贪婪地阅读贝克成功追捕嫌犯的故事，以及布斯在一间熊熊燃烧的仓库里的可耻结局。如果活捉的话，将能更好地满足人们的复仇心理。人群涌向海军造船厂，却被严厉地拒之门外。斯坦顿宣称，布斯的尸体可能

“被那些不忠诚的人当作颂扬的目标”，并命令贝克增强“蒙塔克”号的守卫，防止南方同情者争抢尸体。巴恩斯、霍尔特、埃克特和另外几个官员被允许登船。有一次尸检，尸体被正式辨认，拍照，然后被缝进一个麻袋里。

贝克说，尽管有种种预防措施，但一些“身居高位的人，以及一些有分离主义倾向的人”还是成功地登上了“蒙塔克”号炮舰。在离船上岸一段时间之后，贝克回来的时候发现，这些人聚集在布斯尸体的周围。麻袋的缝合线给撕开了，一位女士剪下了这名演员的一绺黑色卷发。贝克把这绺头发强行从她手里抢了下来，把这些参观者统统赶下了船。

即使是这个戏剧性的插曲，也难以解释斯坦顿对隐藏布斯尸体的过度担心。仿佛是出于一种迷信的恐惧，担心尸体站起来再次发动袭击，战争部长下令立即秘密下葬。贝克上校与他的堂弟贝克中尉一起，十分突然地从“蒙塔克”号上运走了尸体，以至于军官们都惊得目瞪口呆。就连海军造船厂的司令官也没接到搬走尸体的通知，他订购的那只用来封装尸体的盒子留在了船甲板上。

老监狱（自战争爆发以来，它就一直被用作仓库，存放弹药和兵工厂的其他财产）一个底层房间的地板上被挖了一个浅坑。午夜时分，借着一只在枪匣子包装盒上方摇曳闪烁的灯笼的光亮，布斯的尸体被放进了这个坑里。在填上土并弄平之后，看不出任何埋葬的痕迹。这间储藏室被锁上了，钥匙交给了西华德先生。几个知道埋葬地的人都宣誓保密。

尸体的突然消失引发了人们的胡乱猜疑。有谣言说，它被扔进了吉斯博罗岬角附近的沼泽地里，那是一片堆放骡马尸体的垃圾场。还有报道说，它被焚烧、肢解，沉入了波托马克河。公众心里这种情节剧般的神秘感，最终引发了这样的猜疑：鉴定布斯的尸体是一个恶作剧，凶手实际上已经逃之夭夭。

下葬之后不久，年久失修的老监狱成了一个臭名昭著的重要地方。几个受到指控的同谋被监禁在那里。当八个囚犯（七男一女）被安顿在第三层牢房里的时候，兵工厂大院里的这座监狱再一次听到卫兵沉重的脚步声和镣铐的叮当声。他们被转交给汉考克将军看管，将军奉命率领强大的援兵增援保卫首都的部队。一位专门负责这次审判的军法官约翰·F. 哈特兰夫特将军率领一个旅的士兵和老兵预备队的一个小分队守卫这座监狱。囚犯们被单独监禁。看守他们的卫兵被禁止与他们交谈，他们还被置于一队侦探的监视之下。每个人在被逮捕时都戴上了沉重的镣铐，手和脚都有。在老监狱，他们也被戴上了僵硬的镣铐，手铐通过一根刚硬的铁条连在一起。

在严厉对待被告这件事上，斯坦顿毫不犹豫地动用了酷刑。在他们被监禁在炮艇上的时候，他就曾作出指示：为了更好地避免他们交谈，应该用帆布口袋罩住他们的脑袋。男性囚犯被罩在令人窒息的厚重麻袋里，麻袋一直罩到胸部，牢牢绑在脖子和身体四周。他们被迫通过嘴上的一个气孔进食，对于这些眼睛看不见、双手戴着铐的人来说，这实在是一项困难的绝技。甚至不允许他们移去麻袋以便洗洗他们那肿胀的脸。到了老监狱，麻袋换成了扎紧的兜帽，垫有一英寸厚的棉花。兵工厂的军医官负责给囚犯看病，他担心兜帽会引发精神错乱，并声称，他和一些精神病专家的陈述说服了斯坦顿移去囚犯的头套。就其他嫌犯的情形而言，这话可能是真的，据这位军医说，他们在监狱受到了类似的对待，但这几个受到指控的密谋者在整个审判期间一直戴着头套，只有在法庭诉讼期间才解开。

那个时期，日益严重的敌意让战争部可以放开手脚。囚犯们被视为社会弃儿，得不到人们的同情。就连分离主义同情者也对他们转过脸去。威廉·E. 多斯特写道："叛乱分子……渴望以一种热情友好的方式站在胜利的一方想问题……他们在一帮被遗弃的密谋者身上找到了再合适不过的共同谴责的对象——这是一种最可接受的手段，可以让人们认为自己站在忠诚者的一边。”只有萨拉特夫人的情形引发了不安。任何女人在军事法庭面前接受审判都会让全社会感到震惊。萨拉特夫人有着清白、正派而虔诚的良好记录。她被免去了男性囚犯所遭受的某些虐待，但没有逃过战争部毫不留情的起诉。军法署的论点是，她那个失踪的儿子约翰在暗杀阴谋中的严重性仅次于布斯。房客韦克曼被监禁在卡罗尔监狱，由于担心自己的脖子被套上绞索，于是在证词中把约翰的母亲牵扯了进来。

斯坦顿亲自担负起了调查的指导工作。夜复一夜，他辛苦工作到黎明，其动力源于一个强烈愿望：要在斯普林菲尔德举行林肯的安葬仪式之前看到被告被判有罪并被处决。在准备这个案子的过程中，他与 H. R. 伯内特上校通力合作，伯内特是个年轻而精力充沛的军法检察官，他在西部赢得死刑判决上有过辉煌的记录，因此被召到华盛顿。当伯内特在林肯葬礼的那天抵达时，却发现，就连指控布斯的证据也很难令人信服。宪兵司令奥贝恩派出的一支骑兵队当时正在满腹狐疑地监视马德博士，两天后，在这位医生的家里找到了一只马靴，里面有布斯姓名的缩写。在伯内特看来，纽约的制作者对这只马靴的辨认，是第一份确切的证据，证明了布斯就是刺客。

然而，除了这一点之外，事实证明，伯内特并不是一个坚持确凿证据的人。他充满热情地着手这样一桩案子，其所依赖的证据，相信贝克上校能够搞到——逼供，曲解，必要的时候甚至捏造。这次起诉的目的，就是要在一场基于一般性的、措辞不严谨的密谋指控的大规模审判中发现这些囚犯有罪。凭借这一办法，参与绑架密谋等同于暗杀，而绑架密谋有可能牵涉到萨拉特夫人，还有阿诺德和马德博士，他们都能够证明：4 月 14 日夜里他们不在华盛顿。在列为证据的物品当中，布斯的袖珍日记本被排除掉了。上面记录的内容清楚地表明：最初的计划并不是暗杀。

尽管斯坦顿并没有在三个礼拜的时间内成功地处置这些被告，但 5 月 4 日，当华盛顿听到斯普林菲尔德葬礼炮和致敬礼炮声的时候，审判的准备工作差不多完成了。司法部长斯皮德提出了这样一个观点：这些囚犯可以合法地在军事法庭面前接受审判，从而把战争部的诉讼程序合法化了，而且，总统已经下令，委派九个军官负责这项任务。贝克上校把他的一系列证人集中了起来，已经准备好老监狱三楼的一个房间作为法庭。它沿纵向被三根柱子分开，四个栅格窗户通风糟糕，这个房间唯一的适用性在于：它通过一道铁门与监禁囚犯的那栋楼相连。跨过这道墙建起了一个狭窄的、用栏杆围起来的平台，充当被告席。房间用石灰水重新粉刷过，铺上了椰棕地毡，准备了几张桌子和几把椅子，以及一个证人席。

5 月 10 日，审判开始，向几个囚犯宣读了指控。他们被指控与布斯、萨拉特、杰斐逊 · 戴维斯及其他南方官员一起密谋杀害林肯、约翰逊、西华德和格兰特。有清楚的案由指控佩恩（他被指认为刺杀西华德的凶手），以及布斯的同伙赫罗尔德；阿兹罗德特被指控埋伏在那里等待约翰逊，意图谋杀他；奥劳克林的观灯之游给他带来了一项特有的指控：在斯坦顿的招待会上伏击格兰特；斯潘格勒被指控帮助布斯在福特剧院做准备，协助他逃跑。检方要求对所有被告判死刑。囚犯在法庭上与各自的辩护律师进行了沟通，通过被告席的栅栏低声耳语。所有人都作无罪辩护，请求单独审判，这一请求一一被拒绝。

引人注目的是，这八个社会弃儿都得到了声望卓著的辩护律师。其中最著名的是来自马里兰州的参议员雷弗迪 · 约翰逊，他负责给萨拉特夫人辩护。然而，在法庭面前，他的服务因为同情南方而被宣布

审判暗杀林肯的同谋

无效。他很快就退出了，把案子交给两个毫无经验的年轻人。谢尔曼的连襟托马斯·尤因将军是辩护律师之一，而前宪兵队长多斯特则承担了一项毫无希望的任务：为阿兹罗德特和佩恩辩护。

最初的打算是秘密开庭审理，但因为媒体对军事高压手段的强烈抗议，不久之后，法庭对报社记者和能够弄到通行证的旁听者开放。暖和的5月过去以后，一些观光客便聚集在老监狱。

《纽约世界报》(*New York World*)的记者乔治·阿尔弗雷德·汤森写道："左侧大门旁边，完全成了一个马车停车场，从这些马车上，走下来了将军们的妻子，穿着瑟瑟作响的绫罗绸缎，还有国会议员的女儿，打扮得花枝招展，一些小姑娘希望自己看上去像年轻的女士，和'老爸'一起来看杀人犯；甚至有新娘来到这里，脸上带着新婚的潮红……她们叽叽喳喳，满脸笑容，走上三层楼梯，进入法庭，它大约像普通城镇住宅的客厅那么大。"

观众混乱地挤在柱子左边的空间里，那里有一张长桌子，是为媒体准备的。女士们喋喋不休的低语让专心追踪证据的记者们烦不胜烦。犯人们的辩护律师坐在媒体桌桌尾，经常被人群挡住视线，看不到占据着柱子另一侧空间的法庭。

在一张铺着绿色桌布的长桌的桌首，坐着这个特别军事法庭的庭长大卫·亨特将军，两边是他的同僚军官：两位少将、四位准将和两位上校，全都无可怀疑地忠诚于共和党。亨特新近刚从他的荣誉职位（林肯棺柩护送队之首）上卸任，他既是激进派的同情者，又长期对已故总统忠心耿耿。阿尔比恩·P. 豪将军负责华盛顿的炮兵站。克伦德宁上校被派到长期驻守首都的伊利诺伊第 8 骑兵团。刘易斯·华莱士将军因坚守蒙诺卡西河而广为人知。

有一张桌子紧挨着军事法庭这九位军官的桌子，桌边坐着的，是军法署署长霍尔特将军和他的两个助手：伯内特上校和约翰·A. 宾厄姆先生，根据军法的规定，他们都是军事法庭的成员。宾厄姆是来自俄亥俄州的前共和党国会议员，是一个成功的刑事律师。在这次审判中，他因为威吓辩护律师而倍受关注。

军官们全都一身制服，但是，当他们满不在乎地、懒洋洋地靠在椅子上的时候，他们的样子看上去既不像举止得体的军人，也不像严肃庄重的法官。窃窃私语的女士们来到这里，可不是为了观看这些组成军事法庭的并不令人敬畏的先生们。所有的观众都目不转睛地紧盯着房间尽头的被告席。

当铁门打开的时候，列队走进来了七个当啷作响的人，就像从噩梦中走出来的幽灵，头上戴着有衬垫的头罩。每个人都由一个老兵预备队的穿浅蓝色制服的士兵押送。他们当中的两个人——佩恩和阿兹罗德特——的腿上绑着沉重的铁球，当他们拖着沉重的脚步走上被告席的时候，他们的看守便把这些铁球提了起来。囚犯们刚一落座，他们的头罩便被扯掉了，春天太阳的强光照进他们那双已经习惯黑暗的眼睛里。他们眯着眼睛，躲闪退缩，头发蓬乱，胡子拉碴，这样的尊容给了一些胡编乱造的记者以灵感，用一些骇人听闻的报道，描写他们疯狂而嗜杀的模样。

其中四个囚犯看上去被他们可怕的处境给压垮了。阿兹罗德特因为恐惧而显得情绪低落；塞缪尔·阿诺德坐在那里沉思，对诉讼程序漠不关心；奥劳克林依然穿着他那身花哨的套装，艰难地移动他那双锁着镣铐的双脚，不安地转动他那双黑色的大眼睛；斯潘格勒的手指连续不断在他的大腿上下抽动。其他三个，戴维·赫罗尔德一边扯着他刚长出的胡子，一边茫然地微笑，似乎为他吸引到的关注而感到高兴；马德博士那张温和而充满智慧的脸庞在被告席上悲剧性地显得格格不入，他看上去对自己深信不疑；佩恩身材高大，肌肉在紧身针织衬衫底下凸起，他笔直地坐在那里，头靠着墙，目不转睛地注视着人群。他极好的体形和挑衅的举止在观众中激起了一种不太情愿的钦佩。佩恩那迟钝的大脑只掌握了一门功课：做一个优秀士兵。他服从命令，时刻准备慷慨赴死。

萨拉特夫人

从这个铁门通过的队列中，最后一人是萨拉特夫人。当她蹒跚着走到这一排人尽头的位置（跟其余的人之间有一小段间隔）时，法庭里很多人听到了她的裙子底下镣铐的叮当声。她的脸庞，连同她那母亲般无辜的表情，被蒙上了厚重的面纱；她始终把脸转向墙壁，不断地扇扇子。据一位观察者说，她一直在可怜巴巴地呻吟，恳求给她拿点水来。萨拉特夫人正在生病，绝经期所伴随的失调让她变得十分虚弱。

从一开始，军事法官的倾向就一清二楚。军事法庭的军官们懒洋洋地靠在那里，十分顺从地与起诉方保持一致。审判将会沿着斯坦顿指明的方向，一路走向最终的裁决：7 月的某个日子，将会在兵工厂大院里的一个绞刑架上吊死萨拉特夫人，连同佩恩、阿兹罗德特和赫罗尔德，而另外几个人将被流放到海龟岛那片岩石嶙峋的不毛之地。

在刷过石灰水的法庭外面，芬芳的街道被刷上了联邦国旗的蓝色。百万士兵的退伍在 4 月底开始。等待解散的部队陆续抵达首都。三个军和谢里登的骑兵来自波托马克军团，四个军来自谢尔曼的部队。在每一个斜坡和山脊上，他们的营地从城市向外辐射，纵深数英里，“白天军乐嘹亮，夜晚烟雾缭绕、灯火闪烁”。很多士兵强烈反对军法审判密谋者。他们杀的人已经够多了。他们奉献自己的鲜血和汗水，为的是另外的理想，而不是老监狱里的审判。在 5 月的最后两天，他们胜利地行进在宾夕法尼亚大道上，街道被挤得水泄不通，以至于证人都没办法到达兵工厂大院。军法审判适时地在共和国军队盛大检阅期间宣布暂停。

当首都准备最后的也是最大的庆祝战争胜利的游行时，人们的兴致被重新激活了。悼念的标志都被摘下来了，这座城市再一次装饰上了国旗的颜色。在所有庆祝活动的展示品中，只有一件提醒人们回想起那场悲剧——国库卫队的那面蓝色军旗，它被布斯的马刺撕开了一个口子，就像战斗留下的伤疤。

在白宫前面竖起了一个有棚顶的临时建筑，装饰着国旗、鲜花和常青树枝，顶上排列着这场战争中的大战的名字。总统和格兰特将军将会在这里检阅部队，陪伴他们的，有内阁成员、外交使团及其他显贵。在宾夕法尼亚大道那边，有一个大看台，是给各州州长、国会议员和最高法院大法官们准备的。另有一些看台为陆军和海军的军官、媒体记者、受邀客人、各州代表及伤残士兵提供了空间，还有几排座位沿着宾夕法尼亚大道两侧向前延伸。

人满为患的状况持续了四年以后，大量人员的涌入让华盛顿不堪重负。寄宿公寓的房间全都被订出去了，一伙来自波士顿的年轻女士（其中一位将成为亨利·亚当斯夫人）兴高采烈地占据了威拉德酒店旁边一幢房子的一个单间阁楼。在大阅兵的前一天，姑娘们驱车去了乔治敦，向路过的部队欢呼致敬："你们是哪个团的？"小伙子们大声回答："密歇根！"或："威斯康星！"或："艾奥瓦！"

5 月 23 日的日出时分，观众在不断聚集。天空湛蓝，一阵微风吹动玫瑰，从国会大厦到白宫，宾夕法尼亚大道上国旗飘扬，手帕挥舞，9 点钟的时候，一声炮响，米德将军骑着他那匹装饰着花环的战马，走在波托马克军团的前头。

乐队发出刺耳的声音，绕过国会大厦的拐角，走来了谢里登的骑兵队列，让这条大街在一个小时的时间里充满了喧嚣：得得的马蹄声，马刀的碰撞声，以及军号尖利的哀鸣声。在他的骑兵师的前面，是卡斯特骑在马上的飒爽英姿，像他自己一样披着红色的披肩，穿着鹿皮马裤，黄色的长发随风飘动，"半是将军，半是童子军"。当一个扔出去的花环惊着了卡斯特的战马时，白宫附近的人群不由得倒吸一口凉气，这位年轻的将军发疯似的从检阅台前疾驰而过，挥舞着马刀向台上的人致敬。当他勒住缰绳，优雅地倒退到队伍前列的时候，人群大声欢呼。

在宪兵司令的部队和几个工程兵旅的后面，三个著名的步兵军中的第一个军大摇大摆地走向白宫——它就是伯恩赛德从前的部队第 9 军，其徽章是一个盾牌，上面有交叉的锚和大炮。后面跟着的是第 5 军，他们佩戴着马耳他十字，再后面是第 2 军，他们的徽章是苜蓿叶。将军及其参谋团队率领着各旅和各师，以机械般的精准步伐向前行进。有骑马的炮兵拉着他们的大炮，工兵拖着他们的浮桥和小船，有花哨的轻步兵，爱尔兰裔志愿兵的帽子上插着绿色的嫩树枝。这些只是整齐划一的蓝色队列中的小变化，他们 60 个人并排行进，穿着紧身外套，戴着漂亮的法式平顶军帽，他们的刺刀齐刷刷地斜向排列，闪闪发光。

人群聚集在看台和屋顶上，从窗户和阳台上探出身子，完全忘掉了他们的失望：谢里登被派去格兰德河，没有跟他的骑兵一起接受检阅；第 6 军——记忆中充满感激的希腊十字架——留在了弗吉尼亚。他们跟着乐队的演奏齐声合唱：《前进！前进！向前进！》《当这场残酷的战争结束时》和《当约翰尼迈步回家时》。雨点般的花束和花环抛向军官和他们的战马，堆积在大炮上，装饰着国旗，铺满了街道。因为这是华盛顿自己的军队。首都眼睁睁地看着他们从一盘散沙、毫无训练的毛头小伙子成长起来。他们建造了这座城市的防御工事，在弗吉尼亚的泥潭中组成了一道活的栅栏。他们在安提塔姆和葛底斯堡阻挡了李将军的部队，缓慢地杀开了一条通往阿波马托克斯的血路。当战旗从面前经过时，人们热泪盈眶，很多人冲进街道，狂吻他们破烂的衣衫。

大阅兵（宾夕法尼亚大道）

穿过掌声、鲜花和歌声，部队走过财政部大楼，再向右转，经过白宫前面的检阅台。当各军和各师指挥官走过的时候，总统、格兰特将军、斯坦顿先生及其余的人都站起身来，在欢呼声中，剑被放下，旗被降下。米德将军在检阅台上就位，然后依次是各军的指挥官——梅里特、帕克、格里芬和汉弗莱们，在弗吉尼亚荒野赢得很高荣誉的将军们。整整一天，米德那张戴着眼镜的军人的脸一直俯瞰着军队的盛装游行，正是他带领这支大军走向胜利，而胜利的荣耀却被格兰特所遮蔽。将近傍晚，嘶哑的欢呼声渐次沉寂，最后的苜蓿叶徽章消失在检阅台的视野之外。

第二天一大早，带着被旺盛的好奇心所激发的巨大热情，人群纷纷涌上大街，欢迎来自西部的陌生人。信号弹隆隆响起，威廉·特库姆塞·谢尔曼将军骑马走上宾夕法尼亚大道，太阳再次鲜亮起来。大多数观众第一次见到这位个子很高、瘦削结实、有点神经质的军人，他的脸上布满深深的皱纹，红色的胡须已经花白，微笑有一种意想不到的甜美。他只是一时受到争议。那一天，谢尔曼再次成为英雄，像他的战马一样被鲜花所覆盖，当乐队奏响一支欢快的新乐曲《穿越佐治亚》时，人群爆发出猛烈的欢呼声。他的同胞们已经忘掉了曾经不公正地诋毁过他的名誉，但谢尔曼没有忘记。在检阅台上，当斯坦顿伸出手的时候，谢尔曼满脸阴云，随即面红耳赤，他无礼地转过身去。

独臂将军奥利弗·O. 霍华德与谢尔曼并辔而行，他曾经指挥波托马克军团的第 11 军，华盛顿知道他如今是被解放黑奴事务管理局的局长。直到最近，他还在指挥田纳西军团，他的继任者是前国会议员约翰·A. 洛根，华盛顿人认出了他，并朝他欢呼致敬，弗朗西斯·P. 布莱尔也是如此，他率领着第 17 军。亨利·W. 斯洛克姆将军是佐治亚军团的指挥官，从前率领波托马克军团的第 12 军。在军人的行进队列中，还有几张熟悉的面孔属于例外，他们的徽章对首都来说是陌生的，例如第 15 军的子弹盒，第 17 军的箭头，第 20 军的五角星，以及第 14 军的橡子。

谢尔曼为自己的军队而骄傲，这种骄傲让他有些紧张，他担心人们可能把它跟东部的军队作不利的比较。但他走上财政部大楼前面那段高坡的顶端时，他在马鞍上转身向后看了一眼，然后继续策马前行，心里非常满意。在检阅时就像在战场上一样，西部的士兵们可以挑战世界上任何一支军队。他们缺乏整洁的穿着和精准的步伐，这些都是麦克莱伦在阅兵礼上留给波托马克军团的遗产。他们当中大多数人穿着松松垮垮的上衣，而不是整齐划一的夹克，黑色的宽边软帽取代了翘起的法式平顶军帽。有些人衣衫褴褛，有些人没穿鞋子。他们看上去骨瘦如柴、粗鲁野蛮，就像边境士兵一样，比东部人更高、更瘦。在他们此起彼伏、节奏整齐的步伐中，有某种大胆、好战而庄严的东西。它似乎要把整个宾夕法尼亚大道的长度缩小为一步，让人们想起那些强壮有力的长腿曾经跨越万水千山。一整天，华盛顿都在大声喝彩，把鲜花抛向这些西部人。他们破烂而肮脏的战旗上写满了传说：多纳尔森、夏伊洛、维克斯堡、查塔努加、亚特兰大、萨凡纳、南北卡罗来纳……

国会大厦

这些名字，全都在讲述着联邦军胜利的故事。

欢呼声也献给了一些新奇的场面，比波托马克军团的队伍所提供的任何场面都更加有趣。西部军队忠诚的护士比克戴克大妈穿着印花布裙、戴着太阳帽，坐在女式马鞍上。由大个子黑人组成的轻工兵拿着尖镐、铁锹和斧头，走在各师的最前头。懒汉旅由谢尔曼军队的粮草员组成，走在最前面的是一个黑人，骑在一头小驴上。他们有一个马车队，装着锅盆碗盏，一群骡子驮着火鸡、鹅和鸡。有母牛、绵羊、山羊、狗、浣熊，还有一只卷毛狗和一只猴子，全都成群结队地沿着宾夕法尼亚大道往前走，跟在一起的，有一群穿着五颜六色的逃亡黑奴，起初，他们试图保持端庄威严的样子，但很快就随着乐不可支的观众一起咧嘴大笑。

“好哇，好哇，我们带来大赦之年！”在佐治亚和南北卡罗来纳，谢尔曼的士兵被人辱骂为破坏者和抢劫者。在穿越南部邦联的行军过程中，大多数过激行为都是不守纪律的掉队者干的。然而，在粮草员和骑兵当中，以及在阔步行进的步兵当中，也有人在南方一些豪宅大院的熊熊大火中手舞足蹈。如今，战争的狂欢已经结束，少数这样的人也和其他人一起，勇敢地沿着宾夕法尼亚大道向前行进，就像那些歇斯底里已经耗尽的私刑执行者一样，也被洗清了罪孽。

太阳已经偏西，谢尔曼的人散去了，去一醉方休，去扰乱华盛顿的平静，在酒吧里跟东部士兵打架，猛烈抨击斯坦顿的名字。盛大的阅兵式已经结束。这两天的时间里，华盛顿忘掉了那些煽动者，忘掉了纷争和军方的暴政；不再记得那几个囚犯，他们在等待定罪的时候，闷在头罩里大汗淋漓。当蓝衣军团浩浩荡荡走过宾夕法尼亚大道的时候，上帝再一次闪烁光芒。冷酷无情的年轻面庞，飘扬的旗帜，以及华丽而伤感的曲调，就像青春的温柔记忆，复活了那种让国家保持统一的信念和勇气。15 万老兵向前行进，但即便是毫无想象力的人也看到了一支更为庞大的队伍经过。损兵折将的各团，将官们年轻的面庞，战地指挥官的严重缺乏……所有这一切都在提醒人们，让他们回想起联邦的烈士所组成的那支影子大军，他们将近 50 万人。在略显单薄的队列里，他们似乎就排列在破烂不堪的战旗后面：有曾经在华盛顿操练和狂欢作乐的无名小伙子，有白发苍苍的曼斯菲尔德和埃德温·萨姆纳，有一只袖子空空荡荡的卡尼，还有沃兹沃思，在用手指抚弄祖父留下的宝剑。检阅台上，在安德鲁·约翰逊和眉飞色舞的显贵们组成的那片黑压压的人群后面，似乎有一个模糊不清的身影站了起来，那就是林肯，他面容和善地俯视着联邦军凯旋的盛况。

在下午金色的光线里，一个想象力丰富的人可能在宾夕法尼亚大道上看到了另外一些幽灵。在记忆里的某场盛大阅兵中，走过了这样一个游行队列，他们是度假的士兵、投机商、外国冒险家、领了津贴便开小差的新兵、身穿灰色制服的战俘、间谍、侦探和妓女。布坎南先生在进行健身散步，脑袋僵硬地歪向一侧。斯科特将军在两个年轻副官的搀扶下步履蹒跚地走过。焦急的麦克道尔肩负着他的使命，默默无闻地在那里艰难跋涉。麦克莱伦策马从尘土中穿过，他的参谋团队紧跟在他后面。布兰克在炫耀他那件红色衬底的斗篷，斯通在寻求公正。约翰·波普这个昙花一现的军队偶像，坐在马鞍上摆姿势。太太们坐在马车里，涂脂抹粉的姑娘们骑在马背上，她们当中有傲慢的格林豪夫人，有快乐的贝尔·博伊德，还有眼睛里透着疯狂的林肯夫人。活着的和死去的，时间之风把他们全都从华盛顿吹走了。街道上，只有疲惫不堪的人，穿过尘土、垃圾和被踩烂的花环，游游荡荡地回家去。

弗伦奇少校有点后悔决定举行这场盛大阅兵。他想，华盛顿的兴奋已经够多的了，他会很高兴看到这座城市平静下来，重回“它从前的小跑慢走的生活轨道”。但弗伦奇正在老去。从前的慢跑再也不会回到华盛顿了。它随着令人愉快的地方社会、咧嘴而笑的奴隶和种植园主政治家们的宽边帽一起，永远消失不见了。战争在华盛顿留下了它至高无上的标志，不是在扬基佬追求效率的忙乱中，不是在逃亡黑奴的那些东倒西歪的棚屋里，也不是在巨大的白色医院留下的皑皑白骨中，而是在联邦大规模集中的权力中，这种集权把一个专门用于政府事务的乡村小镇转变成了联邦的中枢。一个重建国家的首都不会给史册留下毫无污点的一页。在即将到来的那些日子里，一个有道德感的人将会发现，这里比悲惨的里士满大街有更多悲哀的理由。但是，北方和南方，这个成分复杂的同时又是任性和坚定的民族有着强大的力量。凭借带领它熬过四年内战的那种坚韧，这个国家一定会在和平时期的困苦中幸存下来。走出了痛苦、混乱和腐败，华盛顿作为一个强大国家的首都而牢固地确立。看着那些公共建筑，再也没有一个人说到古代的废墟。

在 1865 年晚春的温暖气候里，这座城市感觉到了军队的迅速退潮。在不长的一段时间里，它忍受了喧嚣和拥挤的人群，以及谢尔曼的那些疯狂追随者的吵闹。暂时，脚步声依然沉重，马车依然隆隆驶过，在逐渐变暗的小山上，营地像萤火虫一样闪烁着光亮。战争部的职员在统计人数和薪水册。日复一日，欢呼雀跃的部队陆续离去。乡村开始呈现出废弃露天游乐场的样子，安静笼罩着这座城市遍体鳞伤的街道。

全国各地，无论穿蓝色制服，还是穿灰色制服，士兵们络绎回家：重拾起昔日的卑微抱负；重新熟悉他们的妻子，狂吻陌生的婴儿（在度假期间怀上的）；骑着他们的战马去商店和工厂，把它们拴在婴儿车上和犁上；想到枪便认为那是射杀鹌鹑和松鼠的家什，想到大炮便认为那是独立日鸣响的礼炮；记忆里的纪律和服从都是昙花一现的美德，与美国人强调个人奋斗的做派格格不入。

在波托马克河对岸，大炮陷入了无边的寂静。卫兵们从华盛顿的大桥上走来。弗吉尼亚人不再是敌人，而是耕田种地的农夫，把他们的作物运到城里集市上。有军队留下的大量废物作肥料，种植多年生作物的田野绿意盎然。在国会大厦的穹顶上，“武装自由女神”斜倚在她那把已经入鞘的宝剑上。

人名译名对照表

Adams, Charles Francis　查尔斯·弗朗西斯·亚当斯
Adams, Henry　亨利·亚当斯
Aderson, Robert　罗伯特·安德森
Alcott, Bronson　布朗森·奥尔科特
Alcott, Louisa M.　路易莎·M. 奥尔科特
Anderson, Robert　罗伯特·安德森
Antoinette, Marie　玛丽·安托万内特
Arnold, Samuel　塞缪尔·阿诺德
Astor, John Jacob　约翰·雅各布·阿斯特
Atzerodt, George　乔治·阿兹罗德特
Augur, Christopher C.　克里斯托弗·C. 奥格尔
Augusta　奥古斯塔
Austin, Sarah　莎拉·奥斯丁

Bacon, Peter　彼得·培根
Bailey, Buck　巴克·贝利
Baker, Edward D.　爱德华·D. 贝克
Baker, La Fayette C.　拉法耶特·C. 贝克
Balzer　鲍尔泽
Bancroft, George　乔治·班克罗夫特
Banks, Nathaniel P.　纳撒尼尔·P. 班克斯
Barnard, John G.　约翰·G. 巴纳德
Barnes, Joseph K.　约瑟夫·K. 巴恩斯
Barnum　巴纳姆
Barry, William F.　威廉·F. 巴里
Barton, Clara　克拉拉·巴顿
Barton, John　约翰·巴顿
Bartow　巴托
Bates, David　戴维·贝茨
Bates, Edward　爱德华·贝茨
Baxley　巴克斯利
Bates　贝茨
Beauregard, Pierre G. T.　皮埃尔·G. T. 博勒加德
Beecher, Henry Ward　亨利·沃德·比彻
Beeson　比森
Bell, Ellen Nora　埃伦·诺拉·贝尔
Bell, John　约翰·贝尔
Bell, William　威廉·贝尔
Bellows, Henry　亨利·贝洛斯
Benjamin, Judah P.　朱达·P. 本杰明
Bennett, James Gordon　詹姆斯·戈登·贝内特
Berret, James E.　詹姆斯·E. 贝雷特
Bertinatti　贝尔蒂纳蒂
Bettie　贝蒂
Bickerdyke　比克戴克
Biddle, Nick　尼克·比德尔

Bidwell 比德韦尔
Bigelow, John 约翰・比奇洛
Bingham, John A. 约翰・A. 宾厄姆
Blair, Francis P. 弗朗西斯・P. 布莱尔
Blair, Montgomery 蒙哥马利・布莱尔
Blenker, Louis 路易斯・布兰克
Bonaparte, Joseph 约瑟夫・波拿巴
Bonaparte, Napoleon Jerome 拿破仑・热罗姆・波拿巴
Bonham 博纳姆
Bonta, La 拉邦塔
Booth, Edwin 埃德温・布斯
Booth, John Wilkes 约翰・威尔克斯・布斯
Booth, Junius Brutus 朱尼厄斯・布鲁图・布斯
Booth, Madison 麦迪逊・布斯
Boswell 博斯韦尔
Bowden 鲍登
Boyd, Belle 贝尔・博伊德
Boyle, Cornelius 科尼利厄斯・博伊尔
Bradford, Augustus W. 奥古斯塔斯・W. 布拉德福
Brady, Matthew 马修・布雷迪
Breckinridge, John C. 约翰・C. 布雷肯里奇
Brinkley, David 大卫・布林克利
Brooks, Noah 诺亚・布鲁克斯
Brooks, Preston 普雷斯顿・布鲁克斯
Brown, Aaron 亚伦・布朗
Brown, John 约翰・布朗
Brown, Septimus 塞普蒂默斯・布朗
Brownell, Francis E. 弗朗西斯・E. 布劳内尔
Brownell, Kady 凯迪・布劳内尔
Browning, Orville H. 奥维利・H. 布朗宁
Buchanan, Franklin 富兰克林・布坎南
Buchanan, James 詹姆斯・布坎南
Buckingham, Catharinus P. 凯瑟尼斯・P. 白金汉
Buckner, Louisa P. 路易莎・P. 巴克纳
Buell, Don Carlos 唐卡洛斯・比尔
Bully, Johnny 约翰尼・布利
Bungy, Samuel 塞缪尔・邦吉
Burch 伯奇
Buren, Martin Van 马丁・范布伦
Burnett 伯内特
Burns, Thomas 托马斯・伯恩斯
Burnside, Ambrose E. 安布罗斯・E. 伯恩赛德
Burroughs, John 约翰・伯勒斯
Burtenett 伯滕内特
Burton, Walter 沃尔特・伯顿
Butler, Benjamin F. 本杰明・F. 巴特勒
Butler, Robert 罗伯特・巴特勒
Butterfield, Daniel 丹尼尔・巴特菲尔德

Calhoun, John C. 约翰・C. 卡尔霍恩
Cameron, Simon 西蒙・卡梅伦
Campbell, John A. 约翰・A. 坎贝尔
Carland 卡兰
Carnegie, Andrew 安德鲁・卡内基
Carpenter, Francis B. 弗朗西斯・B. 卡彭特
Carrington, Edward C. 爱德华・C. 卡林顿
Carryl 卡里尔
Cartter, David K. 戴维・K. 卡特
Chaillu, Paul du 保罗・杜・谢吕
Chandlee 钱德利
Chandler, Zachariah 撒迦利亚・钱德勒
Channing, Willam H. 威廉・H. 钱宁
Chase, Kate 凯特・蔡斯
Chase, Salmon P. 萨蒙・P. 蔡斯
Clay, Brutus 布鲁特斯・克莱
Clay, Cash 卡什・克莱
Clay, Cassius M. 卡修斯・M. 克莱
Clay, Clement C. 克莱门特・C. 克莱
Clemens, Thomas 托马斯・克莱门斯
Clement, Andrew J. 安德鲁・J. 克莱门特

Clendenin 克伦德宁
Clothilde 克洛蒂尔德
Cobb, Howell 豪厄尔・科布
Cochrane, John 约翰・科克伦斯
Colchester 科尔切斯特
Colfax, Schuyler 斯凯勒・科尔法克斯
Colyer, Vincent 文森特・科利尔
Conger 康格
Cooper, Samuel 塞缪尔・库珀
Corcoran, Michael 迈克尔・科科伦
Couch, Darius N. 达赖厄斯・N. 库奇
Crawford, Thomas 托马斯・克劳福德
Crittenden 克里滕登
Crook, Thomas 托马斯・克鲁克
Crook, William 威廉・克鲁克
Cruchet 克吕谢
Curtin 柯廷
Curtis, Samuel R. 塞缪尔・R. 柯蒂斯
Cushman, Charlotte 夏洛特・库什曼
Custer, George A. 乔治・A. 卡斯特
Cutts, Adele 阿黛尔・卡茨

D'Utassy 德尤塔西
Dahlgren, John A. 约翰・A. 达尔格伦
Dana, Charles A. 查尔斯・A. 达纳
Davenport, Jean M. 简・M. 达文波特
Davis, Henry Winter 亨利・温特・戴维斯
Davis, Jefferson 杰斐逊・戴维斯
Dean, Appolonia 阿波洛尼亚・迪安
Dean, John 约翰・迪安
Deane, Julia 朱莉亚・迪恩
Deery, John 约翰・迪里
Delarue 德拉鲁
Delmonico 德尔莫尼科
Dempsey 登普西
Dennis, Fannie 范妮・丹尼斯
Dennison, William A. 威廉・A. 丹尼森
Dickens, Charles 查尔斯・狄更斯
Diven 戴文
Dix, Dorothea L. 多萝西娅・L. 迪克斯
Dix, John A. 约翰・A. 迪克斯
Donellan 唐兰
Doster, William E. 威廉・E. 多斯特
Douglas, Adele 阿黛尔・道格拉斯
Douglas, Stephen A. 斯蒂芬・A. 道格拉斯
Douglass, Frederick 弗雷德里克・道格拉斯
Downing, Andrew J. 安德鲁・J. 唐宁
Draper, Simeon 西米恩・德雷珀
Duckett, Alfred 阿尔弗雷德・达克特
Dundreary 邓德里雷
Duprez 杜普雷兹
Duvall, Amon 阿蒙・杜瓦尔
Duvall, Bettie 贝蒂・杜瓦尔
Dyck, Van 范・戴克

Early, Jubal 朱巴尔・厄尔利
Eckert, Thomas T. 托马斯・T. 埃克特
Edward, Albert 阿尔伯特・爱德华
Edwards, Ninian 尼尼安・爱德华兹
Eliot, George 乔治・艾略特
Ellen 埃伦
Ellsworth, Elmer E. 埃尔默・E. 埃尔斯沃思
Ely, Alfred 阿尔弗雷德・伊利
Emerson 爱默生
Ericsson, John 约翰・埃里克森
Etheridge, Annie 安妮・埃瑟里奇
Ewing, Thomas 托马斯・尤因

Farragut, David G. 戴维・G. 法拉格特
Felton, Samuel M. 塞缪尔・M. 费尔顿
Fessenden 费森登
Finley, Clement A. 克莱门特・A. 芬利
Finley, Martha 玛莎・芬利
Fish, Hamilton 汉密尔顿・菲什

Fitzpatrick, Honora 霍诺拉·菲茨帕德里克
Floyd, John B. 约翰·B. 弗洛伊德
Foote 富特
Ford, John T. 约翰·T. 福特
Ford, Thomas H. 托马斯·H. 福特
Forney, John W. 约翰·W. 福尼
Forrest, Edwin 埃德温·福雷斯特
Foster, Augusta 奥古斯塔·福斯特
Fox, Gustavus 古斯塔夫·福克斯
Franklin, William B. 威廉·B. 富兰克林
Frémont, John C. 约翰·C. 弗里蒙特
French 弗伦奇
Fry, James B. 詹姆斯·B. 弗赖伊

Galt 高尔特
Garfield, James A. 詹姆斯·A. 加菲尔德
Gautier 戈蒂埃
Gay, James D. 詹姆斯·D. 盖伊
Gerolt 格罗尔特
Gillmore, Quincy A. 昆西·A. 吉尔摩
Gleason 格利森
Goldsborough 戈尔兹伯勒
Goodloe, Daniel R. 丹尼尔·R. 古德洛
Grant, Ulysses S. 尤利西斯·S. 格兰特
Greeley, Horace 霍勒斯·格里利
Green 格林
Greenhow, Rose O'Neal 罗斯·奥尼尔·格林豪
Greenough 格里诺
Griffin 格里芬
Grimes, James W. 詹姆斯·W. 格里姆斯
Grimsley 格里姆斯利
Grover, Leonard 伦纳德·格罗弗
Gurley, Phineas D. 菲尼亚斯·D. 格利
Gurowski, Adam 亚当·古罗夫斯基
Gwin, William M. 威廉·M. 格温

Hackett, James H. 约翰·H. 哈克特
Hale, Bessie 贝茜·哈勒
Hale, John P. 约翰·P. 哈勒
Haliday, James F. 詹姆斯·F. 哈利戴
Hall, Andrew 安德鲁·霍尔
Halleck, Henry W. 亨利·W. 哈勒克
Hamlin, Hannibal 汉尼拔·哈姆林
Hammack 哈马克
Hammerstein 哈默斯坦
Hammond, William Alexander 威廉·亚历山大·哈蒙德
Hancock, Winfield Scott 温菲尔德·斯科特·汉考克
Hansell 汉塞尔
Hardin, Martin D. 马丁·D. 哈丁
Harlan, James 詹姆斯·哈伦
Harris, Ira 艾拉·哈里斯
Hartnett, Catharine 凯瑟琳·哈特尼特
Hartranft, John F. 约翰·F. 哈特兰夫特
Harvey 哈维
Haupt, Herman 赫尔曼·豪普特
Havelock, Henry 亨利·哈夫洛克
Hawk, Harry 哈里·霍克
Hawthorne 霍桑
Hay, John 约翰·海
Hayes, Rutherford B. 卢瑟福·B. 海斯
Heintzelman, Samuel P. 塞缪尔·P. 海因策尔曼
Helm, Benjamin Hardin 本杰明·哈丁·赫尔姆
Henry, Joseph 约瑟夫·亨利
Hermann 赫尔曼
Herndon 赫恩登
Herold, Davy 戴维·赫罗尔德
Hess 赫斯
Hickman, John 约翰·希克曼
Hicks 希克斯
Hitchcock, Ethan Allen 伊桑·艾伦·希契科克
Hobbes 霍布斯

Holmes, Oliver Wendell 奥利弗·温德尔·霍姆斯
Holt, Joseph 约瑟夫·霍尔特
Hooker, Joseph 约瑟夫·胡克
Howard, Oliver O. 奥利弗·O. 霍华德
Howe, Albion P. 阿尔比恩·P. 豪
Howe, Julia Ward 朱莉亚·沃德·豪
Hutchinson 哈钦森
Humphrey 汉弗莱
Hunter, David 大卫·亨特

Ingalls, Rufus 鲁弗斯·英戈尔斯
Iverson 艾弗森

Jackson, Andrew 安德鲁·杰克逊
Jackson, James 詹姆斯·杰克逊
Jackson, Thomas J. 托马斯·J. 杰克逊
Jefferson, Joe 乔·杰斐逊
Jefferson, Thomas 托马斯·杰斐逊
John, Peanut 皮纳特·约翰
Johnson, Andrew 安德鲁·约翰逊
Johnson, Reverdy 雷弗迪·约翰逊
Johnson, William H. 威廉·H. 约翰逊
Johnston, Joseph E. 约瑟夫·E. 约翰斯顿
Joinville 若因维莱
Jones, Avonia 阿旺尼亚·琼斯
Jordon, Thomas 托马斯·乔丹
Jost 约斯特
Julian 朱利安

Kearny, Phil 菲尔·卡尼
Keckley, Elizabeth 伊丽莎白·凯克利
Keene, Laura 劳拉·基恩
Kelly, Dave 戴夫·凯利
Kennedy, John F. 约翰·F. 肯尼迪
Kettles, Willie 威利·凯特尔斯
Key, Philip Barton 菲利普·巴顿·凯
Keyes 凯斯
King, Horatio 霍雷肖·金
Klotz 克洛茨

Lamon, Ward Hill 沃德·希尔·拉蒙
Lanahan, Michael 迈克尔·拉纳汉
Lander, Frederick W. 弗雷德里克·W. 兰德
Lane, Harriet 哈里特·莱恩
Lane, James H. 詹姆斯·H. 莱恩
Larooqua 拉鲁库娃
Laury 劳里
Lee, Fannie 范妮·李
Lee, Robert E. 罗伯特·E. 李
Leonard, Newton 牛顿·伦纳德
Letcher 莱彻
Letterman, Jonathan 乔纳森·莱特曼
Leutze 洛伊泽
Limburg, von 冯·林堡
Lincoln, Abraham 亚伯拉罕·林肯
Lincoln, Edward Baker 爱德华·贝克·林肯
Lincoln, Willie 威利·林肯
Lind, Jenny 珍妮·林德
Logan, John A. 约翰·A. 洛根
Longstreet 朗斯特里特
Louise 路易丝
Lovejoy 洛夫乔伊
Lowe, Thaddeus 撒迪厄斯·洛
Lynch, Alethia 阿莱西娅·林奇
Lyons 莱昂

Magruder, John 约翰·马格鲁德
Mahony, Dennis 丹尼斯·马奥尼
Maillard 梅拉德
Mansfield, Joseph 约瑟夫·曼斯菲尔德
Marcy, Randolph B. 伦道夫·B. 马西
Mason 梅森
Mathews, Nelly 内利·马修斯
Matthews, John 约翰·马修斯
Martindale, John A. 约翰·A. 马丁代尔

McCarty 麦卡蒂
McClellan, George B. 乔治·B. 麦克莱伦
McClure 麦克卢尔
McCook, Alexander M. 亚历山大·M. 麦库克
McCook, Daniel 丹尼尔·麦库克
McCormick, Cyrus 赛勒斯·麦考密克
McCulloch, Ben 本·麦克库罗奇
McCullough, John 约翰·麦卡洛
McDowell, Irvin 欧文·麦克道尔
McKay, John E. 约翰·E. 麦凯
McKinley, William 威廉·麦金利
McNerhany 麦克纳哈尼
McPherson, James M. 詹姆斯·M. 麦克弗森
McVay 麦克威
Meade, George G. 乔治·G. 米德
Meagher, Thomas Francis 托马斯·弗朗西斯·马尔
Meigs, Montgomery 蒙哥马利·麦格斯
Mercier 梅西耶
Merrick, William M. 威廉·M. 梅里克
Merritt 梅里特
Merryman, John 约翰·梅里曼
Miles, Dixon S. 迪克逊·S. 迈尔斯
Millard 米勒德
Mills, Clark 克拉克·米尔斯
Mitchell, Maggie 马吉·米切尔
Morris, Augusta 奥古斯塔·莫里斯
Morrissey, John 约翰·莫里西
Morsell 莫塞尔
Morton, Oliver P. 奥利弗·P. 默顿
Mosby, John S. 约翰·S. 莫斯比
Mountain, John La 约翰·拉蒙顿
Mudd, Samuel 塞缪尔·马德
Mulloy, William 威廉·马洛伊
Murphy, John 约翰·墨菲

Nast, Thomas 托马斯·奈斯特
Ned 内德
Neill, John 约翰·尼尔
Nell 内尔
Nelson 尼尔森
Newton, Isaac 艾萨克·牛顿
Newton, John 约翰·牛顿
Nicholls, Edwin 埃德温·尼科尔斯
Nicolay, John George 约翰·乔治·尼古拉
Nightingale, Florence 弗洛伦斯·南丁格尔
North, Samuel 塞缪尔·诺斯

O'Beirne, James R. 詹姆斯·R. 奥贝恩
O'Brien, Fitz James 菲茨·詹姆斯·奥布赖恩
Offutt, William H. 威廉·H. 奥法特
Oglesby, Richard 理查德·奥格尔斯比
O'Laughlin, Michael 迈克尔·奥劳克林
Olin 奥林
Olmsted, Frederick Law 弗雷德里克·劳·奥姆斯特德
Onderdonk 安德多克
Ould, Robert 罗伯特·乌尔德

Paine, Thomas 托马斯·潘恩
Palmerston 帕默斯顿
Parke 帕克
Parker, John F. 约翰·F. 帕克
Patterson, Robert 罗伯特·帕特森
Payne, Lewis 刘易斯·佩恩
Pierrepont, Edwards 爱德华兹·皮尔庞特
Peach, Gibson 吉布森·皮奇
Pendleton 彭德尔顿
Persico 佩西科
Phillips, George W. 乔治·W. 菲利普斯
Phillips, Philip 菲利普·菲利普斯
Phillips, Wendell 温德尔·菲利普斯
Pierce, Franklin 富兰克林·皮尔斯

Pinkerton, Allan 阿伦·平克顿
Piper 派珀
Pleasonton, Alfred 阿尔弗雷德·普来曾顿
Pomeroy 波默罗伊
Poole 普尔
Poore, Benjamin Perley 本杰明·珀利·普尔
Pope, John 约翰·波普
Porter, Andrew 安德鲁·波特
Porter, David D. 戴维·D. 波特
Porter, Fitz-John 菲兹–约翰·波特
Potter, John F. 约翰·F. 波特
Porter, Horace 霍勒斯·波特
Powell, Lewis 刘易斯·鲍威尔
Pryor, Roger A. 罗杰·A. 普赖尔

Quirk, Patrick 帕特里克·夸克

Rathbone 拉思伯恩
Raybold 雷波尔德
Rayford, Thomas John 托马斯·约翰·雷福德
Reed, James 詹姆斯·里德
Reeder 里德
Renfrew 伦弗鲁
Reynolds, John F. 约翰·F. 雷诺兹
Rice, Henry M. 亨利·M. 赖斯
Ricketts, James B. 詹姆斯·B. 里基兹
Riddle, Albert G. 阿尔伯特·G. 里德尔
Riggs 里格斯
Roberdeau 罗伯杜
Roberts, Maude 莫德·罗伯茨
Rosecrans, William S. 威廉·S. 罗斯克兰
Rucker, Daniel H. 丹尼尔·H. 拉克
Russell, William Howard 威廉·霍华德·拉塞尔

Safire, William 威廉·萨菲尔
Sala, George Augustus 乔治·奥古斯塔斯·萨拉
Salm-Salm, Felix 费利克斯·萨尔姆–萨尔姆
Sam, Edward 爱德华·萨姆
Sandford, Charles W. 查尔斯·W. 桑德福
Scala 斯卡拉
Schaeffer 舍弗尔
Schenck, Robert C. 罗伯特·C. 申克
Schleiden 施莱登
Schuman 舒曼
Schurz, Carl 卡尔·舒尔茨
Scott, Dred 德雷德·斯科特
Scott, Thomas A. 托马斯·A. 斯科特
Scott, Winfield 温菲尔德·斯科特
Seaton 西顿
Sedgwick, John 约翰·塞奇威克
Seldner 塞尔德纳
Seward, William H. 威廉·H. 西华德
Seymour, Horatio 霍雷肖·西摩尔
Shaunnessy, Mary 玛丽·肖内西
Sheldon 谢尔登
Sheridan, Phil 菲尔·谢里登
Sherman, William Tecumseh 威廉·特库姆塞·谢尔曼
Sickles, Daniel E. 丹尼尔·E. 西克尔斯
Sigel, Franz 弗朗茨·西格尔
Simms, Joe 乔·西姆斯
Slidell 斯莱德尔
Slocum, Henry W. 亨利·W. 斯洛克姆
Smith, Baldy 鲍尔迪·史密斯
Smith, Caleb B. 凯莱布·B. 史密斯
Smithson, William T. 威廉·T. 史密森
Sothern 萨森
Southworth 索思沃思
Spangler, Edward 爱德华·斯潘格勒
Speed, James 詹姆斯·斯皮德
Spinner 斯平纳
Sprague, William 威廉·斯普拉格
Stackpole, Thomas 托马斯·斯塔克波尔

Stanton, Edwin M. 埃德温·M. 斯坦顿
Staples, John Summerfield 约翰·萨姆菲尔德·斯特普尔斯
Stevens, Thaddeus 撒迪厄斯·史蒂文斯
Stewart 斯图尔特
Stoddard, William O. 威廉·O. 斯托达德
Stoeckl 斯托克尔
Stone, Charles P. 查尔斯·P. 斯通
Stoneman, George 乔治·斯通曼
Strong, Robert 罗伯特·斯特朗
Stuart, Jeb 杰布·斯图尔特
Sturgis 斯特吉斯
Sumner, Charles 查尔斯·萨姆纳
Sumner, Edwin V. 埃德温·V. 萨姆纳
Surratt, John 约翰·萨拉特
Sweet 斯威特
Syle 西勒

Taney 坦尼
Tassara 塔萨拉
Taylor, Bayard 贝亚德·泰勒
Taylor, Tom 汤姆·泰勒
Tennyson 丁尼生
Thackeray 萨克雷
Thaddeus 撒迪厄斯
Thomas, George H. 乔治·H. 托马斯
Thomas, Lorenzo 洛伦佐·托马斯
Thompson, Jacob 雅各布·汤普森
Thornton 桑顿
Tocqueville 托克维尔
Todd, David 戴维·托德
Todd, Lockwood 洛克伍德·托德
Toney 托尼
Toombs 图姆斯
Totten, Joseph G. 约瑟夫·G. 托滕
Townsend, George Alfred 乔治·阿尔弗雷德·汤森
Train, George Francis 乔治·弗朗西斯·特雷恩
Trenchard, Asa 阿萨·特伦查德
Trollope, Anthony 安东尼·特罗洛普
Trumbull 特朗布尔
Turner, Ella 埃拉·特纳
Twiggs, David 大卫·特威格斯
Tyler, Daniel 丹尼尔·泰勒
Tyler, John 约翰·泰勒

Usher, John 约翰·厄舍

Valkenburg, Van 范·瓦尔肯伯格
Varnum, Joseph Bradley 约瑟夫·布拉德利·瓦纳姆
Verdi 威尔第
Vidal, Gore 戈尔·维达尔
Villard, Henry 亨利·维拉德

Wade, Benjamin F. 本杰明·F. 韦德
Wadsworth, James S. 詹姆斯·S. 沃兹沃思
Wallace, Lew 卢·华莱士
Wallace, William 威廉·华莱士
Wallach, Douglas 道格拉斯·沃勒克
Wallach, Richard 理查德·沃勒克
Wallack 沃雷克
Walworth, Mansfield T. 曼斯菲尔德·T. 沃尔沃思
Walworth, Reuben H. 洛伊本·H. 沃尔沃思
Ward, Artemus 阿蒂默斯·沃德
Warren, Gouverneur K. 古弗尼尔·K. 沃伦
Washburne, Elihu B. 伊莱休·B. 沃什伯恩
Washington, George 乔治·华盛顿
Watson, Peter H. 彼得·H. 沃森
Watt, John 约翰·瓦特
Webb, James Watson 詹姆斯·沃森·韦布

Webster, Daniel 丹尼尔·韦伯斯特
Weed, Thurlow 瑟洛·威德
Weichmann, Louis 路易斯·韦克曼
Welles, Gideon 吉迪恩·韦尔斯
Welsh, Mary 玛丽·韦尔什
Westfall 韦斯特福尔
White, Clement 克莱门特·怀特
Whitman, Walt 沃尔特·惠特曼
Wigfall 威格福
Wikoff, Henry 亨利·威科夫
Wilkes 威尔克斯
Willard, Joseph 约瑟夫·威拉德
Willis 威利斯
Wilson, Henry 亨利·威尔逊
Windle, Mary Jane 玛丽·简·温德尔
Winthrop, Theodore 西奥多·温思罗普
Withers 威瑟斯
Wood, Fernando 费尔南多·伍德
Wood, Robert C. 罗伯特·C. 伍德
Wood, William P. 威廉·P. 伍德
Wool, John E. 约翰·E. 伍尔
Wormley 沃姆利
Wright, Horatio 霍雷肖·赖特
Wyman 怀曼